Will Staeger

Public Enemy

Thriller

Aus dem Amerikanischen
von Leo Strohm

blanvalet

Die amerikanische Originalausgabe erschien 2006
unter dem Titel »Public Enemy« bei William Morrow,
an imprint of HarperCollinsPublishers, New York.

Verlagsgruppe Random House FSC-DEU-0100
Das für dieses Buch verwendete FSC-zertifizierte Papier
Holmen Book Cream
liefert Holmen Paper, Hallstavik, Schweden.

1. Auflage
Deutsche Erstveröffentlichung Juli 2009 bei Blanvalet,
einem Unternehmen der Verlagsgruppe
Random House GmbH, München.

Umschlaggestaltung: HildenDesign, München
Umschlagmotiv: HildenDesign, unter Verwendung von Motiven
von iStockphoto / clintspencer + iStockphoto / Lee Pettet
Redaktion: Sabine Wiermann
ES · Herstellung: RF
Satz: Buch-Werkstatt GmbH, Bad Aibling
Druck und Einband: GGP Media GmbH, Pößneck
Printed in Germany
ISBN: 978-3-442-36704-7

www.blanvalet.de

Für Sophie und Brick

1

Er drückte auf den Schalter und setzte damit die Kakophonie in Gang. Das große Tor senkte sich, die Zahnräder wälzten sich unter großem Getöse über die metallenen Zwillingsschienen, und dann war es vorbei, und er stand in der Stille und in der Dunkelheit. Für einen Moment überlegte er, ob er den Henkel seines Kaffeebechers einfach loslassen sollte. Der Keramikbecher würde auf dem Betonboden zerschellen, und der lauwarme Kaffee würde eine Pfütze bilden, die niemand mehr aufwischen würde. Doch er ließ den Becher nicht fallen. Stattdessen ging er durch die Düsternis zum Lichtschalter, und wenige Sekunden später tauchten die Leuchtstofflampen an der Decke die Garage in einen diffusen, mondlichtartigen Schimmer.

Die eine Hälfte der Garage wurde von einem schwarzen Chevy Blazer beherrscht. Vor der gegenüberliegenden Wand türmten sich Kunstdüngersäcke in mehreren Reihen fast bis an die Decke. Neben dem Dünger standen Säcke mit Rasensamen und Humus, und vor die Säcke waren zwei Dutzend rote Zwanzig-Liter-Benzinkanister geschoben worden.

Der Mann trat vor die Werkbank im hinteren Teil der Garage. Mit Hilfe einer Zange, eines Kreuzschlitz-Schraubenziehers sowie einer Lötpistole schob er etwas in sieben verbeulte, schmale Messingrohre und sorgte dafür, dass die Füllung fest und sicher fixiert war. Das nahm etwa zwanzig Minuten in

Anspruch. Als er fertig war, legte er die sieben gefüllten Rohre feinsäuberlich nebeneinander auf die Werkbank.

Sein nächster Schritt hätte bei seiner Frau bestimmt großes Entsetzen ausgelöst, aber vermutlich aus einem anderen Grund als dem eigentlich angemessenen. Er griff nach seinem Anglermesser, schlitzte jeden einzelnen Düngersack auf und kippte dessen Inhalt in den Kofferraum im Heck des Wagens. Den Humus und die Grassamen ließ er unangetastet. Als der hintere Teil des Geländewagens fast bis an die Decke gefüllt war, nahm er eine Trittleiter vom Haken an der Wand, stellte sie an der Beifahrerseite des Blazer auf und kippte den restlichen Dünger durch das Schiebedach ins Wageninnere, sodass die Ledersitze, auf denen seine Frau so unbedingt bestanden hatte, unter einer einen Meter dicken Schicht aus Ammonium-Nitrat-Kügelchen verschwanden.

Er drückte noch einmal gegen die Heckklappe und versicherte sich, dass auch die Seitentüren fest geschlossen waren. Dann schleppte er, so wie zuvor die Düngersäcke, jeden einzelnen Zwanzig-Liter-Kanister mit Treibstoff von seinem Standort an der Wand bis zu der Trittleiter und dann die Leiter hinauf, um den gesamten Inhalt in einem obszönen Akt durch das Schiebedach ins Wageninnere zu schütten. Schnell stank es in der Garage nach Dieselgasen.

Er nahm die verbeulten Messingrohre und verteilte sie durch das Schiebedach hindurch gleichmäßig im Fahrzeug. Dann, noch während er auf der Trittleiter stand, holte er die Türschlossfernbedienung aus seiner Hosentasche und drückte auf eine Taste. Das Schiebedach fuhr zu, und die Blinker zuckten einmal, als die Türen sich laut schnappend verriegelten.

Er ging zurück ins Haus und sah ein Feuerwehrauto aus Plastik unter dem Küchentisch stehen, holte das Spielzeug hervor und brachte es zurück ins Kinderzimmer.

Von der Küche führte eine Treppe hinunter in den Keller.

Dort angekommen, öffnete er die obere Tür der betagten Kühl-Gefrier-Kombination, in der ausschließlich Limonade und Bier aufbewahrt wurden. Er holte seinen treuen Kreuzschlitzschraubenzieher aus der Tasche und löste damit zehn Schrauben im Boden des Gefrierabteils. Als das geschafft war, schob er die Hand unter die Platte, die er soeben gelöst hatte, und holte einen Metallbehälter hervor, der ungefähr die Größe einer Schuhschachtel besaß. Er stellte die Zahlenkombination ein, mit der sich das Schloss öffnen ließ, und klappte den Deckel auf. Darunter kamen vierzehn Reagenzgläser zum Vorschein, die alle mit einem mit Wachs versiegelten Korken verschlossen waren.

Er steckte zwei Reagenzgläser ein, klappte den Behälter wieder zu und schob ihn zurück in sein Versteck.

In der Küchenspüle hielt er die Gläser so lange unter das warme Wasser, bis die kalte Substanz etwas weniger zähflüssig wurde. Dann steckte er die beiden Reagenzgläser wieder ein und kehrte in die Garage zurück. Vor der Werkbank brach er das Siegel des ersten Glases, nahm den Korken ab und konnte nun den gallertartigen tiefblauen Inhalt erkennen. Fast regungslos stand er da und beobachtete, wie das Licht der Leuchtstofflampen von der Oberfläche der Flüssigkeit reflektiert wurde. Diesen Teil seines Vorhabens hatte er in Gedanken mindestens zehntausendmal durchgespielt und war jedes Mal zu der gleichen Schlussfolgerung gekommen wie jetzt.

Er hatte keine andere Wahl.

Er nahm das Reagenzglas in die rechte Hand, hob das winzige Gefäß an die Lippen, warf den Kopf in den Nacken und schluckte die geschmacklose Lösung mit einem einzigen Schluck hinunter. Er legte das Reagenzglas auf die Werkbank zurück und blieb annähernd fünf Minuten lang regungslos stehen, während sein Magen vernehmlich grummelnd gegen den abstoßenden Trank protestierte, den er verdauen sollte. Das zweite Reagenzglas ließ er in seiner Tasche stecken.

Dann nahm er aus einem offenen Karton auf der Werkbank das letzte Gerät, das er an diesem Tag brauchen würde: ein kleines, schwarzes Kästchen mit einem grünen Kippschalter. Es war ungefähr so groß wie die Türschlossfernbedienung seines Wagens, war jedoch, was Form und Zweck betraf, deutlich einfacher ausgelegt.

Mit Hilfe der Trittleiter kletterte er auf das Dach des Blazer und streckte sich mit dem Gesicht nach unten auf dem kühlen Blech aus. Die schwarze, kleine Fernbedienung lag in seiner rechten Hand. Er schaute sie an und legte den Daumen auf den Kippschalter.

Um gar nicht erst erneute Zweifel oder Unsicherheiten aufkommen zu lassen, legte er den Kippschalter um und machte die Augen zu.

In dem Augenblick unmittelbar vor seinem Tod dachte er noch, dass er der erste Märtyrer seiner Art sein würde. Vielleicht würde es nie jemand erfahren. Vielleicht würde seine Flaschenpost gar nie geöffnet werden, vielleicht würde sich niemand einen Reim darauf machen können. Vielleicht würden seine Frau und sein Sohn, falls die Wahrheit jemals ans Licht kam, ihn verstehen, vielleicht auch nicht. Aber das spielte keine Rolle. Er wusste, dass er eine gottgefällige Tat beging und dass sein Handeln richtig und notwendig war.

An diesem Punkt wurden seine Gedanken abrupt beendet. Der Mann wurde, zusammen mit dem Blazer und dem Großteil des ihn umgebenden Hauses, von einer plötzlichen, brachialen, übel riechenden Eruption aus Feuer, schwarzem Ruß und brennenden Gebäudeteilen zerfetzt. So gewaltig war die Wirkung der Explosion, dass sie fast zwei komplette Straßenzüge der Vorstadtsiedlung, in der der Mann und seine Familie ein Haus besessen hatten, dem Erdboden gleichmachte.

2

Powell Keeler III., von seinen Freunden einfach nur Po genannt, steuerte die fünfundvierzig Meter lange Trinity-Motorjacht, die nicht ihm gehörte, parallel zum bogenartigen Verlauf der Kleinen Antillen durch das Karibische Meer. Vor vier Tagen war er im Caracas Yacht Club aufgebrochen und hatte sich Zeit gelassen. Das war die Absprache mit seinem Klienten gewesen, einem alten Bekannten aus der Highschool und gleichzeitig Besitzer der Jacht. Po hatte den Auftrag unter einer Bedingung angenommen:

Keine Eile.

Sein Klient brauchte jemanden, der die Trinity zurück nach Florida brachte, da er nach einer sechswöchigen Familienkreuzfahrt durch die Karibik mit dem Boot nicht auch noch nach Hause fahren wollte. Als Po von dieser Zwickmühle Wind bekommen hatte, hatte er, der zufälligerweise lizensierter Jacht-Überführer war, angeboten, ihm diesen Gefallen zu tun – unter der Voraussetzung, dass sein alter Kumpel ihm einen Vorschuss gewährte, der das Benzingeld, eine symbolische Überführungsgebühr sowie ausreichend Bargeld umfasste, um eine Monatsprämie für die Versicherung abzudecken, die Po als Bedingung für seine Lizenz hatte abschließen müssen.

Sobald sein alter Kumpel eingewilligt hatte, war Po unverzüglich nach Venezuela aufgebrochen.

Jetzt stand er am Ruder und ließ die Jacht auf nordwestlichem Kurs rund neun Seemeilen östlich von Virgin Gorda dahingleiten. Es war noch früh, und am dunklen Horizont war nur ein schmaler Streifen orangefarbenes Sonnenlicht zu sehen. Das Meer war ruhig. Po hatte beschlossen, die British Virgins mit ihren endlos aufeinanderfolgenden Riffen und Untiefen zu meiden und freute sich schon jetzt auf das abendliche

Rendezvous mit den Bikini-Mädchen, die bekanntermaßen rund um den zentralen Swimmingpool des Atlantis Resort auf Paradise Island in den Bahamas anzutreffen waren.

Die Trinity war mit zwei Furuno FR 2115/6 Radareinheiten ausgestattet. Po hatte sich bereits bei einem etwas länger zurückliegenden Auftrag mit der Funktionsweise dieser Geräte vertraut gemacht. Das bedeutete unter anderem, dass ihm vollkommen klar war, was seine Instrumente ihm in diesem Augenblick mitteilen wollten.

Vier Schiffe, eines davon deutlich größer als die Trinity, lagen direkt auf seinem Kurs. Die kleine Flotte befand sich rund viereinhalb Seemeilen nördlich von seiner Position, wobei die beiden kleinsten Boote noch etwas näher waren als die anderen. Das Radarsystem hatte außerdem ungefähr auf halber Strecke zwischen der Trinity und der Flotte ein Luftfahrzeug gemeldet, das nicht besonders schnell unterwegs war.

Ein Hubschrauber.

Vor fünf Minuten hatte Po in großer Höhe einen weiteren Fleck am langsam heller werdenden Himmel entdeckt. Diese Entdeckung hatte ihm eine ziemlich konkrete Vorstellung davon verschafft, was das für ein Flugzeug war, und das wiederum verschaffte ihm eine ziemlich konkrete Vorstellung davon, was es mit dieser Bootsflotte und dem Begleithubschrauber auf sich hatte.

Der »Fleck« war ein P-3 Orion Überwachungsflugzeug. Die Flugzeugbesatzung hatte wohl seinen frühmorgendlichen Aufbruch in Anguilla bemerkt, hatte seine Route verfolgt, zwei und zwei zusammengezählt und das Schlimmste vermutet – wie es von einer in dieser Region stationierten Drogenbekämpfungsflotte der US-Küstenwache zu erwarten war. Die Aufgabe der Flotte bestand darin, die allem Anschein unendlich vielen Schnellboote auf dem Weg nach Florida oder anderen Zielen im Norden aufzuhalten, zu beschlagnahmen oder zu versenken. An einem normalen Tag versuchten mindestens drei dieser Schnellboote – superschnelle Rennboote mit umgerüsteten Frachtluken, in denen bis zu zwei Tonnen Kokain befördert werden konnten –, aus dem Gebiet der Großen und Kleinen Antillen zum Festland der Vereinigten Staaten zu gelangen.

Im Durchschnitt fing die Küstenwache zwei von drei Booten ab.

Po wusste genau, wie man mit diesen Drogenfahndern umgehen musste, auch wenn sie bei ihm an der falschen Adresse waren. Das Problem – abgesehen von der geheimen Fracht im Bauch der Trinity, die er nach Naples transportieren sollte – bestand darin, dass man im Grunde genommen verloren war, wenn man sich von der Küstenwache in internationalen Gewässern schnappen ließ, da das US-Ministerium für Heimatschutz sich das Recht herausnahm, jedes »verdächtige« Boot in diesen Gewässern zu beschlagnahmen und zu versenken, ganz egal, ob bewiesen war, dass das betreffende Boot Schmuggelware an Bord hatte oder nicht. Dabei wurde die sofortige Zerstörung des Bootes eindeutig favorisiert. Durch diese Maßnahme reduzierten die Sondereinsatzkräfte den Bestand an Schmugglerbooten, die sie zu bekämpfen hatten. Außerdem sparten sie sich so die Zeit, die es kostete, um die beschlagnahmten Boote nach San Juan oder Miami zu schleppen, wo sie in ihre Einzelteile zerlegt und zur Versteigerung freigegeben wurden.

Po vergrößerte den Bildausschnitt auf seinem Radarschirm und stellte nun fest, dass eines der kleineren Boote beschleunigt hatte und sich relativ zügig der Trinity näherte.

Er sah, dass auch der Hubschrauber ihn mittlerweile bemerkt hatte.

Po stellte den Gashebel seiner Jacht auf volle Kraft, drehte das Ruder eine Vierteldrehung nach backbord und zog einen engen Bogen, um die offenen Gewässer des Atlantik zu verlassen und in die Hoheitsgebiete der British Virgin Islands zu gelangen. Ohne dringenden Tatverdacht durften die Drogenfahnder der US-Küstenwache in den Gewässern von NATO-Verbündeten – also zum Beispiel den British Virgin Islands, Martinique oder Montserrat – ein Schiff nur mit ausdrücklicher Genehmigung des Kapitäns betreten und durchsuchen. Und dann war es in erster Linie Zeitverschwendung, da die US-Küstenwache auf fremdem Staatsgebiet keinerlei offizielle Befugnis hatte und auch niemanden festnehmen konnte. In Gewässern von NATO-Verbündeten verfuhren die Jäger daher in der Regel so, dass sie das entsprechende Schiff am Weiterfahren hinderten und die zuständigen Behörden alarmierten, die dann die Festnahme und die Beschlagnahmung übernahmen.

Mit einem beruhigenden Vorsprung von zwei Seemeilen vor seinen Verfolgern ließ Po die Trinity durch den Sir Francis Drake Channel brausen und steuerte auf die einladenden Hafenmauern von Road Harbor zu. Die Bucht grenzte direkt an Road Town, Tortola an, die Hauptstadt der British Virgins.

Po dachte, dass die einheimischen Frühaufsteher und die zahlreichen Touristen auf der einwohnerstärksten Insel der BVIs zumindest die Wahrscheinlichkeit verringerten, dass die Sondereinheit der US-Küstenwache ihn irgendwie aufs Kreuz legte.

Als das erste der beiden sieben Meter langen Jagd-Schlauchboote der Küstenwache unter Begleitung eines MH-68A Stingray-Hubschraubers Po Keeler und die Jacht seines Klienten erreicht hatte, da befanden sie sich kurz hinter dem Felsvorsprung, der Road Harbor vor den hohen Wellen des Sir Francis Drake Channels schützte. Die sich anschließende Begegnung wäre vielleicht auf ganz und gar zivilisierte Weise verlaufen, wäre da nicht die Bedingung eines zweiten Klienten gewesen, die dieser Po im Zusammenhang mit der Beförderung der acht großen Frachtbehälter diktiert hatte, die sich im Augenblick im Laderaum der Trinity befanden.

Die Fracht sollte auf ihrer Reise von Caracas in den Heimathafen der Jacht in Naples, Florida, von zwei Männern begleitet werden, die Pos zweiter Klient als »Sicherheitspersonal« bezeichnet hatte. Dieses Sicherheitspersonal besaß nach Angaben des Klienten sämtliche notwendigen Papiere und Genehmigungen – mit anderen Worten: Es handelte sich zwar um Venezolaner, die kein Wort englisch sprachen, aber angeblich trugen ihre Reisepässe einen Stempel des US-Außenministeriums, mit dem sie problemlos durch die Grenzkontrollen gelangen sollten. Der Klient hatte Po versichert, dass das »Sicherheitspersonal« ihm nicht in die Quere kommen würde und die Anweisung erhalten hatte, ihn vollkommen in Ruhe zu lassen. Die beiden hatten ihren eigenen Proviant mitgebracht, hatten versprochen, sich nur in ihren Kabinen aufzuhalten, und sich bereit erklärt, das Boot unter keinen Umständen zu verlassen.

Po nutzte seine Überführungsfahrten regelmäßig für illegale Transporte, die eine zusätzliche Einnahmequelle darstellten. Dabei hielt er sich streng an drei Grundregeln: keine Drogen, keine Waffen, kein Sprengstoff. Zwar hatte er sich noch nie zuvor bereit erklärt, »Sicherheitspersonal« mit an Bord zu nehmen, doch der Venezolaner, der sein zweiter Klient geworden war, bezahlte sehr gutes Geld – und seine Fracht, was immer es sein mochte, entsprach ansonsten Pos Spielregeln. Also hatte sich Po, trotz eines etwas unguten Gefühls und überwiegend unter dem Einfluss eines großzügigen Vorschusses in bar, auf den Handel eingelassen und hatte dabei zugesehen, wie die acht Behälter und das zweiköpfige »Sicherheitspersonal« vom Pier des Caracas Yacht Clubs in den Rumpf der Trinity geschafft worden waren. Die beiden Männer waren an Bord geschlichen, ohne ihn auch nur anzusehen, und hatten seither keinen Mucks von sich gegeben.

Das geduckte Schnellboot mit Schlauchrumpf, ausgestattet mit kaum mehr als einem fest montierten Maschinengewehr, war ein so genanntes OTH, ein »Over the Horizon«. So wurden diese Boote genannt, weil sie mit enormer Geschwindigkeit »über dem Horizont« auftauchen konnten. Dieses OTH war mit vier Soldaten bemannt. Einer stand hinter dem Maschinengewehr, dessen Lauf ungefähr in Po Keelers Richtung zeigte. Zwei standen auf der der Jacht zugewandten Seite des OTH und hielten die Hände über ihren Waffen wie zwei Wild-West-Cowboys unmittelbar vor einem Duell. Der vierte sprach in ein Handmikrofon, und seine Stimme drang aus zwei Lautsprechern, die, das konnte Po erkennen, am Bug und am Heck des Bootes montiert waren.

»Hier spricht die Sondereinheit der US-Küstenwache, Distrikt sieben!«, sagte der Beamte. Seine Stimme drang scharf und schrill aus den Lautsprechern des OTH und war trotz des hinter der Jacht dröhnenden Stingray-Hubschraubers so laut, dass Po Ohrenschmerzen bekam. »Erbitte Erlaubnis zum Betreten Ihres Schiffes!«

Der Stingray wurde von einer Windbö geschüttelt.

Po kam über die Treppe von der Brücke auf das Deck herunter. Er achtete darauf, seine beiden Arme etwas vom Körper weg zu halten, legte die rechte Hand zu einem militärischen Gruß an die Stirn, zeigte den Beamten der Sondereinheit seine beiden nach oben gereckten Daumen und winkte sie an Bord.

Während zwei Soldaten sich bereit machten, von dem OTH auf die Trinity überzusetzen, drehte sich Po ein klein wenig zur Seite. Dadurch konnte er etwas sehen, was den Soldaten verborgen war. Der Anblick bewirkte, dass das magengeschwürartige Brennen, das sich bereits zuvor bemerkbar gemacht hatte – und zwar genau von dem Augenblick an, als das »Sicherheitspersonal« an Bord seines Bootes geschlichen war –, urplötzlich in seine Eingeweide sackte und dort explodierte.

Zunächst waren nur ihre kohlrabenschwarzen Haare zu sehen, dann tauchte der Kopf des ersten, schließlich auch der des zweiten venezolanischen Schleichers in der Luke auf, die, wie Po wusste, in den Maschinenraum führte. Als die Männer aus ihrem Versteck hervorgekrochen waren und sich aufrichteten, stellte Po fest, dass jeder eine Waffe in der Hand hatte, die massig und schlank zugleich wirkte – massig genug, um Teil einer militärischen Ausrüstung zu sein und schlank genug, um in die Koffer zu passen, die die Drecksäcke an Bord geschleppt hatten.

Po fällte spontan die Entscheidung, das Schiff zu verlassen.

Mit zwei großen Sprüngen gelangte er zu der polierten Chrom-Reling am Bug der Trinity, stellte einen Fuß auf die schimmernde Kante und stieß sich mit aller Kraft ab.

Während Pos Sprungmanöver eigentlich nur als Lebensrettungsmaßnahme gedacht gewesen war, diente es gleichzeitig auch zur Ablenkung der beiden Schützen der Küstenwache – nämlich dem Mann am Bordgewehr des OTH und dem zweiten Mann im Hubschrauber – und verschaffte dadurch den bewaffneten Venezolanern genau den Spielraum, den sie brauchten, um ihr Vorhaben in die Tat umzusetzen.

Mit den Uzis, die sie zerlegt in ihren Koffern an Bord gebracht hatten, nahmen die Männer das Deck des OTH ins Visier und feuerten. Aufgrund ihrer mangelhaften Zielgenauigkeit zerlegten sie dabei zwar einen Großteil des Schlauchrumpfes des Jagdbootes, erledigten aber auch alle vier Crew-Mitglieder, bevor nur ein einziger Schuss auf sie abgegeben worden war.

Die Sinnlosigkeit dieser vorschnellen Initiative wurde jedoch unmittelbar danach schlagartig klar, als nämlich der Bordschütze des Stingray, der durch Pos Sprung in die Tiefe für einen kurzen Moment abgelenkt gewesen war, die beiden Venezolaner mit seiner Fünfzig-Millimeter-Bordkanone ins Visier nahm. Von Schuldgefühlen angesichts seines Versagens bei der Verteidigung seiner Kameraden an Bord des OTH überwältigt, hörte der Schütze nicht auf, Geschoss um Geschoss in die Körper seiner Zielpersonen zu jagen, auch, nachdem sie längst schon tot waren. Dabei zerfetzte er das Heck, die Mitte und schließlich den gesamten Rumpf der Trinity und schleuderte seinen Angreifern dabei ununterbrochen irgendwelche Obszönitäten entgegen. Funken stieben, Rauch stieg empor, und schließlich ging das Heck der Trinity in einem orangeroten Feuerball auf. Im Anschluss an die Explosion stiegen schwarze Wolken in den karibischen Himmel, während die Flammen noch immer an die zehn Meter hoch über dem Bootsdeck wüteten.

Erst nachdem er dieses pyrotechnische Spektakel eine Weile genossen hatte, erinnerte sich der Bordschütze im Hubschrauber wieder an den Mann, der über Bord gesprungen war, und nahm ihn ins Visier.

Mittlerweile brüllte jedoch der Pilot den Schützen über Funk an, damit dieser endlich das Feuer einstellte. Als der Schütze jedoch keine Anstalten machte, seine Befehle zu befolgen, zog der Pilot den Stingray vom Geschehen weg. Nachdem der Mann am Maschinengewehr endlich das Feuer eingestellt hatte, war für den Piloten wie den Schützen eindeutig zu erkennen, dass Po Keeler die Arme zum Zeichen seiner bedingungslosen Kapitulation in die Luft reckte. Praktisch direkt unterhalb des Hubschraubers hielt er sich mühsam über Wasser. Permanent wurde er von den Wellen überspült und versuchte dennoch hustend und keuchend, die Arme so weit wie möglich nach oben zu strecken, um deutlich zu machen, dass er unschuldig war.

Dann kam Keeler mit panischem Hundepaddeln auf den zerschossenen Rumpf des OTH-Jagdbootes zu. Während er sich mit dem einen Arm an Bord hievte, streckte er den anderen immer noch in die Höhe und behielt so die ganze Zeit seine einarmige Geste der Kapitulation bei. Irgendwann war es dann so weit, und er hatte sich umgedreht und seinen Hintern auf dem Dollbord platziert. Nun hob er auch den anderen Arm in die Höhe und ließ, erschöpft und voller Scham, den Kopf auf die Brust sinken.

Von jetzt an folgte der Kommandeur der Sondereinheit genau den Anweisungen, die er für den Fall eines bewaffneten Konfliktes in den Territorialgewässern eines anderen Staates erhalten hatte. Im Anschluss an einen kryptischen Bericht des Stingray-Piloten griff der Kommandeur, der auf der Brücke des Führungsschiffes der Einheit stand, zu einem Satellitentelefon und wählte die Nummer des Oberkommandierenden der Strafverfolgungsbehörden in Road Town.

Der vorgeschriebene Ansprechpartner der US-Küstenwache für alle Aktivitäten im Zusammenhang mit Drogenhändlern auf dem Territorium der British Virgin Islands war der langjährige Chef der Royal Virgin Islands Police Force und frisch ernannte Regierungschef der British Virgin Islands. Trotz seiner herausragenden Stellung als Regierungschef wurde er immer noch bei dem Spitznamen genannt, den er sich selbst gegeben hatte, als er noch eine eher untergeordnete Position in der Polizeihierarchie bekleidet hatte.

Der vollständige Name des vorgeschriebenen Ansprechpartners der Sondereinheit lautete Roy Emerson Gillespie, aber diejenigen, die ihn persönlich kannten – und sogar etliche, die ihn nicht persönlich kannten –, nannten ihn bei seinem selbst gewählten Spitznamen, so wie er am liebsten genannt werden wollte: Cap'n Roy.

3

Cooper musterte seinen Gegner. Eine Sonnenbrille sorgte dafür, dass ihm niemand in die Augen schauen konnte, das langärmelige Seidenhemd sah irgendwie nach Polyester-Mischung aus, und von der Zigarette, die er zwischen seinen Fingern hielt, stiegen Tag und Nacht gekringelte Rauchschwaden auf. Soweit Cooper sich erinnern konnte, hatte der Typ während der vierzig Stunden hier am Tisch kein einziges Mal an seiner Zigarette gezogen, und doch war da immer dieser Rauch, stieg ununterbrochen von der Teilnehmer-Dauerkarte auf, die der Mann am Ende des Filztisches nicht aus den gelben Fingern ließ.

Der Gesichtsausdruck des Mannes blieb immer vollkommen unverändert, ein wenig schmerzverzerrt, fast so, als hätte er eine Maske aufgesetzt, bevor er sich an den Tisch gesetzt hatte. Cooper war schon vorher eine gewisse Ähnlichkeit mit dem Bild aufgefallen, das auf der Rückseite von Tom Clancys Büchern abgebildet war. Während die Schlacht sich immer weiter in die Länge zog, fing er an, sich zu fragen, ob es sich bei dem Mann, der ihm seit mittlerweile zwölf Stunden ununterbrochen das Fell über die Ohren zog, vielleicht tatsächlich um den Bestseller-Autor handelte. Doch dann verwarf er den Gedanken wieder als Täuschungsmanöver seines eigenen übermüdeten und benebelten Geistes.

Von all den talentfreien Mitbewerbern, die es bis an die acht Qualifikationstische geschafft hatten – russische Mafiabosse, aktuelle und ehemalige Wirtschaftskapitäne, sogar ein Staatsoberhaupt war darunter gewesen –, hatte ausgerechnet Cooper diesen geheimnisvollen vierfachen Gewinner der *World Series of Poker* erwischen müssen, der ihn, versteckt hinter einer Tom-Clancy-Gesichtsmaske, aus dem Kasino bluffte. Und das, wo ungefähr achtzig Prozent aller voll zahlenden

Idioten nur deshalb Fidels Angebot – Gratis-Charterflugzeug, freie Verpflegung an Bord eines umgebauten Kreuzfahrtschiffes sowie eine endlose Auswahl an kaffeebraunen Nutten, alles als Gegenleistung für eine einmalige Startgebühr in Höhe von 250 000 US-Dollar – angenommen hatten, um ihr Geld in den *Wind* zu schießen …

Während der ersten, zwölf Stunden dauernden Runde hatten sie mehr oder weniger gemeinsam dafür gesorgt, dass die anderen Mitbewerber die Segel streichen mussten, aber sobald die Amateure abserviert gewesen waren, hatte Clancy angefangen, ihn wie einen Sandsack zu bearbeiten. Das Bemerkenswerte daran war, dass er das mit Hilfe dreier absichtlich geplatzter Bluffs gemacht hatte. Dabei hatte der Gesichtsmasken-Clancy jedes Mal ziemlich große Summen auf ein absolutes Scheißblatt gesetzt und verloren, fast so, als sei das so etwas wie eine Angewohnheit. Und er hatte sorgfältig darauf geachtet, dass Cooper jedes Mal »zufällig« seine Karten sehen konnte, anstatt das Blatt einfach verdeckt beiseitezuschieben. Cooper wusste genau, was er vorhatte – *Siehst du, Kumpel? Jedes Mal, wenn ich einen großen Einsatz mache, dann bluffe ich* –, doch dieses Wissen nützte ihm nicht das Geringste. Das Spiel begann zu kippen, und sein Chips-Stapel schrumpfte wie ein Penis im eiskalten Wasser. Er hatte das Gefühl, als sei er Zuschauer bei einem Eisenbahnunglück. So kam man sich vielleicht vor, wenn man in einem verriegelten Auto mit abgestelltem Motor auf den Schienen stand und das blendend helle Zyklopenauge eines Zuges unbarmherzig näher gerast kam.

Und das alles war nur das Vorspiel für den Schlamassel gewesen, in dem er jetzt im Augenblick steckte.

Mann gegen Mann. Der Sieger würde an den Finaltisch aufrücken, der Verlierer mit zweihundertfünfzig großen Scheinen weniger nach Hause fahren. Vierzig Stunden einer sauer verdienten Halbfinalrunde kulminierten nun in dem größten Topf, den Cooper je zu Gesicht bekommen hatte. Chips in jeder nur denkbaren Farbe bedeckten jeden einzelnen Quadratzentimeter des Filztisches. Clancy hatte soeben Coopers sanfte Zehntausend-Dollar-Erhöhung geschluckt und ihm die nächsten zweihunderttausend aufs Auge gedrückt. Aber natürlich riskierte Clancy nicht etwa alle seine Chips: Der Drecksack hatte immer noch an die vierhunderttausend neben seiner Zigarettenhand stehen und wusste ganz genau, dass seine Erhöhung ausreichte, um Cooper zu einem All-In zu zwingen. Und selbstverständlich zum psychologisch optimalen Zeitpunkt: Cooper hatte jetzt seit etlichen Stunden konstant verloren, und Clancy wusste, dass Cooper nach einem Gewinn lechzte, dass er versucht war, darauf zu spekulieren, dass Clancy wieder einmal so ein Scheißblatt auf der Hand hatte, wie er es ihn so viele Male hintereinander hatte sehen lassen.

Cooper hegte den Verdacht, dass Clancy ein hohes Paar hatte, eine gute Ausgangsposition bei einer Partie Texas Hold'Em mit drei Karten im Flop. Und daher stellte sich die Lage jetzt folgendermaßen dar: Cooper konnte weiterhin auf seinen gut Achtzigtausend sitzen bleiben – sich an den bröckelnden Felsvorsprung klammern, den er vergeblich versucht hatte zu stabilisieren – oder aber aufs Ganze gehen und seinem Gegenspieler die Möglichkeit bieten, ihn von seinem Leiden zu erlösen. Mit den beiden Sechsen, die er auf der Hand hielt, hatte er jedenfalls die gleiche Überlebenschance wie ein Schneeball in Havanna, aber wenn er jetzt nichts riskierte, dann würde es eben noch dreißig Minuten länger dauern, bis ihm die Chips ausgingen.

Cooper schob seine restlichen Chips in den gigantischen Topf, richtete den ausgestreckten Zeigefinger auf seinen Gegner, deutete mit dem Daumen ein Spannen des Hahns an und hielt den Blick auf die Rückseite von Clancys Kartenpaar gerichtet. Dann lagen sie auf dem Tisch, und Cooper betrachtete die farbenprächtigen beiden Könige, die Clancy ein Full House mit Königen und Buben bescherten und gleichzeitig bedeuteten, dass Rauchfaden und Gesichtsmaske an den Finaltisch aufrücken und versuchen durften, das Preisgeld von Texas Hold'Em fünf Millionen abzugreifen, während Cooper mit seinen tödlichen zwei Paaren sich auf den Nachhauseweg machen musste – um rund zweihundertfünfzigtausend Dollar leichter als vor fünf Tagen, als er die Terrasse seines Bungalows hinter sich gelassen hatte.

Nur aus reiner Neugier suchte Cooper ein letztes Mal nach einer Regung im Gesicht seines Gegenübers, als dieser den gewaltigen Chipshaufen einsammelte, suchte nach irgendeinem Anzeichen für Befriedigung, Vergnügen, Rachedurst oder Aufregung. Er konnte nichts entdecken – nur die unverändert maskenhafte, leicht verzerrte Miene.

Den aufsteigenden Zigarettenrauch.

Cooper ging weg.

Er machte ein dreistündiges Nickerchen in der Morgensonne, ohne einen Liegestuhl zu bemühen, legte sich einfach auf ein Handtuch neben den einzigen funktionsfähigen Swimmingpool. Er trug lediglich eine grüne, mit Palmen bedruckte Tommy-Bahama-Shorts und blieb so lange liegen, bis er sich fit genug fühlte, um sich an das Ruder seiner Apache zu stellen, den Bug des Rennbootes in Richtung Osten zu richten und wach zu bleiben, während es ihn nach Hause brachte.

Coopers äußere Erscheinung war eher stark verwittert als sonnengebräunt. Seine tiefbraunen Schultern waren eine einzige Ödnis aus knochentrockener, stark krebsgefährdeter Haut, der Rest seines Körpers vielleicht ein klein wenig heller, aber genauso ausgedörrt. Seine schwarzen Haare hatten in letzter Zeit immer mehr graue Strähnen bekommen, auch wenn sie, seitdem er seine Mähne etwas gestutzt hatte, kaum mehr zu sehen waren. Für die Konkurrenten, die auf dem Deck an ihm vorübergingen, war sein Alter nur schwer zu schätzen: Er hätte vierzig, aber genauso gut auch sechzig Jahre alt sein können, je nachdem, aus welchem Winkel man ihn gerade ansah. Doch wenn er die Augen aufschlug, dann war eines ganz deutlich zu erkennen: W. Cooper – so wurde er allgemein genannt – war ein Mann, der sich schon vor etlichen Jahrzehnten aus dem Leben ausgeklinkt hatte.

Schon im letzten Jahr, bei der Jungfernfahrt, hatte er bei diesem Pokerturnier verloren. Damit hatte er innerhalb von dreizehn Monaten eine schlappe halbe Million versenkt, die er aber im Augenblick noch nicht als Verlust abschreiben wollte: Beim sechsten, siebten Mal vielleicht müsste er eigentlich in der Lage sein zu gewinnen, und dann wäre er angesichts des Preisgeldes rund 3,5 Millionen im Plus. Dazu brauchte es nichts weiter als ein kleines bisschen Glück – und dass Fidel Castro am Leben blieb.

Als er von Castros privatem Turnier erfahren hatte, war ihm sofort klar gewesen, dass er unbedingt teilnehmen wollte. Allerdings war er nominell Angestellter einer Organisation, die nicht unbedingt zu Fidels Freunden zählte, und so hatte er etliche offensichtliche Schwierigkeiten überwinden müssen, um eine Einladung zu erhalten. Um überhaupt die Chance zu erhalten, einen Blick auf die Liste mit all den schäbigen Konkurrenten werfen zu können, die garantiert zu Castros persönlicher Bargeldvermehrungs-Veranstaltung eingeladen wurden. Doch Cooper hatte sich gedacht, dass eine Eintrittskarte jede erdenkliche Mühe Wert war. Auf einer streng geheimen Liste mit Mitarbeitern der Agency auf den Großen Antillen fand er, was er brauchte: den Namen eines Mannes, eines Kubaners, der Mitglied der persönlichen Sicherheitsstaffel Fidel Castros war. Er stand vier oder fünf Zeilen unter seinem eigenen Namen.

Cooper führte ein paar Telefonate und erfuhr, dass irgendjemand in Langley auf Bitten dieses Kubaners die Flucht von dessen Neffen dritten Grades arrangiert hatte, der zufälligerweise eines der größten Baseballtalente des gesamten Landes gewesen war. Nach seiner Fahnenflucht hatte er als Pitcher bei den Florida Marlins einen Sechs-Millionen-Dollar-Vertrag mit einer Laufzeit von drei Jahren unterzeichnet. Cooper hatte damals gedacht, dass der Junge mit diesem Vertrag 5 999 999 mehr Mäuse verdienen konnte, als er in seiner Heimat während seiner gesamten Karriere kassiert hätte. Wobei dieser eine Dollar der Lohn für seinen zweiten Job gewesen wäre, zu dem er nach dem Willen der Revolutionsregierung verpflichtet gewesen wäre.

Cooper hatte ein, zwei Kontakte spielen lassen, hatte die Telefonnummer des kubanischen Sicherheitsbeamten bekommen und hatte den Mann veranlasst, neben all den anderen Verpflichtungen, die er zur Tilgung seiner Schuld gegenüber Amerika übernehmen musste, auch noch den Namen W. Cooper mitsamt einer Postfach-Adresse auf den British Virgin Islands auf die Gästeliste für Fidels Einweihungsturnier zu setzen. Nun musste nur noch eine außergewöhnlich schwere Tasche mit US-Währung – *kleine Scheine bevorzugt,* hatte es auf der Einladung geheißen – übergeben werden, und schon konnte sich Cooper mit etlichen der reichsten Männer messen, die jemals ihre Ehefrauen betrogen haben. Dies geschah mit Hilfe eines anscheinend endlosen Nachschubs an kubanischen Callgirls, die Fidel in den Pausen zwischen den marathonhaften Texas-Hold'Em-Runden auf die Teilnehmer losließ. Als Veranstaltungsort hatte Castro ein aufpoliertes Kreuzfahrtschiff gewählt, das nach den Berichten eines Mitspielers immer wieder von der Legionärskrankheit heimgesucht worden war, so lange, bis der große und renommierte Kreuzfahrtveranstalter, dem es gehörte, das Wasserfahrzeug außer Dienst gestellt und gratis an denjenigen Interessenten abgegeben hatte, der bereit war, eine Verzichtserklärung zu unterzeichnen, die den bisherigen Betreiber von sämtlichen Folgekosten und Rechtsansprüchen befreite.

Nach Coopers Rechnung hatte Ches alter Kumpel Fidel insgesamt zweiundvierzig Teilnehmer angeworben, die ihm, dem letzten noch lebenden Symbol der Weltrevolution, nach Abzug der Kosten für den Umbau des Kreuzfahrtschiffes, für den Transport der Gäste sowie für Essen, Trinken und Frauen, rund fünf Millionen gute, alte US-Dollar in die Tasche gespült hatten. Da war auch das Preisgeld für den Sieger in Höhe von ebenfalls fünf Millionen schon abgezogen.

Gut erholt verließ Cooper seinen Schlafplatz neben dem Swimmingpool und räumte seine Kabine. Er zog ein Tanktop über, schlüpfte in seine neuen Reef-Flipflops und ließ sich von einem von Fidels Schützlingen zu seiner Apache bringen. Er ließ die beiden 850 PS starken GM 572-CID-Turbinen mit MerCruiser-Antrieb aufheulen und schob den Gashebel sofort auf volle Kraft. Mal sehen, wie lange die zwölfeinhalb Meter lange Apache brauchte, um in der ausgesprochen friedlichen Bucht von Havanna von null auf sechzig Knoten zu beschleunigen.

Für die Fahrt nach Hause wählte er eine Route, die nicht nördlich, sondern südlich an Puerto Rico vorbeiführte. So dauerte es etwas mehr als drei Stunden. Danach hatte er erneut das dringende Bedürfnis nach einem Schläfchen. Cooper schwenkte aus den Gewässern des Sir Francis Drake Channel in die Lagune des Conch Bay Beach Clubs ein, eine seichte Bucht, umgeben von weißem Sand, Palmen und den einstmals mit Abstand besten Schnorchelgründen der gesamten Karibik. Die vielen Touristen hatten die einzigartige Faszination der Unterwasserwelt jedoch irgendwie geschmälert.

Normalerweise hätte er es wohl interessant gefunden, dass am dem Club gegenüberliegenden Ufer der Meerenge zwei Kutter der US-Küstenwache vor Anker lagen. So etwas hatte er zwar schon einmal gesehen, aber eben auch nur ein Mal. Heute gab es jedoch, wenn überhaupt, nur eines, an dem er Interesse hatte: an einer langen, von Röcheln und Schnarchen begleiteten Tiefschlafphase.

Er ließ das Beiboot der Apache zu Wasser und ruderte zum Anleger des Beach Clubs. Ohne das Boot festzumachen stieg er an Land. Das überließ er Ronnie, dem Laufburschen des Clubs. Cooper wusste, dass Ronnie dafür alle Aufgaben, die der Mittagsbetrieb im Conch Bay Beach Club Bar & Grill so mit sich brachte, stehen und liegen lassen musste – und falls er es nicht rechtzeitig schaffen sollte, dann war Cooper mehr als gerne bereit, sein Schläfchen um ein paar Minuten zu verschieben und zuzusehen, wie der Lackaffe in die Bucht hinausschwimmen und sein Boot von dort wieder zurückholen musste. Es war sogar denkbar, dass die einheimischen Barracudas durch die Anwesenheit des Lakaien aufgeschreckt wurden und ihn ihre Zähne spüren ließen.

Um zehn Minuten vor zwei hatte Cooper zum ersten Mal nach sechs Tagen wieder festen Boden unter den Füßen, während die sengende karibische Sonne durch die schwüle Suppe, die angeblich Luft sein sollte, auf ihn niederbrannte. Seit Tagen schon hatte er sich diesen Augenblick ausgemalt, und diese Fantasie war der Hauptgrund dafür gewesen, dass er sich während der letzten Phasen seines Mann-gegen-Mann-Duells mit seinem Gesichtsmaskengegner hatte wach halten können. Er hatte sinniert, fantasiert, ja, sogar gelechzt nach einem großen Glas Maker's Mark auf Eis, einem Schwertfisch-Sandwich, einem Korb mit »Conch Fritters«, wie die frittierten Trompetenschneckenbällchen hier genannt wurden, sowie, als absolutes Minimum, achtzehn Stunden Schlaf am Stück.

Aus diesem Grund gab Cooper sich alle erdenkliche Mühe, nicht nur die beiden Marinekutter auf der anderen Seite der Meerenge zu ignorieren, sondern auch das acht Meter lange Patrouillenboot der Royal Virgin Islands Police Force, das am letzten Poller des Beach-Club-Anlegers festgemacht hatte.

Auf dem Pilotensitz saß in entspannter Haltung ein Polizist mit der Standard-Marineuniform der RVIPF: königsblaues Polohemd, beigefarbene Khaki-Shorts, schwarz-weiß karierte Mütze mit glänzendem Schild. Der Polizist hatte dicke, muskulöse Oberschenkel, Arme wie Baumstämme und einen Bauch so flach wie ein Brett und erinnerte somit stark an einen Football-Runningback im Zenit seiner Laufbahn. Darüberhinaus verbreitete er einen natürlichen und ansteckenden Optimismus, was einer der Gründe dafür war, dass Cooper ihn mochte. Sein Name war Riley, und Cooper machte sich nicht die Mühe, ihn zu grüßen. Er wusste, dass seine Anwesenheit ein untrügliches Anzeichen dafür war, dass Rileys nervtötender Vorgesetzter, der Polizeichef und frisch ernannte Regierungschef der British Virgin Islands, ihn sprechen wollte.

Cooper schlenderte durch das Restaurant, das an diesem Tag mit Mittagsgästen voll besetzt war, schlüpfte hinter die strohgedeckte Bar und füllte ein Halbliterglas mit Maker's Mark und sehr wenig Eis. Der junge, einheimische Barkeeper mixte weiterhin seine Drinks, ohne Cooper auch nur eines Blickes zu würdigen.

Cooper blieb einen Augenblick stehen und nahm einen tiefen Zug Bourbon. Er stellte fest, dass das Glas schon wieder zu einem Drittel leer war, füllte es auf, griff sich eine Speisekarte vom Stapel hinter der Bar, klappte die Seite mit den Mittagsgerichten auf, schnappte sich den Kugelschreiber aus der Brusttasche des Barkeepers, umkreiste *Schwertfisch-Sandwich* und *Conch Fritters,* schrieb in großen, fünf Zentimeter hohen Druckbuchstaben COOPER an den unteren Rand der Karte, legte sie vor dem Barkeeper auf die Theke, deutete mit dem Finger darauf, sagte: »Gib Ronnie Bescheid«, nahm sein Bourbonglas und verließ das Restaurant.

Dann stellte er fest, dass er nicht nur versuchen musste, Riley, das Patrouillenboot und die Marinekutter zu ignorieren, sondern auch noch das lebhafte Geplapper an der normalerweise friedlich-ruhigen Bar. Also schleuderte er die Reefs von den Füßen und marschierte barfuß über den Gartenweg mit den scharfkantigen Steinen, in erster Linie um zu beweisen, dass er das konnte. Er kam an einer ganzen Reihe frisch gestrichener, luftig gebauter Häuschen mit jeweils zwei Wohneinheiten, Klimaanlage und farbenprächtigem Blumenschmuck vorbei und duckte sich schließlich unter einem letzten Palmwedel hindurch, um zum letzten Häuschen in der Reihe zu gelangen. Vor diesem letzten Gebäude, Bungalow Nummer neun, hatte jemand an der Ecke, die der Gartenanlage am nächsten lag, ein Schild in das Betonfundament gerammt. Der Stil und der Standort des in Schulterhöhe angebrachten Schildes waren eine zusätzliche Unterstreichung der Worte, die darauf zu lesen waren:

BETRETEN VERBOTEN.

Cooper stieg die Stufen zu seinem sturmgebeutelten Bungalow hinauf, trat durch die unverschlossene Tür und ließ sich auf den ausgefransten Lehnstuhl in der Mitte des Hauptwohnraums sinken. Ein Bett, ein Tisch, eine Ottomane zu Füßen des Lehnstuhls, eine Küchenzeile mit einem Camping-Kühlschrank sowie ein praktisch nicht überdachtes Dusch- und Toilettenabteil, mehr gab es hier nicht. Cooper würdigte all diese Dinge keines Blickes, schüttete sich den Großteil des Bourbon in die Kehle, behielt einen Eiswürfel im Mund und ließ den Kopf an die weich gepolsterte Sessellehne sinken. Eine zarte

Hoffnung keimte in seinem Kopf, ein letzter bewusster Gedanke nahm Gestalt an.

Vielleicht lassen sie mich ja doch davonkommen. Vielleicht, aber nur vielleicht, kann ich endlich, endlich schlafen.

Cooper gab sich dem reinen, ungetrübten Wohlbehagen hin und hatte, noch bevor der Eiswürfel auf seiner Zunge geschmolzen war, das Bewusstsein verloren.

4

Das Klopfen an der Jalousie vor seiner Haustür und die tiefe Stimme, die anschließend zu hören war, rissen Cooper ruckartig aus dem Paradies.

»Hat da jemand was zu essen bestellt, Mann?«

Cooper hätte das lang gezogene *Mann,* das sich eher wie *Moonn* anhörte, gar nicht gebraucht, um zu wissen, dass es keineswegs Ronnie, der Fußball spielende Engländer und pflichtbewusste Laufbursche war, der da mit einem Schwertfisch-Sandwich in der Hand auf seiner Eingangsterrasse stand. Er konnte das Sandwich durch die geschlossene Tür hindurch riechen. Genau wie die Beilagen. Die Stimme redete weiter.

»Die Ladys in der Küche hier, die kriegen diese Dinger wirklich lecker hin. Ja, ja, die Conch Fritters, die sind schon was ganz Besonderes.«

Coopers knurrender Magen hätte ihn um ein Haar vom Stuhl kippen lassen.

»Geh nach Hause, Riley«, sagte er. Seine eigene Stimme hörte sich schwerfällig und tief an, träge vom Schlaf, in den er sich so gerne wieder zurücksinken lassen wollte.

»Der Schwertfisch dampft noch«, sagte Riley vor der Tür.

»Aber wenn ich ihn jetzt vor die Tür stell', dann wird er kalt.«

Cooper dachte, dass er ja einfach essen und dabei Riley sein Sprüchlein aufsagen lassen konnte, bevor er ihn wieder wegschickte: »Also gut.«

Er wusste ziemlich genau, wie er Riley dazu bringen konnte, Leine zu ziehen.

Riley stieß die Tür auf und kam herein, das Tablett mit dem Essen auf einer Hand balancierend. Der stämmig gebaute Polizist wirkte dabei wie ein geübter Kellner. Da Cooper wusste, wie wenig Regierungschef Roy Gillespie seinen Polizisten bezahlte, ging er davon aus, dass Riley irgendwo noch einen zweiten Job hatte – aber höchstwahrscheinlich nicht in der Lebensmittelbranche.

Cooper nahm das Tablett entgegen und machte sich über das Sandwich her. Nachdem er ein paar kräftige Bissen vertilgt hatte, hob er den Blick.

»Raus mit der Sprache, egal was es ist«, sagte er. »Wenn ich mit essen fertig bin, schmeiße ich dich raus.«

Riley nickte freundlich.

»Cap'n Roy will dich sprechen, *Moonn«,* sagte er. »Wir ham' heut' Morgen schon ein bisschen Aufregung im Hafen gehabt. Vielleicht hast du's ja schon gehört, vielleicht auch nicht. Bist ja g'rade erst zurückgekommen.«

Cooper legte das letzte Stück seines Sandwichs vorübergehend beiseite und machte sich über die Conch Fritters her, wobei er jeden einzelnen Bissen in die würzige Thousand-Island-Soße tunkte.

»Und?«, sagte er mit vollem Mund.

»Na ja, *Moonn* – die Sondereinheit der US-Küstenwache hat da einen Typen aufgegabelt, mit ziemlich viel Wirbel«, sagte Riley. »Aber diesmal waren sie nicht schnell genug. Hat 'nen Haufen Tote gegeben, *Moonn.«*

Cooper nippte an dem Eiswasser, das Ronnie seiner Bestellung freundlicherweise noch hinzugefügt hatte. »Klingt ja aufregend«, sagte er.

»Mm-hmm, na ja, normalerweise beschlagnahmen wir in so einem Fall das Boot, die Schmuggelware, einfach alles. Wenn wir Drogen finden, übergeben wir die der Küstenwache. Alles andere behalten wir.«

»Und?« Cooper steckte sich das restliche Sandwich und anschließend die letzten beiden Conch Fritters in den Mund.

»Und Cap'n Roy hat gesagt, ich soll dich abholen. Er meint, dass du ihm vielleicht bei den etwas komplizierteren Angelegenheiten behilflich sein könntest.«

Cooper stellte das Tablett auf die Ottomane und schob dabei das Powerbook und den kleinen, tragbaren Drucker mit dem Rand des Tabletts ein Stückchen beiseite. Er griff nach dem Eiswasser, leerte das Glas und stellte es zurück auf das Tablett. Dann ließ er sich gegen die Rückenlehne sinken und nahm fast exakt die Haltung ein, in der er zuvor eingeschlafen war.

Jetzt war es Zeit, Riley Beine zu machen.

»Riley«, sagte er, »ich habe sechs Tage lang praktisch nicht geschlafen. Und das einzige Ergebnis dieses Schlafentzugs ist, dass ich zweihundertfünfzigtausend Mäuse verloren habe, eher sogar zweihundertzweiundfünfzigtausend, wenn man den Sprit und noch ein paar unvorhergesehene Ausgaben mitrechnet. Normalerweise würde ich dich mit solchen Dingen wirklich nicht behelligen, Lieutenant. Dass ich es in diesem Fall dennoch tue, hat einen ganz bestimmten Grund: Wenn du nämlich im Anschluss an deinen freundschaftlichen Besuch hier bei mir unserem hochverehrten Herrn Regierungschef Bericht erstattest, dann kannst du ihm unmissverständlich meine Position deutlich machen.«

Cooper hatte die Augen geschlossen. Riley wartete, doch Cooper machte keine Anstalten, noch etwas zu sagen.

Schließlich erkundigte sich Riley: »Und welche Position wäre das?«

Ein Auge klappte auf. »Meine Position, Lieutenant, ist die, dass ihr mich nur dann irgendwann im Lauf der nächsten achtundvierzig Stunden aus diesem Sessel hier kriegt, wenn der Herr Premierminister Roy sich bereit erklärt, mir ungefähr zweihundertfünfzigtausend Dollar dafür zu bezahlen. Zweihundertzweiundfünfzigtausend, um genau zu sein.«

Das Auge klappte wieder zu. Schnell stellte sich das Gefühl des langsam herannahenden Schlafes ein, doch gleichzeitig spürte er, dass Riley noch nicht gegangen war, und so konnte er sich eben nicht ungestört dem Wohlbehagen hingeben. Er schlug die Augen auf und stellte fest, dass der Lieutenant immer noch an seinem Platz stand. Und nicht nur das ... der Kerl grinste auch noch über das ganze Gesicht.

»Als Cap'n Roy gesagt hat, ich soll zu dir gehen«, meinte Riley nun, »da hat er auch gesagt: ›Sag ihm, dass es sich diesmal für ihn lohnt.‹«

»Riley«, erwiderte Cooper. »Ich glaube, Roy weiß noch nicht mal, wie Zweihundertfünfzigtausend überhaupt *aussehen.* Obwohl, das nehme ich zurück. Es gibt garantiert Leute, denen er wegen eines einzigen kaputten Rücklichts so viel abgeknöpft hat oder sogar noch mehr, wenn er eine Gelegenheit dazu gehabt hat. Aber wir beide wissen doch ganz genau, dass er niemandem auch nur einen einzigen Penny davon abgeben würde. Also zieh Leine.«

Riley grinste immer noch.

Cooper sagte: »Was ist denn daran so witzig, verdammt noch mal?«

»Kann ja sein, dass ich davon nich' allzu viel Ahnung hab', *Moonn«,* meinte Riley. »Aber trotzdem. Das was ich heut' gesehen hab', also, dabei kommt bestimmt viel mehr rüber als Zweihundertfünfzigtausend, schätze ich.«

Jetzt, wo seine Strategie gescheitert war, versuchte Cooper, vergeblich weiterzukämpfen. Er ließ den Kopf sinken und rang mit sich. Zunächst einmal war er auch weiterhin skeptisch, ob da wirklich so viel Geld im Spiel war. Zweitens fiel ihm kein einziger vernünftiger Grund ein, wieso er Roy überhaupt bei irgendetwas behilflich sein sollte. Beim letzten Mal war das Ganze auch alles andere als ein gemütlicher Strandspaziergang gewesen. Und drittens, das wusste Cooper ganz genau: Je mehr Roy springen lassen wollte, desto fragwürdiger war die damit verbundene Aufgabe.

Allerdings, es gab da tatsächlich ein paar Dinge, wofür er das Geld, das er in den letzten Tagen verloren hatte, ganz gut gebrauchen konnte, wenn es denn eine Möglichkeit gab, es aufzutreiben. Immer vorausgesetzt natürlich, dass Rileys Einschätzung korrekt war und dass Roy sich wirklich darauf einließ.

Mannomann.

»Ich bin müde, Lieutenant«, sagte Cooper.

Rileys Grinsen wurde noch eine Spur breiter, und er klatschte in die Hände, so laut, dass das Echo wie ein verrückt gewordener Flipperball in Coopers träger Hirnmasse hin und her hüpfte.

»Ich übernehm' das Ruder, *Moonn«,* sagte Riley. »Du kannst auf der Überfahrt schlafen.«

Als er mit Cooper an dem Kutter der Küstenwache vorbeischipperte, der vor der Hafeneinfahrt von Road Harbor vor Anker lag, grüßte Riley den wachhabenden Soldaten auf dem Achterdeck mit einem jovialen Nicken.

Doch der Soldat nahm ihn nicht einmal zur Kenntnis.

Cooper sah einen Jagdhubschrauber mit laufenden Rotoren auf dem Helipad des Schiffes stehen. Der Helikopter machte ziemlich viel Lärm. Erst dadurch fiel Cooper auf, wie ungewöhnlich laut es generell heute zuging. Abgesehen von den

Kreuzfahrtschiffen, die zweimal täglich hier anlegten, sowie den regelmäßig landenden Turboprop-Maschinen, die irgendwelche Touristen nach Beef Island brachten, war Road Harbor normalerweise ein friedliches Örtchen. Nur heute nicht.

Als sie die Hafenmole umfahren hatten – die Stelle, wo Riley vor anderthalb Jahren eine grausige Entdeckung gemacht hatte –, warf Cooper zum ersten Mal einen Blick auf das Chaos, das der Hauptverursacher dieser ganzen Lärmverschmutzung war. *Chaos* war genau das richtige Wort dafür. Während der ganzen neunzehn Jahre, die er jetzt in der Nachbarschaft der Stadt lebte, hatte er noch nie ein vergleichbar hektisches Treiben oder einen ähnlichen Krach erlebt.

Roy hatte seine Flotte in voller Stärke auslaufen lassen – einschließlich Rileys zählte Cooper insgesamt fünf Boote. Die anderen vier knatterten kreuz und quer durch den Hafen. Das war, wie Cooper mittlerweile wusste, Roys Methode, einen Tatort in Besitz zu nehmen: Jeder Polizist vor Ort ging ununterbrochen irgendeiner Aktivität nach, doch wenn man etwas genauer hinschaute, konnte man feststellen, dass kein einziger wirklich etwas machte. Das aus Freiwilligen bestehende Bergungskommando, das in voller Taucherausrüstung angetreten war, beschäftigte sich überwiegend auf den Decks der Patrouillenboote, während ein paar wenige Teammitglieder in der Bucht herumschwammen. Das städtische Feuerwehrboot, ein zwölf Meter langer Schlepper, hatte sich in größtmöglicher Entfernung von seinem Ziel positioniert, um es mit einem möglichst prachtvollen und hohen Wasserbogen beglücken zu können, selbst, wenn das Feuer, das dort möglicherweise einmal gewütet haben mochte, längst schon erloschen war.

Das Ziel des Wasserstrahls war eine maßgefertigte Luxusjacht, nach Coopers Schätzung mindestens 45 Meter lang. Auf der Seitenwand war in großen, kursiven Buchstaben aus Sterling-Silber der Name *Seahawk* zu lesen. Vom Bug der Jacht war nur noch ein verkohlter Stumpf übrig geblieben, der aber immer noch so warm war, dass der Wasserstrahl aus Roys Feuerwehrboot ihn in eine Dampfwolke hüllte. Ein zweites, kleineres Boot – ein offenes Schlauchboot mit der vertrauten rot-weißen Lackierung der US-Küstenwache – hatte vor der Jacht am Anleger des Marinestützpunktes festgemacht und ließ keine sichtbaren Schäden erkennen. Cooper wusste, dass es sich um eines der Jagdboote der Sondereinheit handelte, die er schon gelegentlich zu Gesicht bekommen hatte und die Geschwindigkeiten jenseits der sechzig Knoten erreichen konnten. Trotzdem hätte es gegen seine Apache wohl kaum eine Chance gehabt, zumindest nicht, wenn er seinen MerCruisern die Sporen gab. Er brauchte nur einen Hebel umzulegen, damit die Vergaser mit einem fetteren Gemisch gefüttert wurden, und schon würde dieses Jagdboot nur noch seine Gischt zu sehen bekommen.

Riley fuhr einen lang gezogenen Bogen und drehte eine Runde durch den Hafen. Cooper nahm an, dass Roy es so angeordnet hatte – damit er das Chaos auch wirklich von allen Seiten zu sehen bekam –, also ignorierte er das ganze Treiben und betrachtete stattdessen das langsam vorüberziehende Ufer. Sie passierten den leeren Kreuzfahrtanleger und glitten an der Hauptpromenade von Road Town vorbei: ein pastellfarbener Reigen aus Läden und Geschäften, der neue Fähranleger, zwei Einkaufszentren. Dahinter, etwas erhöht an den Hängen der beiden Hügel der Stadt gelegen, waren halbfertige Häuser und unbebaute Grundstücke zu erkennen.

Nach Beendigung seiner von Desinteresse begleiteten Führung steuerte Riley das größere Hafenbecken an, fuhr an den grün-roten Lagerhäusern vorbei, die den östlichen Rand markierten, näherte sich dann der Wasserfontäne aus dem Feuerwehrboot, fuhr darunter hindurch und legte schließlich am einzig freien Liegeplatz an. Der Anleger befand sich genau vor ein paar mit Aluminium verkleideten Bauten, die, das hatte

Roy mittlerweile geschafft, allgemein »Marinestützpunkt« genannt wurden.

Erst nachdem sie angelegt hatten, begegnete Cooper einem ersten Anzeichen dafür, dass Roy Riley nicht nur losgeschickt hatte, um ihm den Schlaf zu rauben.

Drei Polizisten aus Roys regulärer Truppe – also Beamte, die nicht auf dem Marinestützpunkt stationiert waren, dafür aber lange Hosen und Lacklederschuhe trugen – bewachten die geschlossenen Tore der so genannten Scheune, einem Lagerhaus, in dem die niederen Dienstgrade der Marine-Polizisten normalerweise schweres, seetüchtiges Gerät unterbrachten. Die Anwesenheit der Polizisten der Royal Virgin Islands Police Force war für Cooper ein deutliches Zeichen, denn erstens konnte er sich nicht erinnern, dass sie jemals irgendetwas bewacht hatten, und zweitens waren sie heute sogar bewaffnet.

Normalerweise trugen die Angehörigen der Royal Virgin Islands Police Force, ganz der britischen Tradition verpflichtet, keine Waffen.

Der schlaksige Einheimische, der ständig mit irgendwelchen Dingen auf dem Anleger des Marinestützpunktes beschäftigt zu sein schien, nahm Riley die Bugleine ab, machte sie fest und wandte sich wieder seiner Beschäftigung zu. Für Cooper sah es so aus, als sei er gerade dabei, auf den breiten Planken des Anlegers einen Fisch auszunehmen.

Cooper wollte möglichst schnell wieder nach Hause und wartete nicht auf Riley, sondern sprang mit der Heckleine in der Hand an Land. Er machte die Leine fest, vergrub die Hände in den Taschen seiner Badeshorts und machte sich nach einem kurzen Blick über die Schulter des Fischers, der ihm bestätigte, dass da tatsächlich ein Fisch aufgeschlitzt wurde, alleine auf den Weg.

Wenige Sekunden später kam aus dem Hauptquartier des Marinestützpunktes ein Mann auf ihn zu, dessen Haltung so kerzengerade war wie bei keinem anderen Menschen, den Cooper jemals gesehen hatte. Wie der Regisseur eines teuren Actionstreifens, der sich zur Begrüßung eines Studio-Vertreters am Drehort seines Films herabließ, so streckte Cap'n Roy Gillespie, der offensichtlich beschlossen hatte, den Anlass zu nutzen und seinen dreiteiligen Regierungschefanzug gegen die Polizeichef-Uniform einzutauschen, ihm bei ihrer Begegnung nur wenige Meter vom Hafenbecken entfernt die Hand entgegen. Cooper ließ die Hände ungehobelterweise in den Taschen seiner Badeshorts stecken.

Cap'n Roy trug ein gebügeltes weißes Polohemd, eine graue Baumwollhose mit scharfkantigen Bügelfalten, die gleiche Mütze mit dem karierten Schild wie Riley sowie ein paar glänzende Lacklederschuhe. Einmal mehr musste Cooper diesen Typen stille Bewunderung zollen. Wie schafften sie es bloß, bei über dreißig Grad Celsius und dieser hohen Luftfeuchtigkeit ständig in langen Hosen herumzulaufen, ohne auch nur eine einzigen Tropfen Schweiß zu vergießen?

Sie standen mitten auf einem Schotterparkplatz, auf dem sich im Augenblick mehr Polizei- und Zivilfahrzeuge befanden, als Cooper jemals irgendwo auf den Inseln gesehen hatte. Roy zeigte sich unbeeindruckt von Coopers schroffer Zurückweisung. Sein Lächeln blitzte so strahlend hell, dass seine tiefschwarze Haut dagegen fast schon blau aussah.

»Hey, *Moonn«,* sagte er. »Na, wenn das mal nicht der Spion von der Insel ist, der uns hier auf unser'm Marinestützpunkt einen Besuch abstattet.« Die Worte flatterten aus seinem Mund wie der Text eines Reggae-Stückes.

»Normalerweise wäre es mir ein Vergnügen, Roy«, sagte Cooper. Er vermied es immer, Roy mit seinem selbst gewählten Spitznamen anzureden. »Aber heute ist wirklich nicht gerade der geeignete Tag.«

»Wir haben Alarmstufe rot, *Moonn.* Ausnahmezustand.«

»Das sehe ich.«

Roy bedeutete Cooper, ihm zu folgen und setzte sich in Richtung Scheune in Bewegung.

»Hab hier was, was du dir vielleicht anschau'n solltest, *Moonn«,* sagte er augenzwinkernd.

Cooper ging hinter ihm her über den Schotter. Er beschloss, auf Roys Witzchen nicht zu reagieren – mit genau diesen Worten hatte Roy ihn schon beim letzten Mal gebeten, der RVIPF aus der Klemme zu helfen.

»Dieses Mal«, sagte er stattdessen, »finde ich den Ansatz, den Lieutenant Riley in deinem Auftrag gewählt hat, wirklich ermutigend.«

»Ach ja?«

»Ja – in erster Linie, weil Riley sich zuversichtlich gezeigt hat, dass meine Forderung nach einer Schutzgebühr in Höhe von zweihundertzweiundfünfzigtausend US-Dollar erfüllt werden würde.«

Roy erwiderte den militärischen Gruß des Wachsoldaten am Haupttor der Scheune, schloss höchstpersönlich das Vorhängeschloss auf und drückte einen der beiden hohen Torflügel auf.

»Dieses Mal«, sagte er, »geht es nur um Geld, um nichts anderes.«

Cooper folgte ihm ins Innere, und Cap'n Roy sagte kein Wort mehr.

Cooper dachte sich, dass Roy darauf wartete, bis Coopers Augen sich an die Beleuchtung gewöhnt hatten – darauf wartete jedenfalls Cooper –, und als das geschehen war, ruhten seine Augen auf dem Anlass für den finanzwirtschaftlichen Optimismus der Royal Virgin Islands Police Force und gleichzeitig dem Grund für Roys plötzliche Schweigsamkeit.

Offensichtlich sprach der Schatz, den der Regierungschef da im Inneren der Scheune aufgebaut hatte, für sich selbst.

Wie für eine Auktion oder vielleicht für ein Foto arrangiert und von Polizei-Scheinwerfern im Stil einer Museumsbeleuchtung angestrahlt, so stand dort eine Sammlung unterschiedlichster Objekte. Einige waren sehr groß, andere sehr klein, aber jedes einzelne schien aus massivem Gold zu bestehen. Die Sammlung füllte die ganze Scheune, und Cooper hatte hier drin schon einmal als Zuschauer ein richtiges Basketballspiel verfolgt. Er kam sich vor wie bei der Neuauflage der Tut-Ench-Amun-Ausstellung, die er als Kind einmal gesehen und voller Ehrfurcht bestaunt hatte.

Bei seiner schnellen Zählung kam er auf siebzig kleinere Objekte – Büsten, Köpfe, Vasen, ein Ei –, dazu ein Dutzend lebensgroße Statuen, drei zimmergroße Wandteppiche und neun Kisten in unterschiedlichen Größen. Praktisch jedes einzelne dieser Objekte stellte, in der einen oder anderen Form, eine exotische Gestalt mit juwelengeschmücktem Umhang oder einen Krieger mit vollem Kopfschmuck dar. Cooper kamen sie irgendwie bekannt vor, er spürte eine gewisse Vertrautheit, was die Gesichter dieser Figuren anging – und dann, als seine Augen sich so weit an die Lichtverhältnisse gewöhnt hatten, das er einzelne Gesichtszüge erkennen konnte, kochte plötzlich die Wut in ihm hoch.

Der Anfall war so heftig, dass er am liebsten laut losgebrüllt, eine obszöne Schimpftirade vom Stapel gelassen und das ganze, von Roy und seinen Jungs so sorgfältig aufgebaute Arrangement in Stücke gehauen hätte.

Doch er unterdrückte diesen seltsamen Impuls und fragte sich, ob er vielleicht soeben verrückt geworden war, ob das der eine Moment gewesen war, in dem er endgültig übergeschnappt war, in dem er die Grenze zum Wahnsinn überschritten hatte: *Verfluchte Statuen, ich bring' euch um ... wer bin ich ... ich höre Stimmen ... WER BIN ICH?* Doch dann, so schnell wie er gekommen war, war Coopers Wahnsinn auch schon wieder verflogen.

Er hatte eine leise Ahnung, woher dieser Wahn gekommen war. Er hing mit der Vertrautheit zusammen, die er empfunden hatte, bevor die Wut ihn überwältigt hatte – er *kannte* die Gesichter dieser Götzenbilder hier, kannte zumindest Verwandte der Menschen, die damit dargestellt wurden. Die hohen, kräftigen Wangenknochen, die Neigung der Stirn, die tropfenförmigen Augen ... Es waren Menschen mit solchen Gesichtern gewesen, die ihn einst gefangen gehalten und gefoltert hatten und ihn bis heute quälten: in Form eines immer wiederkehrenden Alptraum-Zyklus, der es nur selten versäumte, ihm seine nächtliche Aufwartung zu machen.

Da hast du den Beweis. Jetzt hast du gerade einem Haufen goldener Statuen ein Rassenprofil verpasst.

Als er dann mit etwas rationalerem Blick einen Rundgang machte und die Kunstgegenstände begutachtete, schätzte er, dass die hier porträtierten Figuren mittelamerikanische Indios darstellten, die seinen damaligen Peinigern zwar ähnlich sahen, aber keineswegs mit ihnen identisch waren. Der Ausdruck auf diesen Gesichtern war vermutlich eine Reinform dessen, was er bei seinen Peinigern als eine verwässerte Linie unter vielen anderen wahrgenommen hatte.

Die ganze Sammlung war in hervorragendem Zustand und so sorgfältig poliert, dass nur Roys Schuhe wenigstens halbwegs mithalten konnten. In einer hinteren Ecke der Scheune standen acht große, offene Holzkisten, umgeben von verstreuten Papierspaghetti und anderen Verpackungsmaterialien. Bei diesem Anblick fiel Cooper etwas ein, was er einmal über den Raub der Grabschätze des Tut-Ench-Amun gelesen hatte: Jeder, der dumm genug war, die heiligen Grabstätten eines anderen Menschen zu stören, und dazu jeder, der dumm genug war, mit so jemandem irgendwann einmal in Kontakt zu kommen, war angeblich verflucht. Und normalerweise wartete auf die so Verfluchten der Tod.

Cooper dachte nach und stellte fest, dass ihm momentan nicht nach einem Todesfluch zu Mute war, und das hieß, dass jetzt der Zeitpunkt gekommen war, das alles abzublasen, völlig egal, was Roy mit dieser letzten in einer langen Reihe vollkommen hirnrissiger Aktionen eigentlich im Sinn hatte. Der Regierungschef sollte sein Geld behalten, egal wie viel es war, und die dubiose Aufgabe, deretwegen er Cooper hatte übers Wasser holen lassen, irgendeinem anderen aufs Auge drücken.

»Fang auf«, sagte Roy da in seinem Rücken.

Cooper drehte sich um und griff instinktiv nach der dreißig Zentimeter hohen Figur, die Cap'n Roy ihm gerade zugeworfen hatte. Als Cooper ablehnen wollte, warf er ihm noch eine zweite, kleinere Statuette zu – und dann noch eine Vase. Ehe Cooper überhaupt begriffen hatte, was er da machte, hatte er jeden dieser Gegenstände aufgefangen und dabei die anderen, die er bereits in der Hand hielt, fast wie ein Jongleur hin und her manövriert.

Großartig … egal, welchen Fluch die Räuber dieses Grabschatzes sich aufgesackt haben, jetzt hast du ihn jedenfalls dick und fett selber am Hals.

»Also, mir kommt's so vor, als müsstest du bloß den richtigen Käufer finden, damit du deine zweihundertfünfzig Riesen kriegst. Vielleicht sogar zweihundertzweiundfünfzig«, sagte Roy und ließ seine perlweißen Zähne blitzen.

Cooper untersuchte die Gegenstände in seiner Hand. Das dumpfe *klong* bei jedem Zusammenstoß der Figuren bestätigte, dass sie tatsächlich massiv waren, und sie sahen wirklich nach echtem Gold aus.

Er dachte: *Tja, den verdammten Fluch hast du jetzt so oder so am Hals,* und blickte zu Roy hinüber.

»Ich würde mal schätzen, diese drei hier bringen höchstens eins fünfundsiebzig«, sagte er.

Roy stand einen Augenblick lang mit ausdrucksloser Miene

da, dann nickte er knapp, bückte sich, griff nach einer kunstvoll verzierten, goldenen Kassette und warf sie ebenfalls in Coopers Richtung. Cooper fing sie mit dem gebeugten Arm auf.

Roy sagte: »Da, bitte, *Moonn*«, und machte dabei einen so dermaßen fröhlichen Eindruck, dass bei Cooper sämtliche Alarmglocken gleichzeitig schrillten.

Er nickte.

»Was uns zu der Frage führt, wofür du mich eigentlich bezahlst.«

»Ganz genau, *Moonn.*« Vor der nächstgelegenen Wand entdeckte Roy eine Leinentasche, kam zu Cooper und hielt sie ihm auf, damit dieser die Götterstatuen, die Vase und die Kassette darin verstauen konnte. Roy zog den Reißverschluss zu und reichte ihm die Tasche.

»Komm mit ins Büro«, sagte er und schickte sich an, die Scheune zu verlassen. »Das besprechen wir dort.«

Nach ein paar Schritten durch das gleißende Sonnenlicht führte Cap'n Roy ihn in das Hauptquartier des Marinestützpunktes, ein einstöckiges Bootshaus, das Roy in eine voll ausgestattete Polizeiwache hatte umbauen lassen: Mannschaftsraum mit integriertem Empfangstresen, Flur, Arrestzelle, Verhörzimmer, eine Unisex-Toilette und, das war das Wichtigste: ein prächtiges Eckbüro für sich selbst. Roys privates Büro zeichnete sich neben etlichen anderen luxuriösen Annehmlichkeiten durch eine riesige Fensterfront aus, die ihm einen ungehinderten Blick über die Bucht gestattete. Er benutzte das Büro jetzt zwar kaum noch, beharrte aber darauf, dass es ausschließlich ihm zur Verfügung stand.

Roy setzte seine Mütze ab, ließ sich in seinen Schreibtischsessel sinken und verschränkte die Hände hinter dem Kopf. Von hier aus konnte er tatsächlich einen großen Teil seines Königreichs sehen. Cooper setzte sich auf den Besucherstuhl, ein knarrendes Holzding, das Roy vermutlich auf der städtischen

Müllkippe gefunden hatte. Von *hier* aus konnte Cooper nichts anderes sehen als Roy und die Sammlung von Schiffssteuerrädern und Ankern an der Wand hinter ihm.

Cooper stellte die Tasche auf den Boden, und die Götterstatuen in ihrem Inneren machten *klong.*

»Die Sondereinheit der Küstenwache hat zwar schwere Maschinengewehre, aber nichts zu sagen«, meinte Cap'n Roy. Sein Blick war auf den Hafen gerichtet. »Jedes Mal, wenn deine Leute auf die BVIs kommen, dann müssen sie ihren Krieg gegen die Drogen eben ein bisschen lockerer führen. So sind die Spielregeln.«

»Meine Leute?«

»Aber ab und zu«, fuhr Roy fort, »da lässt es sich nicht vermeiden, dass wir ein Tohuwabohu erleben, so wie heute. Wenn das passiert, *Moonn,* dann landen wir irgendwo in einer Grauzone. Und genau da stecken wir gerade drin: in einer dicken, fetten Grauzone.«

Cooper wusste, dass das Roys Lieblingszone war.

»Der Heimatschutz hat gar nichts dagegen, wenn wir das Boot behalten. Dann müssen *wir* das Ding auch verschrotten, verstehst du? Aber die Schmuggelware, die soll natürlich am liebsten in die Vereinigten Staaten von A. wandern. Vor einiger Zeit haben wir uns mal grundsätzlich darüber unterhalten, wegen einer Sache, die mit dem hier gar nichts zu tun hat, und haben uns auf einen Kompromiss geeinigt: Drogen und Waffen übergeben wir. Alles andere, was als Schmuggelware beschlagnahmt wird – Volkseigentum der BVIs, *Moonn.* Gehört alles den Bewohnern der Inseln.«

Cooper sah keinen Anlass, sich dazu zu äußern.

»Jedenfalls, wir wollen, dass deine Leute sich an die Vorschriften halten, und dazu braucht es manchmal ein kleines bisschen Ermutigung. Aber diesmal haben wir ein kleines Druckmittel in der Hand. Sieht so aus, als gäbe es einen überlebenden Schmuggler, und der sitzt in unserer Arrestzelle, hier in diesem Haus.«

»So, so.«

»Ganz genau, *Moonn,* und die US-Küstenwache will ihn gerne haben. Wir sagen, die Küstenwache soll das Boot haben und wir die Ladung – nur dann sind wir bereit, über eine Auslieferung des Schmugglers nachzudenken. Ich bin sicher, dass du meine Argumentation nachvollziehen kannst – das halb abgefackelte Boot da hat für mich überhaupt keinen Wert. Die Kunstwerke dagegen, na ja, damit sieht es schon ein bisschen anders aus.«

»Wenn du sagst, das Boot hat für dich keinen Wert«, erwiderte Cooper, »dann sagst du das in deiner Eigenschaft als Vertreter des Volkes der British Virgin Islands, hab ich Recht?«

»Oh, na klar, *Moonn,* nichts anderes.«

»Bloß, um sicherzugehen, dass ich die Regeln der Grauzone wirklich kapiert hab.«

»Das ist wirklich nett von dir, *Moonn.* Weißt du, es ist nämlich so: Der Schmuggler hat mir während einer kleinen Unterredung verraten, dass die Schmuggelware, von der *du* dir gerade fünfzehn Prozent unter den Nagel gerissen hast, nur eine von vielen solcher Ladungen war. Da fließt ein ganzer Antiquitätenstrom von Süden nach Norden. Er übernimmt gelegentlich mal einen Transport, hält sich ansonsten aber raus.«

»Nur aus reiner Neugier«, sagte Cooper. »Willst du mir eigentlich irgendwann noch erzählen, was ich für dich erledigen soll?«

Roy lächelte und deutete mit großer Geste auf das sonnenbeschienene Road Town vor seinem Fenster. »Sieh es dir an ... ein herrliches Plätzchen, stimmt's? Aber echt, *Moonn.*«

Cooper drehte sich nicht um. »Hab ich mir schon beim Reinkommen angeschaut«, sagte er. »Bin schon tausendmal reingekommen und hab's mir tausendmal angeschaut.«

»Aber je weiter man sich vom Meer entfernt, desto schlimmer wird's, oder, *Moonn?* Die Straßen haben Schlaglöcher, die Leute haben Hunger. Für viele sind die Lebensbedingungen hier nicht gerade die besten.«

Cooper gähnte.

»Ich hab mir gedacht«, sagte Roy, »jemand, der die Leute kennt, die du kennst, könnte vielleicht einen Hehler oder einen Käufer auftreiben, vielleicht jemanden, der für diese Schatzkammer der Ureinwohner, die du gerade eben geplündert hast, einen Haufen Dollars lockermachen würde. Dir muss ich ja nicht erst erzählen, wie sehr dieses Geld uns helfen würde, unser Not leidendes, kleines Hafenstädtchen ein bisschen aufzupäppeln.«

Am liebsten hätte Cooper Roy gefragt, von welchen Ureinwohnern dieser Schatz denn eigentlich stammen sollte, aber er ließ es sein, da es keinen vernünftigen Grund gab, wieso Roy darauf eine Antwort hätte geben können. Und außerdem: Warum wollte er das überhaupt wissen?

Lass es einfach sein, dachte er im Stillen.

»Hat ja lange genug gedauert, bis du dieses nette, kleine Wort ausgesprochen hast«, sagte er stattdessen.

Roy grinste. »›Hehler‹?«

»Ganz genau«, erwiderte Cooper. »Hehler.«

Cap'n Roy stand auf, setzte die Mütze auf und klappte ein Handy auf.

»Komm runter«, sagte er dann in das Telefon, »und bring Cooper zurück zum Strand.«

Cooper wagte einen verstohlenen Blick durchs Fenster. Das Feuerwehrboot stellte gerade die Beregnung der Jacht ein, der bogenförmige Strahl wurde langsam schwächer. Die Tiefseetaucher kletterten am Anleger des Marinestützpunktes aus ihrem Boot. Die Show, so hatte er den Eindruck, näherte sich ihrem Ende.

»Wie sieht's aus?«, sagte Roy jetzt. »Willst du dir den Schmuggler vielleicht mal anschauen? Ich will mich jetzt sowieso noch mal mit ihm zusammensetzen. Mal sehen, ob er vielleicht noch was weiß, was für mich wichtig sein könnte.«

Cooper griff nach der schweren Tasche mit den Götterstatuen und hörte beim Hochheben wieder das *klong*.

»Ich verzichte«, sagte er.

»Riley gibt dir noch ein paar Fotos mit. Wir haben jedes einzelne Stück des Schatzes aufgenommen. Aus jedem Winkel – für Ebay, *Moonn«*, sagte er.

Cooper war aufgestanden und sah Riley in der Tür am Ende des Flurs stehen.

Er blickte hinunter auf seine Tasche mit Schmuggelware. *Ich könnte die Sachen mitnehmen und mich später entscheiden.* Er konnte den Regierungschef Roy auch aus seinem Bungalow anrufen und ihm mitteilen, dass er den Hehler-Auftrag nicht annehmen wollte, und die erbeuteten Gegenstände mit dem Lieutenant-Riley-Express zurückschicken. Oder er könnte, falls ihm gerade danach war, ein paar Leute anrufen, die Tasche mit den Kostbarkeiten in eine Vermittlungsgebühr umwandeln und seine Pokerverluste auf einen Schlag wettmachen.

Er beschloss, dass er im Augenblick zu träge war, um irgendwelche Entscheidungen übers Knie zu brechen – *Kann nie schaden,* dachte er, *sich alle Möglichkeiten offenzuhalten* –, und warf sich die Tasche über die Schulter.

Ohne Cap'n Roy einen Handschlag oder sonst irgendeine förmliche Abschiedsgeste zu gönnen, stiefelte Cooper aus dem Büro des Regierungschefs, den Gang entlang und an Riley vorbei hinaus in die gleißende Sonne. Er zeigte Riley im Vorbeigehen den hochgereckten Daumen. Anhalter sucht Mitfahrgelegenheit.

Riley ging ihm zum Anleger hinterher.

5

Am nächsten Morgen um sechs – nach lediglich fünfzehneinhalb Stunden Schlaf – wurde Cooper von einer der Ziegen geweckt, die auf dem Privatgrundstück des alten Mannes direkt hinter dem Club hausten. Das war tagtäglich ein Problem. Die Ziegen waren eine Art Kreuzung aus Wecker und Hahn und ließen sich nur vom Wetter beeinflussen: Wenn es regnete, machten sie erst um sieben Lärm, aber wenn die Sonne schien, dann ging das Geblöke schon um sechs los. Jedes Mal hörten sie nach ungefähr einer halben Stunde wieder auf, und Cooper war bis jetzt noch nicht dahintergekommen, wieso sie diese Hahnen-Imitationsnummer überhaupt abzogen. Irgendwann einmal hatte er sich die Theorie zurechtgelegt, dass an jedem Morgen eine der Ziegen von der Überzeugung gepackt wurde, dass heute der große Tag war – dass irgendjemand das Gatter öffnen und sie freilassen würde, sodass sie vom Grundstück herunter zum Strand spazieren konnte.

Schnorcheln ist auch nicht mehr das, was es mal war, meine Kleine, hätte er am liebsten zu der Ziege des heutigen Morgens gesagt. Zu viele Boote, und das schon seit zu vielen Jahren. Mit den Korallen stimmt irgendwas nicht, also bleib an Land, wo der alte Bauer dir Äpfel zu fressen gibt und du die Büsche auf dem Hügel anknabbern kannst oder was immer du sonst machst, wenn du gerade keinen Weckdienst hast.

Auf der Strandterrasse legte er einen kurzen Zwischenstopp ein, um eine Tasse schwarzen Kaffee zu trinken. Ronnie war bereits aufgestanden und schnitt gerade die Melonen für die Frühstücksgäste in Scheiben. Normalerweise kamen die ersten so gegen Viertel nach sieben aus ihren Bungalows nach unten. Cooper setzte sich auf einen Stuhl, legte die Füße auf die Reling und sah zu, wie das Meer langsam die Farbe wechselte und von grau zu blau wurde. Ein Teil der Lagune erstrahlte bald in einem hellen Türkis, eine Farbe, die nur in den Gewässern der Karibik und vielleicht noch an einigen wenigen anderen exotischen Orten auf der Welt zu finden war.

Am anderen Ufer der Meerenge, dort wo der Höcker der Insel Tortola lag, und auf St. John zu seiner Linken waren bereits einige Flecken zu entdecken, die von der in seinem Rücken aufgehenden Sonne beschienen wurden. Auch heute, wie an den meisten Morgen, hatte Cooper das Gefühl, auf eine Postkarte zu schauen. Er hatte sich an den Anblick gewöhnt, ohne je genug davon zu bekommen.

»Was hast du mit dem Eimer gemacht?«, wollte er von Ronnie wissen, ohne ihn anzuschauen.

»Hab ich vorgestern für die Fähre benutzt«, sagte er. »Ich glaube, ich hab' ihn vor die Küche gestellt.«

Cooper nickte, den Blick immer noch auf das Panorama gerichtet, dann leerte er seinen Kaffee und stand auf. Ronnie musterte ihn kurz: Cooper trug eine alte, blaue Badehose und auf seinem nackten Oberkörper baumelte die Taucherbrille, die er sich um den Hals gehängt hatte. Durch die zahlreichen alten Narben, die seinen Oberkörper überzogen, sah seine Haut aus wie ein Batik-T-Shirt.

»Na, willst du heute was erledigen, mein Freund?«, sagte Ronnie.

Knurrend stellte Cooper die Kaffeetasse auf eines der Tabletts, mit denen Ronnie später den Gästen das Frühstück bringen würde.

»Ganz genau«, sagte er.

Wenn Cooper sein Boot sauber machte, dann machte er wirklich jeden einzelnen Quadratzentimeter sauber. Die wichtigste Arbeit, das Schrubben der unter der Wasseroberfläche befindlichen Teile, erledigte er am liebsten, indem er mit Taucherbrille und Schwamm bewaffnet ins Wasser sprang und den Schmierfilm, der sich auf dem Rumpf angesammelt hatte, abwischte. Gleichzeitig zählte er die Sekunden, weil er so lange wie möglich unter Wasser bleiben wollte. Er tauchte schon viele Jahre lang, immer ohne Sauerstoff, und er hatte sich zu immer tiefer liegenden Wracks rund um die Inseln vorgewagt, sodass er kürzlich sogar einen neuen persönlichen Rekord aufgestellt hatte. Bis einhundertvierundneunzig war er gekommen, hatte also drei Minuten und vierzehn Sekunden ohne einmal Luft zu holen unter Wasser verbracht. Doch nachdem er jetzt etliche Tage lang den Zigarettenqualm des Gesichtsmasken-Clancy eingeatmet hatte, bestand wenig Hoffnung auf eine neue Bestleistung.

Er fuhr mit dem Dinghi zur Apache hinaus und lenkte das große Rennboot zurück zum Anleger. Dort wurde es erst gegen halb zwölf, zwölf voll, wenn die ganzen Charter-Jacht-Touristen mit einer Flotte absolut identischer, grauer Zodiacs von ihren Katamaranen herübergefahren kamen, in der Regel um das Essen im Club zu genießen. Die Kochkünste der drei wohlgenährten Westinderinnen Rosie, Odessa und Dennise, die hier seit Jahren so segensreich wirkten, hatten mittlerweile eine gewisse Berühmtheit erlangt.

Cooper warf die Fender über den Rand und gab noch einmal Gas, dann stellte er den Motor ab – ließ das Boot von selbst in die richtige Position gleiten, ohne dieses beknackte Rückwärts-vorwärts-rückwärts-Manöver. Als die Fender der Apache sanft gegen die Hafenmauer stießen, warf Cooper die Heckleine an Land, glitt dann einmal herum zum Bug, schnappte sich die andere Leine, sprang damit an Land, machte sie fest, schlenderte zum Heck und machte das Gleiche mit der Heckleine. Den Eimer und den Schlauch, der zu einem Wasserhahn vor der Küche führte, hatte er bereits bereitgestellt.

Im Eimer lagen seine Hilfsmittel: Die Werkzeuge, Handtücher und Putzmittel, die er zur Reinigung seines Bootes benötigte. Er hätte natürlich auch einen der einheimischen Jugendlichen oder sogar Ronnie mit der rund fünfstündigen Arbeit beauftragen können, aber er traute ihnen nicht zu, dass sie es genauso gut machten wie er – zumindest redete er sich das ein. In Wirklichkeit hatte er festgestellt, dass diese Arbeit eine gute Möglichkeit war, sich seinen Dämonen zu stellen. Eine Art selbst gesteuerte Therapiesitzung.

Anders als die Alpträume.

Er machte diese Arbeit ungefähr alle sechzig Tage, nicht, weil die Apache es nötig gehabt hätte, sondern weil *er* es nötig hatte. Er würde die Arbeit immer nötig haben, denn es würde nie verschwinden. Es würde ihm immer erhalten bleiben, und genau deshalb war er hier: um den Schmerz zu betäuben, an einem der wenigen Orte auf dieser Welt, wo es, so hatte er geglaubt, so viele natürliche Schmerzmittel gab, dass jede Wunde irgendwann verheilte. Aber seine nicht, seine würde niemals heilen. Sie bedurfte ständiger Pflege, benötigte immer wieder neue Medikamentendosen, um den Schmerz zu lindern. Das war genau das Rezept, mit dem er einem bestimmten Abschnitt seines Lebens, dem Abschnitt, der ihn hierhergeführt hatte, entkommen konnte: tauchen, trinken, Gras rauchen, ficken, sonnenbaden, pokern und sechs- oder siebentausend andere Freizeitbeschäftigungen, die die British Virgin Islands und ihre nähere Umgebung anzubieten hatten.

Aber manchmal musste er sich stellen – und wenn er spürte, dass es wieder einmal so weit war, dann am liebsten beim Bootputzen.

Das Zwölf-Mann-Team fiel im Schutz der Dunkelheit über den Palast her. Sie wurden in großer Höhe abgesetzt, wurden viele Kilometer östlich ihres Zieles in den Strahlstrom, das Starkwindband im Bereich der oberen Troposphäre, entlassen, sodass das

Flugzeug in der Umgebung des Palastes auf keinen Fall zu hören war. Lautlos und unsichtbar landeten sie auf dem Boden, ihre weich gepolsterten Springerstiefel wie Ballettschuhe in der nun folgenden Choreographie.

Es war unglaublich einfach. Innerhalb von Sekunden hatten sie die kleine Wächtertruppe umgebracht. Sie hatten die Position jedes einzelnen Mannes genau gekannt, weil sie alle genau dort standen, wo sie auch auf den Satellitenbildern gestanden hatten, die Coopers Team vor dem Sprung in die nächtliche Tiefe so endlos lange studiert hatte. Es war viel *zu einfach. Bald schon überkam Cooper die unappetitliche Erkenntnis, dass man keinen politischen Führer eines Landes, egal, wie groß es war, mit solcher Leichtigkeit, mit so wenig Widerstand ermorden konnte.*

Trotzdem erledigten sie den Regierungschef schlafend in seinem Bett. Die nahezu stummen Stöße aus Coopers schallgedämpftem Sturmgewehr sorgten für ein Ende des Regimes des Regierungschefs, genau wie geplant – geplant, wie Cooper später erfahren musste, von einem Schreibtischhengst, der auf einen Platz unter den Meisterspionen in der heiligen siebten Etage der CIA-Zentrale in Langley, Virginia, gehofft hatte. Dieser Schreibtischhengst hatte jedoch den Einfluss und die Cleverness des Verteidigungsministers und gleichzeitig Oberbefehlshabers der Palastwache aufs Gröblichste unterschätzt. Er war sogar so dumm gewesen anzunehmen, dass der Verteidigungsminister keinen Wind von Coopers Team und dessen Vorhaben bekommen würde. Cooper dachte, dass zumindest er selbst oder jemand anders aus seiner Einheit diese Möglichkeit hätte in Erwägung ziehen müssen. Aber, verdammt nach mal, dachte er dann, was haben wir damals schon gewusst? Wir waren ein Haufen dämlicher Gorillas im Adrenalinrausch, die den Palast von einem bösen Diktator befreiten, einem Verbündeten der Sowjetmacht, die Amerika unterjochen wollte.

Sobald der schlafende Diktator seinen letzten Atemzug getan hatte, stürmten überall im Palast die Wachsoldaten des Regierungschefs aus ihren Verstecken und hatten innerhalb von genau sechzehn Sekunden elf der zwölf Männer aus Coopers Gorilla-Truppe erledigt. Cooper flüchtete durch einen Flur hinter der Küche im Erdgeschoss, musste jedoch feststellen, dass er in der Falle saß – noch unentdeckt, aber unweigerlich zur Gefangennahme verdammt. Sie waren hoffnungslos in der Überzahl, und Cooper sah überall lauernde Soldaten, hinter jeder Tür, hinter jedem Fenster, hinter jedem Durchgang, an dem er vorbeikroch, immer auf der Suche nach einem Weg aus dem Palast hinaus und in den umgebenden Dschungel hinein. Doch er konnte kein Schlupfloch entdecken und versteckte sich stattdessen in einem Wandschrank mit Putzmitteln, hoffte, so lange in seinem Versteck bleiben zu können, bis sie ihn vergessen hatten oder glaubten, sie hätten sich verzählt und hätten bereits das gesamte Invasions-Team erledigt. Das ging ein paar Stunden lang gut, aber sie wussten, dass er noch in der Nähe war. Cooper hörte, wie sie systematisch jeden Winkel, jede Nische des Palastes durchsuchten, wie sie in die Küche, in den Flur und schließlich bis vor seinen kostbaren Wandschrank gelangten. Er dachte sich, dass seine Überlebenschancen am größten waren, wenn er sich ergab, und so schob er, als er hörte, dass sie in der Küche waren, langsam und vorsichtig die Tür des Wandschranks auf, streckte beide Hände ins Freie und schob mit seiner gepolsterten Stiefelspitze das Gewehr hinaus auf den Flur.

Bis heute hatte er nicht begriffen, wieso sie ihn nicht einfach abgeknallt hatten. Wahrscheinlich brauchten sie ein Symbol für ihre Wut, einen geschwächten Feind, den sie attackieren konnten, und als einziger Überlebender des Attentat-Kommandos erfüllte er in vollem Umfang genau dieses Anforderungsprofil. Sehr viel später erst erfuhr er, dass der Verteidigungsminister in aller Öffentlichkeit die schreckliche Tragödie um den Verlust des Führers der Nation beklagt hatte. Anschließend hatte er das Kriegsrecht ausgerufen und sich selbst zum Regierungschef erklärt. Danach ließ er alle führenden Mitglieder der Oppositionspartei, die ihm bei einer Neuwahl eventuell hätten gefährlich werden können, festnehmen oder umbringen.

Auch den einzigen Überlebenden des Kommandotrupps, der ihm bei seinem Aufstieg auf den Präsidentensessel behilflich gewesen war, ließ er einsperren.

Sie trieben ihn bis an den Rand des Todes, so oft, wie man ein menschliches Wesen bloß dorthin treiben konnte. An die absolute Grenze des Schmerzes und des Blutverlustes. Immer wieder begann das Spiel von Neuem, immer wieder brachten sie ihn nach ein paar Tagen völliger Isolation und ständigen Nahrungsentzugs in eine Folterkammer irgendwo in den Tiefen eines Gewölbes aus dem 17. Jahrhundert, für das er sich wohl bei irgendeinem spanischen Eroberer bedanken konnte. Dort fesselten sie ihn an einen Stuhl. Der Stuhl besaß keine Sitzfläche und Cooper war vollkommen nackt, sodass sein Eier durch das Loch im Stuhl frei nach unten baumelten. Dann fingen sie an, ihn auszupeitschen. Ihn mit Hieben zu überziehen. Zu zerfetzen. Die Peitsche war mit irgendetwas besetzt, keine Nägel, aber irgendetwas Ähnliches. Scharf. Schneidend.

Sie peitschten seinen Penis, seine Eier, seinen Arsch, immer genau das Gleiche, so lange, bis sich eine riesige Blutlache unter ihm gesammelt hatte und sie dachten, er sei tot. Jedes Mal vernebelten die Schmerzen seinen Geist und versetzten ihn in einen andächtigen, friedlichen Zustand. Das war die Klippe des Todes. Wenn sie festgestellt hatten, dass er wieder einmal überlebt hatte, warfen sie ihn wieder zurück in seine Gefängniszelle in dem unterirdischen Verlies, wo es mehrere Dutzend solcher Zellen gab. Ein paar Tage später kamen sie vorbei und sahen nach, ob er vielleicht schon tot war. Und jedes Mal, wenn sie gesehen hatten, wie seine Brust sich langsam hob und senkte, gaben sie ihm gerade so viel zu essen – meistens in Form eines verkrusteten Tortilla-Klumpens –, dass er merkte, dass er bald hungers sterben würde.

So viel, dass er es gerade bis zur nächsten Runde schaffte.

Nachdem er diesen immer gleichen Zyklus viel zu oft erlebt hatte, um mitzählen zu können – als die Schwaden des Todes ihn immer häufiger und dauerhafter umgaben, ganz wie die Rauchschwaden aus der ungerauchten Zigarette des Gesichtsmasken-Clancy –, da schwor sich Cooper, dass er, wenn sie ihn das nächste Mal holen wollten, wirklich alles, was ihm irgendwie möglich war, versuchen würde, und wenn es noch so lächerlich war. Mit dem bisschen, was ihm noch geblieben war, würde er den Kampf aufnehmen.

Und wenn es so weit war, dann würde er sie alle umbringen.

6

Ungefähr zehn Minuten vor dem Eintreffen der ersten Zodiacs mit Mittagsgästen lag die Apache wieder an ihrem Ankerplatz. Cooper kam mit dem Dinghi zurück an Land, machte es an einem Haken am Anleger fest und steuerte seinen Bungalow Nummer neun an. Auf dem Tisch neben seiner kleinen Küchenzeile warteten, wie erhofft, ein Schinken-Käse-Sandwich und eine Kanne mit Eiswasser. Er machte seinen winzigen Kühlschrank auf und entdeckte darin einen frischen Sixpack Budweiser – *Gute Arbeit, Ronnie, du Knalltüte,* dachte er. Dann setzte er sich an den Tisch, leerte das Wasser und drei Bierflaschen, verputzte das Sandwich und sah den Leuten zu, die von ihren ausgesprochen kostspieligen Segelbooten draußen in der Bucht zum Mittagessen an Land kamen. Dabei schaute er zwischen den quer gestellten Lamellen der Jalousie hindurch, die jenseits des Fliegengitters vor dem Küchenfenster montiert war.

Als er das Sandwich aufgegessen hatte, warf er einen Blick auf das Einbauregal hinter seinem Lesesessel. Er hatte versucht, die dreißig Zentimeter hohe Statue, die er dorthin gestellt hatte, zu ignorieren, doch je mehr er sich bemühte, sie zu übersehen, desto mehr fiel das Ding ihm auf.

Nach seiner Rückkehr von Tortola hatte er die Götterstatue aus dem Leinenbeutel geholt und in das Regal gestellt. Sie würde sich in seinem Zimmer bestimmt gut machen, hatte er gedacht. Vielleicht war der Goldschatz ja doch nicht mit einem Fluch belegt. Womöglich war das Götzenbild – oder wie man diese Dinger sonst so nennt, dachte er – eine Art Glücksbringer. Ein Wächter zur Vertreibung böser Geister. Es war zumindest einen Versuch Wert: Er konnte ja die spirituellen Kräfte der Statue testen und abwarten, ob sie Cap'n Roy davon abhielt, ihn anzurufen, oder Lieutenant Riley daran hinderte, zurückzukommen und ihn zu dem freundlichen Herrn Regierungschef zu bringen. Vielleicht hatte das Götzenbild ja schon dafür gesorgt, dass Ronnie ihm das Sandwich hingestellt hatte.

Sc oder so, Ronnie musste sich auf jeden Fall gefragt haben, was dieses verdammte Ding eigentlich sein sollte – diese goldglänzende Götterstatue auf dem obersten Regalbrett seines ansonsten spartanisch eingerichteten Zimmers, der einzige Raumschmuck im gesamten Bungalow, einmal abgesehen von den beiden Muschelschalen, die Cooper beiseitegeschoben hatte, damit die Statue genügend Platz bekam.

Er knackte das vierte Bier und nahm einen tiefen Schluck, während er durchs Zimmer ging und sich in seinen Lesesessel setzte. Wie immer war der erste Schluck eine große Enttäuschung: Das Bier war lauwarm. Die Kühlschränke in den Bungalows wurden mit Propangas betrieben. Man konnte darin ein, zwei Liter Milch oder ein Dutzend Eier aufbewahren, ohne dass sie schlecht wurden, damit die Gäste sich ihr eigenes Frühstück machen konnten, wenn sie wollten. Um jedoch Bier oder andere Getränke zu kühlen, musste man die Eiswürfel aus dem kleinen Tiefkühlfach nehmen und die Getränke da hineinlegen. Ronnie machte das nie, und Cooper dachte nie so weit voraus – wenn er ein Bier wollte, dann wollte er ein Bier, aber er dachte nie daran, gleich auch ein zweites oder gar drittes ins Eisfach zu legen. *Wäre schon nett, wenn wenigstens die vierte Flasche, bei der ich jetzt angekommen bin, kalt wäre.* Aber er trank das lauwarme Bier trotzdem.

Dann dachte er an die geschmuggelten Kunstwerke, für die er auf Cap'n Roys Bitte hin einen Käufer finden sollte. Im Gegensatz zu Roys Vorstellungen wusste er so gut wie gar nichts über das Geschäft des Kunstdiebstahls, und so spontan fiel ihm auch niemand auf seiner Liste ein, den er dazu bewegen konnte, ihm beim Verkauf eines Haufens gestohlener *Objets d'Art* behilflich zu sein – vorausgesetzt sie waren tatsächlich gestohlen, wovon man aber wohl getrost ausgehen konnte. Von irgendwoher mussten sie ja stammen, und es war durchaus denkbar, dass Cap'n Roy mittlerweile bereits wusste, woher. Schließlich hielt er in der nagelneuen Arrestzelle seines Marinestützpunktes den einzigen überlebenden Schmuggler gefangen. Während er sein viertes Bud leerte, dachte Cooper ein wenig über Cap'n Roys Angebot nach, am Verhör des Schmugglers teilzunehmen. Angesichts der Tatsache, dass er herausfinden wollte, was die Ware wert war und wie man sie am besten meistbietend verscherbeln konnte, war es vielleicht keine schlechte Idee, das Angebot anzunehmen.

Das Hauptproblem bei Kunstdiebstählen in der heutigen Zeit bestand aus Coopers Sicht darin, dass die meisten bedeutenden Kunstwerke registriert waren. Die einzig realistische Möglichkeit, bei einem Diebstahl Profit zu machen, lag in einer Ablösezahlung der Versicherungsgesellschaft. Man klaut das Ding, gibt es wieder zurück und streicht eine hübsche Stange Geld ein, in einer Größenordnung von zehn Prozent des Schätzwertes vielleicht. Und darüber hinaus verzichtet die Versicherung auf jede strafrechtliche Verfolgung.

Cooper schloss daraus, dass man heutzutage mit Kunstdiebstahl nur dann richtig Geld machen konnte, wenn man etwas Neues entdeckte – Indiana-Jones-mäßig. Das kam wahrscheinlich immer wieder vor, und Cooper fragte sich, ob Cap'n Roys Schatz vielleicht das Ergebnis einer solchen Grabräuberei war. Ein ganzes Zimmer voller Gold, jahrhundertelang im Erdboden vergraben, durch ein Erdbeben ans Tageslicht gebracht – oder auch durch einen Bagger, der ein Stück Regenwald abholzen wollte, um Platz für ein Parkhaus zu schaffen.

Zu dumm, dass die Grabräuber den falschen Weg nach Norden genommen hatten.

Cooper überlegte, wen er jetzt am besten anrufen konnte. Da fiel ihm jemand ein, jemand, der ihm wahrscheinlich zumindest sagen könnte, was das für Dinger waren – woher sie stammten und wer sie wann angefertigt hatte. Er konnte Lieutenant Rileys Fotos und ein paar der Sachen aus seiner Beutetasche mitnehmen und mit Hilfe dieser Person wenigstens herausfinden, ob Cap'n Roy sich irgendeine Privatsammlung aus einer Villa in Beverly Hills unter den Nagel gerissen hatte oder ob die Sachen aus einer zweitausend Jahre alten Grabstätte stammten.

Er war sich keineswegs sicher, ob er überhaupt irgendwelche Telefonate führen oder sonst etwas unternehmen wollte, aber gleichzeitig entwickelte er eine gewisse Sympathie für die Götzenstatue, die seinen Bungalow bewachte. Er betrachtete sich das Ding und fand, dass es eine Sie war – die Büste einer aztekischen Priesterin oder einer Maya-Nonne oder wie, zum Teufel, die Azteken oder die Mayas ihre religiösen Anführerinnen genannt haben mochten. Eine goldene Priesterin, die das

Schicksal hier angeschwemmt hatte, um ihn vor Eindringlingen, Wirbelstürmen und kaltem Bier zu bewahren.

Er stand auf, schnappte sich sein fünftes lauwarmes Bud und stellte sich vor die Statue, um sie aus der Nähe zu betrachten. Dabei überkam ihn ein seltsames Gefühl. Es fing als leichtes Ziehen in den Eingeweiden an – ein bekanntes Gefühl oder zumindest das Gefühl, etwas Bekanntes zu sehen. Das hatte nichts mit dem aus der Wut heraus entstandenen Rassenprofil vom Vortag zu tun. Es war vielmehr eine Art *Déjà-vu* – aber auch das traf nicht ganz den Nagel auf den Kopf, weil er nämlich nicht das Gefühl hatte, diese Situation genauso schon einmal erlebt zu haben. Wie er so vor dem Regal stand und an seinem Bier nippte, da wurde ihm klar, dass das *Déjà-vu*-Gefühl sich nicht auf das bezog, was er *sah*, sondern auf das, was er *hörte*.

Er hatte soeben einen leisen Hilfeschrei gehört, eine Bitte um Unterstützung.

Von einer Statue.

Ihm war klar, dass er sich eigentlich hätte sagen sollen, dass er bereits zu viele Jahre alleine lebte und dass solche Hirngespinste alles andere als ein gutes Zeichen waren. Und dass es außerdem wahrscheinlich sowieso nur Hopfen und Malz waren, die da zu ihm sprachen. Aber trotzdem musste Cooper sich, als er den Hilferuf der dreißig Zentimeter großen Mayapriesterin vernahm, eingestehen, dass da soeben sein zweiter Fall als Detektiv der Toten an seine Tür geklopft hatte.

Hey, Cooper, krächzte die Göttin in karibischem Singsang, aber mit einem vollkommen deplatzierten, fremdartigen Akzent, *wir ha'm gehört, du kannst ziemlich gut mit den Toten. Ein Freund von uns hat uns erzählt, dass du ihm geholfen hast, den ewigen Frieden zu finden ... und da ha'm wir gedacht, vielleicht willst du uns ja auch helfen. Da is' was schiefgelaufen, Cooper, und das muss wieder gradegebogen werden, und weißt du was? Kann sein, dass du genau der Richtige dafür bist.*

Cooper warf die leere Flasche in den Mülleimer in der Küche. Er hatte heute Nachmittag noch das Eine oder Andere vor: ein paar Schwimmrunden um das stetig kleiner werdende Korallenriff in der Conch Bay drehen, am Strand auf und ab joggen, sich auf dem Club-Anleger ein paar Gläser Rum hinter die Binde kippen, einen Joint durchziehen und damit vielleicht ein paar der ankommenden Dinner-Gäste erschrecken. Aber aus alledem wurde nichts. Stattdessen griff er nach dem Satellitentelefon auf dem Tisch neben seinem Laptop. Er wählte die Nummer des Regierungschef-Büros und sagte der Telefonistin, die er kannte und die ihn kannte, dass er mit Roy sprechen wollte.

Es dauerte nicht lange, dann hatte sie den Regierungschef gefunden.

»Ja, *Moonn«,* sagte Cap'n Roy, nachdem er den Hörer in der Hand hatte. »Hast du schon so'n reiches Arschloch aufgetrieben, das noch'n bisschen Inventar für seine Villa braucht und glaubt, dass unser kleiner Schatzfund dafür das Richtige wär'?«

Cooper ging nicht darauf ein.

»Hast du immer noch den Schmuggler im Gewahrsam?«, wollte er wissen.

»Den Käpt'n der guten *Seahawk?* Auf dem Marinestützpunkt ist es nach dem netten Abend in der Stadt gestern ein bisschen voll geworden, deshalb sitzt er jetzt oben im großen Haus.«

»Also gehört er immer noch uns, schließe ich daraus«, erwiderte Cooper. »Du hast ihn noch nicht an die Küstenwache ausgeliefert.«

Er wollte sichergehen, dass Cap'n Roy wirklich von dem Gefängnis auf der Nordseite von Tortola sprach, das der ehemalige Regierungschef für eine Summe von insgesamt 33 Millionen US-Dollar hatte bauen lassen, bevor er selbst dort eingesperrt worden war, weil er zehn Millionen für sich selbst abgezweigt hatte.

»Bevor du dir persönlich angehört hast, was er zu sagen hat? Niemals.«

Wenn es etwas gab, was Cooper wirklich durch und durch verhasst war, dann war es Berechenbarkeit.

Er erkundigte sich nach den Eckdaten des Schmugglers und prägte sie sich ein, dann sagte er: »Besorg mir eine Genehmigung und ein Zimmer« und beendete das Gespräch mit dem ehrenwerten Herrn Regierungschef.

Er würde Mr. *Seahawk* ein paar Antworten entlocken, die andere Person, die er im Kopf hatte, anrufen und anschließend Cap'n Roys persönliche Tut-Ench-Amun-Ausstellung zum vollen Preis losschlagen. Je schneller er damit fertig wurde, desto schneller konnte er seine Zweihundertzweiundfünfzigtausend auf der Habenseite verbuchen ... und desto schneller war er Cap'n Roy wieder los.

Aber bereits jetzt hatte er das Gefühl, als würde ihm die Trennung von der Priesterin schwerfallen – er freundete sich mehr und mehr mit der Vorstellung an, sie als Glücksbringer in seinem Regal stehen zu lassen.

»Dass du dir bloß nichts einbildest«, sagte er zu der Statue im Regal, griff sich das letzte lauwarme Budweiser aus dem Propan-Kühlschrank, suchte sich ein frisches T-Shirt und nahm die frisch herausgeputzte Apache mit auf eine kleine Spritztour nach Road Town.

7

Die Vorstellung, dass Tortola eine eigene Haftanstalt besaß, war ungefähr vergleichbar mit dem Bau eines zweiten Louisiana Superdome auf dem Mond. Die Insel hatte rund zwanzigtausend Einwohner, weitere zehntausend waren auf der umliegenden Inselkette verstreut. Für diese Einwohnerzahl reichten ein paar Zellen in der örtlichen Polizeiwache normalerweise bei weitem aus, doch da die geschätzten Führer der lokalen Regierung die BVIs als halbsouveränen Staat betrachteten, der irgendwann einmal unabhängig werden sollte, lag der Bau einer eigenen Justizvollzugsanstalt auf der Hand. Also hatte man ein Gefängnis mit einem Fassungsvermögen von 110 Gefangenen in Auftrag gegeben.

Beim Betreten des Gebäudes fiel Cooper – wie bei seinen drei vorangegangenen Besuchen auch – auf, dass der Maschendrahtzaum, der das ganze Gelände umschloss, nicht mit Stacheldraht gekrönt war. Er erkundigte sich bei dem Polizeibeamten am Eingang, wie viele Übernachtungsgäste in dieser Woche zu Besuch waren.

»Vierzehn«, sagte der Wachmann, »einschließlich des Schmugglers, den wir heute Morgen bekommen haben.«

Cooper wusste, wie sehr diese Typen das Wort *Schmuggler* liebten. Es war ein zentrales Element der Grundausbildung jedes Polizisten. Roy überreichte jedem Polizeianwärter eine DVD-Box mit sämtlichen Folgen der Fernsehserie *Miami Vice*, und die Auszubildenden wurden ununterbrochen mit Prüfungsfragen zu der Serie bombardiert. Also stürzten sich Cap'n Roys Truppen zwangsläufig auf alles, was auch nur entfernte Ähnlichkeit mit einem Drogenfund aufweisen konnte.

Cooper sagte dem Wärter, dass er hier sei, um mit eben diesem gerade erwähnten Schmuggler zu sprechen. Der Wärter nickte, nahm Coopers Personalien auf und widmete sich hinter seinem Tresen wortlos irgendwelchem Schreibkram. Cooper wusste, dass es sich bei drei der restlichen dreizehn Insassen um Kolumbianer handelte, die Roy und Riley vor einem Jahr auf einem Katamaran voller Kokain-Briketts festgenommen hatten. Die Idioten waren mitsamt ihrer Ladung mitten im Jachthafen von Road Town vor Anker gegangen. Dann hatten sie der Kellnerin im Hafenrestaurant ein Beutelchen reines Kokain zur Bezahlung ihrer Achtundsechzig-Dollar-Rechnung angeboten, exklusive Trinkgeld. Die Kellnerin, die zufälligerweise Rileys Nichte war, hatte vom Telefon hinter der Theke aus Cap'n Roy und seine Jungs alarmiert, und die waren sofort ins Restaurant gekommen und hatten die drei Kolumbianer festgenommen, noch bevor die ihren Cappuccino ausgetrunken hatten. Dann saßen also, nach Abzug der drei Kolumbianer, des abgesetzten ehemaligen Regierungschefs sowie Cap'n Roys jüngstem Schmugglerfang insgesamt neun Einheimische da oben auf dem Hügel ein und ließen sich von der karibischen Sonne rösten, wenn sie nicht gerade eine ihrer drei einfachen Tagesmahlzeiten oder eine der Gratiszigaretten, die ein Teil der Strafe waren, zu sich nahmen. Das war mindestens das Doppelte, was einem ein normaler Job vor Ort einbrachte.

Endlich mal Steuergelder, die wirklich sinnvoll eingesetzt wurden.

Der Wärter ließ die Tür aufschnappen, und dahinter wartete ein weiterer Polizist. Dieser führte Cooper einen hellen, von in der Decke versenkten Halogenleuchten beschienenen Flur entlang. Auf halbem Weg linste der Beamte durch ein kleines, in eine Tür eingelassenes Fenster. Zufrieden winkte er mit der Hand, und ein weiterer unsichtbarer Wärter – wahrscheinlich wieder der Kerl vom Empfang, dachte Cooper – drückte auf einen Schalter, und die Tür wurde automatisch entriegelt. Der Wärter zog sie auf und signalisierte Cooper, dass er gerne vor ihm eintreten durfte.

Cooper nahm die Einladung an und erblickte beim Betreten des Raumes die sitzende Gestalt von Powell Keeler III., Spitzname Po, mit festem Wohnsitz in Southampton, New York, geboren am 14. Juni 1962. Das alles hatte er den biographischen Angaben entnommen, die Cap'n Roy ihm per Telefon übermittelt hatte, und es kam ihm durchaus schlüssig vor, dass jemand, der seinen Lebensunterhalt damit bestritt, anderer Leute Boote durch die Gegend zu fahren – worauf »Po«, wie der Regierungschef ihm mitgeteilt hatte, hartnäckig beharrte –, in den Hamptons lebte.

Po Keeler saß an einer Tischplatte, die in eine quer durch den Raum verlaufende Wand eingelassen war. In dieser Wand befand sich ein großes, rechteckiges Loch, das nur zur Hälfte von einer Plexiglasscheibe verdeckt wurde. Jeder Gefangene hätte, falls er das wollte, jederzeit und ohne Mühe darüber hinwegklettern können. In der Plexiglasscheibe befanden sich Löcher, sodass jedes Geräusch, das nicht durch die dreißig Zentimeter höher gelegene Öffnung dringen konnte, auf Augenhöhe ungehindert durch die Scheibe gelangte. Cooper wollte den Architekten dieser Haftanstalt einmal zu sich in den Conch Bay Beach Club einladen, damit dieser ihm einen Kaminofen und eine Heizungsanlage gegen die Hitze installierte.

Keeler war so braungebrannt, dass er tatsächlich ein professioneller Charterjacht-Überführer sein konnte. Im Großen und Ganzen sah er genau aus wie ein typischer Vertreter der weißen, angelsächsischen Protestantenschicht aus New England, allerdings eine Spur zu sehnig. Die Strähne über der Stirn wirkte ein bisschen zu lang, die Haut an seinem Hals ein wenig zu sehr mit Altersflecken überzogen – also genau die Art Schönheitsfehler, die ein Börsenmakler, der die ganze Woche in irgendeinem Bürogebäude hockte und Geld scheffelte, nicht bekam. Und Keeler wirkte ein wenig verlottert: Neben anderen Dingen fiel Cooper die kleine Schnodderkruste an einem seiner Nasenlöcher auf. So etwas hätte Biff aus Connecticut bestimmt niemals zugelassen, nicht einmal im Gefängnis.

Cooper schätzte Keeler sofort als eine Art Oberschicht-Äquivalent der so genannten »Belonger« ein. Das war der auf den BVIs übliche Begriff für Nicht-Einheimische, die aber gewisse, eingeschränkte Bürgerrechte genossen. Po Keeler trieb sich im

Dunstkreis der Wohlhabenden herum, ohne so richtig dazuzugehören. Ein »Belonger« eben. Cooper hatte außerdem das Gefühl, als hätte er Keeler schon einmal irgendwo gesehen. Die West Indies lockten zwar sehr viele Touristen an, aber nur wenige verdienten ihren Lebensunterhalt in den Jachthäfen, und die waren immer schnell zu erkennen.

Cooper zeigte Keeler einen seiner gefälschten Ausweise, dieses Mal den des FBI. Den hatte er noch im Taxi in das aufklappbare Sichtfenster seines Portemonnaies gesteckt.

»Ich hätte da ein paar Fragen an dich, Po«, sagte er »Ich hoffe, ich hab' dich nicht gerade bei irgendwas Wichtigem gestört. Haben sie mittlerweile den Swimmingpool im Innenhof gebaut?«

Keeler winkte müde ab.

Sie saßen einander jetzt gegenüber, jeder auf einer Seite der mehr oder weniger sinnlosen Plexiglastrennwand.

»Warum erzählst du mir nicht einfach, was da passiert ist?«, sagte Cooper.

Keeler schaute ihn eine Minute lang an.

Dann sagte er: »Wer, zum Teufel, sind Sie eigentlich?«

»Po«, erwiderte Cooper. »Vielleicht sollte ich einfach über diesen lächerlichen Raumteiler klettern und dir so lange den Arsch versohlen, bis du in deinem eigenen Blut und mit eingeschlagenen Zähnen da auf diesem Millionen Dollar schweren Linoleumboden liegst. Danach könnte ich dann mit einem der Wärter sprechen und ihm sagen, er soll den gierigsten Vergewaltiger, den sie hier im Knast haben, reinholen, den mit dem längsten Schwanz, und anschließend rausgehen und mir eine Cohiba anstecken, während er dir in jeder jungfräulichen Öffnung herumstochert, die dein blütenreiner Körper zu bieten hat. Um ehrlich zu sein, sie haben hier gerade so einen Typen einsitzen, Big Boy Basil, dem käme ein bisschen Abwechslung bestimmt ganz gelegen. So ein richtig dicker, fetter, stinkender Klops.«

Keeler musterte ihn eine Weile ohne sichtbare Reaktion. Vielleicht wollte er abwarten, ob Cooper irgendetwas unternahm oder ob er in Lachen ausbrach, weil er einen Witz gemacht hatte ... falls es sich wirklich um einen Witz gehandelt hatte. Nach diesem prüfenden Blick zuckte Keeler mit den Schultern und sagte: »Verdammt noch mal, dann erzähle ich Ihnen eben noch mal das Gleiche wie dem Polizeichef. Cap'n Irgendwas, so hat er sich vorgestellt.«

»Cap'n Roy.«

»Was soll's. Wie gesagt, ich bin hier unten unterwegs, weil das meine Arbeit ist. Ich überführe ab und zu eine Jacht. Falls das gewünscht wird, verstehen Sie? Ich nehme dafür eine feste Gebühr, überlasse den Eigentümern den Versicherungskram und bringe das Boot an seinen Ausgangspunkt zurück, oder andersrum.«

Cooper bemerkte, dass Keeler am Ende jedes Satzes mit dem Kopf nickte – eine Art kurzes, unfreiwilliges Rucken nach links unten. Fast so, als könnte sein Unterbewusstsein den Stolz über das Kunststück eines vollständig zu Ende gebrachten Satzes einfach nicht für sich behalten.

»In diesem Fall«, sagte er, »bin ich also mit dieser Trinity unterwegs, zurück in ihren Heimathafen nach Naples. An der Westküste von Florida. War ich unterwegs. Verdammte Scheiße. Der Besitzer ist mit seiner Familie gerade durch die ABC-Inseln gesegelt, bis nach Caracas.«

Cooper übersetzte: Die ABC-Inseln, das waren Aruba, Bonaire und Curaçao, unten, ganz im Südwesten der Antillen-Kette.

»Und du bist in Caracas losgefahren?«, wollte Cooper wissen.

»Ja, genau. Na ja, ganz in der Nähe jedenfalls. La Guaira.«

»Und da hast du auch die Ladung an Bord genommen?«

Keeler musterte ihn noch einmal, bevor er eine Antwort gab.

»Ja, genau«, sagte er dann. »Genau da. Ich hab gar nichts dagegen, das zu verraten. Hab ich auch schon Cap'n Wie-heißt-er-noch, Rudy oder so gesagt. Als Zeichen meiner Kooperationsbereitschaft. Weil ich nämlich hier wieder rauskommen will, kapiert? Aber was ich sowieso schon fragen wollte. Wann kriege ich eigentlich endlich den Telefonanruf, der mir zusteht? Ich darf schließlich meinen Anwalt anrufen, stimmt's? Bis jetzt hat mir noch niemand diesen Anruf ermöglicht.«

Cooper schüttelte den Kopf und versuchte, ein Lächeln zu unterdrücken.

»Das mit dem Anruf, das bezieht sich auf die guten alten Vereinigten Staaten von A. In dieser Gegend hier ist das nicht üblich. Die Telefonzellen taugen sowieso nichts – wenn du einen Rechtsanwalt in den Vereinigten Staaten anrufen willst, kannst du das gleich vergessen. Du würdest eh nicht durchkommen. Aber ...«, sagte er, »... als Zeichen meiner Kooperationsbereitschaft werde ich mal sehen, was ich tun kann.«

Keeler zeigte noch eine seiner unfreiwilligen Kopfzuckungen und sagte: »Was soll's. Hören Sie, ich verdiene mir noch ein bisschen was dazu. Nehme auf meinen Überführungsfahrten manchmal auch die eine oder andere zusätzliche Ladung mit. Die Leute wissen das und sagen sich's gegenseitig weiter, verstehen Sie? Ab und zu kriege ich einen Anruf oder jemand kommt vorbei – so wie dieses Mal. Da ist ein Typ in den Hafen gekommen, kurz vor dem Auslaufen. Verstehen Sie? Also, jedenfalls, wenn es geht, nehme ich gerne noch ein paar Kisten mit. Verdiene mir ein paar Scheine nebenbei, für die Mühe. Aber ich habe klare Regeln: keine Drogen, keine Schusswaffen. Ich kenne mich aus mit den Sondereinheiten der Küstenwache, verstehen Sie, ich weiß, wie ich sie mir vom Leib halten kann. Die suchen Drogen und Waffen, alles andere ist denen scheißegal.«

»Für gewöhnlich«, sagte Cooper. »Für gewöhnlich weißt du, wie du sie dir vom Leib halten kannst.«

»Ich bin so ein Vollidiot. Ich hab' gewusst, dass es ein Fehler war, von der ersten Minute an. Der Typ im Hafen, von dem ich Ihnen erzählt hab', hat mir dreißig Riesen Vorschuss angeboten, plus noch mal zwanzig bei Ablieferung. Acht Kisten und zwei Begleiter.«

»Fünfzig Riesen? Klingt fast, als wär' das ein bisschen mehr als das Übliche.«

»Ist es auch. Noch ein Grund mehr, so einen Scheiß-Auftrag von vornherein abzulehnen. Ich habe eben einfach gedacht, die beiden Typen gehören mit zur Schiffsladung. Zusammen mit dem ganzen Rest. Ich habe mich geirrt.«

»Wie meinst du das?«

»Der Typ hat mir einen Brief gezeigt, vom Außenministerium. Der Brief hat echt ausgesehen, und der Typ hat gesagt, dass jeder Zollbeamte damit zufrieden wäre und dass die beiden Typen damit die Grenze passieren dürfen. Dass eine Durchsuchung überhaupt kein Problem sei. Da hab' ich noch gedacht, dass er mir das viele Geld deshalb anbietet, weil sie als blinde Passagiere reisen, verstehen Sie? Dass die Ladung nur der Vorwand war, damit diese beiden Typen mit an Bord kommen konnten, aber dass es dem Auftraggeber eigentlich darum gegangen ist, die beiden Typen in die Vereinigten Staaten zu schaffen, weil sie dort irgendwas für ihn erledigen sollten.«

»Also könnten es zum Beispiel Terroristen gewesen sein.«

»Tja, na ja, schon, aber ...« Keeler verstummte und erstarrte und sah irgendwie so aus, als wäre ihm dieses Szenario zum ersten Mal bewusst geworden: Po Keeler, der Strohmann, dachte Cooper, der Al-Kaida-Aktivisten in den Bauch der Bestie

schmuggelte und dafür ein paar Tausender in bar kassierte.
»Nein, sehen Sie«, sagte Keeler, »so war es nicht. Auch wenn das, was es wirklich war, nicht viel besser war, stimmt's? Nicht für mich. *Ich bin so ein Vollidiot* – woher soll ich denn wissen, dass diese Arschlöcher Gewehre im Koffer haben? Das waren Wahnsinnige, wie diese Mariachis in diesem gottverdammten Film mit Antonio Banderas.«

»Muss mir entgangen sein«, erwiderte Cooper.

Keeler zuckte mit den Schultern.

»Hör auf mich zu verarschen, Keeler. Woher hast du das Zeug in den Kisten?«

Keeler gab ein Geräusch von sich, das sich wie eine Kreuzung aus Lachen und Husten anhörte. Cooper nahm an, dass es als Grunzen gemeint war.

»Das ganze Gold und der Scheiß?«, erwiderte er. »Mann, das hab' ich Ihnen doch schon gesagt. Ich hatte keine Ahnung, was in den Kisten ist, bis Ihr Kumpel mir die Fotos gezeigt hat.«

»Kumpel?«

»Schon gut. Hören Sie, ich stelle keine Fragen. Bis auf zwei. Wie am Flugticket-Schalter, verstehen Sie? Immer dieselben beiden Fragen. Bloß, dass meine lauten: ›Drogen?‹ ›Schusswaffen?‹ Davon abgesehen gilt: Die Gebühren sind Verhandlungssache, mindestens die Hälfte im Voraus, die andere Hälfte bei Lieferung, nur Bargeld. Ich hab 'nen Freund in Mustique mit 'nem Hund, der erschnüffelt sämtliche Drogen, und Waffen auch. Wenn dieser Hund irgendwas riecht, schmeiße ich die ganze Ladung ins große, weite Meer. Wenn nicht, dann nicht.«

»Wer sollte die Ladung in Naples abholen?«

»Es sollte jemand zum Boot kommen, das war die Absprache. Der Betreffende gibt mir die zwanzig Riesen und bekommt die Kisten. Alles ganz normal. Keine Namen, keine Telefonnummern.«

»Dann kann also jeder, der an deinem Zielort auftaucht und die richtige Summe Bargeld dabei hat, sich die Sachen unter den Nagel reißen?«

Keeler zuckte mit den Schultern. »Deren Regeln, deren Problem. Nicht meins. Aber egal, mehr interessiert mich sowieso nicht. Verstehen Sie, was ich meine?«

»Wer hat in Venezuela mit dir verhandelt? Der Typ, der zum Hafen gekommen ist.«

Keeler blieb ein, zwei Sekunden lang stumm und blickte Cooper in die Augen. Vielleicht, so dachte Cooper, war dieser Blick anerkennend gemeint, weil Cooper mit dieser Frage auf die einzige wirkliche Information gestoßen war, die er anzubieten hatte. Keeler war offensichtlich ein Intrigant, einer, der es immer irgendwie schaffte, sich aus einer Klemme herauszuwinden, und Cooper hatte das Gefühl, als versuchte Keeler, ihn einzuschätzen. Versuchte rauszukriegen, wie er Cooper wohl dazu benutzen konnte, ihn aus dem Knast zu holen, jetzt, wo er kurz davor stand, die einzig wirklich wertvolle Information preiszugeben, die er besaß.

»Mit dem Kerl in Venezuela hatte ich schon öfter mal zu tun«, sagte Keeler. »Hat mir schon etliche Aufträge verschafft. Nicht für sich selbst, sondern für seinen Boss. Aber das war das letzte Mal, dass ich von dem Drecksack was angenommen hab'. Arschgeige. Jetzt hätte ich aber auch noch 'ne Frage.«

Cooper wartete ab.

»Dieser Ausweis, den Sie mir vorhin gezeigt haben. In Ihrer Brieftasche. Da stand, Sie sind vom FBI.«

»Genau«, erwiderte Cooper.

»Sind Sie aber nicht. Vom FBI, meine ich.«

»Genau.«

Cooper beobachtete den Intriganten beim Intrigieren.

»Sie sind aber auch kein Angehöriger der hiesigen Polizei, das ist total klar. Aber trotzdem«, sagte Keeler. »Er ist ein Kumpel von Ihnen. Stimmt's? Der Polizeichef, der Minister oder was sonst. Cap'n Rudy.«

»Hier in der Gegend kennt jeder mehr oder weniger jeden, Po«, entgegnete Cooper. »Und er heißt Roy.«

»Also gut – Kumpel, Bekannter, was soll's. Ist mir doch scheißegal. Aber was mir *nicht* scheißegal ist: Haben Sie eine Ahnung, ob dieser Drecksack vorhat, mich auszuliefern? Ob er mich an die Küstenwache oder an sonst irgendwelche US-Behörden übergeben will?«

Cooper meinte: »Falls du wissen willst, ob ich irgendwelche Insider-Informationen in Bezug auf die Absichten des Regierungschefs habe, dann lautet meine Antwort nein. Falls er überhaupt irgendwelche Absichten hat.«

»Für mich wäre es besser, wenn er keine hätte«, sagte Keeler. »Ich sag Ihnen mal, wie es läuft. Ich werde in irgendeinem kleinen Staat festgehalten, okay? Dann, irgendwann, wieder freigelassen. Die Küstenwache oder die anderen US-Strafverfolgungsbehörden haben keine Ahnung, dass es mich überhaupt gibt. Es gibt keine Akte, ich werde vergessen, und alles ist in Ordnung.« Er nickte. »Wenn aber Ihr Kumpel mich ausliefert, werde ich vor Gericht gestellt. Vielleicht wegen irgend so einer an den Haaren herbeigezogenen terroristischen Verschwörung, von der Sie vorhin gesprochen haben. Wissen Sie, was das für mich bedeutet? Abgesehen von allem anderen bedeutet es, dass keine Versicherung irgendetwas bezahlt. Weder meine noch die des Bootsbesitzers. Keinen roten Heller. Das heißt, ich bin aus dem Geschäft.«

Cooper beobachtete ihn.

»Also, jedenfalls«, fuhr Keeler fort, »ich könnte mir vorstellen, dass ich ein, zwei Freunde habe, die Ihrem Kumpel ein bisschen unter die Arme greifen könnten. Vielleicht sogar der Typ, dem die Trinity gehört. Ich könnte Ihrem Kumpel ein paar Dinge besorgen, die er gerne hätte. Unter Umständen ließe sich sein Nummernkonto auf den ... wo, den Caymans vielleicht? ... um ein paar Nullen aufstocken.«

»Du hast ihn doch selbst kennen gelernt, stimmt's?«, sagte Cooper.

»Ja, na klar.«

»Und? Hattest du das Gefühl, als wäre er einem solchen Vorschlag abgeneigt?«

»Nein.«

»Na, bitte.«

Keeler schaute ihn an. Vermutlich überlegte der Kerl jetzt, was genau er mit diesem *Na, bitte* hatte sagen wollen.

»Andererseits«, fuhr Cooper fort, »hört der verehrte Herr Regierungschef in der Regel auf meinen Rat. Und wenn ich nicht innerhalb der nächsten dreißig Sekunden erfahre, wer genau da auf diesem Anleger in La Guaira aufgetaucht ist, dann mache ich einen Zwischenstopp im Rathaus, schaue kurz in Roys Büro vorbei und empfehle ihm, dich so schnell wie möglich auszuliefern.«

Keeler reagierte mit einem hastigen, unfreiwilligen Kopfnicken.

»Der Typ in Venezuela«, platzte er hervor. »Er hat gesagt, er käme im Auftrag von Ernesto Borrego.«

Cooper hörte aufmerksam zu. Der Name sagte ihm nichts.

»Eigentlich hat er gar nicht ›Borrego‹ gesagt«, fuhr Keeler fort. »Er hat nur seinen Spitznamen erwähnt – El Oso Blanco, glaube ich. Oder vielleicht auch El Oso Polar – das verwechsle ich immer.«

Cooper hätte Keelers nun folgende Übersetzung gar nicht gebraucht.

»Egal, in welcher Sprache, man nennt ihn jedenfalls ›den Eisbären‹. Viel Glück bei der Suche nach dem Kerl, der an den Anleger gekommen ist – ich gebe Ihnen seine Pager-Nummer, aber er war nicht mehr als ein Kurier. Wenn Sie wissen wollen, wer das Ganze eingefädelt hat: Das war Ernesto Borrego, der Eisbär, was auch immer. Ich habe schon öfter mal was für seine Leute gemacht. Er hat seine Finger in allen möglichen schmutzigen Geschäften da unten.«

Keeler gab Cooper die Pager-Nummer des Kuriers, und Cooper speicherte sie in dem Teil seines Gehirns ab, den die vielen, mit Bourbon getränkten Jahre noch nicht zerstört hatten.

»Und in Naples?«, hakte Cooper nach. »Gibt es dort jemanden?«

Keeler schüttelte den Kopf.

»Nein«, sagte er. »Nur Borrego. Dieser Wichser. Und kommen Sie mir nicht mit Big Boy Basil oder so einem Scheiß. Mehr weiß ich nicht.«

»Fang auf«, sagte Cooper und warf sein Satellitentelefon über die Plexiglasabtrennung. Keeler fing es auf, musterte das kleine Kästchen und blickte Cooper an.

»Dein Telefonanruf«, sagte dieser.

Keeler vergeudete keine Zeit. Er wählte eine Nummer, wartete, bis die Sekretärin ihn mit seinem Rechtsanwalt verbunden hatte, und sprach dann ein halbes Dutzend Punkte an, ohne sich darum zu kümmern, dass Cooper mithörte. Dann beendete er das Gespräch und warf das Telefon über die Trennwand zurück.

Cooper schnappte es aus der Luft, stand auf und klopfte an die Tür zum Flur. Nach vier, fünf Minuten sprang der schwere Sicherungsbolzen auf, und der Wärter, der ihn hereingeführt hatte, stand da, um ihn nach draußen zu begleiten.

Cooper wandte sich an Keeler.

»Immer locker bleiben«, sagte er.

Kurz, bevor die Tür hinter ihm ins Schloss fiel, hörte er Keeler sagen »Schon gut«, und dann war die Tür wieder zu, und Cooper trat hinaus in die strahlende Sonne.

8

Vierzig Sekunden nach Julie Laramies Ankunft an ihrem Arbeitsplatz wurde sie schon wieder gebeten, ihn zu verlassen. Das war nichts Ungewöhnliches, da ihr Chef, der frisch ernannte stellvertretende Geheimdienstkoordinator, sein Image als Kombination aus geistesabwesendem Professor und introvertiertem Sonderling sorgfältig gepflegt hatte und daher, ganz in Einklang mit seinem Ruf, regelmäßig irgendwelche Sitzungen »vergaß«. Dann mussten Malcolm Raders leitende Mitarbeiter, unter denen Laramie die hochrangigste war, seinen Platz einnehmen.

Laramie hatte bereits ihren Computer gestartet, sich aber noch nicht einmal hingesetzt, als Rader in ihr nagelneues Einzelbüro geschlurft kam und ihr einen Zettel reichte. Er entschuldigte sich für die kurzfristige Bitte, an einer Sitzung teilzunehmen, die unter der auf dem Zettel angegebenen Adresse stattfinden sollte:

101 INDEPENDENCE AVE., WESTON ROOM (3C)

»Koordinationstreffen der Geheimdienste, vom Senat veranlasst«, sagte er. Laramie wusste, dass es in Folge der Gründung der *Kommission Elfter September* viele solcher Sitzungen gegeben hatte und noch geben würde.

Und damit war sie auch schon in der Gegenwart – in ihrem Auto, wo sie sich über Raders angebliche Zerstreutheit ärgerte. Jetzt war sie schon über eine Stunde zu spät dran, nur weil er ihr nicht schon am Abend zuvor Bescheid gesagt hatte.

An der Ausfahrt zur Independence Avenue bog sie vom Interstate Highway 395 ab und arbeitete sich bis zur First Street vor, da sie davon ausging, dass das Gebäude an der Ecke First lag.

Dann allerdings fuhr sie zweimal an ihrem Ziel vorbei, ohne es wahrzunehmen, während sie ununterbrochen nach den Hausnummern an den historischen Gebäuden auf einer Seite der Independence Avenue suchte. Erst dann fiel ihr auf, warum die Adresse ihr so bekannt vorgekommen war: weil sie nämlich schon einmal hier gewesen war. Als sie den Blick auf ein sehr viel größeres Bauwerk auf der anderen Straßenseite richtete, wurde ihr klar, wohin Rader sie geschickt hatte. Dort stand, in seiner ganzen, den gesamten Straßenzug beherrschenden, monumentalen Pracht das Gebäude mit der Adresse 101 Independence Avenue und starrte sie an – *Während du,* dachte sie, *nach einem Bürogebäude gesucht hast, das es gar nicht gibt.*

Es bildete eine Einheit mit zwei weiteren, ähnlich aussehenden Gebäuden und wurde allgemein »Library of Congress« genannt, die Kongressbibliothek.

Sie fühlte sich ein wenig unbehaglich, als sie endlich, ein ganzes Stück weit entfernt, eine Parklücke für ihren Volvo fand. Sie zog die Handbremse an und stellte fest, dass es fast schon 10.15 Uhr war – *fünfundsiebzig Minuten Verspätung.* Es dauerte weitere sechs Minuten, bis sie das James Mason Building betreten hatte und sich auf die Suche nach einem Hinweis auf die genaue Lage des Weston Room machen konnte. Doch sie suchte vergeblich.

An diesem Punkt streckte sie die Waffen und trat an einen der Informationsschalter im Foyer, hinter dem ein Bibliothekar mittleren Alters es sich bequem gemacht hatte.

»Kann es sein, dass sich irgendwo im Umkreis von ein paar Kilometern der so genannte Weston Room befindet?«

Laramie zeigte ihm zur optischen Unterstützung den Zettel mit der Adresse, und obwohl sie dabei lächelte, hatte sie sämtliches Interesse am Austausch von Höflichkeiten verloren. Viel lieber wären ihr jetzt eine extrastarke Paracetamol oder vielleicht ein Frühstück gewesen, denn das hatte sie ausfallen lassen, um halbwegs pünktlich im Büro zu sein, nachdem ihre morgendliche Joggingrunde länger gedauert hatte als sonst. Während ihres Kampfes mit den anderen Pendlern auf dem I-395 hatte sie schon angefangen, sich zu fragen, ob vielleicht irgendjemand in der Starbucks-Filiale, bei der sie ihre Läufe immer begann, beschlossen hatte, sie mit koffeinfreiem Kaffee zu quälen.

Diese Kopfschmerzen brachten sie um.

Der Bibliothekar lächelte nichtssagend, und der Blick hinter seinen Lachfältchen war leblos und unangenehm. Er deutete von Laramie aus gesehen nach rechts, auf einen breiten Flur mit einer gewölbten Decke.

»Hinter den Madison-Gedenktafeln am Ende des Flurs gibt es eine Treppe«, sagte er. »Sie gehen bis in den dritten Stock – das ist die ›3‹ in der Abkürzung ›3C‹ auf Ihrem Zettel. Dann folgen Sie den Schildern zum Vorführraum, gehen daran vorbei und gelangen dann zu den Bücherstapeln an der Gebäudeseite, die der C-Street zugewandt ist – ›C‹. Wenn Sie die hintere Ecke des Flurs erreicht haben, müssen Sie sich ein bisschen umschauen, dann sehen Sie das kleine Schild neben der Tür. The Weston Reading Room steht drauf, und dann wissen Sie, dass Sie da sind.« Mit einem weiteren höflichen Lächeln gab er ihr den Zettel zurück.

»Sind nicht mal zwei Kilometer«, sagte er.

Laramie hätte diesen Scherz durchaus zu würdigen gewusst, wenn nicht der Hunger immer heftiger an ihr genagt hätte. Sie bedankte sich mit einem sehr flüchtigen Lächeln, machte sich daran, das Foyer zu durchqueren, überlegte es sich anders und kam noch einmal zurück.

»Noch eine Sache«, sagte sie. »Hat heute schon einmal jemand nach dem Weston Room gefragt?«

Der Bibliothekar dachte kurz nach, dann schüttelte er den Kopf.

»Und wie ist das, ähm, normalerweise? Wird der Raum ab und zu von externen Gruppen zu Sitzungen angemietet?«

»Glaub ich nicht«, meinte er.

Während sie den Flur entlangging, dachte sie über diese Auskünfte nach, und nachdem sie drei Stockwerke höher geklettert und ungefähr zehn Minuten lang an irgendwelchen Bücherstapeln vorbeigegangen war, entdeckte sie, ganz, wie der Bibliothekar es gesagt hatte, ein Schild neben einer Tür. Sie gelangte zu der Überzeugung, dass sie seit dem Foyer tatsächlich mindestens anderthalb Kilometer, wenn nicht mehr, zurückgelegt hatte, aber jetzt hatte sie es tatsächlich vor sich: ein Bronzeschild mit den eingravierten Worten WESTON READING ROOM. Es hing an der Wand neben einer sperrangelweit geöffneten Tür. Ihre Verspätung betrug laut Armbanduhr fast neunzig Minuten.

Laramie stellte sich vor den Türrahmen, hielt sich aber außerhalb des Sichtfeldes der eventuell im Raum Anwesenden. Sie lauschte einen kurzen Augenblick lang, hörte aber nichts ... keine Stimmen, kein raschelndes Papier.

Sie kam zu dem Ergebnis, dass im Weston Room momentan niemals ein wie auch immer geartetes »Koordinationstreffen der Geheimdienste« stattfand. Sie konnte sich nicht vorstellen, dass Malcolm Rader sie absichtlich oder unabsichtlich in irgendeine Falle locken würde, ja, sie konnte sich nicht einmal vorstellen, was das für eine Falle sein sollte, abgesehen von der naheliegenden Möglichkeit eines Sexualverbrechens, die in jeder großen Bibliothek mit abgelegenen Winkeln und Ecken gegeben war. Aber Laramie konnte – zumindest gemeinsam mit dem Pfefferspray in ihrer Handtasche – ganz gut auf sich selbst aufpassen.

Nein, Rader hatte ganz genau gewusst, wieso er sie ausgerechnet hierhingeschickt hatte, und das hatte Verschiedenes zu bedeuten. Zunächst einmal bedeutete es, dass sie im Weston Room erwartet wurde – vorausgesetzt, die betreffende Person, wer immer das sein mochte, hatte bereitwillig die anderthalb Stunden abgewartet, die seit dem eigentlich festgelegten Beginn ihres Treffens vergangen waren. Und zweitens, dachte sie, wer immer da drin sitzt, ist jemand, der Rader – *deinem Chef* – Anweisungen geben kann.

Was bedeutete, dass es vermutlich das Beste war, jetzt durch diese Tür zu gehen und an der Sitzung teilzunehmen.

Sie trat ein und stellte fest, dass der Weston Reading Room mit diversen Hartholz-Lesetischen bestückt war, umgeben von einer Inneneinrichtung im Stil der italienischen Renaissance. Er hatte in etwa die Größe eines Squash-Courts und wurde von einer Front mit vier riesigen Buntglasfenstern dominiert. Laramie zählte zwölf Tische. Auf jedem Tisch stand eine Leselampe, und etwa die Hälfte davon war eingeschaltet. Der Raum wirkte wie ein erbaulicher, vielleicht sogar etwas förmlicher Ort, um sich in seine Studien zu vertiefen. Aber vor allem wirkte er wie ein perfekter Ort, um ein unauffälliges Treffen abzuhalten, von dem niemand etwas erfahren sollte.

Sie kam deshalb darauf, weil an einem der Tische im hinteren Teil des Zimmers ein Mann saß, den sie kannte. Er hatte den Blick zwar auf die Buntglasfenster gerichtet, doch Laramie konnte sein Profil gut erkennen, und wenn man, wie Laramie, zufälligerweise bei der Central Intelligence Agency beschäftigt war, dann war es besonders einfach einen Mann wie den, der an diesem Tisch im Weston Reading Room saß, zu erkennen. Unter anderem auch deshalb, weil an den Wänden der CIA-Zentrale in Langley, Virginia, Porträts von allen Männern hingen, die den Job innegehabt hatten, den dieser Mann erst kürzlich hatte abgeben müssen. Außerdem war Laramie auch schon ein-, zweimal mit ihm persönlich zusammengetroffen.

Es war jetzt ungefähr ein Jahr her, dass dieser Mann seinen mit einem Porträt verknüpften Job an den Nagel gehängt hatte.

Es war ein erzwungener Rücktritt gewesen, der einerseits den korrupten Praktiken seines verstorbenen Stellvertreters sowie andererseits einer großen Zahl streng geheimer Satellitenbilder geschuldet war, die Laramie höchstpersönlich aufgespürt hatte, um sie anschließend der gesamten CIA-Hierarchie mit Wucht in den Hintern zu rammen.

Laramie nahm den Duft nach Kaffee wahr – und nach Essen. Sie sah, dass der Mann, mit dem sie ein Treffen haben sollte, gerade von einem Sandwich abgebissen hatte und noch kaute. Jetzt legte er das Sandwich auf den Tisch und trank einen Schluck aus einem weißen, unverwechselbaren Pappbecher, der mit einem einzigen grünen Wort beschriftet war. Nach Laramies Empfinden hätte es statt *Starbucks* auch *Oase* lauten können. Auf der dem Mann gegenüberliegenden Tischseite standen eine ungeöffnete Tüte und ein zweiter Pappbecher mit Kaffee.

Laramie fand, dass die Zeichen spürbar auf Entspannung standen, trat an den Tisch vor dem Buntglasfenster und eröffnete das Arbeitsfrühstück mit Lou Ebbers, dem ehemaligen Leiter der CIA.

Ebbers erhob sich. Er lächelte zwar nicht, runzelte aber auch nicht die Stirn. Er reichte ihr die Hand, und Laramie schlug ein. Sie wollte gerade anfangen, sich zu entschuldigen, doch dann hielt sie sich zurück – die Sitzung, zu der sie angeblich hätte erscheinen sollen, hatte es in Wirklichkeit ja gar nicht gegeben.

»Guten Morgen, Lou«, sagte sie.

»Guten Tag«, erwiderte Ebbers mit seinem typischen, melodiösen North-Carolina-Akzent. »Ich habe mir erlaubt, ein Sandwich für Sie auszusuchen. Der Kaffee ist mit fettarmer Milch und Süßstoff. Man hat mir gesagt, dass Sie ihn so am liebsten trinken.«

Laramie sparte sich eine direkte Reaktion auf seine Anspielung bezüglich ihrer Unpünktlichkeit, ging um den Tisch herum, stellte ihre Tasche auf dem Fußboden ab und setzte sich an den Platz ihm gegenüber. Das will er doch bestimmt, dachte sie. Sie trank zwei große Schlucke Kaffee, und als Ebbers sich an seine Rückenlehne sinken ließ, machte sie die braune Papiertüre auf und holte das Sandwich heraus. Es war ein Croissant mit Putenbrust, Kopfsalat und Tomate, genau das, was sie sich in der CIA-Kantine immer kaufte.

Nachdem sie die Hälfte davon gegessen hatte, sagte Laramie: »Das kommt mir aber nicht so vor wie ein ›vom Senat veranlasstes Koordinationstreffen der Geheimdienste‹.«

Ebbers nippte an seinem Kaffee.

»So kommt's einem nicht vor, nicht wahr?«, sagte er. Laramie witterte einen Hauch Karamell und fragte sich, ob Ebbers, genau wie Rader, eher die femininen Angebote der Starbucks-Palette bevorzugte.

Ebbers sagte: »Sie wissen, welchen Posten ich übernommen habe, nachdem der Präsident mein Rücktrittsgesuch angenommen hat?«

Laramie überlegte kurz.

»Ich glaube, Sie arbeiten jetzt im Pentagon«, sagte sie dann. »Aber konkreter könnte ich es nicht mehr sagen.«

»Stellvertretender Sekretär der Koordinationsstelle für die Strafverfolgungsbehörden des Inlandes, Defense Intelligence Agency«, sagte er. »Außerdem bekleide ich momentan noch die Stelle eines Sachverständigen für Sonderaufgaben des Nationalen Sicherheitsberaters.«

Laramie nickte. Sie wusste, dass Stellen wie die des ehemaligen CIA-Direktors und Geheimdienstkoordinators aus einem ganz bestimmten Grund solche unverständlichen Titel trugen: Damit sie sich niemand merken konnte und daher auch niemand eine Vorstellung davon hatte, welche Aufgaben jemand mit einem solchen Titel überhaupt hatte. Sie ging davon aus, dass der Aspekt des »Sachverständigen für Sonderaufgaben« noch am ehesten seiner eigentlichen Rolle entsprach. Lou Ebbers, so konnte man meinen, war eine undurchschaubare Persönlichkeit.

Ebbers lenkte seinen Blick nun auf einen kleinen Stapel mit drei Zeitungen, die auf der Ecke des Tisches lagen.

»Fangen Sie mit der obersten Zeitung an«, sagte er. »Schlagen Sie auf: Seite D1, sechste Spalte.«

Laramie zog die oberste Zeitung zu sich heran. Es war die in Südwest-Florida erscheinende *News-Press*, der Großbuchstabe D bezeichnete den Teil mit den Lokal- und Regionalnachrichten. Die Zeitung war gut fünf Wochen alt. Sie las die Überschrift des Artikels, auf den Ebbers sie hingewiesen hatte: **Leck in Gasleitung: 12 Tote.**

Ebbers nippte wieder an seinem Kaffee. Er schien darauf zu warten, dass Laramie den Artikel las, also las sie. Es war nichts Besonderes, im Grunde nur eine längere Version der Überschrift: Eine Explosion hatte einen Häuserblock in einer ländlichen Wohnsiedlung im Zentrum des Bundesstaates, sechzig Kilometer östlich von Fort Myers und ungefähr zwei Stunden von Miami entfernt, zerstört. Die Siedlung, die den Namen »Emerald Lakes« trug, war in einem gemeindeunabhängigen Gebiet von Hendry County in der Nähe des Städtchens LaBelle errichtet worden. Ferner wurde berichtet, dass das Siedlungsprojekt vor fünf Jahren in Konkurs gegangen war, nachdem nicht einmal fünf der insgesamt zweihundert Wohneinheiten verkauft worden waren. Eine Immobilienfirma namens Superior Home Manufactoring Ltd. hatte Emerald Lakes daraufhin übernommen und es immerhin geschafft, rund die Hälfte der Häuser zu verkaufen. In dem Artikel war die Rede davon, dass es neben den zwölf Toten auch 40 leicht Verletzte gegeben hatte. Ein Sheriff aus dem Ort wurde mit den eindeutigen Worten zitiert, dass der Vorfall »auf keinen Fall einen terroristischen

Hintergrund« habe. Er sagte außerdem, dass die Verwaltungsgesellschaft, Superior Home Manufactoring, allem Anschein nach keine Schuld treffe.

»Jetzt die nächste Zeitung«, sagte Ebbers, als er gesehen hatte, dass sie mit der Lektüre fertig war. »Die Schlagzeile.«

Laramie holte sich Zeitung Nummer zwei vom Stapel, ebenfalls eine *News-Press,* drei Wochen später datiert als die erste. Dieses Mal war es ein längerer Artikel:

Quarantäne wegen Todesgrippe

LaBelle (Mittwoch) – Die in LaBelle, Hendry County, wütende Grippeepidemie hat mittlerweile 93 Todesopfer gefordert. Die Behörden haben nun beschlossen, einen Teil des Countys unter Quarantäne zu stellen. Die Einwohner von LaBelle waren erst kürzlich von einer Gasexplosion in einer Wohnsiedlung in einem nahe gelegenen gemeindeunabhängigen Gebiet von Hendry County heimgesucht worden, bei der zwölf Menschen getötet und weitere vierzig verletzt worden waren. Der Sheriff von Hendry County, Morris Haden, verlas eine Erklärung, in der es hieß: »Alle überlebenden Einwohner von LaBelle sind mittlerweile in zwei Krankenhäuser in der Umgebung eingeliefert worden. Beide Krankenhäuser sowie große Teile der Stadt stehen unter Quarantäne, um die Ausbreitung dieses äußerst ansteckenden und tödlich wirkenden Grippevirus zu verhindern.«

Nach Auskunft des Sheriffs hat während der vergangenen 48 Stunden niemand die abgesperrten Bereiche verlassen oder betreten, abgesehen vom medizinischen Personal sowie Vertretern der Strafverfolgungsbehörden. Seit der Inkraftsetzung der Quarantänemaßnahmen sind laut Haden keine weiteren Infektionen außerhalb der Sperrzonen aufgetreten, was zu »vorsichtigem Optimismus« bezüglich der Effektivität der Quarantäne Anlass gebe.

Die Behörden zeigen sich besorgt von der raschen Verbreitung der verheerenden Grippe. Ersten Stellungnahmen zufolge ist der Erreger nicht mit dem Vogelgrippevirus »H5N1« verwandt, der nach Expertenaussagen das Potenzial besitzt, eine weltweite Pandemie auszulösen. Doch trotz der Unterschiede zur Vogelgrippe gibt es bis jetzt noch keinen einzigen dokumentierten Fall, wo ein Patient eine Infektion mit dem LaBelle-Grippevirus überlebt hätte. Offizielle Vertreter des US-Center for Desease Control, die mittlerweile in LaBelle und den Krankenhäusern vor Ort eingetroffen sind, haben bestätigt, dass sich die Ausbreitung des Grippevirus verlangsamt habe oder vielleicht sogar ganz zum Stillstand gekommen sei.

(Fortsetzung siehe S. A7)

Laramie schlug die angegebene Seite auf und las den Artikel zu Ende, stieß jedoch nur auf eine interessante zusätzliche Information: Ein offizieller Vertreter des Center for Desease Control, abgekürzt CDC, also der Dachorganisation der verschiedenen US-Institute für Infektionskrankheiten, hatte erklärt, dass es keinerlei Hinweise auf einen Zusammenhang zwischen der Grippeepidemie und der Gasexplosion von vor drei Wochen gebe.

»Noch eine«, sagte Ebbers. Er deutete auf die letzte Zeitung und ließ sie Seite A2 aufschlagen.

Diese letzte von Ebbers' Leseproben war erst gestern erschienen und, wie Laramie vermutete, eine von vielen Fortsetzungen des ersten Quarantäne-Artikels. Hier wurde über die erfolgreiche Eindämmung der Grippeepidemie berichtet. Mittlerweile waren noch einmal zweiunddreißig Opfer der Krankheit gestorben, sodass insgesamt 125 Todesopfer zu beklagen waren, doch auch die erst kürzlich Verstorbenen waren zum Zeitpunkt der Einrichtung der Quarantänezone bereits infiziert gewesen, und es waren bisher keine weiteren Infektionen bekannt geworden. Der Artikel ging noch einmal auf die große Sorge der Behörden ein, die schon in dem vorangegangenen Artikel thematisiert worden war, und stellte fest, dass alle Patienten, die sich mit dem Virus angesteckt hatten, auch tatsächlich daran gestorben waren. Die Symptome entsprachen zwar denen von anderen Grippeerkrankungen, nahmen jedoch einen sehr viel aggressiveren Verlauf. Außerdem wurde noch einmal erwähnt, dass der LaBelle-Virus ein eigenständiger Stamm und keine Mutation des H5N1-Virus sei, vor dem viele Experten schon längere Zeit warnten.

Laramie sagte sich, dass sie unbedingt mehr Zeitung lesen und sich von ihrer Sucht nach Privatsender-Fernsehnachrichten befreien musste, legte die dritte Zeitung auf die anderen beiden, trank fast den ganzen restlichen Kaffee aus, stellte den Becher ab und legte die gefalteten Hände vor sich auf die Tischplatte. Sie fühlte sich unwohl, wusste aber nicht genau, wieso.

»Würde mich interessieren«, sagte Ebbers, »was Sie davon halten.«

Mit einem Mal war Laramie klar, woher ihr Unwohlsein rührte: Sie kam sich vor, als wäre sie unverhofft in ein Bewerbungsgespräch geraten. Diese Erkenntnis hemmte sie ... sie wusste nicht, was jetzt von ihr erwartet wurde, was sie sagen sollte. Gut, Ebbers hatte sie über Malcolm Rader hierherbestellt und schien ihre Bewerbung zu prüfen – aber sie hatte keine Ahnung, auf welche Stelle sie sich eigentlich bewarb.

Was das Ganze zu einem ziemlich schwierigen Gespräch werden ließ.

»Zunächst einmal«, sagte sie, »würde ich schätzen, dass die Wahrscheinlichkeit einer Verbindung zwischen der Gasexplosion und der Grippeepidemie größer ist als das Institut für Infektionskrankheiten annimmt.«

Ebbers musterte sie stumm.

»Und falls es da wirklich eine Verbindung geben sollte«, fuhr sie fort, »dann ließe sich vielleicht ebenfalls darauf schließen, dass der Sheriff ein klein wenig voreilig war, als er einen Terrorakt von vornherein ausgeschlossen hat. Ich würde daher annehmen, dass das genau der Grund für diese Bemerkung war. Aber jeder, dem Sie diese drei Artikel hier vorlegen – zumindest jeder aus unserer Branche – würde vermutlich genau dieselben Schlussfolgerungen ziehen wie ich.«

»Schon möglich«, meinte Ebbers.

Laramie veränderte ihre Sitzposition, wusste dadurch aber immer noch nicht, was sie mit ihren Händen anfangen sollte. Nachdem Ebbers wieder eine ganze Zeit lang schweigend dagesessen hatte, ließ sie sie wieder zusammengefaltet auf die Tischplatte sinken.

»Wenn Sie möchten, dass ich mich mit der Frage beschäftige, wer dafür verantwortlich sein könnte«, sagte sie dann, »und dabei davon ausgehe, dass es sich um einen Terrorakt handelt und ein Zusammenhang zwischen Explosion und Virus existiert, dann müsste ich jetzt sehr viele Fragen stellen.«

»Also dann.«

Laramie war sich nicht sicher, ob er damit sagen wollte: *Also dann, schießen Sie mal los,* aber da Ebbers bereits zum zweiten Mal innerhalb von zwei Minuten nichts weiter sagte, konnte sie wohl davon ausgehen, dass sie weitermachen sollte.

Schließlich war das ja ein Bewerbungsgespräch.

»Wurde die Explosion tatsächlich von einer defekten Gasleitung ausgelöst?«, sagte sie. »Und wenn nicht, wodurch dann? Wo hatte sie ihren Ausgangspunkt? Mit welchen Materialien wurde die Detonation herbeigeführt? War es eine schlichte Autobombe oder eine komplizierte Plastiksprengstoffladung? Fernzündung oder Selbstmordattentäter? Im zweiten Fall: Wer hat den Wagen gefahren? Wem hat er gehört?«

Ebbers saß stumm und regungslos da, also fuhr Laramie fort.

»Wenn die Grippeepidemie mit der Explosion zusammenhängt, worin besteht die Verbindung? Hat die Bombe irgendwelche Toxine freigesetzt, die diese grippeähnlichen Symptome ausgelöst haben? Wenn es tatsächlich ein Grippevirus sein sollte, um welchen Virenstamm handelt es sich? Neu? Alt? Wenn alt, wo ist es schon einmal zu einem ähnlich schweren Ausbruch der Krankheit gekommen? Wurde dieser Ausbruch näher untersucht, und gibt es ein Labor, das den Verursachervirus eingelagert hat? Wer hatte Zugang zu diesem Labor? Oder handelt es sich doch um den ersten Fall eines mutierten H5N1-Vogelgrippevirus? So könnte ich wahrscheinlich noch eine ganze Weile weitermachen.«

Ebbers sagte: »Sie wissen ja, dass die interne Prüfungskommission Ihre Arbeit im Zusammenhang mit der Mango-Cay-Sache sehr gelobt hat. Wir stimmen mit dem Urteil der Kommission überein.«

Es war Laramie nicht entgangen, dass Ebbers das Wörtchen »wir« verwendet hatte. Es war ja auch kaum zu überhören gewesen. Trotzdem beherrschte sie sich und stellte keine weiteren Fragen.

»Danke«, sagte sie stattdessen.

»Was uns am allermeisten überzeugt hat«, fuhr Ebbers fort, »war Ihre Loyalität. Auch, als diese Loyalität durch die Sorge um Ihren Arbeitsplatz sowie durch die expliziten Anweisungen Ihrer Vorgesetzten stark in Frage gestellt war, haben Sie sich keinerlei Einflüssen von außen oder von oben gebeugt, sondern haben sich einzig und allein darauf konzentriert, einen Akt der Feindseligkeit zu unterbinden, den Sie als tödlichen Angriff eines Feindes auf unser Land identifiziert hatten. Darüber hinaus hatte es nicht den Anschein, als ob Sie zur Erledigung dieser Aufgabe allzu viel Betreuung nötig gehabt hätten.«

Laramie wusste nicht, was sie sagen sollte, also sagte sie gar nichts.

Ebbers griff in die Innentasche seines Anzugjacketts und holte ein etwa fünfzigseitiges Dokument hervor, das von Heftklammern zusammengehalten wurde. Es war der Länge nach gefaltet, da es anders nicht in die Tasche gepasst hätte.

»Im Rahmen Ihres Studiums an der Northwestern University haben Sie unter anderem einen unabhängigen Projektkurs belegt«, sagte er.

Laramie musste einen Augenblick darüber nachdenken, hauptsächlich, weil sie zwei solcher Kurse belegt hatte. Sie hatte zwar in beiden Fällen auch eine Abschlussarbeit vorlegen müssen, aber abgesehen von den regelmäßigen Treffen mit dem zuständigen Professor hatte sie keine Verpflichtungen gehabt. Manche ihrer Kommilitonen hatten sich aus reiner Faulheit für diese Projektkurse entschieden. Laramie hatte zwei Gründe dafür gehabt: Zum einen hatte sie sich einigen Themen widmen wollen, die im Rahmen des regulären Studiums nicht behandelt wurden. Zum anderen und hauptsächlich aber hatte sie darin eine Gelegenheit gesehen, ein klein wenig mehr Zeit mit einem Professor namens Eddie Rothgeb verbringen zu können. Was sich im Rückblick als außerordentlich schlechte Idee entpuppt hatte.

»Es waren sogar zwei, um genau zu sein«, sagte sie. »Einer im Grund-, der andere im Hauptstudium.«

Ebbers strich die fotokopierten Blätter auf dem Tisch glatt, und Laramie konnte klar und deutlich das Deckblatt ihrer Abschlussarbeit aus dem Projektkurs erkennen, den sie während des Hauptstudiums belegt hatte. Der ehemalige Leiter der CIA blätterte die ersten Seiten der, wenn sie sich richtig erinnerte, siebenundfünfzig Seiten umfassenden Arbeit durch. Etwas Längeres hatte sie bis dahin noch nie zuvor verfasst.

Ebbers fing an zu blättern, und Laramie konnte sehen, dass verschiedene Textstellen in seinem Exemplar unterstrichen, markiert, zum Teil sogar eingekreist waren. Von den Seitenrändern her schoben sich handschriftliche und auch gedruckte Notizen über den Originaltext, und am oberen Rand jeder Seite befand sich ein Stempel. Das einzige, lesbare Wort des Stempels lautete GEHEIMHALTUNGSSTUFE. Danach folgten ein Bindestrich und eine Zahl, die sie jedoch von der gegenüberliegenden Tischseite aus nicht erkennen konnte. Die Zahl, das wusste sie, stand für die Geheimhaltungsstufe, die erforderlich war, um Zugang zu dem Dokument zu erhalten, und obwohl sie die angegebene Zahl nicht erkennen konnte, blieb es doch ausgesprochen seltsam, dass Laramies siebenundfünfzig Seiten starke Projektkurs-Abschlussarbeit allem Anschein nach unter eine der neun höchsten Geheimhaltungsstufen des US-amerikanischen Staates fiel.

Je höher die Zahl, desto weniger Menschen durften das Dokument zu Gesicht bekommen. So bedeutete GEHEIMHALTUNGSSTUFE-1 vielleicht, dass sämtliche Mitglieder des Geheimdienstausschusses des Senats, das Regierungskabinett sowie die leitenden Mitarbeiter auf drei bis vier Führungsebenen der CIA, der NSA sowie des FBI Zugriff hatten. GEHEIMHALTUNGSSTUFE-9 bedeutete, dass höchstens acht bis zehn Personen weltweit dazu berechtigt waren.

Laramie meinte, auf einem der Stempelabdrücke eine 6 erkannt zu haben und spürte urplötzlich ein heftiges Kribbeln im Bauch. Das kam ihr eigentlich unmöglich vor, oder zumindest verstörend merkwürdig. Dann blätterte Ebbers um, und ihr wurde klar, dass das, was sie da gesehen hatte, keineswegs eine 6 gewesen war, denn schließlich – das war ja klar – hatte sie den Text verkehrt herum vor sich liegen.

Was?

Laramie versuchte, ihre Gedanken für einen kurzen Augenblick anzuhalten. Versuchte, ihr Gehirn daran zu hindern, zu reagieren und sich stattdessen auf ihre Projektarbeit zu konzentrieren. In solchen Fällen nahm sie gerne Zuflucht zu einer

Methode, die ihr Vater ihr einmal verraten hatte. Damals war er, wenn sie sich noch richtig erinnern konnte, wieder einmal betrunken gewesen, aber trotzdem hatte sie es sich gemerkt. Er hatte ihr geraten, bis drei zu zählen, und zwar so, wie Kinder es beim Versteckspielen tun. Wenn du bei drei angelangt bist, so hatte er gesagt, dann solltest du so langsam wissen, was du machen willst.

Eins-Mississippi.

Sie dachte an den Titel ihrer Arbeit. Sie dachte an den Fall, den sie darin behandelt hatte, daran, was und wie sie das Ganze dargelegt hatte.

Zwei-Mississippi.

Als sie überlegte, was in ihrer Arbeit stand und was es wohl zu bedeuten hatte, dass diese Arbeit der höchsten Geheimhaltung unterlag und sich in den Händen eines leitenden Geheimdienst-Bürokraten mit einem geheimnisvollen und nur schwer zu behaltenden Titel befand, ballte sich das Kribbeln in ihrem Bauch zu einer schweren, dichten Masse zusammen, die langsam in Richtung Kniekehlen sackte.

Drei.

Sie beschloss abzuwarten, was Ebbers zu ihrem Aufsatz zu sagen hatte, bevor sie irgendwelche voreiligen Schlüsse zog. Die tiefer sinkende, schwere Masse wurde leichter, stieg wieder nach oben – schließlich war es praktisch unmöglich, ja, im Grunde genommen vollkommen lächerlich, dass das, woran sie gerade gedacht hatte, tatsächlich ...

»Das Interessanteste daran ist die Tatsache«, sagte Ebbers und blätterte immer noch in ihrem Text, »dass Sie das Ganze hier fünf Monate vor dem Elften September geschrieben haben.«

So, wie er die Seiten überflog, war Laramie klar, dass er das Geschriebene nicht las. Sondern dass er es bereits gelesen hatte und mit dem Inhalt wohlvertraut war.

»Der Terrorismus«, warf Laramie ein, in erster Linie um ein bisschen Zeit zu gewinnen, »war auch schon damals nicht gerade ein ... ähm ... ein neuartiges Phänomen.« Kaum hatte sie diese Worte ausgesprochen, kam sie sich dumm vor. »In dieser Arbeit stecken ganz offensichtlich eine ganze Menge Fehler, Sir, das ... nun ja, das haben Sie ja bestimmt schon gemerkt.«

Ebbers lächelte schmallippig.

»Weniger, als Sie vielleicht glauben«, sagte er.

Er faltete das Dokument wieder zusammen und steckte es zurück in seine Innentasche.

»Sie übernachten heute im Hotel. Morgen werden Sie relativ früh geweckt und anschließend mit einem Wagen zum Flughafen gebracht. Eine Tasche mit allem Notwendigen ist bereits gepackt und wird Ihnen an Ihrem Zielort in Florida ausgehändigt. Ihr Auto wird zu Ihrer Wohnung zurückgebracht, die Schlüssel finden Sie bei Ihrer Rückkehr auf der Küchentheke – genau da, wo Sie sie sonst immer hinlegen.«

Laramie sagte: »Steht denn noch gar nicht fest, wie lange ich verreise?«

»Dazu kommen wir später«, erwiderte er. »Wichtig ist, dass niemand aus Ihrem beruflichen oder privaten Umfeld erfährt, wohin Sie fahren. Wir lassen während der kommenden achtundvierzig Stunden das Hotel ebenso beobachten wie Ihre Wohnung und überwachen auch die Aktivitäten etlicher Personen, mit denen Sie üblicherweise Kontakt haben. Manche lassen wir in dem Glauben, dass Sie sich krankgemeldet haben.«

Laramie starrte einfach nur geradeaus, ohne sich an der Ironie erfreuen zu können, dass sie krankgemeldet war, um eine merkwürdige Grippeepidemie zu untersuchen.

»Bei Ihrer Ankunft werden Sie von einem persönlichen Betreuer in Empfang genommen und zur Einsatzzentrale gebracht. Im Verlauf der Ermittlungen erledigt dieser Betreuer alle notwendigen Transporte und Besorgungen. Sie treffen mit den Personen zusammen, die im Augenblick die Ermittlungen leiten. Da herrscht, wie Sie sich vielleicht denken können, ein heilloses Durcheinander an Zuständigkeiten. Alle möglichen Special Agents, Polizisten, Vertreter des Heimatschutz-Ministeriums, Wissenschaftler des Center for Desease Control, Ärzte, lokale Behörden, ja, sogar Diplomaten und Politiker, sie alle stecken bis zum Hals in dieser Sache drin und wollen mitmischen. Reden Sie mit allen, mit denen Sie es für angebracht halten. Sie haben Zugriff auf alle Dokumente, die diese Leute selbst gelesen oder verfasst haben. Die sollten Sie sich ebenfalls anschauen. Tun Sie alles, was Ihnen im Zusammenhang mit diesem Auftrag für angemessen erscheint, Miss Laramie, aber letztendlich erwarte ich, dass Sie eine Empfehlung aussprechen, wie wir die Verantwortlichen ausfindig und unschädlich machen können. Ich erwarte einen entsprechenden Bericht von Ihnen, und zwar genau zweiundsiebzig Stunden nach Ihrer Ankunft in Florida.«

Ebbers kratzte sich am Kinn.

»Im Klartext«, sagte er dann: »Ich will, dass Sie da hinfahren und rauskriegen, was zum Teufel eigentlich los ist, und zwar innerhalb von genau drei Tagen.«

Laramie ließ den Blick über den Tisch wandern, konnte aber nur eine Hälfte ihres Sandwichs, die leeren Pappbecher, die Sandwichtüten, die Zeitungen und die Leselampe entdecken, aber keinen eindeutigen Hinweis darauf, was hier eigentlich vor sich ging. Sie wusste nur, dass Ebbers dafür gesorgt hatte, dass sie ein Exemplar ihrer in einem Projektkurs entstandenen Seminararbeit zu Gesicht bekam, und zwar nur, damit ihr klar wurde, dass er sie hatte ... vielleicht auch, damit sie die *Stempel* darauf lesen konnte. Das bedeutete, dass er ihr etwas mitteilen wollte, auch das war klar. Aber ganz bestimmt wollte er ihr damit nicht das sagen, was sie *dachte,* dass er ihr sagen wollte.

Nur, dass er genau das gerade eben gemacht hatte – oder doch nicht?

Laramie versuchte, ihre Gedanken wieder unter Kontrolle zu bringen und die Umstände unter praktischen Gesichtspunkten zu betrachten. Es dauerte nur wenige Sekunden, dann war ihr etwas eingefallen.

»Hmm«, sagte sie, »wenn ich also die Rolle einnehme, die ich nach allem, was ich bis jetzt mitbekommen habe, einnehmen soll, dann würde ich sagen, dass ich es für nicht unwahrscheinlich halte, dass der ... nun ja, sagen wir mal, der leitende Special Agent, der im Auftrag des FBI an dieser Sache sitzt, einen Anruf bekommt. Von mir. ›Ich würde gerne mit Ihnen über diesen Fall sprechen. Sagen Sie mir alles, was Sie wissen. Was Ihrer Ansicht nach hier passiert ist und wieso.‹ Seien wir ehrlich, er wird nicht gerade bereitwillig darauf reagieren ...«

»Das wird er. Genau wie alle anderen auch.«

Laramie blinzelte.

»In gewisser Weise leiten wir jetzt die Ermittlungen«, sagte Ebbers. »Sie arbeiten jetzt für uns. Ihr persönlicher Betreuer wird Ihnen alles Weitere mitteilen.«

Da war es schon wieder – *uns. Wir.* Sie schaute ihn an, und er erwiderte schweigend ihren Blick. Sie würde die Fragen, die ihr auf der Zunge lagen, nicht stellen. Sie wusste, dass er ihre Fragen, zumindest die direkten, nicht beantworten würde. Zumindest nicht direkt. Vielleicht brauchte sie ja gar nicht zu fragen. Vielleicht kannte sie die Antworten bereits.

»Noch eine letzte Frage«, sagte Laramie.

»Schießen Sie los.«

»Mir ist klar, dass Sie mir sowieso keine Antwort geben, aber wenn ich nicht fragen würde, dann würde ich mir die ganze Zeit überlegen, ob ich nicht vielleicht doch hätte fragen sollen. Ich kann diese Frage nicht *nicht* stellen.«

Ebbers neigte ein wenig den Kopf.

»Ist das Ganze eine Übung?«, sagte Laramie.
Ebbers überlegte einen Augenblick lang.
»Eine berechtigte Frage«, sagte er dann. »Ich nehme an, Sie fragen, weil Sie noch nie von einer Organisation wie der, die Sie gerade ›ausgeborgt‹ hat, gehört haben. Und weil Sie die Meldungen bezüglich der Vorfälle in Florida nicht verfolgt haben und daher auch nur entfernt damit vertraut sind. Und so weiter.«
»Ja.«
Lou Ebbers lächelte.
»Ich möchte, dass Sie die ganze Sache so behandeln, als wäre es keine Übung«, sagte er dann.
Ebbers stand auf, leerte seinen Kaffee, sammelte die Zeitungen ein, klemmte sie sich unter den Arm, zerknüllte seine Sandwichtüte, nahm den Plastikdeckel vom Kaffeebecher, stopfte die zerknüllte Tüte hinein, setzte den Deckel wieder drauf und deutete mit zwei Fingern einen militärischen Gruß an.
»Viel Glück«, sagte er und ging zur Tür hinaus. Laramie blieb mit der restlichen Hälfte ihres Putensandwichs und dem leeren Starbucks-Becher zurück.

9

Weil Cooper prinzipiell nicht mit American Eagle fliegen wollte, ließ er sich von seiner Apache nach St. Thomas bringen, wo, wie er mit ein paar wenigen Mausklicks festgestellt hatte, zweimal täglich ein Direktflug nach Dallas startete – mit American Airlines, nicht Eagle. Er nahm einen Anschlussflug nach Austin und wurde, nachdem er sein Gepäck abgeholt hatte, von einer storchenbeinigen Frau mit riesigen Brüsten in Empfang genommen. Schon während sie aus ihrem Mercedes sprang, kicherte sie ununterbrochen. Das machte sie deshalb, so nahm Cooper an, weil sie eigentlich immer kicherte. Sie hatte rote, volle Lippen, lange schwarze Haare, die vorne zu einem Pony geschnitten waren, sowie große, runde, von zahlreichen Fältchen umgebene Augen. Dadurch sah sie immer so aus, als ob sie lächelte, auch, wenn sie gerade einmal nicht lächelte, was aber – wie Cooper im Verlauf einer dreitägigen Episode hautnah erfahren hatte – nicht oft vorkam. Sie war ordentliche Professorin für Archäologie an der University of Texas in Austin, aber Cooper hatte sie in einem völlig anderen Zusammenhang kennen gelernt, nämlich als eine von drei Frauen, die sich anlässlich einer »Damenwoche« auf Tortola einen Trimaran gechartert und sich auf einen Sechs-Tage-Trip durch die Schnorchelgründe und Strandbars der Virgin Islands begeben hatten.

Der Conch Bay Beach Club Bar & Grill war ein absolut nahe liegender Anlaufpunkt dieser Rundfahrt gewesen, aber nach der ursprünglich geplanten einen Übernachtung hatte Susannah ihre Freundinnen dazu überredet, sie im Club zurückzulassen, sich den Rest der Virgins alleine anzuschauen und sie auf dem Rückweg in Road Town wieder aufzugabeln.

Es war fast so, als hätte Cooper bei ihr eine seit langem stillgelegte Hormondrüse aktiviert. Obwohl Susannah ihm noch während des ersten Drinks gestanden hatte, dass sie seit sechs Jahren keinen Sex mehr gehabt hatte, glaubte Cooper sich zu erinnern, dass sie es im Verlauf der folgenden zweiundsiebzig Stunden auf insgesamt neunzehn Kopulationen gebracht hatten. Auf dem Weg zum Anleger hatte Susannah ihm ihre Visitenkarte überreicht – hatte sie umgedreht, ihm einen Klaps auf den Arsch verpasst, ihn auf die Wange geküsst und ihm zum Abschied zugewinkt, während Cooper gelesen hatte, was auf der Rückseite der Visitenkarte stand: *Wenn du wieder mal so etwas probieren willst, dann ruf mich auf der Stelle an, Insel-Mann!*

Da die US-Regierung Regierungschef Roy in Form der Küstenwachen-Antiquitäten bereits ausreichend für seine Auslagen und Unannehmlichkeiten entschädigt hatte, beschloss Cooper, das Erste-Klasse-Ticket für seinen Ausflug nach Austin von seinem Spesenkonto bei der Agency abbuchen zu lassen. Einen Klumpen Fleisch aus dem dicken Onkel Sam zu reißen. Ein 1600-Dollar-Bußgeld wegen temporärer Ruhestörung im Paradies.

Cooper kam höchstens zweimal im Jahr in die Staaten und wenn, dann versuchte er, sich in einem Radius von gut 1500 Kilometern rund um Conch Bay aufzuhalten. Im Großen und Ganzen hieß das eigentlich immer Florida, auch, wenn er gelegentlich einen bestimmten Ort am Golf von Mexiko aufsuchte oder, wenn es sich gar nicht vermeiden ließ, nach Washington kam. Von allem, was dazwischen lag, hielt er sich normalerweise fern. Normalerweise hielt er sich fern, Punkt.

Er hatte Susannah angerufen und sie gefragt, ob sie die richtige Ansprechpartnerin sei, wenn es um die Bestimmung und Datierung einer offenbar aus Mittel- oder Südamerika stammenden Sammlung von Kunstgegenständen gehe. Susannah hatte gequietscht vor Begeisterung und seine Anfrage eindeutig bejaht. Cooper fand, dass diese Reaktion nicht das Schlechteste war, schon gar nicht, weil er sich zum ersten Mal seit ihrer dreitägigen Begegnung vor elf Monaten überhaupt gemeldet hatte.

Susannah kutschierte ihn in ihrem Mercedes 450 SEL, dessen Baujahr vermutlich in den frühen Achtzigerjahren lag, durch Austin. Der Wagen tuckerte die Sixth Street entlang und spuckte dabei giftigen Dieselrauch aus, während Susannah unentwegt über Austins Musik-Szene und das alljährlich im Frühjahr stattfindende Filmfestival plapperte. Als sie den Universitätscampus erreicht hatten, deutete Susannah noch auf die eine oder andere draußen vorbeiziehende Sehenswürdigkeit und ließ den Wagen dann in ihre persönliche Parkbucht auf dem Lehrkräfte-Parkplatz rollen.

»Da wären wir«, sagte sie mit breitem Grinsen. »Insel-Mann.«

In Coopers Tauchertasche befanden sich die Fotos, die Riley ihm gegeben hatte, sowie ein Satz frische Kleider für den nächsten Tag. Außerdem hatte er die Leinentasche mit seiner Beute dabei, und hätte er bei der Zollkontrolle in Houston nicht seinen neuen Geheimdienstausweis vorgezeigt, er hätte mit der Tasche eine Alarmstufe-Rot-Panik ausgelöst. Dem Zollbeamten hatte er erzählt, er sei Mitglied einer Sonderkommission des Nationalen Sicherheitsrates und dass es sich bei den Kunstgegenständen um beschlagnahmte Schmuggelware handele. Dann hatte er dem Mann die Telefonnummer und den Namen eines Untersekretärs im Außenministerium genannt, falls der Zollbeamte es für angebracht halten sollte, ihn unnötigerweise aufzuhalten und seine Geschichte zu überprüfen. Der Kerl machte nicht sofort Gebrauch von der Nummer, aber Cooper ging davon aus, dass er, sobald Cooper den Zollbereich verlassen hatte, zum Telefon greifen würde – solange er noch im Sichtfeld der Überwachungskameras war. Cooper wusste aber auch, dass der Anruf die notwendige Bestätigung erbringen würde.

Sie betraten das E. P. Schoch Building mit der archäologischen Fakultät, und Cooper stellte fest, dass das Gebäude genauso aussah wie alle anderen Universitätsgebäude, die er kannte – Seminarraumtüren, Schwarze Bretter, matt glänzende Betonböden, viel natürliches Licht und ein paar Neonröhren, die nur wenig zusätzliche Helligkeit spendierten. Susannah führte ihn in den Keller, schloss eine Tür mit einem orangefarbenen Schild und der Aufschrift »LAB 14« auf, streckte die Hand in den dunklen Raum, schaltete die Deckenbeleuchtung ein und enthüllte einen Raum, der genauso aussah, wie

Cooper sich ein »LAB 14« vorstellte: zahlreiche lange Speckstein-Arbeitsplatten, die von Mikroskopen, Instrumentenregalen, Reagenzglasständern, Fachbüchern und den üblichen Hilfsmitteln, die man für Notizen und Berechnungen benötigte, bevölkert wurden.

Er stellte seine Tasche mit Schwung auf dem Dozententisch ab, der senkrecht zu den Arbeitsplätzen der Studenten als kleine Insel im Raum stand. Susannah trat hinter die Insel, zog eine Schublade auf und holte eine Brille, ein paar Bürsten und etliche andere Gerätschaften hervor, die Cooper noch nie gesehen hatte. Dann setzte sie die Brille auf und ließ sie auf ihre Nasenspitze rutschen. So wirkte sie zwar ein wenig älter, aber gleichzeitig auch deutlich attraktiver.

»Was hast du mir Schönes mitgebracht?«, sagte sie dann.

Cooper machte die beiden Taschen auf, legte die Fotos vor ihr auf den Tisch und baute die drei goldenen Gegenstände dahinter auf. Die Statue der Priesterin hatte er zu Hause im Regal gelassen. Sie sollte in seiner Abwesenheit böse Geister wie zum Beispiel Cap'n Roy und Ronnie vertreiben.

»Auf den Fotos ist die komplette Sammlung zu sehen«, sagte er. »Es handelt sich buchstäblich um eine ganze Schiffsladung. Manche Figuren sind so groß wie die, die ich mitgebracht habe, andere größer als der ganze Tisch hier und manche sehr viel kleiner.«

»Okay.«

»Ich wüsste gerne, aus welcher Zeit sie stammen. Aus welcher Gegend, von welchem Stamm, so was alles. Falls sie überhaupt echt sind. Ich gehe davon aus, dass du das bestimmen kannst. Das interessiert mich in erster Linie deshalb, weil ich wissen will, was sie Wert sind und wer möglicherweise an einem Kauf interessiert wäre. Wenn du mir die letzten beiden Fragen beantworten kannst, dann ist mir alles andere sowieso egal, glaube ich.«

Susannah nahm sich die Fotos vor. Nachdem sie die ersten eingehend betrachtet hatte, gab sie im weiteren Verlauf ihrer Untersuchung immer wieder leise Hmm- und Pff-Laute von sich. Nach Abschluss des dritten Geräusche-Zyklus sagte sie, ohne den Blick von den Fotos zu nehmen: »Hast du die gestohlen, Insel-Mann? Oder soll ich lieber gar nicht fragen?«

Bewundernd registrierte Cooper, wie sie diese Frage gestellt hatte: heiter und respektvoll, sodass er die Möglichkeit hatte, ihre implizite Unterstellung schlicht und einfach zurückzuweisen. Er entdeckte einen Hocker, zog ihn heran und setzte sich darauf.

»Du sollst lieber gar nicht fragen«, erwiderte er.

Jetzt betrachtete sie sich einige ausgewählte Fotos noch einmal genauer, nahm eine Lupe zu Hilfe, hielt sie in allen möglichen Winkeln über die Fotos und beugte sich dicht darüber. Dabei bemerkte Cooper die schiere, unverfälschte Größe ihrer Brüste, und jetzt erinnerte er sich auch wieder. Sie baumelten frei und ungeniert unter ihrem Sommerkleid. Susannah sah aus wie ein Jimi-Hendrix-Fan aus den Sechzigerjahren, konsequent bis hinab zu den Birkenstocksandalen. Über der Stirn trug sie einen Pony, und den Rest ihrer Haare hatte sie in dieser Woche zu einem langen Zopf geflochten, der ihr fast bis an den Hintern reichte. Wenn er sich richtig erinnern konnte, dann hatte sie ihr Alter mit Ende dreißig angegeben. Sie hätte aber gut auch für Anfang dreißig durchgehen können, zumindest aus dem richtigen Blickwinkel. Das war mehr, als er von sich selbst behaupten konnte, und zwar aus jedem Blickwinkel.

Susannah hob den Blick, ließ die Lupe sinken und musterte ihn.

»Wenn du willst, kannst du die Fotos mitnehmen«, sagte sie.

Dann konzentrierte sie sich wieder auf ihre Arbeit und nahm sich die Originale vor, die er auf die Arbeitsplatte gestellt hatte. Sie nahm die goldene Kassette in die Hand, drehte sie hin und her, strich mit dem Finger über eines der auf der Unterseite eingravierten Symbole. Sie stellte das Kästchen wieder hin, betrachtete und untersuchte die beiden anderen Stücke auf genau dieselbe Weise, kehrte dann wieder zu der Kassette zurück und trug sie in eine der hinteren Ecken des Raumes. Dort, auf einer Arbeitsplatte unterhalb einer an der Wand befestigten Periodentafel mit den chemischen Elementen, standen etliche mikroskopartige Geräte.

»Hast du dir eigentlich schon mal das Uni-Gelände angeschaut?«, sagte sie dann aus der Entfernung, ohne den Blick von ihrer Beschäftigung zu nehmen.

»Hier?«, erwiderte Cooper. »Nein.«

»Es wird dir gefallen. Ein paar der hübschesten Studentinnen im ganzen Land. Wahrscheinlich sogar der ganzen Welt. Da kriege sogar *ich* manchmal Stielaugen.«

Cooper wurde klar, was sie wollte: Er sollte sich verziehen.

»Wie lange brauchst du?«

»Wahrscheinlich ungefähr zwei Stunden. Du kannst deine Sammlung dann wieder mit nach Hause nehmen, aber es wird ein paar Tage dauern, bis die Testergebnisse da sind. Die meisten deiner Fragen kann ich dir im Normalfall aber schon beantworten, bevor du wieder wegfährst.«

Sie unterbrach ihre Tätigkeit, was immer es sein mochte, keinen Augenblick.

Cooper stand auf, verharrte, wollte etwas sagen, entschied sich dagegen, zuckte mit den Schultern und verließ LAB 14, um einen Spaziergang über das Gelände der University of Texas zu machen.

Cooper hatte gebügelte Khaki-Shorts, ein weißes Polohemd mit einfarbigen, aufgestickten Tropenblumen sowie schickere Reefs – braunes Leder mit Schnalle – angezogen, um bei der Zollkontrolle möglichst wenig aufzufallen. Es war warm in Austin, aber nicht so warm wie auf den BVIs, und so war ihm ein wenig kühl, während er von einem Innenhof zum nächsten ging. Die Studentinnen waren ihm scheißegal, er wollte die zwei Stunden lieber nutzen, um sich ein wenig zu bewegen. Die schicken Reefs, die er bis jetzt fast noch nie getragen hatte, waren zwar nicht ganz so bequem wie die anderen, aber er schaffte es trotzdem, das ganze Gelände ohne Wasserblasen einmal zu umrunden, und zwar immer so dicht wie möglich am Rand entlang.

Auf dem Rückweg schaute er sich einen Lageplan an und suchte einen Weg in die Hauptbibliothek der Universität, das so genannte Flawn Academic Center. Er schlich sich in das klimatisierte Gebäude, spürte den eisigen Windhauch auf seinen verschwitzten Unterarmen und fand, ohne jemanden zu fragen, in den Zeitschriftensaal. An jedem Bildschirm hing eine Karte mit einem Verzeichnis sämtlicher Zeitschriften ab 1994, die im System der Universität digital erfasst waren. Er stellte fest, dass man zur Benutzung des Systems kein Passwort benötigte, tippte drei Schlagwörter ein, und in weniger als einer Minute hatte das System ihm drei Dutzend Treffer gemeldet. Er überflog die Überschriften, wählte neun Artikel aus, die ihm für seine Zwecke relevant erschienen, und ließ sie ausdrucken. Es dauerte ein paar Minuten, bis er den richtigen Drucker gefunden hatte, aber dann trat er einfach hinter den unbesetzten Bibliothekarsschalter und schnappte sich seine Ausdrucke. Anschließend ging er in den großen Lesesaal in der Nähe des Eingangs und fing an zu lesen.

Die Artikel behandelten alle ein und denselben politischen Skandal, allerdings jedes Mal aus einem etwas anderen Blickwinkel. Mit Hilfe eines Bleistifts und einiger Zettel machte er sich ein paar Notizen, die sich überwiegend auf zwei Personen bezogen, die in diesen Artikeln zumindest erwähnt und manchmal auch ausführlicher behandelt wurden. Als er fertig gelesen hatte, warf er die Ausdrucke in einen Papierkorb, steckte die beiden vollgeschriebenen Zettel ein und verließ das Gebäude, um sein Fitnessprogramm zu beenden.

»Lebst du noch nach Inselzeit?«

Zum ersten Mal an diesem Tag blickte Cooper auf seine Armbanduhr. Viereinhalb Stunden waren vergangen, seitdem er das Labor verlassen hatte.

»Immer locker bleiben, *Moonn«,* sagte er.

Susannah hatte auf einem der Hocker gesessen und ein dickes, schon ziemlich zerfleddertes Buch gelesen. Jetzt legte sie das Buch auf den Tisch und stand auf.

»Ich bin mit deinen Sachen fertig«, sagte sie. »Und, was meinst du? Hast du Lust, dir die Fledermäuse anzuschauen?«

»Wie bitte?«

»Die Fledermausschwärme. Komm mit, ich zeig sie dir. So was hast du noch nie gesehen. Und vielleicht hast du danach ja Lust, mich auch ein bisschen zu umschwärmen.«

Sie kicherte und ging zur Tür.

Cooper griff nach seiner Tauchertasche und dem Leinensack, sah, dass sie die Fotos und die Kunstgegenstände schon wieder hineingepackt hatte, und zog die Reißverschlüsse zu. Dann kam er zu ihr an die Tür. Susannahs Hand lag bereits auf dem Lichtschalter. Sie hatte lange Finger und starke Hände. Wie er so neben ihr stand, da streifte seine Brust eine ihrer weichen Brüste. Er konnte sogar ihren Atem hören. Sie standen genau in der Tür, sodass jedes Geräusch vom Türrahmen zurückgeworfen wurde.

Sein Rückflug nach St. Thomas ging erst am nächsten Morgen um 9.15 Uhr.

»Was immer es mit diesen Fledermäusen auf sich hat«, sagte er dann. »Lass es uns machen.«

Sie schaltete das Licht aus, schloss die Tür ab, ging in Richtung Treppe, drehte sich um, rannte auf ihn zu, sprang ab, schlang die Beine um seine Hüften und stieß ein hohes, gepresstes Quietschen aus, das wohl, so dachte Cooper, ihre Version eines Schlachtrufs war.

10

Schon wieder war Riley am Anleger von Conch Bay. Zurückgelehnt hing er auf seinem Sitz im Polizeiboot, die gottverdammte Mütze tief in die Stirn gezogen, so als wäre er aus keinem anderen Grund hier herübergefahren, als ein Schläfchen zu halten. Cooper glitt in die Lagune, wechselte auf das Dinghi hinüber und zischte auf dem Weg zum Anleger haarscharf an ein paar Tauchschülern vorbei. Dieses Mal verschwendete er nicht erst seine Zeit mit irgendwelchen halbgaren Versuchen, *Wie krieg ich den Bullen dazu, dass er sich verpisst* zu spielen. Er hatte sich beim letzten Mal als ziemlich schlechter Spieler entpuppt. Stattdessen machte er sein Boot fest und trat mit der Sandalensohle gegen Rileys Boot. Ein befriedigendes *tschak* weckte in ihm die Zuversicht, dass er es geschafft hatte, ein Stück von der Chromverzierung des Rumpfes zu demontieren.

»Was ist denn jetzt schon wieder?«, sagte er.

Riley schob seinen Mützenschirm nach oben.

»Der Schmuggler«, sagte er, »is' tot wieder aufgetaucht.«

Cooper brauchte ein paar Sekunden.

»Po Keeler, meinst du«, sagte er dann.

»Ganz genau, *Moonn.*«

»Du unterliegst ganz offensichtlich einer irrtümlichen Annahme, das interessiert mich nämlich einen Scheißdreck.«

Riley sagte nichts.

»Ist das im Knast passiert?«

»Nein.«

Cooper nickte. »Dann habt ihr ihn also rausgelassen.«

»Gestern Mittag.«

»Und wann ist er ›wieder aufgetaucht‹?«

»Heut' Morgen, so gegen sieben.«

Cooper dachte an den Deal, den Po Keeler Cap'n Roy hatte vorschlagen wollen. Er hätte sich durchaus das Eine oder Andere zusammenreimen können, wenn ihm danach gewesen wäre. Nicht, dass er das wollte, aber es war auch nicht weiter schwierig: *Ertappter Schmuggler besticht Leiter der örtlichen Strafverfolgungsbehörden. Leiter der örtlichen Strafverfolgungsbehörden entlässt Schmuggler aus Gefängnis. Ertappter Schmuggler taucht tot wieder auf.* Der Zufall meinte es nicht besonders gut mit Cap'n Roy Gillespie.

Dann fiel Cooper ein, dass Cap'n Roy womöglich sein Gespräch mit Keeler mitgeschnitten hatte ... wahrscheinlich sogar ... mit fast hundertprozentiger Sicherheit, wie er schließlich befand. Also war es gut möglich, dass Riley hier war, um Cooper gnädig zu stimmen ... um die verdächtigen Fältchen auf dem ansonsten perfekt gestärkten und gebügelten Szenario zu glätten, welches Cap'n Roy inszeniert hatte, bevor ihm klar geworden war, dass er sich eigentlich die Bänder aus dem Gefängnis anschauen müsste. Und dabei hatte er dann erfahren, dass Keeler schon mit Cooper über seine Idee mit der Bestechung gesprochen hatte, bevor er damit zu Cap'n Roy gekommen war.

»Also was willst du, Riley?«, sagte Cooper. »Ach, lassen wir doch das Theater: Welche Bitte kann unser geschätzter Regierungschef mir aufgrund der vielfältigen Verpflichtungen seines Amtes nicht persönlich unterbreiten?«

Riley überraschte Cooper, indem er ihm tatsächlich eine Antwort gab.

»Cap'n Roy würde ziemlich blöd dasteh'n«, sagte er, »wenn dieser tote Schmuggler plötzlich irgendwo auftaucht und die Leute anfangen, Fragen zu stellen. Leute wie die US-Küstenwache zum Beispiel ... vor *allem* die. Schließlich hat Cap'n Roy den Kerl gerade erst frei gelassen. Er hat gesagt, ich soll dich zu dem Kieferngestrüpp bringen, wo wir ihn gefunden ham'. Mehr hat er eigentlich nich' gesagt oder gemacht. Aber wir beide wissen ganz genau, was der Regierungschef im Sinn hat. Du hast ihm doch schon mal 'nen Gefallen getan. Er denkt bestimmt, dass du so was Ähnliches vielleicht noch mal arrangieren kannst.«

»O Gott«, sagte Cooper.

»Ganz genau, *Moonn«,* sagte Riley.

»Vielleicht sollte ich mir ja ein Schild vor den Bungalow stellen: ›Coopers Leichen-Transfer‹. Wieso eine Leiche in einen Teppich wickeln und auf die Müllkippe fahren, wenn ich in der Nähe bin? Der Ein-Mann-Leichenentsorgungs-Service.«

Riley nickte vage mit dem Kopf. Vermutlich hatte er dem nicht viel hinzuzufügen.

»Was hältst du davon, Riley?«

Und als Riley nicht gleich antwortete, fügte Cooper noch hinzu: »Und geh mir nicht mit deinem Wir-sind-die-Polizei-der-Royal-Virgin-Islands-Gesülze auf den Geist. Ein Haufen von Roys Vorgängern, allesamt Kollegen von dir, haben noch viel Schlimmeres angerichtet. Dass er ein Bulle ist, noch dazu ein Bulle auf den British Virgin Islands, bedeutet doch nicht, dass er über jeden Vorwurf erhaben ist. Ich will keine Schönfärbereien hören. Ich will wissen, was du wirklich darüber denkst.«

»Ganz genau«, sagte Riley, nachdem er Cooper eine Weile angeschaut hatte. »Da hast du Recht – ein paar haben noch Schlimmeres angerichtet.«

Cooper wartete ab.

»Und ich weiß, was du damit sagen willst: Wenn er's getan

hat, na ja, dann kommst du nich' mit«, fuhr Riley fort. »Du weißt schon – in dem Fall willst du damit nichts zu tun ha'm. Aber wenn's so aussieht, als hätte er's nich' getan, dann, ganz genau, *Moonn,* dann überlegst du dir vielleicht, ob du nich' vorbeikommen und ein bisschen helfen willst.«

»Wobei die Betonung eindeutig auf ›vielleicht‹ liegt. Mach weiter, Lieutenant.«

Riley blickte Cooper direkt in die Augen, und Cooper entdeckte eine gewisse Härte in seinem Blick – er nahm die Herausforderung, die in der Nennung seines Dienstgrades lag, an –, aber auch etwas Weiches. Vielleicht war es ein Hinweis darauf, dass Riley ein klein wenig von seinem Chef enttäuscht war, sei es darüber, was er getan hatte, oder darüber, wie er damit umging.

Als er Cooper lange genug mit diesem mehrfach bedeutungsschwangeren Blick angeschaut hatte, schüttelte er den Kopf.

»Nein, *Moonn,* Niemals.«

Cooper ließ ihn nicht aus den Augen.

»So oder so«, sagte Cooper, »steckt Regierungschef Roy ziemlich tief in der Scheiße.«

Nachdem er ihn noch einmal eine ganze Weile angeschaut hatte, nickte Riley Cooper zu.

»Alle Macht dem Volk«, meinte Riley.

Cooper blieb einen Augenblick lang stehen und dachte, dass er Lieutenant Riley eigentlich von Mal zu Mal lieber mochte. Gleichzeitig gingen ihm verschiedene Dinge im Kopf herum, unter anderem auch die Frage, wie, um alles in der Welt, er den Gerichtsmediziner der auf den U. S. Virgin Islands gelegenen Stadt Charlotte Amalie dazu bringen sollte, nur ein Jahr nach dem ersten noch ein zweites Opfer eines unbemerkt gebliebenen Mordes ohne Genehmigung seiner Vorgesetzten in den Brennofen zu werfen – und das, obwohl der Mann zufälligerweise auf seiner Liste mit all denjenigen Personen stand, die ohne Einschränkung erpressbar waren.

Dann ging er zurück zu seinem Dinghi, machte die Leine los und ließ den Evinrude aufheulen, um noch einmal mit schäumendem Kielwasser an den arglosen Tauchschülern vorbei zu seiner Apache zu brausen.

»Lass doch mal sehen«, sagte er zu Riley, »was dieser Kackeimer von Polizeiboot so hergibt. Diesmal fahre ich jedenfalls selber.«

Es war ein feucht-schwüler Nachmittag, einer dieser bedeckten Tage, die jeden Willen lähmten und die Haut zum Kribbeln brachten: nur Hitze und triefende Feuchtigkeit und das den ganzen Tag über, ohne einen einzigen Sonnenstrahl. Man fragte sich wirklich, wieso es überhaupt Menschen gab, die freiwillig hierherkamen oder sogar hier lebten. Man registrierte den ganzen Müll und Dreck, die Straßen hinter den Hotels, die Penner, die nach Centmünzen suchten, die verwahrlosten Viertel, die bereits ihre Fühler nach den Straßen ausstreckten, die im Augenblick noch von Luxusherbergen beherrscht wurden.

Etwa sechzig Meter oberhalb eines mit Kiefern bewachsenen Hügels hinter einer kleinen Bucht, dem so genannten Hurricane Hole, betrachtete Cooper die ausgesprochen leblose Hülle von Po »Der-unter-den-Reichen-wohnt« Keeler. Inmitten von Kiefernnadeln, Farnen und scheinbar verirrten Wüstensträuchern, die Haut ein bisschen zu fleckig braun, die Haare ungepflegt, so lag Keeler da. Seine Gliedmaßen waren irgendwie unnatürlich abgeknickt und verdreht, so, als ob er hier heruntergeworfen oder -gerollt worden war. Das kleine Wäldchen, in dem Keeler lag, war übersät mit Plastikflaschen, einem Kentucky-Fried-Chicken-Eimer, ein paar zusammengeknüllten Wachspapier-Verpackungen und, ein Stückchen höher, einer weißen Plastik-Mülltüte, die früher einmal randvoll gewesen sein musste, die aber allem Anschein nach aufgerissen und geplündert worden war. Waren vermutlich die schwarzen Eichhörnchen, dachte Cooper. Die nagten normalerweise alles an.

Oberhalb der Plastiktüte wurde der Abhang schnell sehr viel steiler, bis Cooper noch einmal dreißig Meter darüber die Leitplanke sehen konnte, die am Rand einer Kurve an der Straße zum Gefängnis befestigt war.

Er wusste, dass Keeler deshalb so aussah, als sei er hier herabgeworfen worden, weil genau das mit ihm geschehen war. Die Kurve da oben wurde allgemein nur die »Müllkippe« genannt, weil die Einheimischen, die ihre Müllgebühren nicht mehr bezahlen konnten, hier bei Nacht vorbeigefahren kamen und in der Haarnadelkurve ein, zwei gefüllte Säcke aus dem Fenster warfen. Jeder Sack mit Essensresten ... obwohl, eigentlich praktisch jeder Sack wurde von wilden Tieren in winzige Stücke zerfetzt und der Inhalt fortgeschafft. Ein- oder zweimal pro Woche kam jemand von Roys Truppe oder von der Parkverwaltung mit einem Quad vorbei und sammelte die Überreste auf.

Das würde heute ein kleines bisschen arbeitsaufwändiger werden.

Cooper und Riley waren im Hurricane Hole vor Anker gegangen. Das Hurrikan-Loch trug seinen Namen zu Recht: Es war eine kleine, trübe Bucht, die irgendjemand einmal aus dem Kieferngestrüpp herausgebuddelt hatte und wo jeder, der sich nach dem Prinzip »Wer zuerst kommt, mahlt zuerst« durchsetzen konnte, sein Boot vor einem aufziehenden Sturm in Sicherheit brachte. Sie wurden von zwei Polizisten aus Cap'n Roys Marinestützpunkt in Empfang genommen. Das einzige mit Breitreifen bestückte Quad des Stützpunktes hatten sie so abgestellt, dass man die Leiche von oben, aus der Kurve, nicht sehen konnte. Bis Cooper jedoch aus dem Hurricane Hole nach oben geklettert war, hatten die Stützpunkt-Polizisten die tarnfarbene Plane von der Leiche genommen, damit Cooper sie genauer in Augenschein nehmen konnte.

Cooper erkannte, dass Keeler mindestens zwei Schüsse abbekommen hatte – was immer diese Erkenntnis auch nutzen mochte: Da war zum einen die ziemlich blutverschmierte Vorderseite seines Polohemds, zum anderen ein ausgefranstes, kleines Loch in der Stirn. Der Schuss, der für das Loch in der Stirn verantwortlich war, schien sehr präzise gewesen zu sein. Da muss man doch eigentlich davon ausgehen, dachte Cooper, dass der aus dem Gefängnis entlassene Jacht-Überführer von einem Profi über den Jordan geschickt worden war.

»Ich habe alles gesehen, was ich sehen muss«, sagte er und nickte den Typen, die an ihrem Quad lehnten, zu. Dann machte er sich an den Abstieg hinunter ins Hurrican Hole. Unterwegs kam ihm Riley entgegen und bedachte ihn im Vorbeigehen mit einem militärischen Gruß. Cooper wusste, dass Riley dafür sorgen würde, dass die Jungs vom Marinestützpunkt die Leiche in die Plane wickelten, sie den Abhang hinuntertrugen und auf seine Apache brachten.

Coopers Leichen-Transfer.

Er ließ Rileys Gruß unerwidert.

11

Gegen Viertel nach acht hatte Cooper Po Keelers mit Hilfe der Plane mumifizierte Leiche bei seinem Gewährsmann in der Gerichtsmedizin von Charlotte Amalie abgeliefert, hatte das Deck der Apache gründlich abgespritzt und vom Blut und vom Leichengeruch gereinigt und lief wieder in Conch Bay ein. Es hatte lediglich einiger großer Scheine sowie der üblichen, unverblümten Drohungen bedurft, um den im Exil lebenden einstigen Schönheitschirurgen dazu zu bewegen, eine Extraschicht am Brennofen einzulegen, aber trotzdem. Allein dieses Gespräch mit Dr. med. Eugene Little hatte bewirkt, dass Cooper sich nach einer Dusche sehnte. Wenn dazu auch noch eine Leichenverbrennung, Cap'n Roys mögliche, wenn auch unwahrscheinliche Verstrickung in einen Mordfall sowie der nachmittägliche Besuch in der müllverseuchten Haarnadelkurve, genannt die »Müllkippe«, kamen ... Cooper hatte jedenfalls das dringende Bedürfnis, sich in eine Wanne mit Chlorreiniger zu legen. Vielleicht war es am besten, wenn er sich einfach den nächstbesten Putzlappen aus Ronnies Haushaltsarsenal schnappte und sich so lange damit schrubbte, bis er anfing zu bluten – zur Hölle, wahrscheinlich hätte er selbst dann noch das Gefühl, dass der ganze Schmutz ihm die Poren verstopfte.

Jedes Mal, jedes einzelne, gottverdammte Mal, wenn er sich auf eine von Cap'n Roys Nacht-und-Nebel-Müllentsorgungs-Aktionen einließ, war er anscheinend hinterher schmutziger als der eigentliche Müll und fühlte sich auch so.

Da an diesem Abend alle Liegeplätze von den Booten der Speisenden belegt waren, machte er sein Dinghi in zweiter Reihe am großkotzigsten Zodiac fest, das er sah. Dann wickelte er seine Reefs in sein T-Shirt, warf das Bündel auf den Anleger, sprang vom Boot in die Lagune und fing an, aufs offene Meer hinauszukraulen. So schwamm er lange und mit voller Kraft. Nach jeweils ungefähr fünfzig Zügen reckte er kurz den Kopf nach oben um sich zu versichern, dass er nicht gleich von einem Kreuzfahrtschiff überfahren wurde, aber ansonsten behielt er den Kopf im Wasser und schwamm im Dunkeln blindlings aufs Meer hinaus. Sehr befriedigend. Als seine Lungen nur noch ein einziges Vakuum zu sein schienen und nach mehr Sauerstoff gierten, als die Atmosphäre zu bieten hatte, hörte er auf und blickte sich wassertretend um. Er wollte wissen, wo er gelandet war. Die Angst, die sich dann jedes Mal einstellte, hatte eine äußerst beglückende Wirkung.

Der Sir Francis Drake Channel hatte eine tödliche Strömung – schnell, stark und trügerisch, sodass man, wenn man nicht aufpasste, um die Inselspitze herum aufs offene Meer hinausgezogen wurde. Bei Nacht war es noch gefährlicher, weil man leicht hinter einen Felsen oder eine der kleinen Inseln im Osten geraten konnte und dann die Lichter aus dem Blick verlor, die einem verrieten, wo man sich befand.

Er konnte das auffallende gelbe Licht des Conch Bay Beach Clubs gerade noch erkennen, allerdings nicht mehr genau hinter ihm ... sah fast so aus, als befände es sich jetzt, von ihm aus gesehen, an die drei Kilometer weiter östlich. Zumindest war er nicht hinter Peter Island gelandet, sonst hätte das Meer ihn womöglich gar nicht mehr hergegeben. Und dennoch, die Strömung war stark in dieser Nacht, so stark, dass er sich mächtig ins Zeug legen musste, um wieder zurückzukommen. Während genau die Angst ihn überfiel, nach der er hier draußen gesucht hatte, dachte er: Wenn du genügend Glück und genügend Kraft hast, dann hievst du deinen Arsch vermutlich so gegen zwei, drei Uhr wieder zurück an Land, und so wie du dich durch den letzten Kilometer quälen wirst, stehen die Chancen wohl fünfzig-fünfzig, dass dir irgendein Tigerhai vorher noch ein Stück aus dem Oberschenkel reißt.

Cooper wusste, dass das Hauptproblem im Tempo lag. Wenn man während der ersten zwei Stunden nicht schnell genug war, dann wurde man zusehends mutloser und schaffte es nicht mehr. Man hob den Blick, so gut wie tot von der Anstrengung, und musste feststellen, dass man dem rettenden Ufer keinen Zentimeter näher gekommen war. Schon zweimal hatte er sich bei solchen Schwimmausflügen der Natur beugen müssen – hatte aufgegeben, sich eine Weile treiben lassen, nach Lichtern

Ausschau gehalten, um dann, sobald irgendwo eines aufgetaucht war, wie ein Verrückter darauf loszuschwimmen. Beim ersten Mal hatte ihn eine wohlgesonnene Strömung gegen vier Uhr morgens an einen Strand auf der Rückseite von Tortola geschwemmt. Bei seinem zweiten fehlgeschlagenen Versuch hatte ihn ein Charterboot mit Hochseefischern im Morgengrauen vor St. Thomas aufgegabelt.

Heute war es ein harter Kampf, aber er machte zu Anfang genügend Strecke, um der Mutlosigkeit vorzubeugen, und die Haie ließen ihn anscheinend auch in Ruhe. Kurz vor halb drei hob er, in Zeitlupe und mit ausgestreckten Windmühlenarmen kraulend, den Kopf und stellte fest, dass er beinahe mit dem Kopf gegen die Conch-Bay-Fähre gestoßen wäre, die drei Meter vom Anleger entfernt vor Anker lag.

Er kraulte automatisch weiter, bis er den sandigen Meerboden an seinen Knien spürte, zitternd aufstand, auf den Anleger hinauswankte, sein T-Shirt und die Flipflops einsammelte und sich ohne Umwege direkt in sein Bett begab. Weit und breit war niemand zu sehen, und so schlurfte er im Schein der schwachen Nachtbeleuchtung durch die Küche und den Garten bis zum Bungalow Nummer neun. Er hatte nicht einmal mehr die Kraft, seine nasse Badehose auszuziehen, behielt sie einfach an und ließ sich aufs Bett plumpsen.

Kurze Zeit später, der Schlaf wollte ihm bereits das Bewusstsein rauben, bohrte sich das grässlichste Geräusch, das er je gehört hatte, in seine Gehörgänge. Er musste wohl bereits eingenickt sein und hatte deshalb das kurze Knarren überhört, das die Ankunft eines Faxes auf seinem HP-»All-In-One«-Drucker signalisierte. Den Rest jedoch überhörte er nicht: Wie die Tintenpatrone über die Plastikführung knirschte, wie die quietschenden Rollen das Papier durch den Drucker schoben, wie der Druckkopf sirrte und surrte, während er Tausende winzigkleiner schwarzer Tintenpunkte auf das Papier schoss. Noch schlimmer – zumindest in Coopers Zustand völliger Erschöpfung – war die Länge des Dokumentes, das da in seiner ganzen Pracht aus dem Drucker quoll. Nach jeder Seite dachte er, dass jetzt endlich Schluss war, bis die gottverdammte Kiste das nächste Blatt in ihren Schlund zerrte und die nächste Radaurunde einläutete. Cooper zählte vierzehn Seiten, dann endlich hatte der Spuk ein Ende.

Nachdem er zehn Minuten lang seinen Deckenventilator angestarrt hatte, dachte er, dass er ja sowieso ausschlafen konnte – zumindest bis die aktuelle Ziege des Tages anfing zu randalieren –, streckte die Füße aus dem Bett, ging die zwei Schritte bis zur Zimmermitte und nahm das Fax aus dem Drucker. Er schaltete das Licht ein und setzte sich in seinen Lesesessel, legte die Füße auf die Ottomane und schob dabei unter ziemlichem Getöse Kabel und anderen Krimskrams beiseite, ließ sich gegen die Lehne sinken und fing an zu lesen.

Das Deckblatt war fast leer und enthielt nur die Tintenstrahlversion der fünf Worte, die Frau Professor Susannah Grant in ihrer geschwungenen Handschrift daraufgeschrieben hatte. Sie lauteten:

An: Den Inselmann
Von: Mir

Cooper warf das Deckblatt auf den Boden und machte sich an die nächsten dreizehn Seiten. Dabei stellte er fest, dass Susannah Wort gehalten hatte: Sie hatte ihm die Analyse der Kunstgegenstände innerhalb von achtundvierzig Stunden nach der Laboruntersuchung versprochen, ja, sie war sogar acht Stunden früher fertig geworden. Cooper hatte zwar nicht damit gerechnet, ihre Nachricht um drei Uhr nachts zu erhalten, aber umso besser. Der Schwimmausflug hatte seine reinigende Wirkung nicht verfehlt, und je schneller er einen Käufer fand und die Ware wieder loswurde, desto schneller konnte er sich auch endgültig von Cap'n Roys Schmutz befreien. Wenn Susannahs Fax ihm genügend Informationen bescherte, dann konnte er vielleicht schon am nächsten Morgen ein bisschen telefonieren, einen Übergabetermin vereinbaren und hätte nichts mehr damit zu tun. Nicht mit den Kunstgegenständen, nicht mit dem eingeäscherten Po Keeler und nicht mit Cap'n Roy.

Dann fiel ihm ein, dass da ja noch die Frage nach Keelers Mörder war – zähneknirschend gestand Cooper sich ein, dass Roy dafür nicht in Frage kam. Er beschloss, sich erst dann mit diesem Problem zu beschäftigen, wenn er unmittelbar damit konfrontiert war. Falls es überhaupt so weit kam.

Er las, dass Susannah die Artefakte einer indigenen mittelamerikanischen Tradition zugeordnet hatte, vermutlich den Maya aus der, wie sie schrieb, dekadenten Periode. Entstanden seien die Kunstgegenstände Mitte des 19., Anfang des 20. Jahrhunderts, aber das kam ihm irgendwie merkwürdig vor. Sie hielt die Sachen jedenfalls für echt. Der Wert der Sammlung sei »schwierig zu bestimmen«, doch sie verwies auf eine ähnliche, kleinere Sammlung, die 1998 bei Christie's für durchschnittlich 1,24 Millionen US-Dollar pro Stück versteigert worden war. Unter der Voraussetzung, dass jedes Stück ein Echtheitszertifikat erhielt, einen vergleichbaren Schätzwert besaß und im Lauf der Jahre eine stetige Wertsteigerung erfuhr, schätzte Susannah, dass Roys Schatz bei einer Versteigerung zwischen 60 und 80 Millionen Doller bringen konnte.

Dann machte sie einige nähere Angaben zum geographischen Ursprung des zur Herstellung der Artefakte verwendeten Goldes – irgendwo auf der Kontinentalbrücke zwischen Nord- und Südamerika. Diese Daten wurden von einer kulturgeschichtlichen Analyse der Bilder und Darstellungen auf den Kunstgegenständen gestützt. Sie entsprachen nach Susannahs Angaben überwiegend den kulturellen, religiösen und sozialen

Normen einer »ursprünglichen« Maya-Zivilisation – deren Artefakte gut und gerne tausend Jahre älter gewesen wären als die von ihr veranschlagten 150. Trotzdem hatte sei keine Zweifel an der Verlässlichkeit ihrer Datierung und spekulierte über eine mögliche Erklärung für den großen Altersunterschied: Die Schöpfer von Cap'n Roys Schatz lebten an einem sehr weit abgelegenen Ort, beziehungsweise *hatten* vor 150 Jahren dort gelebt, und zwar als eine von mindestens mehreren hundert »isoliert lebender Zivilisationen«, die, wie allgemein angenommen wurde, nach wie vor in den unzugänglichen Gebirgs- oder Dschungelregionen Mittelamerikas zu finden waren.

Susannah ging davon aus, dass »diese isoliert lebende Zivilisation höchstwahrscheinlich untergegangen ist«, da sie keinerlei Hinweise auf die Existenz eines gegenwärtig noch existierenden Stammes oder einer anderen kulturellen Einheit gefunden habe, die so lebten, wie es in diesen Reliefs und Skulpturen dargestellt wurde. Außerdem, so schrieb sie weiter, sei es »unwahrscheinlich, dass eine solche Gruppe sich freiwillig« von Grabgaben wie diesen trennte. Dafür waren sie zu heilig.

Cooper spürte ein Ziehen in der Magengegend, als ihm klar wurde, dass Susannah den Ursprungsort der Artefakte in einem etwas südlich des Zentrums von Mittelamerika gelegenen Gebiet vermutete. Auf einer Landkarte hatte sie die entsprechende Region markiert. Der rechteckige Kasten zog sich von Guatemala quer durch Honduras bis nach Nicaragua. Cooper starrte auf Susannahs schwarze Tintenstriche und fühlte ein undeutliches, widerhallendes Pumpen in seinem Inneren, als ob eine Herzkammer beschlossen hätte, ihren Inhalt frühzeitig auszustoßen.

Dieser Teil der Erde gehörte nicht gerade zu seinen liebsten Ausflugszielen.

Wie er so im Schein seiner einzigen, mit einem Haken am Deckenventilator befestigten Lampe in seinem Sessel saß, dachte er ein wenig an Frau Professor Susannah Grant. Das tat er hauptsächlich deshalb, um nicht an irgendwelche anderen Dinge denken zu müssen, an die er nicht denken wollte, aber die Gedanken an sie waren auch keine große Hilfe.

Nach dem Nachmittag im Labor hatte sie ihn in ihrem Coupé zu einer der sensationellsten Sehenswürdigkeiten von Austin chauffiert: der größten Fledermauskolonie Nordamerikas, gebildet von mexikanischen Bulldoggfledermäusen, die alle unter der Congress Avenue Bridge hausten. Mit Einsetzen der Dämmerung kamen die Fledermäuse in einem Schwindel erregenden, niemals endenden Strom unter der Brücke hervor und begaben sich auf nächtliche Insektenjagd. Cooper fand das seltsam, aber beeindruckend. Danach hatte sie unbedingt sein Zimmer im Hyatt sehen wollen, aber nach neunzig Minuten des gemeinsamen Erinnerns hatte er sie nach Hause geschickt. Schon bei der ersten Berührung hatte Cooper diesen Ausflug bereut. Manchmal wusste man einfach, dass man falsch abgebogen war – dass es Zeit war umzukehren.

Sie hatte die vorzeitige Entlassung nicht gerade fröhlich aufgenommen, doch trotz der Verdrossenheit in ihrem letzten Blick hatte Frau Professor Grant ihm ihren Bericht geschickt.

Cooper war nicht erfreut über das, was die Analyse bezüglich der Menschen, die zu diesen Artefakten gehörten, oder zumindest einmal gehört hatten, erbracht hatte. Er war auch nicht erfreut darüber, was das in Bezug auf den Hilferuf zu bedeuten hatte, den die goldene Göttin im Regal – da war er sich jetzt absolut sicher – an ihn gerichtet hatte. Und dann gab es da noch etwas in diesem Zusammenhang, worüber er ganz und gar nicht erfreut war – besonders, wenn Cap'n Roy *nicht* derjenige gewesen war, der Po »Der-unter-den-Reichen-wohnt« ausgeknipst hatte.

Cooper warf das Fax auf den Zementboden seines Bungalows. Das laute Klatschen, das es dabei verursachte, passte wie die Faust aufs Auge, wie ein Ausrufezeichen hinter diesem Abschnitt seines Lebens. Er stand auf, lockerte die Schultern, ließ den Kopf ein paar Mal kreisen, um seinen verspannten Nacken zu lockern, knipste das Licht aus, machte die beiden Schritte, die er blind machen konnte und schon mehrere Millionen Mal und normalerweise im betrunkenen Zustand gemacht hatte, und fiel zurück aufs Bett. Dabei dachte er, während er sich vorstellte, wie aller Schleim und Schmutz von seinem Körper abglitt, dass Susannahs Landkarte und das, was darauf zu sehen war, schlicht und ergreifend scheißegal war. Dass er alles erfahren hatte, was er erfahren musste, und dass das Ende somit nahe herangekommen war.

Cap'n Roys Goldschatz war tatsächlich so wertvoll, wie Roy gehofft hatte, vielleicht sogar erheblich wertvoller – ein Riesenhaufen Dollars. Cooper würde garantiert nicht mehr als ein, maximal zwei Telefonate brauchen, bis er jemanden aufgetrieben hatte, der Cap'n Roy das Zeug aus den lästigen kleinen Händen nahm – einen *Hehler* –, und dann war er fertig hier.

Fertig mit den Artefakten – und fertig mit Cap'n Roy.

Für immer.

12

Laramie betrat den neu gebauten Terminal des Southwest Florida International Airport und folgte den Wegweisern in Richtung Ausgang. Während sie an der Gepäckausgabe vorbeihastete, fragte sie sich, ob sie vielleicht jemanden an Bord gehabt hatten oder ob sie das Gate beobachten ließen. Von irgendjemandem, der ihrem Betreuer, wer immer das sein mochte, Bescheid sagte, dass sie jetzt gelandet war.

Sie trat hinaus in die schwüle Hitze, und es dauerte keine

Minute, bis ein Jeep Grand Cherokee sich auf den nächstgelegenen Zebrastreifen schob. Das Beifahrerfenster des Jeep senkte sich, und als niemand der anderen Menschen auf dem Bürgersteig Anstalten machte, auf den Wagen zuzugehen, trat Laramie an den Fahrbahnrand und bückte sich, um einen Blick auf den Fahrer zu werfen. Der Mann am Steuer hatte sich eine Baseballmütze aus Cordsamt tief in die Stirn gezogen. Sie hatte einen leichten Pastellfarbton irgendwo zwischen Pink und Orange. Der Mann trug ein sauberes weißes T-Shirt und abgetragene Bluejeans. Seine Hautfarbe ließ Laramie vermuten, dass er mexikanische Vorfahren und viel Zeit in der Sonne zugebracht hatte. Er verströmte so etwas wie eine gewisse sportliche Verbrauchtheit – wie ein Arbeitsmigrant, dachte Laramie, der die Farm, auf der er beschäftigt gewesen war, selbst übernommen hatte.

»Willkommen in Fort Myers«, begrüßte er sie durch das offene Beifahrerfenster.

Laramie nickte, mit der Reisetasche immer noch über der Schulter.

»Waren Sie schon mal hier?«

Laramie blickte sich um. »In Florida? Ja. In Fort Myers? Nein.«

»Alte Leute, Golfplätze, ein paar Strände, wahnsinnig viele Orangen und sehr viel weniger Sumpfgebiete als früher. Steigen Sie ein.«

Laramie beschloss, sich nicht nervös machen zu lassen – es gab keinen Grund zu der Annahme, dass der Farmbesitzer hinter dem Lenkrad *nicht* der von Ebbers beauftragte »persönliche Betreuer« war. Sie machte die Tür auf, warf ihre Tasche in den Wagen und stieg hinterher.

Der Typ löste die Bremse, und der Grand Cherokee schob sich auf die Fahrspur.

»Die Fahrt dauert ungefähr eine Stunde«, sagte er, den Blick auf die Straße gerichtet. »Das ist mehr als genug, um Sie auf den neuesten Stand zu bringen. Nicht, dass man dazu im Augenblick besonders viel sagen könnte. Nichts Genaues jedenfalls.«

Laramie sah, wie die rund um den Flughafen angelegten Palmenbeete von Kiefern und kleinen Teichen abgelöst wurden, während sie das Flughafengelände verließen und die Auffahrtrampe zum I-75 in Richtung Norden hinauffuhren.

»Also, worüber reden wir denn eigentlich?«, sagte sie.

Ihr Begleiter warf ihr einen Blick zu.

»Wir reden über einen ›Flugschul-Hinweis‹«, sagte er. Laramie glaubte zwar, dass sie wusste, was er damit sagen wollte, bat ihn aber trotzdem um eine ausführlichere Erklärung.

»Da hat jemand einen Fehler gemacht«, sagte er. »Hat sich mit einer Ammoniumnitrat-Autobombe in seiner eigenen Garage ein bisschen früher als geplant in die Luft gejagt. Hat dabei auch noch sein Haus pulverisiert und außerdem einen winzigen Prozentsatz des aerogenen, das heißt über die Atemluft übertragbaren Filovirus-Serums freigesetzt, das in seinem Kellerkühlschrank eingelagert war. Wenn wir von einem ›Flugschul-Hinweis‹ sprechen, dann meinen wir damit genau das, was Sie glauben, was wir meinen. Wir haben den Eindruck, dass unser Selbstmordattentäter das aktuelle Pendant zu dem Hinweis bildet, den die Attentäter vom Elften September uns hinterlassen haben und der damals übersehen worden ist, indem sie sich nämlich bei verschiedenen Flugschulen eingeschrieben haben, um sich beibringen zu lassen, wie man eine 767 in einen Wolkenkratzer lenkt.«

Laramie fiel auf, dass ihr »Betreuer« das Wörtchen *wir* genauso einsetzte wie Ebbers. Mit Ausnahme der einen Stelle, wo es um den übersehenen Flugschul-Hinweis gegangen war.

»Der Hauptunterschied ist der:«, fuhr er fort. »Wenn unser Attentäter tatsächlich die gesamte eingelagerte Menge des

Pathogens freigesetzte hätte, dann gäbe es bereits jetzt viele tausend Tote mehr als bei den Anschlägen im Jahr 2001. Und es wären nicht die letzten.«

»Wer war er?«

»Sein Name war Benjamin Achar.« Der Mann sprach das *ch* aus wie *k*. »Wenn man sich allerdings seine Sozialversicherungsnummer anschaut, dann muss man den Eindruck gewinnen, als hätte Mr. Achar sich selbst wieder zum Leben erweckt, nachdem er vor sechsunddreißig Jahren einem akuten SIDS zum Opfer gefallen war.«

»SIDS? Sudden Infant Death Syndrome? Der plötzliche Kindstod?«

»Ganz genau.«

Der Betreuer schaltete den Blinker ein, wechselte die Fahrspur, um einen Sattelschlepper zu überholen, schaltete den Blinker wieder aus und glitt an dem langen Lastzug vorbei.

Als sie auf die State Road 80 abbogen, warf Laramie einen Blick zur Windschutzscheibe hinaus. Seitdem sie Fort Myers hinter sich gelassen hatten, führte die Straße durch dünner besiedeltes Gebiet, wurden die Einkaufszentren und Golfclubs zu beiden Seiten des Highways von Kiefernwäldern und Driving-Ranges und schließlich von Orangenplantagen abgelöst – vielen Orangenplantagen.

»Damit wollen Sie also sagen, dass er ein Schläfer war«, stellte Laramie fest. »Ein extrem gut getarnter Terrorist.«

»So lautet unsere Arbeitshypothese.«

»Der für wen gearbeitet hat?«

Der Betreuer ließ ein schmallippiges Grinsen sehen.

»Ich glaube, das ist der Grund, weshalb ich Sie vom Flughafen abholen sollte.«

»Wir wissen es nicht«, sagte Laramie.

»Ganz genau.«

Die Fahrbahn wurde jetzt schmaler und besaß nur noch eine

Spur in jede Richtung. Laramie sortierte in Gedanken, was sie bis jetzt erfahren hatte. Sie hätte an die dreißig, vierzig Fragen stellen können und dachte, dass es wahrscheinlich zweiundsiebzig anstrengende Stunden werden würden, bis sie Ebbers ihre gesammelten Erkenntnisse präsentieren musste. Vielleicht war es sinnvoller, wenn sie einfach alles auf sich zukommen ließ.

Jetzt fuhren sie durch das Städtchen LaBelle, anschließend durch eine endlos lange Wohnsiedlung namens Port LaBelle – die alle beide vollkommen ausgestorben wirkten –, und dann sah Laramie einen Wegweiser, der anzeigte, dass sie auf die State Road 833 South abgebogen waren. Orangenplantagen und andere, bunt gemischte Farmbetriebe wurden von winzigkleinen Häusern in bemitleidenswertem Zustand abgelöst, dann folgten ein Ramschladen, eine Tankstelle und eine kleine Brücke. Diese führte über einen schmalen Wasserlauf, der sich, wie kanalisiert, in beide Richtungen kerzengerade bis zum Horizont erstreckte. Jenseits der Brücke kamen sie zunächst durch ein Sumpfgebiet, gefolgt von Kiefernhainen.

Eine Böschung trennte das Sumpfwasser von den Kiefern, die ziemlich vertrocknet aussahen und kaum einen grünen Zweig oder eine Nadel aufwiesen. Das Ende des baumbestandenen Abschnitts kam jedoch rapide näher, und dahinter konnte Laramie eine ganze Anzahl von Häusern mit identischen Dächern erkennen.

Der Betreuer verlangsamte das Tempo. Sie fuhren auf eine Reihe orangefarbener Absperrkegel sowie zwei Streifenwagen der Florida Highway Patrol zu, die quer auf der Fahrbahn standen. Der Betreuer ließ das Fenster herunter, und der Polizist, der am Kofferraum des nächsten Streifenwagens lehnte, kam auf sie zu, die Hand locker auf seine Maschinenpistole gelegt. Laramies Betreuer holte etwas aus einem Ablagefach in der Fahrertür, anscheinend zwei Zugangsberechtigungen, wie man sie bei Sportveranstaltungen oder Konzerten gelegentlich um den Hals irgendwelcher VIPs baumeln sah. Der Polizist schaute sich die Ausweise an, warf einen Blick ins Wageninnere auf Laramie, ging dann, ohne ein Wort zu sagen, zu seinem Streifenwagen, holte ein Klemmbrett hervor, übertrug ein paar Informationen auf das darauf befindliche Blatt, legte das Klemmbrett wieder zurück in den Streifenwagen und händigte Laramies Betreuer die Zugangsberechtigungen aus.

Dann machte sich ein zweiter Polizist, der vor dem anderen Streifenwagen gestanden hatte, daran, einen der orangefarbenen Absperrkegel beiseitezuräumen, und der erste Polizist winkte sie durch.

Der Betreuer bog in die Einfahrt der Wohnsiedlung mit den identischen Ziegeldächern ein, die Laramie schon von dem Kiefernwäldchen aus gesehen hatte. Quer über der Einfahrt prangte ein Schild, ein beigefarbenes Sperrholzbrett – so sah es zumindest aus –, auf das große, grüne Buchstaben aufgenagelt worden waren: Das Schild verkündete in grenzenlosem Optimismus den Namen dieser Wohnsiedlung: **EMERALD LAKES,** »Smaragd-Seen«. An der Straße konnte Laramie jedenfalls kein Wasser entdecken. Vielleicht befanden sich die Seen ja innerhalb der Siedlung.

Während der Betreuer sie durch das rechtwinklige Straßengitter chauffierte, fiel Laramie auf, dass nirgendwo jemand zu Hause war. Sie passierten zunächst verschiedene Doppelhäuser, dann Einfamilienhäuser, die alle beängstigend gleich aussahen. Keine Autos in den Einfahrten, keine Rasenmäher, keine Rasensprenger. Niemand werkelte in seiner Garage herum, wässerte den Garten oder führte einen Hund spazieren. Sie fuhren durch eine Geisterstadt.

Der Betreuer bog in die Gem Road ab. So stand es zumindest auf dem abgeknickten Straßenschild an der Ecke. Dann sah Laramie sich einer Erklärung für die offensichtliche Evakuierung der Siedlung gegenüber: Nach ungefähr fünfzig Metern waren die Häuser auf beiden Straßenseiten dem Erdboden gleichgemacht. In der gleißenden Mittagssonne fühlte Laramie sich unmittelbar an den Irak erinnert: Hier sah es, wenn auch räumlich sehr begrenzt, genauso aus wie mitten in einem Kriegsgebiet. Von rund zwanzig Häusern auf beiden Straßenseiten war von allem, was sich oberhalb der Erde befunden hatte, nur noch Schutt übrig geblieben, die Betonfundamente bestanden aus riesigen, rissigen Brocken, die Überreste der einstigen Wände und Dächer waren überall auf der Gem Road und den umliegenden Grundstücken verstreut. In der Straßenmitte war eine schmale Fahrspur freigeräumt worden, aber ansonsten dominierten Geröllklumpen die Szenerie.

Er stellte den Wagen neben einem flachen Krater inmitten des Schuttfeldes ab.

»Ground Zero«, sagte er. »Sie können gerne aussteigen und draußen eine Weile vor sich hin schwitzen, aber wahrscheinlich sehen Sie alles Wichtige genauso gut auch von hier drin.«

Laramie sagte: »Ich schau's mir mal an«, machte die Tür auf und trat hinaus in die zähe, schwüle Hitze.

Als Erstes fiel ihr der Geruch auf. Sie konnte ihn nicht richtig einordnen, irgendetwas zwischen Farn und Marihuana, und sie fragte sich, ob das der Duft des Sumpfes war, auf dem die ganze Siedlung errichtet worden war, und der nun, da die Gebäude weggesprengt worden waren, durch den Krater wieder an die Oberfläche drang, oder ob es sich nur um ein Reinigungsmittel handelte, das am Schauplatz der Explosion eingesetzt worden war.

Sie stocherte am Rand des Kraters herum. Neben einigen anderen Dingen zeigten die freiliegenden Gesteinsschichten entlang der zwei Meter hohen Kraterklippe auch, dass der zuständige Bauunternehmer ein Geizhals war – die Asphaltdecke auf der Straße war keine drei Zentimeter dick, und von einem darunterliegenden Schotterbett zur vernünftigen Regenwasserabfuhr war auch nichts zu sehen. Ob da wohl auch ohne Explosion früher oder später Schlaglöcher von der Größe eines Mülllasters entstanden wären?

Ansonsten gab es wenig Interessantes zu entdecken, auch wenn Laramie schon lange wusste, dass es in solchen Situationen generell sehr schwierig war zu erkennen, was sich vielleicht später einmal als interessant erweisen würde und was nicht. Das galt vor allem dann, wenn man sowieso nur sehr sparsame Auskünfte bekam. Was sie aber auf jeden Fall erkennen konnte, war, dass die Wucht der Detonation zum größten Teil senkrecht nach oben gerichtet gewesen war. Der Explosionskrater war relativ flach, kaum tiefer als Laramies eins zweiundsechzig, und hatte einen Durchmesser, der vermuten ließ, dass hier einmal eine zu einem der Häuser gehörende Garage gestanden hatte. Davon abgesehen war die Explosion nicht in die Tiefe gegangen, sondern hatte stattdessen im gesamten Umkreis mit einem Radius von der Größe eines Fußballfeldes sämtliche Häuser plattgemacht. In der ganzen Straße war keine einzige Wand stehen geblieben.

Sie ging am Kraterrand entlang und untersuchte, was von den Fundamenten des »Ground-Zero«-Hauses übrig geblieben war. Einzelne Teile standen immer noch aufrecht da, reichten in etwa bis zur mittleren Kellerhöhe, aber spätestens dort waren die billigen Schlackesteine abrasiert worden wie Wolle von einem Schaf. Es war seltsam still. Laramie hörte nur ihre eigenen, gedämpften Schritte auf dem Geröll und das entfernte Surren der Klimaanlage unter der Motorhaube des Jeeps.

Überall lagen verbrannte Metallteile, runde Gesteins- und Schlackesteinbrocken sowie roter Staub herum. Der Staub schien sich immer wieder neu zu verteilen, von der Brise umhergeweht zu werden, nur, dass es gar keine Brise gab, nur die zähe, regungslose, widerliche Hitze. Sie spürte ein heftiges Stechen am Bein, blickte hinunter und hieb sofort wie wild auf ihre Knöchel ein. Das war kein Staub, das waren *Ameisen.* Millionen von Ameisen. Feuerameisen, Rote Ameisen, egal, jedenfalls Ameisen, die rot waren und beißen konnten. Die Bisse waren verdammt schmerzhaft, und Laramie hatte plötzlich das Gefühl, als wäre sie mitten in den Dreharbeiten zu einem drittklassigen Horrorfilm gelandet – eine hilflose *femme fatale,* gestrandet in irgendeiner Marslandschaft, die von tödlichen, wenn auch unrealistischen Kreaturen bevölkert wurde. Das Gefühl, dass die Natur bereits begonnen hatte, sich das Land zurückzuerobern, war übermächtig.

Peinlich berührt blickte sie zur Straße hinüber ... Die Neue will sich die Umgebung anschauen und wird dabei von einheimischem Ungeziefer angefallen, und das alles vor den Augen ihres neuen Chefs. Als sie jedoch den Krater umrundet hatte, hatte sich das Gefühl der Peinlichkeit verzogen und dafür einer gewissen Wut Platz gemacht.

Sie riss die Tür des Grand Cherokee auf, setzte sich in den gekühlten Innenraum des Wagens und wies mit dem Kinn auf ihren Gastgeber mit der braun-grauen Haut.

»Das mit den Ameisen hätten Sie mir ruhig sagen können.«

Da huschte ein verschlagenes Grinsen über seine unterhalb der Baseballmütze sichtbaren Gesichtszüge.

»Haben sie Sie erwischt?«

»Sie haben mich erwischt.«

Er zuckte mit den Schultern.

»Tut mir leid. Können wir jetzt Ziel Nummer zwei unserer Führung ansteuern?«

»Kommt drauf an«, erwiderte sie.

»Das Hauptquartier der Sonderkommission haben die Ameisen noch nicht übernommen, falls Sie das meinen«, sagte er. »Noch nicht, jedenfalls.«

13

Vierzehn hochrangige Ermittlungsbeamte – allesamt Spezialisten auf ihrem Gebiet – saßen um ein aus acht rechteckigen, zusammengerückten Tischen bestehendes Quadrat. Das improvisierte Einsatzzentrum belegte einen Raum von der Größe eines Fitnessstudios, der bis vor einem Monat noch die Cocktail-Lounge des *Motor 8 Luxury Motel* gewesen war. Der einstöckige Übernachtungsbetrieb lag zwischen diversen Wohnwagensiedlungen an einer der zahllosen, identisch aussehenden, zweispurigen Straßen, die, wie Laramie mittlerweile begriffen hatte, kreuz und quer den gesamten Bundesstaat durchzogen. Die Achtunddreißig-Dollar-die-Nacht-Absteige war zur Operationszentrale des Tausend-Ämter-Wirrwarrs erklärt worden, vor dem Ebbers sie gewarnt und dem ihr persönlicher Betreuer sie jetzt ausgeliefert hatte.

Bei ihrer Ankunft auf dem Parkplatz des Motels hatte Laramie sich gefragt, wie die Strafverfolgungsbehörden des Landes eigentlich vor der Erfindung der SUVs, dieser komfortabel ausgestatteten Luxus-Geländewagen, hatten leben können. Ganz offensichtlich hatte der Zwischenfall in Emerald Lakes unter anderem zu einer Invasion kohlrabenschwarz lackierter Suburbans, Envoys und Expeditions geführt, an denen kein einziges Fenster ungetönt geblieben war.

In der ehemaligen Cocktail-Lounge kam das vierzehntägige große Palaver der Sonderkommission langsam zur Ruhe. Ein Mann stand neben zwei L-förmig zusammengestellten Tischen und räusperte sich. Er sah aus wie ungefähr fünfzig und hatte eine Ausstrahlung, die eher einem erfolgreichen Wirtschaftsboss als einem hochrangigen FBI-Agenten entsprach. Er trug einen dunkelgrauen Anzug, und Laramie fiel auf, dass ihr Betreuer der Einzige im Raum war, der keine Geschäftskleidung trug. Daraus schloss sie dann, dass allem Anschein nach kein Vertreter der Ortspolizei anwesend war, es sei denn, irgendein Sheriff-Stellvertreter oder so hätte beschlossen, sich der Kleiderordnung des FBI anzupassen, nur um eine Einladung zur Mitarbeit zu ergattern.

»Legen wir los«, sagte der Ober-Agent. Das Murmeln und Rascheln erstarb. »Bill, wollen Sie anfangen? Moment mal ...« Er deutete mit ausgestrecktem Arm in Laramies Richtung. Sie merkte, wie er den Blick ein klein wenig nervös auf die lange Wand des Raumes richtete und ihren Betreuer musterte, der dort, weitab vom eigentlichen Geschehen, an der Theke lehnte. »Ich bitte um ein herzliches Willkommen für das neueste Mitglied unserer Sonderkommission.«

Ihren Namen erwähnte er nicht. Laramies Betreuer hatte ihr geraten, sich keinem Angehörigen der Sonderkommission mit Namen vorzustellen. Vielleicht hatte der Ober-Agent ähnliche Instruktionen bekommen.

»Unsere neue Freundin ist im Auftrag des Präsidenten hier. Als Sonderermittlerin.« Laramie zwinkerte mit den Augen und versuchte bewusst, keinen schnellen Blick auf ihren Betreuer zu werfen. Weder er noch Ebbers hatten, als es um die Beschreibung ihrer Aufgabe ging, solche Worte gebraucht. »Sie wird sich mit dem Einen oder Anderen von Ihnen im Lauf der kommenden achtundvierzig Stunden besprechen wollen. Halten Sie sich zur Verfügung. Bill.«

Ein Mann, der wenige Stühle von ihr entfernt saß – Laramie nahm an, dass es sich um Bill handelte –, steckte sich einen Stift hinters Ohr und stand auf. Er hatte fünfzehn bis zwanzig Pfund mehr auf den Rippen als der anonyme Ober-Agent, war dafür aber vielleicht sieben oder acht Zentimeter kleiner. Auch er war, wie alle anderen im Raum, ausgesprochen gepflegt gekleidet.

»Ein paar von euch waren jetzt einige Zeit lang weg – ein

herzliches Willkommen allen Rückkehrern ins Motel 8.« Er griff nach dem Stift hinter seinem Ohr und zog die Kappe ab. Der Stift sah aus wie ein abwischbarer Filzstift. »Da einige Mitglieder der Sonderkommission in letzter Zeit nicht alles mitbekommen haben und da wir eine neue Freundin bekommen haben, hat Sid mich gebeten, noch einmal ganz vorne anzufangen.« Er wand sich zwischen der Tischkante und seinem Stuhl hervor und trat an die abwischbare Tafel, die hinter seinem Platz an der Wand hing.

»Wir wissen ja eigentlich alle ziemlich genau, was wir bis jetzt haben und was passiert ist, aber ich benutze einfach gerne diese verdammte Tafel hier, also verarscht mich gefälligst nicht deswegen.« Er reckte den abwischbaren Filzstift in die Höhe, während an ein, zwei Stellen im Raum unterdrücktes Kichern zu hören war. Dann malte er einen Kreis in die linke obere Ecke der Tafel, schrieb *Emerald Lakes* ins Kreisinnere und *Achar* darunter. Anschließend zeichnete er eine ganze Anzahl strahlenförmiger Linien ein, sodass es wie eine Kinderzeichnung der Sonne aussah.

»Unser Straftäter«, sagte Bill, »›Benny‹ Achar, wie seine Frau ihn nennt, jagt also seinen Chevy Blazer mit einer Kunstdüngerbombe in die Luft, die er eigenhändig in seiner Garage gebaut hat. Dies tut er in seiner Eigenschaft als Bewohner einer ehemals bankrotten, aber dennoch ausgesprochen hübschen Wohnanlage namens Emerald Lakes. Die Seen sind mir zwar bis heute entgangen, aber falls irgendeiner sie sieht, sagt mir Bescheid, und ich zeichne sie auch noch ein.« Jetzt ließ Bill drei Pfeile von der Sonne bis in die Mitte der Tafel zeigen, wo er ein Viereck einzeichnete. Das füllte er mit den Worten *LaBelle (125)* aus. »Dann stellt sich raus, dass Achar, indem er sich selbst und seine komplette Nachbarschaft in die Luft sprengt, die Ehre für sich in Anspruch nehmen darf, als erster Terrorist, der innerhalb der Vereinigten Staaten eine ›schmutzige

Bio-Bombe‹ gezündet hat, in die Geschichte einzugehen. Das geheimnisvolle Pathogen, das Benny dabei in die Luft entlassen hat ...« Über die drei Pfeile hinweg schrieb er *Pathogen X.* »... führt, wie ihr alle wisst, zum Ausbruch einer in den Medien ausführlich besprochenen, hinterhältigen Grippewelle, die einhundertundfünfundzwanzig Bewohner von Hendry County das Leben kostet, bevor sie durch unsere Quarantänemaßnahmen gestoppt wird.«

Neben den Begriff *Pathogen X* schrieb er jetzt: = *Filovirus (neu).*

»War natürlich gar keine Grippe«, sagte er dann. »War vielmehr ein bislang unbekannter Filovirus-Stamm, vergleichbar dem Marburg-Virus, nur noch gefährlicher, da er sich allem Anschein nach auch über die Atemluft verbreiten kann. Ein Nieser und schon hat der Angenieste das Ding ebenfalls in der Blutbahn. So was kann bei herkömmlichen Filoviren nicht passieren. Aber dieser hier kann fliegen.« Er verpasste dem Begriff *Filovirus (neu)* mit einigen unbeholfenen Strichen ein Paar Flügel und zeichnete dann einen Pfeil von seinem mit *LaBelle (*125*)* beschrifteten Kasten bis zum linken Tafelrand, wo er das Wort *Filo* anschrieb und unterstrich.

»Befällt Menschen und Tiere gleichermaßen und ist auch in beide Richtungen übertragbar, genauso wie die vielfach diskutierte, potenzielle Mutation des Vogelgrippe-Virus. Sadie kann nachher noch mehr über diesen Filo sagen«, fuhr er dann fort, »aber beschäftigen wir uns erst noch ein wenig mit dem Straftäter.«

Neben das Wort *Achar* schrieb Bill jetzt das Wort *Straftäter* und hob es durch eine Unterstreichung hervor. Unter dieser Überschrift fügte er hinzu: *Soz.vers.-Nr., Mobile, Bonita Springs, Frau & Sohn, Seattle, LaBelle* und 1995–1996. Mindestens zwei der um den Tisch versammelten Ermittlungsbeamten gähnten unverhohlen.

»Benny ist mit Janine verheiratet, und sie haben einen achtjährigen Jungen namens Carter. Vorher hat Achar in einer ähnlichen Wohnsiedlung bei Bonita Springs, Florida, gewohnt. Damals hat er auch seine Frau kennen gelernt. Sie haben 1998 geheiratet. Sie stammt aus Seattle, beziehungsweise, um genau zu sein, aus Kent, einem Vorort von Seattle. Die frisch Vermählten sind kurz vor Carters Geburt in das Haus in Emerald Lakes gezogen. Achar hat bei UPS gearbeitet – als Fahrer. Seit 1997. Ziemlich praktischer Job, wie wir wissen. Und wo wir gerade bei Jahreszahlen sind: Der echte Benjamin Achar wurde am 4. Februar 1969 in Mobile, Alabama, geboren. Dort ist er elf Monate später auch gestorben, allerdings unter ungleich tragischeren Umständen. Todesursache: Plötzlicher Kindstod. Über ›unseren‹ Benjamin Achar haben wir keinerlei Erkenntnisse, die älter sind als Februar 1995.« Er deutete auf eine der beiden Frauen, die außer Laramie noch mit am Tisch saßen. »Mary weiß noch ein bisschen mehr über unseren Straftäter.«

»Mary«, sagte eine Stimme. Sie gehörte, wie Laramie feststellte, dem Ober-Agenten, der somit Mary das Wort erteilt hatte.

Mary trug ein schwarzes Jackett und darunter eine bauschige, weiße Bluse. Sie blieb sitzen und entsprach ziemlich genau dem Bild, das Laramie von einer FBI-Profilerin hatte: bleiche Haut, dicke Augenringe, leicht verklemmt. Sie räusperte sich und fing an zu sprechen.

»Unser Benjamin Achar hat einen hispanischen Hintergrund, allerdings mit starken weißen Anteilen. Auf der Basis von Fotos können wir davon ausgehen, dass er mittel- oder südamerikanische Vorfahren hatte. Nach Ansicht diverser Familienvideos und Ähnlichem ist auch klar, dass Achar keinen ausländischen Akzent gehabt hat. Er klang, ehrlich gesagt, genauso, wie jemand klingen würde, der in Mobile geboren wurde und dann nach Bonita Springs umgezogen ist. Wenn er also wirklich ein Schläfer war, wie wir glauben, dann könnte er aus Kolumbien oder aus Chile stammen und ein umfangreiches Sprachtraining absolviert haben, oder aber er ist in Nebraska zur Welt gekommen oder in Mississippi adoptiert worden, und seine Eltern waren eben zufälligerweise mittel- oder südamerikanischer Abstammung. Vielleicht war er auch so eine Art John Walker Lindh, der in unserer Gesellschaft aufgewachsen ist und sich dann für die andere Seite entschieden hat, was immer diese andere Seite auch sein mag. Abgesehen davon gibt es zu Achars Profil eigentlich nur zu sagen, dass es kein brauchbares Profil gibt. Weder das eines Serienkillers noch sonst irgendetwas, was auf ihn passen könnte.«

Laramie fiel auf, dass Mary sowohl Achar als auch dessen Frau beim Namen nannte, fast so, als ob sie sie persönlich kannte. Der Begriff *Straftäter* schien in Marys Wortschatz nicht zu existieren. Irgendetwas an der Art und Weise, wie Mary Achar betrachtete, machte Laramie nachdenklich – etwas in Bezug auf ihre mitfühlende Sichtweise –, aber genauso schnell, wie der Gedanke gekommen war, war er auch wieder verschwunden.

»Er war ein einfacher Arbeiter«, fuhr Mary fort. »Hat den größten Teil seiner Freizeit mit seinem Sohn oder hinten im Garten mit dem Rasenmäher verbracht. Egal, wen wir fragen, alle sagen sie, was für ein guter Ehemann er war, wie verständnisvoll, wie sehr die Schwiegereltern ihn geliebt haben. Soweit wir wissen keine gelegentlichen Besuche der Stripclubs in Bonita Springs oder LaBelle, keine Affäre mit einer Masseuse, keine seltsamen, verräterischen Hobbys, die er vor Janine geheim gehalten hätte. Langer Rede, kurzer Sinn: Benjamin Achar war kein Scott Peterson, er führte kein geheimes Doppelleben.« Mary kratzte sich hinter dem Ohr. »Das ist eigentlich keine besonders aufregende Neuigkeit, aber ich möchte dennoch auf zwei Punkte hinweisen. Erstens: Es könnte sich lohnen, die Tatsache zu berücksichtigen, dass Achar weder nahöstlicher Abstammung war noch sich der … ähhh … moslemischen Glaubensrichtung zugehörig gefühlt hat. Und zweitens, auch, wenn es bloß so eine Art Gefühl ist: Ich finde seine ganze Persönlichkeit einfach zu glatt. Fast schon unrealistisch.«

Der Ober-Agent, den Bill vorhin wahrscheinlich gemeint hatte, als er von einem Sid gesprochen hatte, meldete sich zu Wort.

»Ich bitte um eine Erklärung.«

Mary drehte sich zu ihm um. »Ich war bestimmt auch voreingenommen, weil ich ja schon von vornherein wusste, dass er eine andere Identität gestohlen hatte, aber trotzdem: Sein Bild enthält einfach zu wenig Ungereimtheiten. Selbst der beste Mensch, ob Mann oder Frau, hat seine kleinen Widersprüchlichkeiten. Sogar Sie, Sid.«

Niemand lachte über Marys Versuch, witzig zu sein. Sid lächelte zwar, aber ohne rechte Überzeugung.

»Bei jemandem wie Achar kommt im Verlauf einer kriminalpolizeilichen Ermittlung normalerweise das Eine oder Andere ans Tageslicht, sei es, dass er zu viel trinkt, Pornoseiten im Internet ansurft, wenn seine Frau im Bett ist, seine Frau einmal während einer Party geschlagen haben soll – irgendwas. Bei Achar haben wir nichts Derartiges festgestellt. Nur ein makelloses Klischee: Hat den Blazer selbst gefahren, einen Nissan Altima für seine Frau geleast, hatte drei Kreditkarten, die mit insgesamt vier Riesen belastet waren, hauptsächlich aufgrund seiner Einkäufe bei diversen Baumarktketten. Keine erkennbaren Probleme mit Autoritätspersonen bei der Arbeit, kein Medikamentenmissbrauch – gar nichts. Als hätte er sich für Halloween als einfacher Arbeiter verkleidet, ohne zu merken, dass da ein paar Teile an seinem Kostüm fehlen.«

Als Mary einige Sekunden lang geschwiegen hatte, sah Bill sie fragend an und erntete ein Nicken als Antwort.

»Das ist alles«, sagte sie.

»Wir sollten Marys ersten Punkt nicht vergessen«, sagte Bill nun wieder an die ganze Gruppe gewandt. »Achar stammte nicht aus dem Nahen Osten und war kein moslemischer Extremist. Willkommen in der Welt nach dem Elften September und nach dem Irakkrieg. Wir haben eine Liste mit feindlich gesinnten Regimes und den meistgesuchten Finanziers des internationalen Terrorismus vorliegen, die von den Geheimdienstleuten hier in der Sonderkommission zusammengestellt worden ist. Einige davon stammen wohl tatsächlich aus Mittel- oder Südamerika. Also müssen wir wohl davon ausgehen, dass Mr. Bin-Laden seine Dauerstellung als Staatsfeind Nummer eins verloren hat.«

Unterhalb seiner Straftäter-Überschrift notierte Bill nun *Offener Weg Nr. 1* und dahinter drei Worte: *Identität, Herkunft, Familienzugehörigkeit.* Dann kreiste er die ganze Zeile ein.

»Aber so oder so, das ist das, was wir im Rahmen unserer Ermittlungen den ›Offenen Weg Nummer eins‹ nennen«, sagte er. »Identität, Herkunft und Familienzugehörigkeit unseres Straftäters sind allesamt mit einem Fragezeichen versehen. Wir haben keine Ahnung, was dieser Kerl vor 1995 getrieben hat, aber genau das müssen wir rauskriegen. Sobald wir das wissen, müssten wir eigentlich auch sagen können, wer dahintersteckt und was diese neuen Herrschaften, wer immer es sein mag, womöglich mit uns vorhaben. Bedauerlicherweise haben wir seit unserer letzten Sitzung, abgesehen von Marys Vortrag und den amtlichen Bestätigungen seiner Wohnsitze seit 1995, nichts Neues über Achar herausgefunden. Ach, doch, da ist noch was.«

Er unterstrich die Stelle, an der die Worte *Frau & Sohn* standen.

»Nicht gerade ein Durchbruch«, sagte er dann. »Eher das Gegenteil. Wir waren bisher ja davon ausgegangen, dass er seiner Frau irgendetwas verraten haben muss, irgendetwas Entscheidendes. Aus der Zeit vor seiner Tarnexistenz. Deshalb halten wir sie nach wie vor fest, lassen sie von einem Spezialisten nach dem anderen verhören, verfolgen jeden noch so kleinen Hinweis, den sie uns liefert. Sie hat uns eine Menge über den Benjamin Achar der unmittelbaren Vergangenheit verraten, aber entweder ist sie wirklich sehr gut, oder er hat ihr tatsächlich nichts verraten. Es sieht jedenfalls nicht danach aus, als hätte sie irgendetwas geahnt. Wir stehen kurz davor, offiziell bekannt zu geben, dass Janine Achar, geborene Marino, ihrerseits keine Schläferin zu sein scheint. Wir haben ihren persönlichen Hintergrund durchleuchtet, wir kennen ihre ganze wahre Geschichte und die ihrer Familie. Keine Konflikte mit dem Gesetz. Ein einziger Ladendiebstahl während der College-Zeit. Lizensierte Immobilienmaklerin bei Century 21, die letzte Provisionszahlung im März 2005, über fünfzehnhundert Dollar – treu sorgende Mutter, Eltern mit einer mehrere Generationen zurückreichenden italo-amerikanischen Familientradition. Also sind wir fast so weit zu sagen, dass sie nichts damit zu tun hat.«

Achselzuckend griff Bill nach dem abwischbaren Stift und schrieb unter die schon früher unterstrichene Überschrift *Filo* die Worte *organisch/synthetisch, Quelle* und *Der Plan.* Es folgte noch ein Kreis, dieses Mal um *Der Plan.*

Bill deutete auf die zweite Frau im Raum. Sie hatte kurz geschnittene, blonde Haare mit schwarzen Haaransätzen.

»Sadie«, sagte Bill.

Sadie stand auf, und Bill kehrte an seinen Platz zurück. Sadie war größer als die meisten Männer im Raum und hatte, wie die große Mehrzahl der anderen auch, einen abgespannten Zug um die Augen.

»Achars Pathogen ist eine Kombination aus mikroskopisch kleinen Spuren synthetischer Materialien und einem bislang nicht dokumentierten Filovirus, der eindeutig das Ergebnis eines gentechnischen Eingriffs ist«, sagte sie. Schon nach einem Satz war Laramie klar, dass sie über genau das sichere Auftreten verfügte, das Mary, die Profilerin, nur allzu gerne besessen hätte. »Das Ganze ist zwar deutlich komplizierter, aber im Prinzip funktioniert dieser Virus wie folgt: Kein normaler Mikroorganismus, weder die bekannten Filovirus-Stämme noch der ›neue‹ Stamm in Achars Serum, wäre in der Lage, den Druck oder die Hitze auszuhalten, wie sie bei einer Kunstdüngerexplosion entstehen. Mit anderen Worten: Unter normalen Umständen wäre es gar nicht möglich, eine ›schmutzige Bio-Bombe‹ tatsächlich wirkungsvoll zu zünden – die Bombe würde die biologische Komponente ganz einfach zerstören. Auf Deutsch: Die Explosion würde den Virus töten.«

Sadie machte weiter.

»Doch das war bei dem von Achar verbreiteten ›Marburg-2‹-Pathogen nicht der Fall. Das finde ich beängstigend, aber gleichzeitig auch, vom technologischen Standpunkt aus betrachtet, äußerst bemerkenswert. Bei der Untersuchung des nicht von der Explosion betroffenen Anteils von Achars Serum haben wir gesehen, dass die Filovirus-Kolonien eine einheitliche Größe aufweisen und alle mit einem mikroskopisch feinen Polymer-Mantel überzogen sind. Diese Schicht ist so porös, dass der Virus darunter überleben kann, ist gleichzeitig aber auch in der Lage, plötzlichen massiven Druck sowie Temperaturen weit jenseits der 400 Grad Celsius zu absorbieren. Bei unseren Stoß- und Verbrennungstests wurde zwar ein signifikanter Teil dieser Ummantelung – über fünfzig Prozent – zerstört, aber erst, *nachdem* sie so viel Energie absorbiert hatte, dass der darunter verborgene Virus überleben konnte. Die restlichen knapp fünfzig Prozent wurden durch Feuer oder andere Einflüsse so stark geschädigt, dass die Filo-Kolonien ebenfalls abgetötet wurden.

Noch eine abschließende Bemerkung zu den technischen Spezifikationen«, sagte sie dann. »Der Marburg-2-Filo bleibt allem Anschein nach für unbegrenzte Zeit haltbar, wenn er bei Temperaturen um den Gefrierpunkt gelagert wird. Achar hat das Serum, nach allem, was wir in den Trümmern gefunden haben, in der Trennwand zwischen Gefrierfach und Kühlschrank aufbewahrt. Das wären ideale Bedingungen gewesen. Diese Eigenschaft kennen wir auch von ›normalen‹ Grippe- oder Filoviren, nur, dass dieser hier noch etwas widerstandsfähiger ist.«

Sadie drückte die Leertaste des Laptops, der vor ihr auf dem Tisch stand. Der kleine Ventilator im Inneren des Geräts fing an zu summen, und an der Wand hinter Sid tauchte zunächst ein blaues Viereck auf, bis die ersten Bilder zu sehen waren. Laramie nahm an, dass es sich um einzelne »Filo«-Zellen handelte – oder wie immer man einen einzelnen Virus nennen mochte. Sadie sprach weiter, während an der Wand eine Diashow ablief.

»Ohne den Schutzmantel haben wir es mit einem echten Filovirus zu tun und nicht mit einem chemischen Wirkstoff. Wie Bill bereits gesagt hat, kann er sich über die Atemluft verbreiten – man kann sich also durch bloßes Niesen anstecken, nicht erst bei einer Bluttransfusion. So etwas gab es bisher noch nicht. Außerdem kann der Virus von Tier zu Mensch genauso übertragen werden wie von Mensch zu Mensch. Die Ansteckungsphase ist relativ kurz, sodass eine frühzeitige Quarantäne, wie wir sie hier erreicht haben, eine wirkungsvolle Maßnahme sein dürfte. Wir sind rund um die Uhr dabei, diverse Gegenmittel zu testen, aber noch gibt es keinen Anlass zu übertriebenem Optimismus. Filos sind ziemlich üble Dinger. Könnte gut sein, dass wir kein anderes Virus kennen, das ähnlich widerstandsfähig und schnell wirkend ist, und etwas Schnelleres als diesen hier haben wir überhaupt noch nicht gesehen. Achtundvierzig Stunden von der Ansteckung bis zum Tod. Kollaps aller inneren Organe, grässliche Blutungen – wir haben das alles schon einmal durchgekaut, und ich möchte nur betonen, dass unsere Bemühungen im Labor höchstwahrscheinlich keine schnellen Resultate liefern werden.«

Die Filo-Diashow war zu Ende, und der Bildschirm wurde wieder blau.

»Wir empfehlen, auch weiterhin große Mengen Tamiflu und Relenza einzulagern, mehr, als wegen der zu erwartenden Infektionswelle durch die Vogelgrippe-Mutation sowieso schon eingelagert wird. Diese Anti-Virenmittel sind scheinbar geeignet, die Vermehrung der Viren zu blockieren. Die größten Hoffnungen in Bezug auf einen wirksamen Impfstoff, auch, wenn sie noch so vage sein mögen, sind jedoch mit einem vergleichbaren Krankheitsausbruch verbunden – wenn zum Beispiel ein ähnlicher Filo in Zaire auftreten würde, dann ließen sich dort vielleicht Überlebende oder Überträger finden, die den Virus weitergegeben haben, ohne selbst irgendwelche Symptome erkennen zu lassen. Wenn wir dann herausfinden, warum ausgerechnet dieser Überträger überlebt hat, dann wüssten wir wenigstens, wo wir ansetzen könnten. Aber noch einmal: Es besteht kein Anlass zu übertriebenem Optimismus. Bis jetzt gibt es noch keinen solchen Filo-Impfstoff.«

Sadie drückte eine Taste an ihrem Laptop, und auf der Wand erschien eine Weltkarte. Sie wurde von dreizehn roten Punkten auf unterschiedlichen Kontinenten geziert.

»Bei einer Betrachtung der letzten hundert Jahre haben wir dreizehn örtlich begrenzte Krankheitswellen mit ähnlichen Symptomen und Ansteckungsraten gefunden. Vier dieser dreizehn Fälle haben sich während der vergangenen zehn Jahre ereignet. Die größte Übereinstimmung gibt es mit einem lokal stark begrenzten Marburg-Ausbruch in einer abgelegenen Region Guatemalas. Dort sind auf einer ärztlichen Außenstelle sieben Patienten und vier medizinische Betreuer, darunter auch zwei Freiwillige des Friedenscorps, gestorben. Die Symptome waren denen, die wir hier festgestellt haben, sehr ähnlich. Das war 1983.«

Ein Mann meldete sich zu Wort. »Woher haben wir die Beschreibung der Symptome?«, wollte er wissen.

Laramie genügte ein kurzer Blick, dann war sie sich sicher, dass er zur CIA gehörte.

»Einer der Friedenscorps-Leute hat ein Tagebuch hinterlassen«, antwortete Sadie. Laramie hatte den Eindruck, als würde ihrer Reibeisenstimme langsam der Sprit ausgehen. »Vor rund zehn Jahren ist eine Kopie dieser Aufzeichnungen beim CDC gelandet. Wir haben Ärzte vor Ort, aber ich sage es noch einmal: kein Anlass zum Optimismus. Die Spur ist kalt.«

Laramie registrierte, dass der CIA-Mann weder nickte noch sich bedankte noch sonst irgendwie auf die Beantwortung seiner Frage reagierte. Sadie schien das nichts auszumachen. Sie hackte auf den Tasten ihres Laptops herum und projizierte eine Landkarte der Vereinigten Staaten an die Wand. Dann deutete sie auf Bill, der wieder aufgestanden war. Laramie nutzte die Gelegenheit, um einen verstohlenen Blick auf ihren Betreuer zu werfen und stellte fest, dass er verschwunden war. Der Türrahmen, in dem er zuletzt gelehnt hatte, war leer. Langsam ließ sie den Blick an den Rändern des Raumes entlangwandern. Vergeblich. Anscheinend war er ausgeflogen.

»Also dann, wenden wir uns dem Plan zu«, sagte Bill. »Das ist der Stand: Unser Freund hat Mist gebaut. Achar hat sich in die Luft gejagt, noch bevor er das ganze Virenserum an Ort und Stelle hatte. Vielleicht hat er irgendwas mit dem Dünger und dem Diesel in seiner Garage durcheinandergekriegt, vielleicht hat es sich auch selbst entzündet, als er noch gar nicht so weit war – aber vergessen wir nicht die Frau und das Kind. Sie sind an *dem* Tag, an dem Achar sich in Stücke gerissen hat, zu ihren Eltern nach Seattle geflogen, und sie hat zugegeben, dass diese Reise seine Idee gewesen ist. Daher glauben wir, dass die Aktion auf jeden Fall für diesen Tag vorgesehen war, dass er eben einfach nur einen Fehler gemacht hat. Die Explosion kam zu früh, und deshalb hat er nicht einmal zehn Prozent der Filoviren, die er in seinem Keller aufbewahrt hat, freigesetzt.«

Bill ging vor der Landkarte an der Wand hin und her.

»Wir müssen davon ausgehen, dass Achar nicht alleine war, schon allein aufgrund der Menge und der fachmännischen Aufbereitung des Virus. Unter dieser Voraussetzung hat Sadie einmal ausgerechnet, in welchem Ausmaß die Bevölkerung Amerikas unter Umständen betroffen sein könnte.«

Erneut warf Laramie einen Blick auf den Türrahmen, an dem ihr Betreuer gelehnt hatte. Dabei fiel ihr Blick auf eine schwarze Tumi-Tasche, die genau dort auf dem Boden stand. Laramie wusste, dass es eine Tumi-Tasche war, weil sie ihr gehörte – das war die Tasche, von der Ebbers gesprochen hatte.

Sadie hatte jetzt eine Fernbedienung in die Hand genommen, nicht größer als eine Visitenkarte. Sie stellte sich neben die Landkarte vor die Wand, und gleichzeitig begannen sich rings um ein Epizentrum in Florida – Laramie nahm an, dass es sich um Emerald Lakes handelte – konzentrische Kreise auszudehnen.

»Wenn Achar keinen Fehler macht«, sagte Sadie, »sondern seinen gesamten Vorrat verbreiten kann, dann gerät in etwa die zweihundertfache Virenmenge von dem in die Atemluft, von dem es tatsächlich der Fall war.« Nun tauchten Wellenlinien auf der Landkarte auf und breiteten sich über den ursprünglich durch die Kreise abgedeckten Bereich hinaus aus, bis sie das Ballungsgebiet des Miami Dade County erreicht hatten, das nun anfing zu blinken. Nahe des Explosionsortes tauchte die Zahl 125 auf, aber dann kamen Nullen hinzu. Aus 125 wurden 1250, dann 12 500, dann 125 000 und schließlich 1 250 000 mit einem Fragezeichen dahinter.

»Wenn eine so große Menge Filoviren sich über die Atemluft verbreitet hätte«, sagte Sadie, »dann wäre es unserer Schätzung nach im selben Zeitraum, in dem sich in unserem Fall 125 Menschen angesteckt haben, zu an die 10 000 Erkrankungen gekommen. Außerdem wären die Fälle über eine viel größere Fläche verteilt gewesen, sodass jeder Quarantäne-Versuch sehr viel weniger Erfolg versprochen hätte. Hätte der Filo Miami oder Fort Myers erreicht, dann hätte er sich leicht so rasant verbreiten können, dass wir hunderttausend oder noch mehr Tote gehabt hätten. Wir glauben, dass der Straftäter es letztendlich auf Miami abgesehen hatte. Aber dadurch, dass er einen Fehler gemacht und die Bombe zu früh gezündet hat, wurde die Ausbreitung des Filo bis in die Großstadtregion verhindert.«

Jetzt breiteten sich auch östlich von Seattle, im Bundesstaat Washington, dieselben konzentrischen Kreise aus. Die gleiche Ausdehnung wie in Florida, die gleichen Wellenlinien in alle Himmelsrichtungen, auch hinaus auf den Nordwestpazifik. Dann kam eine dritte animierte Grafik bei Chicago dazu, dann eine vierte in Texas und eine fünfte im Nordosten, nahe Boston.

»In unserem Modell gibt es zehn Schläfer. Jeder von ihnen zündet eine vergleichbare Bombe und setzt dabei jeweils die volle Dosis an Filoviren frei, und zwar ohne vorbereitete Quarantänemaßnahmen, die die Ausbreitung der Krankheit verlangsamen könnten.« Jetzt kamen weitere sich ausdehnende Kreise dazu, im Landesinneren, den Rocky Mountains, schließlich in Manhattan. »Wenn wir davon ausgehen, dass sich noch weitere Schläfer in diesem Netzwerk befinden, dann müssen wir von zehn bis fünfzehn Millionen Todesopfern ausgehen. Wenn wir dann noch die Gefahr einer Überlappung hinzunehmen – das heißt, wenn zwei oder mehr dieser schmutzigen

Bio-Bomben explodieren, bevor wirksame Quarantänemaßnahmen ergriffen werden können, sagen wir mal: innerhalb von achtundvierzig Stunden, dann könnte es auch doppelt oder dreimal so viele oder noch mehr Tote geben. Das würde jede Quarantäne zunichtemachen. Die Infektionsrate würde wie bei einem Schneeballsystem in die Höhe schnellen, und wir bekämen es höchstwahrscheinlich mit einer ganzen Anzahl so genannter ›Infektionsstürme‹ zu tun, also besonders schwer betroffenen Gebieten, in denen alle Lebewesen infiziert werden und es keine Überlebenden gibt.«

Nun entstanden Wirbelsturm-ähnliche Umrisse auf der Landkarte und verbanden drei der ursprünglichen Virenzonen miteinander, verwandelten sie in unheilschwangere und extrem ausgedehnte Territorien. Die Zahlen der Todesopfer neben den betroffenen Ansteckungsgebieten waren nun nicht mehr sechs-, sondern achtstellig, dann erst blieben sie unverändert stehen. Schließlich war an der Wand wieder das blaue Rechteck zu sehen. Sadie klappte ihren Laptop zu, und der blaue Fleck verschwand. Sie kehrte an ihren Platz zurück.

Sid erhob sich.

»Wer hat ihm den Filo zugeschickt?«, sagte er. »Wie wurde er geliefert? Der Beruf des Straftäters ist dabei Schwierigkeit und Chance gleichermaßen, da jedes Päckchen, mit dem Achar jemals zu tun gehabt hat, eigentlich auch eine Auftragsnummer haben müsste. Bill ist mit seiner Gruppe bereits dabei, die Liste mit allen Sendungen, die Achar jemals abgeholt, ausgeliefert oder sonst wie in den Fingern gehabt hat abzuarbeiten. Das ist eine sehr lange Liste ohne auffällige Beziehungen zu illegalen Drogenlabors oder terroristischen Vereinigungen.«

Sid kam um den Tisch herum und stellte sich hinter Bill. Dann langte er ihm über die Schulter, griff nach dem abwischbaren Stift, den Bill zuvor benutzt hatte, trat an die Tafel und zog von jedem Wort, das Bill zuvor eingekreist hatte, einen langen Pfeil bis zu einer bestimmten Stelle am unteren Rand der Tafel. Dorthin schrieb er jetzt *Staatsfeind Nr. 1* und unterstrich das Geschriebene doppelt.

»Wir gehen davon aus, dass Achar nicht alleine war. Er war nur zu früh und zu uneffektiv. Warum war er zu früh dran? Warum hat er alleine losgeschlagen?«

Unter die Zeile mit *Staatsfeind Nr. 1* schrieb Sid jetzt: *Zeit = Staatsfeind Nr. 2.* Laramie dachte wieder kurz an diese Idee, die ihr vorhin schon einmal durch den Kopf geschossen und dann wieder verschwunden war – eine Idee, die irgendwie mit Achar, seiner Frau, dem gemeinsamen Sohn und Marys Blickwinkel auf die drei zu tun hatte –, doch da hatte sich die Idee, was es auch gewesen sein mochte, schon wieder in die Tiefen ihres Unterbewusstseins verkrochen.

»Was wäre, wenn es da draußen neun, elf, dreizehn andere gäbe, die jetzt, na, sagen wir mal, noch zwei Wochen lang stillhalten? Noch einen Monat? Wenn wir nicht rauskriegen, wer sie sind, wo sie sind und wer ihnen die entscheidenden Anweisungen gibt, wenn ihre Zeit gekommen ist, dann können Sie, Bill, Ihrer Frau schon mal einen Abschiedskuss geben. Sadie, Ihr Bruder und Ihr Neffe – verblutet in einer Notaufnahme. Bob, Ihre fünf kleinen Hosenscheißer – die sterben als Erstes.«

Er umkreiste die Worte, die er gerade an die Tafel geschrieben hatte.

»Da hätten wir die Staatsfeinde Nummer eins und zwei. Sitzung beendet.«

14

Cooper sah die Landescheinwerfer langsam näher kommen, dann aufblitzen, dann erlöschen, während die Frachtmaschine, eine ATR 72-500, auf der längeren Landebahn des Terrance B. Lettsome International Airport aufsetzte. Das weiß lackierte Charterflugzeug rollte in die vorgesehene Haltebucht und verringerte die Drehzahl der Motoren. Die Propeller ließ der Pilot wie verabredet laufen. Die Brücke nach Beef Island hinüber war über Nacht wegen angeblicher Reparaturarbeiten geschlossen – wenn Cooper sich nur ein wenig nach hinten beugte, dann konnte er das blau-weiße Kaleidoskop erkennen, das das quer auf der Brücke abgestellte Polizeifahrzeug, ein Mitsubishi-Minivan, durch die Dunkelheit schickte. Sie hatten den Flughafen ganz für sich alleine.

Es war eine klare, heiße Nacht. Cap'n Roy stand neben Cooper auf dem Asphalt. Es war das erste Mal, dass Cooper ihn ohne Uniform sah, jedenfalls soweit er sich erinnern konnte. Er könnte auch, dachte Cooper, Khakis und Sandalen tragen wie alle anderen, man würde ihm den Regierungschef trotzdem sofort ansehen. Die Kleidung war egal – solange man so einen Gesichtsausdruck spazieren führte, machte man immer einen offiziellen Eindruck.

Hinter ihnen trat jetzt Riley, zusammen mit einem schlaksigen Schutzpolizisten namens Tim, aus dem Terminal hervor. Bei Coopers letzter Begegnung mit Tim hatte dieser einen Leichensack über den Anleger des Marinestützpunktes zu Coopers Apache geschleppt. Cooper hatte ein ungutes Gefühl. Ob Tims Anwesenheit ihm auch diesmal wieder Unglück bringen würde? So wie beim letzten Mal?

Jetzt war Riley am Flugzeugheck angelangt und legte die Hand an den Griff unterhalb der Ladeluke. Er zog die große

Klappe auf, sodass sich die dazugehörige Klappleiter entfaltete, und ließ sie einrasten. Cooper sah, wie ein mächtiger, braungebrannter, kurzärmeliger Arm aus dem Inneren des Flugzeugs nach draußen gestreckt wurde. Der bullige Mann am anderen Ende des Arms musterte Riley und Tim von oben herab, dann warf er auch Cooper und Cap'n Roy einen Blick zu. Er schien zu prüfen, ob die Passagiere an Bord des Flugzeugs nicht in einen Hinterhalt gelockt werden sollten, und wandte sich, zufrieden gestellt, wieder zurück ins Flugzeug. Kurze Zeit später stieg er hinter einem sehr viel kleineren Mann die Treppe herunter.

Cooper kannte den Kleineren – er hatte ihn ja selbst dorthin bestellt. Kaum hatte dieser Cooper erblickt, blieb er stehen, drehte sich um und bedeutete seinem treu ergebenen Gorilla, ins Flugzeug zurückzukehren. Das Kraftpaket kletterte hinein und kam dann mit zwei randvoll gestopften Leinentaschen wieder heraus. Der kleinere Mann ignorierte Cap'n Roy und kam direkt auf Cooper zu.

»Als Zeichen meines Vertrauens«, sagte der Mann.

Cooper nickte und deutete auf Cap'n Roy. Der Gorilla verstand, was er damit sagen wollte, schlurfte durch die betäubende Hitze auf den Regierungschef zu und überreichte ihm die Taschen. Cap'n Roy nahm sie scheinbar mühelos in die Hand, setzte sie ab, machte eine davon auf, fasste hinein, wühlte darin herum und zog den Reißverschluss anschließend wieder zu. Dabei konnte Cooper einen kurzen Blick auf den Haufen Dollarscheine werfen, die sich darin befanden. Anschließend kontrollierte Roy auch die zweite Tasche.

Als er damit fertig war, winkte er Riley zu, der sich mittlerweile in die Nähe der Zollstation im Terminal zurückgezogen hatte.

»Alles in Ordnung«, sagte Cooper zu dem Kleinen. »Wir sind im Geschäft.«

Er musste laut sprechen, um die Motoren der ATR 72-500 zu übertönen.

In Begleitung seines Gorillas stellte sich der kleine Mann jetzt neben das Flugzeug, kramte eine Zigarette hervor und rauchte, während er im Luftzug der umherwirbelnden Propeller stand und wartete.

Da kamen Riley und Tim auf einem Gabelstapler sowie einem Elektrokarren mit drei Gepäckwagen im Schlepptau angebraust. Auf der Gabel des Staplers lagen zwei Holzkisten. Sie waren in der Mitte durchgesägt worden, damit sie in den Frachtraum des Flugzeugs passten. Auf den überquellenden Gepäckwagen türmten sich vielleicht vier Dutzend Gepäckstücke. Mit schnellen Bewegungen und sichtlich angestrengt luden Cap'n Roys Lakaien das nur dürftig getarnte Schmuggelgut an Bord des Flugzeugs. Cooper amüsierte sich über die vielen Gepäckstücke, schon deshalb, weil er wusste, dass die nach außen hin völlig unauffälligen Taschen und Koffer, die Riley und Tim da herumwuchteten, mit purem Gold vollgestopft waren und diesen Novizen des Gepäckträger-Gewerbes mit rund hundert Kilogramm pro Stück höchstwahrscheinlich spürbare Rückenschäden bescheren würden. Während er die schiere Anzahl der Behältnisse bewunderte, fragte er sich auch, wo, zum Teufel, sie die ganzen Dinger bloß herhaben mochten. Es war, als hätte Cap'n Roy seit Monaten tagtäglich ein paar Rollkoffer beschlagnahmen lassen und ungeduldig auf den Tag gewartet, an dem acht Kisten mit gestohlenen Maya-Artefakten an Bord einer verkohlten Jacht in Road Harbour angespült wurden.

Der kleinere Mann und sein Gorilla kontrollierten jede Tasche, jeden Koffer und beide Kisten, bevor Riley und Tim sie ins Flugzeug schoben. Der Gorilla hielt ein Klemmbrett in der Hand, das der Kleinere ihm jedes Mal, wenn er ein Gepäckstück kontrolliert hatte, abnahm, um etwas zu notieren.

Cooper hatte den Eindruck, als ob er dem Kraftprotz nicht so recht traute.

Neunundzwanzig Minuten, nachdem das Flugzeug in Position gerollt war, wurde die letzte Gepäcktasche in seinem Bauch verstaut. Ohne jede überflüssige Handbewegung stieg der kleinere Mann die Treppe hinauf, die ins Flugzeug führte. Der Gorilla ging ihm nach und zog die Tür hinter sich zu. Riley jagte mit den Gepäckwagen zum Terminal zurück, während Tim sich auf den Gabelstapler schwang und hinter ihm herraste.

Das Jaulen der Propeller wurde immer höher, und sie stürzten sich mit ihrem charakteristischen, heulenden Bariton in den Kampf gegen die Luftfeuchtigkeit. Dann schob sich die ATR 72-500 vom Terminal weg und in die Dunkelheit hinein. Cooper zählte genau hundertfünfundzwanzig Sekunden, bevor das Flugzeug wieder in sein Blickfeld gerast kam. Es tauchte im Scheinwerferlicht des Terminals auf, reckte die Nase gen Himmel und schoss dann von der Startbahn hinauf in die Nacht.

Noch einmal neun Sekunden später hatte die tiefschwarze karibische Nacht das Flugzeug schon wieder verschluckt. Cooper hörte, wie Cap'n Roy eine Art Schnalzgeräusch von sich gab, drehte sich um und sah sich wieder einmal gezwungen, etwas aufzufangen, was der Regierungschef ihm zuwarf.

Dieses Mal waren es ein paar Geldscheinbündel.

Cooper fing das Geld auf, stopfte sich den größten Teil in die Taschen seiner Badehose und machte sich ohne jeden Abschiedsgruß auf den Weg zum Terminal. Er hatte ungefähr die halbe Strecke zurückgelegt, da spürte er einen Stich im Augenwinkel. Mit einer Handbewegung wollte er das vermeintliche Insekt verjagen, das ihn da gestochen hatte, doch dann merkte er, dass das gar kein Insekt gewesen war. Er drehte den Kopf in die entsprechende Richtung und stellte fest, dass es ein optischer Stich gewesen war – ein gewaltiger Lichtblitz in der Ferne, der sich, noch während er sich umgedreht hatte, in einen gleißend hellen, orangeroten Feuerball verwandelt hatte. Er wunderte sich noch darüber, dass dieser leuchtende Kugelblitz völlig lautlos daherkam, da das, was er da sah, nur mit dem Wort *Explosion* beschrieben werden …

Und dann kamen die Schallwellen an, und das verspätete *Krach* und das rollende *Buuummm* vervollständigten das Bild.

Sobald er begriffen hatte, was geschehen war, schaute Cooper zu Cap'n Roy hinüber. Dieser stand wie erstarrt auf dem Asphalt, über die Taschen gebeugt, die er gerade hatte hochheben wollen.

Cap'n Roy starrte Cooper an, und Cooper starrte Cap'n Roy an.

Das passte doch alles nicht richtig zusammen. So viele Dämlichkeiten auf einmal konnte Roy gar nicht begangen haben … erst Po Keelers Ermordung und jetzt das explodierte Flugzeug. Alle Indizien wiesen auf Roy als Täter, und das war schlichtweg zu einfach. Er gab der Theorie noch eine letzte Chance. War Roy jetzt womöglich komplett durchgedreht? Hatte er den Jacht-Überführer abgemurkst oder abmurksen lassen und dann, nachdem er damit durchgekommen war, auch noch das Flugzeug vom Himmel gepustet, nach der Übergabe, nach dem Verkauf, sodass das Flugzeug in einem Feuerball verglühte, und zwar mitsamt seinen Insassen? Den Insassen, die neben Cooper und Roys fröhlichen Helferlein die einzigen Menschen waren, die den korrupten Polizeichef und Verkäufer des Goldschatzes hätten identifizieren können?

Während Cooper den Regierungschef anstarrte, dachte er, dass es genauso logisch wäre, wenn Cap'n Roy für einen Augenblick ins Zweifeln käme und *ihn* verdächtigte. Aber er wusste auch, dass Cap'n Roy, sobald er alles in Ruhe durchdacht hatte, zu dem Schluss kommen musste, dass Cooper eigentlich nichts davon haben konnte – was bedauerlicherweise auch für Coopers Überlegungen in Bezug auf Cap'n Roy zutraf. Roy hätte sehr viel einfachere Möglichkeiten gehabt, die ganze Angelegenheit unter der Decke zu halten ... und außerdem war er kein kaltblütiger Killer, jedenfalls nicht, soweit Cooper das nach allem, was er mit dem Kerl erlebt hatte, beurteilen konnte.

Cooper schaute die Taschen an, die Cap'n Roy in den Händen trug. Und falls Roy in der Dunkelheit nicht erkennen konnte, wohin sein Blick ging, deutete er zusätzlich noch mit dem Kinn darauf.

»Ist bestimmt keine schlechte Idee, die Kohle hier wegzuschaffen«, sagte er zum Regierungschef.

Cap'n Roy hielt seinem Blick stand.

»Dieses Geld kriegt in absehbarer Zeit niemand zu Gesicht, dafür werd' ich schon sorgen«, erwiderte er.

Ohne den Blick von Cap'n Roy abzuwenden postierte sich Cooper so, dass er dem Chef-Inselpolizisten genau gegenüberstand.

»Ich will da mal was klarstellen«, sagte er.

Cap'n Roy beobachtete ihn.

»Falls du irgendwas damit zu tun hast«, sagte Cooper, »und sei es nur indirekt, dann komme ich dahinter. Dir ist doch klar, dass ich ein paar Gefälligkeiten organisiert habe, um diesen Kauf zu arrangieren. Es gibt Leute, die wissen, dass ich das gemacht habe, und zwar keine besonders netten Leute. Genau die Art von Leuten, die ich deiner Meinung nach kenne. Ich schätze, dass diese Leute oder vielleicht ein paar ihrer Freunde oder irgendeiner ihrer Auftraggeber hier unten auftauchen, wenn sie erfahren, dass dieses Flugzeug explodiert ist. Und dann werden sie mir einen Besuch abstatten und rauskriegen wollen, was es mit diesem kleinen Feuerwerk auf sich gehabt hat.«

Cooper ließ eine Schulter kreisen, um seinen eingeklemmten Nerv ein wenig zu entspannen.

»Was ich damit sagen will: Falls du dafür verantwortlich sein solltest, Cap'n, dann hast du mich damit in ernsthafte Schwierigkeiten gebracht.«

Cap'n Roy starrte ihn an, ohne dass Cooper in der Lage war, seinen Blick zu deuten. Den Rücken steif wie ein Besenstiel, die Miene ausdruckslos, so wollten Cap'n Roys Augen ihm etwas sagen, doch Cooper wusste nicht, was. Er kannte den Kerl aber gut genug um zu wissen, dass Roy alles daransetzen würde, nicht die geringste Reaktion zu zeigen – das war seine Art, »Leck mich am Arsch« zu sagen.

Verpiss dich, Cooper. Krieg's doch selber raus, Moonn.

Cooper versuchte, sein Gehirn dazu zu bewegen, noch intensiver nachzudenken, suchte eine Antwort auf die naheliegende Frage, wer, wenn nicht Cap'n Roy, hinter all dem stecken könnte. Aber das, was ihm dazu einfiel, gefiel ihm gar nicht. Sicherlich gab es einzelne Menschen wie zum Beispiel Susannah Grant, die das Eine oder Andere über die Schmuggelware wussten, aber Tatsache war doch, dass sowohl der Mord an Keeler als auch die Flugzeug-Explosion sich im Anschluss an eine Intervention der US-Küstenwache zugetragen hatten ...

Dann tauchte er aus seinen Überlegungen wieder auf und merkte, dass Cap'n Roy auf irgendetwas zu warten schien. Es sah fast so aus, als wollte der Regierungschef der British Virgin Islands tatsächlich Cooper um die Erlaubnis bitten, gehen zu dürfen. Doch dann wurde Cooper klar, dass Cap'n Roy auf etwas ganz anderes wartete.

Er will keine Erlaubnis zu gehen ... er will die Zusicherung, dass er nicht der Nächste ist, der über die Klinge springt.

»Pass gut auf dich auf, Cap'n«, sagte Cooper.

Cap'n Roy drehte sich um und ging weg. Als er um die Ecke des Terminals bog, da hatte Cooper das Gefühl, als wäre Cap'n Roy von der Nacht verschluckt worden, genau wie das Flugzeug wenige Minuten zuvor.

15

Laramie saß zusammen mit Sadie, Bill und Sid in einem Lokal namens Circle Diner, zu dem Bill sie mit einem der kohlrabenschwarzen Suburbans gebracht hatte, und löschte ihren Kaffeedurst. Der Diner lag an der zweispurigen Straße, gut sechs Kilometer von der Einsatzzentrale entfernt, und Laramie registrierte bewusst, dass hier tatsächlich etwas los war – Kunden, Bedienungspersonal, Menschen, die aßen und solche, die das Essen servierten, alles begleitet von Tellerklappern und Besteckklirren.

Sid und seine leitenden Mitarbeiter behandelten sie absolut höflich, während sie ihre Koffeinvorräte auffüllten, doch im Grunde genommen erfuhr sie während dieses Beisammenseins nichts Neues, abgesehen von der Tatsache, dass die Sitzung der Sonderkommission im Motor 8 Luxury Motel mehr oder weniger für sie abgehalten worden war, und zwar auf Anweisung irgendeines hohen Verwaltungsbeamten oder so. Nachdem Sid ihr das gestanden hatte, fügte er hinzu, dass die Fortschritte der Sonderkommission seit der letzten Vollversammlung praktisch gleich null gewesen waren: Sie standen eigentlich immer noch an genau demselben Punkt wie vor einer Woche und damit da, wo sie auch schon vor vierzehn Tagen gestanden hatten.

Auftritt: Julie Laramie, dachte Laramie ... als Gesandte von Gott weiß woher, um diesen Veteranen der Terrorismusbekämpfung mit zwanzig Dienstjahren auf dem Buckel zu zeigen, wie man so was *richtig* anpackt.

Im Anschluss an die Rückfahrt zum Motel 8 in Bills zivilem Panzerwagen zog Laramie sich auf ihr Zimmer zurück, wo sie kurz nach Einbruch der Dunkelheit eine Aktenlieferung in Empfang nehmen konnte. Es klopfte an ihre Tür, und davor stand ein junger Ermittlungsbeamter, frisch rasiert, gekämmt und im Anzug, wie alle anderen auch. Wortlos reichte er ihr einen dicken Stapel mit Aktenordnern. Dann zog er ein Gerät aus der Tasche, das Laramie an eines dieser Empfangsbestätigungsgeräte erinnerte, wie sie auch von Paketdiensten verwendet werden. Damit fuhr der Mann über den Strichcode auf dem Rücken jedes einzelnen Ordners. Laramie wartete geduldig. Das kleine Gerät piepste jedes Mal, und dann verschwand der Ermittlungsbeamte wieder. Nicht einmal ein Kopfnicken zum Abschied. Laramie war mit dem Gerät durchaus vertraut. Damit wurde der genaue Aufenthaltsort geheimer Unterlagen verfolgt und überwacht. Das hatten sie in Langley auch.

Da sie nicht vorhatte, das Aktenstudium nur mit Hilfe von Koffein anzugehen, hatte sie den Rat beherzigt, den Sid ihr während ihres Ausflugs in den Diner gegeben hatte, und sich beim Zimmerservice ein Abendessen bestellt. Den zum Zimmer gehörigen Eiseimer fand sie auf der Badezimmerablage, machte ihn an der Eiswürfelmaschine am Ende des Flurs voll, ging in ihr Zimmer zurück und streifte die Schuhe ab. Es dauerte nur wenige Minuten, dann brachte ein zweiter junger Mann in Anzug und Krawatte einen Cobb-Salat, auf Laramies ausdrücklichen Wunsch ohne Eier und Käse, und das Dressing extra in einem Schälchen. Das Ganze steckte zusammen mit dem in Klarsichtfolie eingeschlagenen Plastikbesteck in einer durchsichtigen Plastikverpackung. Sie rammte drei der insgesamt sechs Cola-Light-Dosen, die sie bestellt hatte, in den Eiseimer und machte eine vierte gleich auf.

Dann setzte sie sich an den einzigen, runden Tisch im Zimmer und nahm ihre Akten in Angriff.

Soweit Laramie sehen konnte, liefen die Ermittlungen bei internationalen terroristischen Anschlägen ziemlich ähnlich ab wie bei ganz normalen Mordfällen, nur dass mehr Menschen, mehr Behörden und – dem äußeren Anschein nach – mehr Geheimhaltung im Spiel war. Die Arbeit der Ermittler sah aber doch weitgehend gleich aus, in erster Linie wohl deshalb, weil sie auch nach den gleichen Dingen suchten – Indizien, Verdächtige, Motive –, und weil zu einem Terrorakt per Definition auch ein oder mehrere Morde gehörten. Das bedeutete unter anderem auch, dass die Antiterror-Ermittler ein »Ermittlungsdossier« anlegten, genau wie die Ermittler in einem Mordfall auch.

Dieses »Ermittlungsdossier« wurde, soweit Laramie gehört hatte, auch nach der 2004 durch den Kongress in Kraft gesetzten Geheimdienstreform nie vollständig an einem einzigen Ort aufbewahrt, und egal, welcher Behörde es gehörte: Es wurde nur äußerst selten an andere Behörden weitergegeben. In Bezug auf den Zwischenfall in Emerald Lakes schien das jedoch anders zu sein. Laramie zählte insgesamt 3697 Seiten, verteilt auf drei Aktenordner, und falls doch noch irgendwelche Seiten fehlten oder irgendwo anders aufbewahrt wurden, sie hätte nicht gewusst, was darauf hätte stehen können.

Die Sonderkommission hatte gründlich gearbeitet, das war eindeutig. Jeder Kubikzentimeter der Explosionsstelle in Emerald Lakes war durchkämmt, katalogisiert und untersucht worden. Mit dem Aufwand, den man für die Untersuchung der Todesopfer betrieben hatte, hätte jeder beliebige Forensik-Student seine gesamte Ausbildung bestreiten können. Der Ordner mit den Protokollen der Gespräche mit Notärzten, Ärzten, Freunden der Achars, Achars Witwe, den Schwiegereltern, Augenzeugen der Explosion, Vertretern der lokalen Strafverfolgungsbehörden und der Stadtverwaltung war an die tausend Seiten dick, überwiegend einzeilig beschrieben.

Laramie las sich jede einzelne Seite durch. Den Schwerpunkt ihrer Ermittlungen hatte die Sonderkommission ganz offensichtlich im Bereich Kriminaltechnik gesehen, und Laramie kam zu dem Schluss, dass diese Typen zu viele *CSI*-Wiederholungen gesehen haben mussten. Sie blätterte den riesigen Stapel durch.

Die letzten 124 Opfer waren genauso gestorben wie das erste auch. Wie viele Fotos von verbluteten Menschen sollte sie sich eigentlich noch anschauen? Die Unterlagen stammten von Sadie, der Vertreterin des Instituts für Infektionskrankheiten, und machten ziemlich anschaulich, dass alle 125 demselben Pathogen zum Opfer gefallen waren – diesem »Filo«, wie die Mitglieder der Sonderkommission mit Vorliebe zu sagen schienen.

Es dauerte zwar ein paar Stunden, aber noch vor Sonnenaufgang war Laramie mit allen drei Aktenordnern fertig und hatte wirklich auf jede Seite mindestens ein Auge geworfen. Der Salat war schon lange aufgegessen, die Cola-Light-Vorräte gingen gegen null, und sie gönnte sich eine kurze Pause, spritzte sich im Badezimmer ein paar Tropfen Wasser ins Gesicht, steckte das Gesicht in eines der praktisch keine Feuchtigkeit aufnehmenden Handtücher aus dem Regal und setzte sich wieder an den Tisch, um noch einmal von vorne anzufangen.

Dieses Mal konzentrierte sie sich auf zwei ganz bestimmte Teile des Ermittlungsdossiers. Sie nahm einzelne Seiten aus den Ordnern und sortierte sie in getrennten Stapeln auf das Bett, den Boden und die furnierte Kommode mit dem Fernseher. Sie ordnete sie nach drei Kriterien: was ihr Sorgen bereitete, wozu ihr etwas einfiel und was ihr unklar war. Der größte Teil ihrer Auswahl befasste sich mit Benny Achar – alles, was die Sonderkommission über ihn herausgefunden hatte, von Gesprächsprotokollen bis hin zu Telefon- und Kreditkartenrechnungen und den gesammelten Auftragsnummern sämtlicher Lieferungen, die er im Lauf seiner Karriere als UPS-Fahrer transportiert hatte. Auch die Seiten, die sich mit der Verschwörungstheorie beschäftigten, sortierte sie aus: die Weltuntergangsszenarien, die Berechnungen und Vorhersagen, was *hätte* passieren können, *wäre* Achars kompletter Vorrat in der Luft verteilt worden, und was *immer noch* passieren konnte, wenn es noch weitere Benny Achars gab, die in irgendwelchen Vorstadtsiedlungen irgendwo im Land wohnten, und zwar unter einer falschen Identität, die sie im Rathaus von Mobile, Alabama, oder sonst irgendwo gestohlen hatten, wo man Identitäten stehlen konnte.

Irgendwann gegen halb sechs stellte sie fest, dass sie eingenickt war. Sie klappte den Ordner, den sie gerade durchgesehen hatte, zu, schob ein paar der schachbrettartig angeordneten Papierhäufchen beiseite, bat telefonisch darum, um 8.15 Uhr geweckt zu werden und ließ sich auf das Bett zurücksinken.

Mit müden Augen schlief sie ein, umhüllt von einem vertrauten Gefühl. Ein ungelöstes Rätsel, ein ungestillter Juckreiz – das Gefühl der Unvollkommenheit, der Unvollständigkeit, das sie jedes Mal wahnsinnig machte, wenn es so deutlich zu Tage trat. Und das sich in ein Gefühl tiefer Befriedigung verwandelte, sobald das Rätsel gelöst, der Juckreiz gestillt war.

Sie schaltete die Kaffeemaschine ein, die zum Zimmer gehörte, nahm eine besonders heiße Dusche und genehmigte sich zwei Tassen Kaffee mit je einer halben Portion Süßstoff und einem Fingerhut fettarmer Kaffeesahne. Währenddessen schlüpfte sie in ebenso schicke Klamotten wie ihre neuen Kollegen, wobei sie sich für ein graues T-Shirt und den schwarzen Hosenanzug entschied, den Ebbers' Leute für sie eingepackt hatten.

Sie erreichte Bill unter der Handy-Nummer, die er ihr gegeben hatte, und teilte ihm ihre Gesprächswünsche mit. Heute war Expertensprechtag. Zu Anfang würde sie sich mit diversen Mitgliedern der Sonderkommission unterhalten. Hauptsächlich mit denen, von denen sie sich Antworten auf gewisse Fragen erhoffte, die ihr beim Durchlesen des »Ermittlungsdossiers« gekommen waren.

Nachdem er sich die Namen notiert hatte, erkundigte sich Bill, ob sie eine bestimmte Reihenfolge wünschte.

»Nein«, erwiderte sie. »Wie es am besten passt.«

Bill schlug ein Zimmer im Motor 8 vor, das die Sonderkommission in der Regel für Befragungen nutzte.

»Ehrlich gesagt«, meinte Laramie, »würde ich die Gespräche lieber bei mir im Zimmer führen.«

Er erwiderte, dass der erste Kandidat sich in einer halben Stunde bei ihr melden werde.

Laramie legte die Papiere in die Ordner zurück, und zwar genau in der Reihenfolge, in der sie sie herausgenommen hatte, legte die Akten auf den Tisch, rief den Bibliotheksservice an und überreichte die Dokumente dem Agenten mit dem Empfangsbestätigungsgerät, der kurze Zeit später vor ihrer Tür stand. Sie stellte die Klimaanlage auf MAX/KALT, räumte den Föhn und alle die Kleider, die sie schließlich doch nicht angezogen hatte, beiseite und nahm ihre dritte Tasse hundsmiserablen Kaffee mit auf den Parkplatz. Dort setzte sie sich auf die Betonsteinmauer am hinteren Ende, lehnte sich mit geschlossenen Augen zurück und ließ sich die Sonne ins Gesicht scheinen.

Sie musste fünfzehn, zwanzig Minuten lang so dagesessen haben, als sie die Augen aufschlug und die erste ihrer zahlreichen Gesprächspartner und -partnerinnen des heutigen Tages über die heiße Parkfläche schlendern sah: Mary, die Profilerin.

Während sie langsam näher kam, hatte Laramie den Eindruck, als sei Mary ungefähr einen Kopf kleiner als sie selbst, höchstens eins fünfzig. Sofort empfand sie Mitleid mit der Frau, da sie sich selbst schon im Grunde genommen als etwas zu groß geratenen Zwerg betrachtete. Mary ergriff Laramies ausgestreckte Hand und schüttelte sie. Dann führte Laramie sie in ihr Zimmer, machte die Tür zu, ließ die Vorhänge offen und bat Mary, Platz zu nehmen. Die Profilerin setzte sich auf einen der beiden Stühle an dem kleinen runden Tisch.

»Cola Light?«

»Warum nicht«, erwiderte Mary.

Laramie holte eine Dose aus dem Eiseimer, den sie in der Zwischenzeit wieder hatte auffüllen lassen, machte sie auf und schob sie über den Tisch. Sie hatte sich nahe an der Tischkante auf den Rand ihres Bettes gesetzt. Mary nahm drei anmutige Züge hintereinander, und Laramie dachte, dass die Profilerin ein bisschen überhitzt wirkte. War vielleicht eine Folge des Fußmarsches, nachdem sie sich in ihrem Zimmer, vermutlich unter Bills, Sids oder sonst irgendjemandes Anleitung, auf das nun folgende Gespräch vorbereitet hatte.

Laramie wollte zunächst einmal ein bisschen mit ihr plaudern – mal sehen, ob sie Mary ein bisschen auflockern konnte, bevor es ernst wurde.

»Wo sind Sie stationiert?«, fragte sie und dachte: *Tolle Einleitung, Laramie.*

Mary stellte ihre Coladose auf den Tisch.

»Quantico.«

»Und wohnen Sie in der Nähe oder pendeln Sie auch jeden Tag eine Stunde hin und eine zurück, wie wir alle?«

Die Profilerin nickte. »Manassas – so ungefähr vierzig Minuten.«

»Bei mir dauert es immer ein bisschen länger.« *Bisher zumindest,* dachte Laramie.

»Ich bin abhängig. Sonst würde ich diese Fahrerei gar nicht ertragen.«

Laramie wandte sich ein wenig zur Seite und wartete auf eine nähere Erklärung.

»Hörbücher«, sagte die Profilerin und ließ ein ruhiges, freundliches, unverstelltes Grinsen sehen. »Ohne setze ich mich gar nicht erst ins Auto. Hauptsächlich Sachbücher.«

Während des kurz aufblitzenden Lächelns sah Laramie, dass Mary die vielleicht weißesten Zähne auf dem gesamten Planeten besaß. Sie war so etwas wie eine wandelnde Zahnpastareklame. Das verunsicherte sie ein klein wenig, und sie musste gegen das Verlangen ankämpfen, an ihren Zähnen herumzupicken, für den Fall, dass ihrer Zahnbürste irgendetwas entgangen sein sollte.

»Hab ich noch nie ausprobiert«, erwiderte Laramie. »Ich höre meistens Radio.«

»Ich habe wahrscheinlich hundert Bücher auf CD im Kofferraum. Melden Sie sich, wenn wir hier fertig und wieder im Alltagstrott sind, dann schicke ich Ihnen welche.«

Laramie streckte die Arme aus, dann schob sie die Hände unter die Oberschenkel.

»Finden Sie es eigentlich merkwürdig, dass er keinen Truck gehabt hat?«, sagte sie dann.

»Einen Pickup, meinen Sie?«

»Ja.«

Mary dachte kurz nach.

»Ich verstehe, was Sie meinen«, sagte sie.

»Sie wohnen in einer Vorstadtsiedlung in Virginia, genau wie ich«, sagte Laramie, »und da sind diese Luxus-Geländewagen allgegenwärtig. Aber in einer Wohnsiedlung in Zentral-Florida, deren Bewohner überwiegend ein relativ niedriges Einkommen haben?«

»Ein Durchschnittsbürger hier in der Gegend hätte wahrscheinlich einen Pickup, da haben Sie Recht.«

»Gestern haben Sie gesagt, dass seine Tarnung zu sehr dem gängigen Klischee entsprochen hat«, fuhr Laramie fort, »und nachdem ich Ihren Bericht gelesen habe, bin ich auch dieser Meinung. Beim Durchlesen ist mir nur eingefallen, dass man ›kein Pickup-Truck‹ auf die Liste hätte setzen können.«

Mary nickte und nahm einen Schluck Cola Light.

Laramie sagte: »Könnte es vielleicht sein, dass Achar Amerikaner war?«

Mary sagte: »Eine Art Timothy McVeigh mit falscher Identität?«

»Ja.«

»Könnte schon sein. Das Profil, das ich erstellt habe, dreht sich im Wesentlichen darum, dass er gar nicht echt war. Seine Tarnung war gut, in gewisser Hinsicht vielleicht sogar zu gut, darin stimmen wir überein, und vielleicht hat auch das Eine oder Andere gefehlt. Was aber seine Herkunft angeht ... Wenn Sie meinen Bericht ganz gelesen haben, dann wissen Sie ja, dass ich ein paar Vermutungen angestellt habe, wobei ich die, die ich gestern geäußert habe, immer noch für die wahrscheinlichste halte. Allein schon aufgrund einer Bestimmung seiner äußeren Merkmale muss man von mittel- oder südamerikanischen Wurzeln ausgehen, zumindest teilweise. Natürlich könnte er trotzdem gebürtiger US-Amerikaner gewesen sein, aber auch dann hätte er mit seiner Tarnung seine Herkunft verschleiert.«

Mary unterbrach sich und dachte kurz nach, wobei sie den Kopf ein klein wenig zur Seite neigte. »Und ich weiß nicht, ob jemand, der von hier stammt, die Sache mit dem Pickup übersehen hätte«, sagte sie dann.

Laramie nickte. »Erzählen Sie mir etwas über die Frau bei UPS«, sagte sie.

»Die Disponentin, richtig«, erwiderte Mary. »Wir haben diesen Aspekt wirklich immer wieder von allen Seiten beleuchtet, aber sie bringt uns nicht weiter. Wie Sie wissen, wird in meinem Bericht lediglich *eine* Bemerkung erwähnt, die einer von Achars Fahrerkollegen gemacht hat. Ich habe mit all seinen Kollegen gesprochen, und außer diesem einen hat niemand sie überhaupt erwähnt, hat niemand die beiden je zusammen gesehen. Auf der Grundlage der Aussage dieses einen Fahrers kann man, glaube ich, davon ausgehen, dass Achar und die Disponentin namens Lori Hopkins ein freundschaftliches Verhältnis gepflegt haben. Ich weiß noch wortwörtlich, was er gesagt hat: ›So, wie die beiden herumgeflachst haben, da war klar, dass sie irgendwas miteinander hatten.‹ Was genau sie miteinander gehabt haben sollen, das hat er nicht weiter ausgeführt, und auch bei einer zweiten Befragung hat er mehr oder weniger dieselben Worte gebraucht, aber da schien er sich auch schon, nun ja, von seinem Verdacht verabschiedet zu haben. Das ist ziemlich normal. Wenn man nach dem Tod eines Opfers oder eines Verdächtigen dessen Leben zurückverfolgt, wenn man die Telefonrechnungen und die E-Mail-Konten so gründlich unter die Lupe nimmt, wie wir das in diesem Fall getan haben, dann kann man im Normalfall auch ohne jeden Zweifel sagen, ob er mit jemand anders geschlafen hat oder nicht. Um genau zu sein: Normalerweise bekommen wir sogar sehr viel mehr Hinweise auf Flirtkontakte zwischen Arbeitskollegen, als wir bei Hopkins und Achar bekommen haben, völlig egal, ob die Betreffenden tatsächlich eine Affäre gehabt haben oder nicht. Es ist erstaunlich, was manche Leute sagen und tun, wenn sie sich unbeobachtet glauben. Aber wir haben zwischen den beiden wirklich nicht das Geringste entdecken können. Keine E-Mails, keine erhärtenden Verdachtsmomente, keine neckischen Gespräche auf den Bändern mit dem Funkverkehr, die UPS immer ein paar Wochen lang aufbewahrt. Nichts, absolut nichts.«

»Ein sehr gut getarnter Schläfer könnte wahrscheinlich auch eine Affäre ziemlich gut verbergen«, meinte Laramie.

»Das stimmt. Einer unserer Beamten hat die Frau bei seiner Befragung ziemlich heftig in die Mangel genommen. Das haben Sie im Protokoll bestimmt gelesen. Ich gehe davon aus, dass Sie die meisten oder sogar alle Gesprächsprotokolle bekommen haben. Aber was viel wichtiger ist als die Frage, ob sie nun eine Affäre gehabt haben oder nicht, das ist, dass es keinerlei Anzeichen für irgendwelche Auslandskontakte gibt, Kontakte zwischen ihr und irgendeinem Ausländer oder einem Repräsentanten eines solchen Ausländers. Trotzdem interessant, dass Sie mich danach fragen. Die Bemerkung des Fahrers lässt mir bis heute keine Ruhe.«

»In welcher Beziehung?«

»Es könnte durchaus sein, dass sie über Funk ein bisschen miteinander geflirtet oder in der Funkzentrale herumgealbert haben, dass die eine oder andere Andeutung gefallen ist, ohne dass es auf Band aufgezeichnet worden ist. Nur dieser eine Fahrer hat überhaupt etwas gemerkt. Aber so, wie der Mann es formuliert hat ... es hat einfach sehr danach geklungen, als ob Achar und Hopkins einander besser kannten, als die übrigen Indizien vermuten lassen. Eine Vertrautheit, die über die gelegentliche Begegnung am Wasserspender hinausging. Rein gefühlsmäßig würde ich sagen, wir sollten da dranbleiben.«

»Also gut«, sagte Laramie. »Ich bin Staatsfeind Nummer eins. Ich habe zehn Schläfer in den verschiedensten Teilen der Vereinigten Staaten postiert, die auf mein Kommando ein Filo-Serum auskippen sollen. Ich bringe ihnen alles Amerikanische bei – allerdings haben wir dabei eher die Verkaufszahlen von Luxus-Geländewagen im Auge als das Arbeiter-Credo, dass jeder Mann seinen eigenen Pickup besitzen sollte.« Laramie kratzte sich an der Schulter und fuhr fort. »Ich sitze also in meiner Höhle in Pakistan oder wo immer und schmiede meine Pläne. Dabei erkenne ich mindestens zwei Punkte, an denen meine Schläfer besonders verwundbar sind. Der erste ist der Moment, in dem er oder sie das Pathogen, beziehungsweise den ›Filo‹, in Empfang nimmt. Je länger sie im Besitz der Substanz sind, desto verwundbarer sind sie, das heißt, ich würde die Übergabe möglichst spät arrangieren. Der zweite ist der Moment aus dem *Botschafter der Angst.* Haben Sie den Film gesehen?«

»Das Original«, erwiderte Mary. »Nicht das Remake.«

»Ich spreche von der Spielkarte, der Karo-Dame. Im Film ist sie das Zeichen für den hypnotisierten Killer, einen Mord zu begehen. In unserem Fall heißt das: *Jetzt ist es Zeit. Spreng dich in die Luft.*«

»Verstehe.«

»Und jetzt meine Frage«, sagte Laramie, »und die stelle ich Ihnen, weil Sie sich in erster Linie mit der Person Benjamin Achar beschäftigt haben und weniger mit dem ›Straftäter‹ oder den Fragmenten seiner Leiche. Weil Sie ihn besser kennen als alle anderen in dieser Sonderkommission. Zumindest aus meiner Sicht. Als Staatsfeind Nummer eins versuche ich also, dieses Päckchen an Benjamin Achar zu schicken. Wenn ich das geschafft habe, dann will ich ihm das vereinbarte Zeichen übermitteln. Was meinen Sie? Wie soll ich das machen?«

Mary schaute sie eine Sekunde lang an, dann zuckte sie mit den Schultern.

»Darüber haben wir auch gesprochen«, entgegnete sie. »Auf Ersuchen von ... na ja, ich habe jedenfalls seinen Tagesablauf ziemlich intensiv unter die Lupe genommen und ein paar Stellen aufgelistet, wo er unbemerkt Waren oder Nachrichten hätte in Empfang nehmen können.« Eine solche Aufstellung hatte Laramie in den Aktenordnern nicht gesehen, ging aber nicht weiter darauf ein. Es wäre ja naiv gewesen zu glauben, dass ihr Ermittlungsdossier wirklich vollständig gewesen war. »Ich brauche ja nicht extra zu betonen«, sagte Mary, »dass es nicht viele Berufe gibt, die besser geeignet wären, solche Päckchen oder Nachrichten zu empfangen, als der eines UPS-Fahrers. Achar hätte Woche für Woche mehr oder weniger unentdeckt Tausende Lieferungen und Hunderte Aktivierungsbotschaften empfangen können. Aber ich glaube, Sie haben Ihre Frage ein bisschen anders gemeint.«

»Ja.«

So langsam fing Laramie an, Mary, die Profilerin, zu mögen.

»Ich würde dafür sorgen, dass er eine persönliche Botschaft

bekommt, nichts Gedrucktes, keine E-Mail, keine Bandaufnahme. Oder vielleicht das Datum schon ein paar Jahre vorher festlegen. Ihm sagen, dass er am 12. September eines bestimmten Jahres aktiv werden soll, es sei denn, er erhält ein gegenteiliges Signal. Auf jeden Fall glaube ich *nicht,* dass ich zu diesem Zweck eine Person einsetzen würde, zu der der Schläfer einen irgendwie gearteten Kontakt hat.«

»Wie meinen Sie das?«

»Es wäre besser«, fuhr Mary fort, »jemanden zu schicken, den er noch nie zuvor gesehen hat, mit dem er noch nie beim Wasserspender ein Schwätzchen gehalten hat. Dieser Jemand könnte ein einfaches Codewort übermitteln, eine Visitenkarte in einer bestimmten Farbe, irgendetwas. Das Risiko einer Entdeckung ist auf jeden Fall geringer, wenn es sich um eine scheinbar rein zufällige Begegnung handelt.«

Laramie dachte über Marys Antwort nach. Immer wieder hatte sie den Verdacht, dass sie diese Geschichte von der falschen Seite her anging – genauso wie die anderen. Dass sie irgendwelche dämlichen Standardfragen stellte und in die immer gleiche, falsche Richtung starrte. Das einzige Problem dabei war, dass sie nicht wusste, welchen anderen Ansatz sie wählen sollte oder welche ihrer Fragen dämlich waren und welche nicht.

Genauso wenig, so hatte es den Anschein, wie die hochgeschätzten Mitglieder der behördenübergreifenden Sonderkommission.

Laramie stand auf.

»Danke fürs Herkommen, Mary«, sagte sie.

»Danke für die Cola Light.«

Auf dem Weg nach draußen zeigte Mary Laramie noch einmal ihr strahlend weißes Lächeln.

16

»Die Marburg-2-Infektionsrate von Mensch zu Mensch entspricht in etwa den Werten, die für die Übertragung des H5N1-Virus von Tier zu Tier gelten«, sagte der Biologe, der Laramie an dem kleinen Tisch in ihrem Zimmer gegenübersaß. »Aber die M-2-Symptome sind sehr viel ausgeprägter, und der Verlauf ist sehr viel stürmischer, auch wenn die schon länger prophezeite Vogelgrippe-Mutation durchaus einen vergleichbaren Schaden anrichten könnte.«

Die Sonderkommission hatte den örtlichen Filo aufgrund seiner Ähnlichkeit mit dem Marburg-Filovirus und einiger spezifischer, weiterentwickelter Eigenschaften »Marburg-2« getauft, abgekürzt M-2. Der Biologe, der Laramie gegenübersaß, war ein Spezialist für Infektionskrankheiten, der freiberuflich für das Institut für Infektionskrankheiten tätig war.

Laramie fiel etwas ein.

»Hat sich der Marburg-2 bei Tieren genauso heftig ausgewirkt wie bei den Menschen?«, wollte sie wissen.

»Ja – ich würde sagen, das Bild entspricht im Großen und Ganzen dem gängigen Vogelgrippe-Weltuntergangs-Szenario, nur mit verheerenderem Ergebnis, sobald die Symptome sichtbar werden.«

»Wie weit hat sich der Virus in der Tierwelt denn verbreitet? Sind auch Vögel infiziert worden? Kaninchen, Rehe? Frösche? Grillen? Heuschrecken?«

»Der Virus hat praktisch alles vernichtet, womit er in Kontakt gekommen ist.«

»Was ist mit Ameisen?«

»Ameisen?« Der Biologe rutschte auf seinem Stuhl hin und her. Er war ein bisschen dicker und saß daher ziemlich eingeklemmt vor dem kleinen Tischchen. »Wir hatten noch nicht genügend Zeit, um die Auswirkungen auf die Insektenpopulation umfassend zu analysieren, aber aus dem Bauch heraus würde ich sagen: Nein.«

»Wieso nicht?«

»Ameisen, Skorpione und Kakerlaken werden normalerweise nicht von Viren befallen. Sie werden, um genau zu sein, praktisch von gar nichts befallen. Kakerlaken und Skorpione sind beispielsweise am ehesten in der Lage, einen thermonuklearen Weltkrieg zu überstehen. Ameisen sind nicht ganz so widerstandsfähig, aber immer noch ziemlich hart im Nehmen.«

»Aber alle Tiere, die Ameisen *fressen,* müssten verendet sein«, sagte Laramie.

»So ziemlich alle innerhalb der Infektionszone«, sagte der Biologe.

Diese Ameisen, dachte Laramie, *haben deshalb die Herrschaft über die Emerald Lakes übernommen und dabei ein paar Fetzen Fleisch aus meinem Knöchel gebissen, weil keiner ihrer natürlichen Feinde am Leben geblieben ist.*

Ihr Bestand schnellte vermutlich sprunghaft in die Höhe.

»In Ihrem Bericht steht«, sagte Laramie, »dass der M-2-Virus verschiedene Tiere befallen hat und dann an bestimmten Berührungspunkten wie Sumpflöchern, Wasserläufen oder Baumbeständen auf andere Tierarten übergesprungen ist. Wie groß war das betroffene Gebiet? Ich spreche jetzt von den Tieren.«

»Da war das Infektionsgebiet etwas größer, in etwa doppelt so groß wie der Bereich, in dem Menschen betroffen waren. Unsere Quarantänemaßnahmen waren von vornherein darauf ausgerichtet, die Ausbreitung des Filo auch in der Tierwelt zu verhindern. Das hat zwar etwas länger gedauert als bei den Menschen, aber es hat funktioniert, in erster Linie wegen der vielen Golfplätze und Wohnsiedlungen.«

»Wie meinen Sie das?«

»Die Sumpfgebiete hier oben sind in der Regel von Land umschlossen. Ein infizierter Fisch könnte zum Beispiel bloß ein paar Kilometer weit nach Süden schwimmen, dann würde er auf einen Damm stoßen, der das Grün um das achtzehnte Loch oder irgendeinen Garten vor einer Überflutung schützen soll.«

»›Hier oben‹?«

»Wie bitte?«

»Sie haben gerade von den ›Sumpfgebieten hier oben‹ gesprochen«, sagte Laramie.

»Oh«, erwiderte er. »Ich weiß gar nicht genau, wie ich das gemeint habe. Ich schätze mal, dass ist bloß meine Angst davor, was hätte passieren *können,* wenn wir es nicht geschafft hätten, den Virus einzudämmen, oder wenn der Straftäter den M-2 dreißig Kilometer weiter südlich oder östlich freigesetzt hätte.«

»Wovor genau haben Sie denn Angst?«

»Na ja, ›hier oben‹, sozusagen, sind wir ja von weiten Teilen der Everglades abgeschnitten. Aber wenn man einen größeren Anteil aus dem M-2-Vorrat des Straftäters eine halbe Stunde weiter südlich oder östlich freisetzen würde, *dann* bekämen wir eine Epidemie, die sich auf unabsehbare Zeit vollkommen ungebremst weiter ausbreiten würde.«

Laramie dachte darüber nach.

»Dass der Rest der Everglades südlich von hier liegt, das habe ich begriffen«, sagte sie. »Aber warum hätten wir das gleiche Ergebnis, wenn man den Filo ein Stück weiter östlich freilassen würde?«

Der Biologe nickte – ein Wissenschaftler in seinem Element, gerade dabei, die Fakten darzulegen. »Der Lake Okeechobee ist eine der wichtigsten Wasseradern für die Everglades. Von dort fließt das Wasser in südliche Richtung ab und speist so die Sümpfe, und zwar etwas über dreißig Kilometer östlich von hier. Dabei geht es gar nicht in erster Linie um das Wasser selbst, sondern um die Lebewesen, die es bevölkern, daraus trinken oder darin baden. Das Ganze funktioniert wie eine Art Infektions-Verbreitungs-Pipeline.«

»Wenn also Benjamin Achars Garage am Ufer des Lake Okeechobee gestanden hätte, dann würde der Filo sich jetzt immer noch weiter ausbreiten?«

»In der Tierwelt? Mit Sicherheit.«

»Und bei den Menschen?«, wollte Laramie wissen.

»Da auch.«

17

Vor zwei oder drei Wochen vielleicht war Janine Achar noch eine sehr attraktive Frau gewesen. Jetzt waren ihre Haare ein einziger, platt gedrückter Fettklumpen, und ihre einst so leuchtend blauen Augen blickten düster und gräulich und verloren über ihre schwärzlichen Tränensäcke hinweg. Laramie fand, dass sie weniger wie eine Frau aussah, die seit sechzehn Tagen nicht geschlafen hatte, sondern eher wie jemand, dem man gerade mitgeteilt hatte, dass es keinen Gott gibt. *Man muss eine ganze Menge Scheiße erlebt haben, um so dermaßen in den Seilen zu hängen* – zum Beispiel, dass der eigene Ehemann sich in die Luft sprengt und dabei nicht nur offenbart, dass er eine falsche Identität angenommen hatte, sondern auch noch, dass er ein Terrorist war.

Janine saß rauchend auf einem Stuhl im Verhörzimmer des Sheriff-Büros von Hendry County. Der aufsteigende Zigarettenqualm verlieh dem ohnehin schon farblosen Raum noch eine zusätzliche, fahle Blässe. Der Sohn der Frau, er hieß Carter, thronte auf einem kleineren Stuhl, den irgendein Deputy aufgetrieben hatte, und verdrückte Chicken Nuggets und Pommes frites aus einem Pappkarton. Auf dem Tisch vor Mrs. Achar, unterhalb der Rauchnebelschwaden aus der Zigarette, lagen ein eingepackter Burger, ein Chicken-Sandwich und eine Dose mit Limonade.

Als Ebbers das bei mir probiert hat, hat es funktioniert – aber hier anscheinend nicht.

»Mein aufrichtiges Beileid«, sagte Laramie.

Janine blieb auf dem Platz, den sie am Ende des Tisches eingenommen hatte. Rauchkringel zogen von ihrer Pall Mall an die Decke hinauf, ihr Blick war unbestimmt. Nach einem Bericht im Ermittlungsdossier hatte Mrs. Achar vor einer Woche einen wahnsinnigen Wutanfall bekommen und verlangt, dass ihr Sohn ununterbrochen bei ihr sein durfte. Die Sonderkommission hatte nachgegeben und ein paar Zellen so abgetrennt, dass sie und Carter dort Bedingungen vorfanden, die einem Achtjährigen zugemutet werden konnten, ohne sie auf freien Fuß zu setzen.

Dann kann ich auch gleich anfangen.

»Mrs. Achar, wenn Sie bitte so nett wären und mit mir zusammen noch einmal die Tage durchgehen könnten, die unmittelbar vor und nach dem ...« Nach einem kurzen Seitenblick auf Carter dachte Laramie, dass Janine ja selbst auf der Anwesenheit ihres Sohnes bestanden hatte und dass das keinen Einfluss auf ihre Befragung haben durfte. »... Selbstmordattentat Ihres Mannes gelegen haben?«, sagte sie. »Ich weiß, dass Sie das alles schon Dutzende Male mit lauter verschiedenen Ermittlern durchgekaut haben. Aber das ist mir egal. Ich würde es gerne noch einmal hören. Darum bin ich hier: Ich möchte mit eigenen Ohren hören, was Sie zu sagen haben. Direkt aus Ihrem Mund.«

Laramie hoffte, dass Janine im Stillen die Worte ergänzte, die sie jetzt nicht aussprach: *Von Frau zu Frau.*

Ich möchte, dass Sie mir erzählen, was geschehen ist, von Frau zu Frau.

Janine zog an ihrer Zigarette und stieß den Rauch langsam wieder aus, sodass er zum Teil auch durch die Nasenlöcher quoll. Sie drückte den Stummel in den Aschenbecher, den Laramie ihr hingestellt hatte, klappte die neben dem Burger und dem Hühnchen-Sandwich liegende Schachtel auf, zündete sich mit einem Streichholz aus dem Heftchen neben ihrem Ellbogen die nächste an, nahm einen tiefen Zug, vollendete Rauchausstoß Nummer zwei, und dann – es war das erste Mal, dass sie tatsächlich irgendeine Regung erkennen ließ – zuckte sie mit den Schultern.

»Das wäre dann insgesamt das hundertzweiundvierzigste Mal«, sagte sie und schleuderte die Haare nach hinten. Laramie fühlte sich unwillkürlich an etliche Fotos von ihr erinnert, die erst vor wenigen Monaten entstanden waren. Sie zeigten eine klassische Poster-Schönheit, ein Auto-Show-Model am falschen Ort, das in der Wohnsiedlung Emerald Lakes für Benny und Carter Achar die Herrscherin des Haushalts gegeben hatte. Vielleicht eine, die genau wusste, wie sie diesen Haarschwung und dazu noch ein paar andere, oft erprobte und wirkungsvolle Kniffe einzusetzen hatte, um das zu bekommen, was sie haben wollte.

Janine erzählte also noch einmal ihre Geschichte, und Laramie blickte dabei ununterbrochen in ihre eisigen, vor Wut blitzenden Augen.

Benny Achar hatte über www.Cheaptickets.com die Flüge für die ganze Familie gebucht: Miami-Seattle und wieder zurück. Sie hatten vorgehabt, insgesamt sechs Tage bei Janines Mutter in Kent zu verbringen, jenem Vorort von Seattle, den Bill bei der Zusammenkunft der Sonderkommission einmal erwähnt hatte. Zwei Tage vor der Abreise hatte Benny Janine gestanden, dass er den Hinflug nicht wahrnehmen konnte. Einer seiner

Fahrerkollegen war krank geworden, und er musste zwei seiner ursprünglich eingereichten fünf Urlaubstage wieder streichen. Für 290 US-Dollar hatte Janine Benny umgebucht, damit er zwei Tage später nachkommen konnte, während sie und Carter den ursprünglichen Reiseplan beibehielten. Den Rückflug wollten sie dann wie geplant gemeinsam antreten.

Am Tag vor Janines und Carters Abreise hatte Achar dem Baumarkt zahlreiche Besuche abgestattet und darüber hinaus einen Schnapsladen aufgesucht. Wie bei früheren Befragungen sagte Janine auch dieses Mal aus, dass ihr Mann sich an diesem Abend sehr merkwürdig benommen hatte. Er habe wenig gesprochen, den Blick zu Boden gerichtet und griesgrämig gewirkt, was sehr untypisch für ihn gewesen sei. Nach dem Abendessen hatte Benny angeboten, Carter zu Bett zu bringen, was er nur sehr selten tat. Als der Junge dann eingeschlafen war, hatte Benny die Flasche Stolichnaya aus dem Schnapsladen geöffnet, zwei kleine Gläser eingeschenkt und sich zu seiner Frau an den Esstisch gesetzt. Das Interessante daran war, dass normalerweise weder sie noch er Alkohol tranken. Er hatte Janine zugeprostet und ihr gesagt, dass sie und Carter ihm während der kommenden zwei Tage fehlen würden.

Wie bei den beiden vorangegangenen Befragungen beharrte Janine Achar auch dieses Mal darauf, dass Benny sonst nichts weiter zu ihr gesagt habe. Sie wiederholte noch einmal, dass das die einzigen Worte waren, an die sie sich erinnern konnte, und dass diese Worte, zusammen mit seiner merkwürdigen Stimmung und den Baumarkt-Fahrten das einzige Ungewöhnliche gewesen seien.

Laramie wusste, dass die Theoretiker der Sonderkommission unter anderem aufgrund dieser Aussage zu dem logischen Schluss gekommen waren, dass der »Tiefschläfer« Benny Achar sein Zeichen empfangen hatte, das Kommando, das ihm mitteilte, dass es jetzt an der Zeit war loszuschlagen. Laut Theorie wahrscheinlich an dem Tag, an dem er Janine von seinem Schichtwechsel erzählt hatte. Aus dem Ermittlungsdossier wusste Laramie, dass bei UPS niemand krank geworden war, wie Achar seiner Frau erzählt hatte, und dass er auch nicht gebeten worden war, während seines bereits genehmigten Urlaubs zu arbeiten. Mittlerweile hatte Janine irgendwie davon erfahren, blieb aber, wie bei vielen anderen Kleinigkeiten auch, bei ihrer Aussage, dass sie absolut nichts davon gewusst hatte.

Laramie hörte aufmerksam zu, als Janine ihr den Rest der Geschichte erzählte: Am Morgen ihrer Abreise verabschiedete Benny sich von ihr und Carter, und sie nahm den Altima mit zum Flughafen. Benny wollte sich zwei Tage später von einem seiner UPS-Kollegen dort absetzen lassen, damit sie nach ihrer Rückkehr alle gemeinsam mit dem Altima nach Hause fahren konnten. Und sie sagte, sie hätte Benny vor dem Einsteigen noch einmal angerufen, um sich zu verabschieden.

Bei jeder Befragung war Janine dabei geblieben, dass es ihr nicht seltsam vorgekommen sei, dass Benny sie nicht zum Flughafen bringen wollte. Er musste schließlich früh zur Arbeit, und sie hatte keine Lust gehabt, drei oder noch mehr Stunden mit Carter am Flughafen herumzuhocken.

Die Kunde vom Zerstörungswerk ihres Mannes hatte sie am selben Abend, kurz nach sechs Uhr pazifischer Zeit, erreicht, und zwar in Form eines geheimnisvollen Anrufs eines FBI-Agenten bei ihrer Mutter. Der Agent hatte Janine eine ganze Reihe konkreter Fragen gestellt, hatte ihr aber im Gegenzug kaum etwas verraten. Janine hatte überhaupt nicht gewusst, was eigentlich los war. Zwei Stunden später hatte sie noch einmal einen Anruf von demselben Agenten bekommen, dieses Mal weniger geheimnisvoll. Er hatte ihr noch einmal einen Schwung Fragen gestellt und ihr dann mitgeteilt, dass das FBI ihre sofortige Rückkehr nach Florida für unvermeidlich hielt. Erst später hatte sie erfahren, dass die Bombe gezündet worden war, als sie und Carter gerade in der Luft und auf dem Weg nach Seattle gewesen waren.

Als Janine sich weigerte, freiwillig nach Florida zurückzukehren, waren zwei Mitarbeiter des FBI zum Haus ihrer Mutter gekommen, wo sie jedoch lediglich erfuhren, dass Janine und Carter Achar geflohen waren. Laramie wusste, dass diese Tatsache einen Schatten des Verdachts auf Mrs. Achar geworfen hatte, doch wie die Sonderkommission später erfahren hatte, hatte Janine unmittelbar im Anschluss an den zweiten Anruf des FBI-Agenten aus dem Internet erfahren, dass ihr Mann Opfer einer »Gasexplosion« geworden sei. Daraufhin habe sie angeblich durchgedreht. Laramie erzählte sie jetzt, dass sie in dem kleinen, etwas dichter am Flughafen gelegenen Ort Tukwila bei Kent mit Bargeld ein Hotelzimmer angemietet habe. Dort waren sie zehn Tage lang geblieben, so lange, bis ihr das Bargeld ausgegangen war. Dann hatte sie am Geldautomaten einer Filiale der Kent Bank ganz in der Nähe Geld von ihrem Konto abgehoben. Nicht gerade ein schlauer Zug, wenn man auf der Flucht war, und nach Ansicht der Sonderkommission etwas, was ein gut getarnter Schläfer mit Sicherheit niemals getan hätte. Nachdem Janine also ihre Bankkarte benutzt hatte, hatte das FBI die gesamte Gegend rund um den betreffenden Geldautomaten durchkämmt, und noch am selben Morgen waren Janine und Carter ihnen in dem gegenüber des Hotels gelegenen McDonald's ins Netz gegangen.

Sie wurden festgenommen und sieben Tage lang in Seattle festgehalten, vor allem, weil die Situation in Zusammenhang mit dem Filo-Ausbruch gar keine Rückkehr nach LaBelle zugelassen hätte. Sobald die Ausbreitung des M-2 mit Hilfe der Quarantänemaßnahmen gestoppt worden war, hatte das FBI Janine und Carter nach Fort Myers befördert und sie schließlich hier, im Arrestzellentrakt des Sheriff-Büros von Hendry County, untergebracht.

Nachdem seine Mutter ihre Geschichte wieder einmal zu Ende gebracht hatte, schaute Carter von seinem Essen auf und fragte, ob er aufs Klo gehen dürfe. Laramie griff zum Wandtelefon, holte einen Deputy herbei und sagte zu Janine, dass sie sich nur schnell irgendwo eine Tasse Kaffee besorgen und anschließend weitermachen wolle.

»Ich glaube, dass Sie lügen.«

»Wie bitte?«

»Nachdem ich Ihre Aussagen erst gelesen und sie jetzt auch mit eigenen Ohren gehört habe, werde ich der Sonderkommission empfehlen, ihr Urteil zu revidieren«, sagte Laramie. »Ich werde sagen, dass sie eine falsche Einschätzung von Ihnen haben. Total falsch. Ich weiß nicht, ob man es Ihnen schon gesagt hat, aber eigentlich wollte man Sie demnächst laufen lassen. Haben Sie das gewusst? Aber ich werde die Empfehlung aussprechen, dass man Sie auf unbestimmte Zeit festhält.«

Schweigend und voller Zorn starrte Janine über die Zigarette in ihrer Hand hinweg Laramie an. Laramie wartete ihre Reaktion oder eine Antwort gar nicht erst ab.

»Das Hotelzimmer, Mrs. Achar. Sie haben ausreichend Bargeld eingesteckt, um für zehn Tage im Voraus bezahlen zu können. Das waren nach der Preisliste des Hotels, das Sie sich ausgesucht haben, mindestens fünfzehnhundert Mäuse, und dieses Geld hatten Sie schon bei sich, bevor das FBI angerufen hat. Zehn Übernachtungen, das hat ja gereicht. Danach hatten die wenigen Pathogene, die Ihr Mann in der Luft verteilt hat, ihre Schuldigkeit getan und waren so gut wie unschädlich gemacht. Sie haben gelogen. Er hat Ihnen etwas verraten, er hat Sie gewarnt, Ihnen Anweisungen gegeben, irgendetwas, und Sie haben zumindest gewusst, dass Sie sich ausreichend Bargeld besorgen müssen, um ein, zwei Wochen irgendwo in einem Hotel verbringen zu können – vollkommen anonym.«

Janine drückte wütend ihre Zigarette aus.

»Wollen Sie mich eigentlich verarschen, verdammt noch mal?«, sagte sie. »Sie glauben, dass ich das *gewusst* habe? Wer sind Sie eigentlich, verflucht noch mal, dass Sie hier reinschneien, mir Ihr Beileid ausdrücken ... das erste Mal, dass mir hier *überhaupt* so was passiert, also hab ich gedacht, Sie wären wenigstens ein anständiger Mensch. Und dann wollen Sie behaupten, dass ich noch *mehr* über meinen Mann gewusst habe? Und dazu auch noch etwas, was gar nicht *wahr* ist? Fahr doch zur Hölle ... fahrt *alle* zur Hölle. *Leckt mich am Arsch!* Ihr könnt euch doch gar nicht vorstellen, was ich durchmachen muss ... was *wir* durchmachen müssen. Aber vielleicht ja doch, weil das Ganze sowieso eine Lüge ist und *ihr* euch alle diese Lügen ausdenkt. Zuerst schreiben die Zeitungen, es sei eine Gasexplosion gewesen. Dann kommt ihr an und behauptet, dass das gar nicht stimmt, dass er sich selbst in die Luft gesprengt hat. Und jetzt soll er also ein Terrorist sein ... ein *Terrorist?* Benny? Ein *Selbstmordattentäter?* Ist Ihnen eigentlich klar, wie lächerlich das ist? Und dann sagen Sie mir, dass er nicht einmal Benny war und ich nicht Mrs. Benjamin Achar bin – dass Benny gar nicht *echt* war? Ich möchte Ihnen eine Frage stellen: Wissen Sie, wieso ich meinen Sohn hier bei mir habe?«

Noch während sie das sagte, streckte Janine den Arm aus und berührte die Schulter ihres Sohnes auf eine Weise, die in Laramie den plötzlichen Gedanken weckte, dass sie eine sehr gute Mutter war.

»Wissen Sie, wieso? Ich habe gewusst, dass Sie mir dieselben grässlichen Fragen stellen würden wie alle anderen auch und dass er sich das alles anhören muss, wenn ich ihn hier behalte, aber wissen Sie was? *Ich glaube euch allen kein Wort, und ich traue euch kein bisschen.* Ihr lügt einmal, ihr lügt zweimal, ihr belügt tagtäglich die Medien, die Öffentlichkeit, mich und ich weiß nicht, wen sonst noch alles. Wer soll denn da noch durchblicken? Vielleicht lügt ihr einfach jeden an. Es kann schließlich nicht gleichzeitig eine Gasexplosion und ein Selbstmordattentat sein, oder? Es kann nicht gleichzeitig die Grippe und eine schreckliche Virenbombe sein, oder? Ich glaube nicht, dass Benny nicht Benny ist, und ich glaube nicht, dass er das gemacht hat. Wissen Sie, was ich glaube? Ich glaube, *ihr* habt das alles gemacht. Ich glaube, da hat jemand ein Experiment angefangen und eine Bombe gebaut. Die CIA. Das FBI. Egal. Die wollten ihre Bombe ausprobieren und haben beschlossen, Benny die Schuld in die Schuhe zu schieben. Hat er vielleicht was gesagt, was euch nicht gepasst hat? Über den *Staat?* Oder habt ihr gedacht, es wäre eben einfach praktisch, ihn zu nehmen, ihr dreckigen Schweine ... oh, mein Gott, er ist tot ... *ich traue euch nicht!* Haben Sie das endlich kapiert? Und wenn ich es richtig sehe, dann wollt ihr mir als Nächstes meinen Sohn wegnehmen. Ich wette, ihr wollt mir erzählen, das sei gar nicht Carter. *Aber nur über meine Leiche, gottverflucht noch mal!«*

Sie streckte auch den anderen Arm nach ihrem Sohn aus und zog ihn dicht zu sich heran, barg ihn in ihren Armen.

»Ihr könnt mich alle am Arsch lecken! *Es ist nicht wahr!* Nichts davon ist wahr! *Raus hier!«*

In den anschließenden Minuten blieb Laramie regungslos auf ihrem Platz sitzen, während Janines Wutanfall langsam verebbte und sie sich schluchzend an Carters Schulter lehnte. Laramie hätte die beiden gerne in den Arm genommen, um ihnen Trost zu spenden, aber in der momentanen Situation konnte sie nichts tun, schon gar nicht die beiden in den Arm nehmen, und deshalb dachte sie nach.

Die Sache mit dem Hotel hatte sie von dem Augenblick an beschäftigt, als sie zum ersten Mal etwas darüber gelesen hatte. Das war den anderen Ermittlern genauso gegangen, sie hatten Janine deshalb sogar im Verdacht gehabt, von dem Anschlag gewusst zu haben, aber dann hatte sie sich bei der Durchleuchtung ihres persönlichen Hintergrundes als absolut sauber erwiesen, und so hatte Ermittler um Ermittler bei ihr gesessen und sich all die Dinge angehört, die sie gerade eben, in beinahe identischen Worten, Laramie erzählt hatte. Das war ein weiteres gewichtiges Argument für ihre Unschuld – hätte sie gelogen, dann hätte sich angesichts der zahlreichen Wiederholungen höchstwahrscheinlich der eine oder andere kleine Widerspruch in ihre Geschichte eingeschlichen.

Doch das Hotel beunruhigte Laramie noch in anderer Hinsicht: Ihr analytischer Verstand hatte irgendetwas registriert, was nicht so recht zum übrigen Teil des Puzzles passen wollte. Es hatte etwas mit der Zeit zu tun. Sie konnte nicht genau sagen, was daran nicht stimmte, aber sie wusste, dass es so war.

Als das Schluchzen allmählich verstummt war, beschloss Laramie, es mit einem etwas anderen Ansatz zu versuchen.

»Hören Sie«, sagte sie. »Wenn es stimmt, dass das alles …«

»SIND SIE IMMER NOCH NICHT WEG?«

Laramie ließ Janines Schrei in der Luft hängen.

Als sie das Gefühl hatte, dass der Ausbruch verhallt war, nahm sie noch einen Anlauf. »Janine, hören Sie mir zu. Ich habe kein bisschen mehr Vertrauen zu unserem Staat als Sie. Um ehrlich zu sein, ich weiß sogar aus *Erfahrung*, dass man ihm – *denen* – nicht trauen kann. Aber nur für den Fall, dass es stimmt, für den Fall, dass das Ganze nicht eine einzige, gigantische Lüge ist, würde ich gerne etwas von Ihnen erfahren.«

»Warum soll ich Ihnen *überhaupt* noch irgendwas sagen? Ich habe doch allen schon alles gesagt, was ich weiß.«

Laramie hörte es an der Hast, mit der sie den zweiten Satz gesagt hatte, und sie wusste sofort, dass ihre Vermutung richtig war.

»Mrs. Achar«, sagte sie. »Sie lügen mich an.«

»Fahr zur Hölle. Das gehört doch genauso zu dieser Intrige wie alles andere auch …«

»Sie lügen mich an, weil sie ihn beschützen wollen.«

Das schien sie ein wenig zu beruhigen, wenn auch nur vorübergehend.

»Ich glaube, dass Sie – ganz abgesehen von den Indizien wie zum Beispiel der falschen Identität, des Zeitpunkts ihrer Reise, all diesen Dingen –, dass Sie tief im Innersten wissen, dass er Ihnen gegenüber nicht ehrlich war. Und dass er etwas Schreckliches getan hat.«

»Ich lasse mir von Ihnen doch nicht vorschreiben, was ich weiß und was ich nicht weiß.«

»Lassen Sie mich ausreden! Ich habe Ihnen zugehört, jetzt hören Sie mir zu.« Laramie kam sich vor wie eine unbarmherzige Dampfwalze. Da befragte sie eine trauernde Witwe und ihren achtjährigen Sohn, indem sie sie anbrüllte. Pech gehabt. »Nachdem ich die Protokolle aller Gespräche gelesen und sie jetzt auch persönlich angehört habe, bin ich überzeugt, dass Sie niemals glauben werden, was der Staat Ihrem Mann vorwirft. Dass er angeblich versucht hat, Tausende oder vielleicht sogar Millionen von Menschen umzubringen oder was der Staat ihm sonst noch alles in die Schuhe schieben will. Sie sind zwar durcheinander, weil Sie auch glauben, dass er Sie angelogen hat, aber gleichzeitig wissen Sie auch, dass er niemals versucht hätte, so etwas wie das, was ihm vorgeworfen wird, zu tun. Und darum wollen Sie ihn in Schutz nehmen.«

Janine starrte nur auf den Fußboden und hielt ihren Sohn fest.

»Was hat er vor Ihrer Abreise zu Ihnen gesagt?«

Janine verzog keine Miene und wandte auch den Blick nicht vom Fußboden ab, aber trotzdem spürte Laramie, wie sich etwas veränderte.

»Sie haben gewusst, dass Sie darauf vorbereitet sein müssen zu verschwinden. So viel ist klar. Sie haben mehr Bargeld eingesteckt, als man heutzutage normalerweise bei sich hat. Es sei denn, man will sich zehn Tage lang unter falschem Namen in einem kleinen Holiday Inn einmieten. Ich möchte wissen, was er gesagt hat. Während des Abendessens? Nachdem er Carter ins Bett gebracht hat? Als Sie sich zugeprostet haben? Helfen Sie mir. Niemand außer Ihnen …«

»*Ihnen* helfen? Mein Gott, Sie sind ja *wirklich* genau wie die anderen …«

Laramie wollte ihre Frage gerade wiederholen, da wurde ihr schlagartig klar, worin die Verbindung zwischen dem Hotel und dem M-2 lag und wie sich das Problem mit den zeitlichen Zusammenhängen, das ihr solches Kopfzerbrechen bereitet hatte, lösen ließ. Das Gefühl, das sich jetzt einstellte, war ihr genauso vertraut wie das der Unvollständigkeit, das sie an ihrem ersten Abend im Motor-8 überkommen hatte, nur, dass es eben jetzt der Eindruck der Vollständigkeit war. Der Schlüssel passte genau ins Schloss.

Als sie ihre Frage stellte, sie noch einmal wiederholte, damit Janine gezwungen war, sich zu konzentrieren, da merkte Laramie, wie ein paar Speicheltröpfchen aus ihrem Mund geschleudert wurden und mitten auf dem Tisch landeten.

»Was hat er zu Ihnen gesagt?!«

Janine erwiderte zunächst nichts, doch dann regte sich etwas.

Tränen.

Nur die Tränen – Janine fing nicht an zu weinen, es war auch kein Schluchzen zu hören, nur die beiden Tränenbäche, die sich stumm ihren Weg über ihre Wangen bahnten.

»Er hat mir das Leben gerettet«, sagte sie fast unhörbar. »Er hat Carter das Leben gerettet.«

Laramie nickte bedächtig.

»Ich kann es einfach nicht begreifen«, sagte Janine. Sie sprach zu sich selbst, so leise, dass Laramie den größten Teil ihrer Worte nur dadurch verstehen konnte, dass sie sie von den Lippen der Witwe ablas. »Er hätte das, was die behaupten – was *Sie* behaupten – niemals getan. Das ist einfach ... *unmöglich.* Sie können mir erzählen was Sie wollen. *Uns* ... Sie können *uns* erzählen, was Sie wollen. Uns irgendwelche Indizien zeigen. Das spielt überhaupt keine Rolle. Es ändert nichts. Ich kenne meinen Mann. *Wir* kennen ihn. Auch wenn er in Wirklichkeit einen anderen Namen gehabt hat. Wir kennen ihn ... *ihn* ... und er hätte so etwas niemals getan. Er hätte niemals versucht, Tausende von Menschen umzubringen. *Niemals.*«

Ununterbrochen rannen zwei Tränenbäche über ihr verhärmtes Gesicht. Jetzt lehnte sie sich zurück, ohne den linken Arm von Carters Schulter zu nehmen. Carter hatte das Kinn auf die Brust gedrückt, und Laramie konnte sein Gesicht nicht erkennen. Mit der rechten Hand wischte Janine sich eine Träne weg, aber es war, als wollte sie mit Hilfe eines Ruderblatts einen ganzen Fluss umleiten.

Laramie dachte, dass sie Janine vielleicht helfen musste, ihre Tränen und ihre Gedanken in Worte zu fassen. »Aber Sie haben gesagt, dass er Ihnen das Leben gerettet hat. Wie hat er ...? Ich weiß, dass Sie damit nicht nur die Reise nach Seattle gemeint haben. Also wie? Wie hat er Ihnen das Leben gerettet?«

Nach einer angemessenen Wartezeit hob Janine den Kopf und blickte Laramie durch den Tränenschleier hindurch an.

»Er hat gesagt ...«, fing sie an, hielt inne, und jetzt begann sie zu schluchzen, rang nach Atem, holte tief Luft, in abgehackten, schnellen Zügen, sodass es fast rasselnd klang. »Er hat gesagt, falls irgendwas passiert ...« Ein Klagelaut drang aus ihrer Kehle und vermischte sich mit dem Schluchzen und Weinen, sodass Laramie angesichts des hemmungslosen Gefühlsausbruchs dieser verzweifelten, trauernden Witwe ohne jede Aussicht auf Hoffnung oder Trost beinahe erschauderte. »Er hat gesagt, falls irgendwas passiert, während ich weg bin, dann soll ich mich verstecken. Verschwinden. So lange ich kann. Aber mindestens sieben Tage ... o Gott ... *nicht weniger als sieben Tage!«*

Das nun folgende, durchdringende Wehklagen ließ auch Carter in Tränen ausbrechen, und der Junge rief ihren Namen, während er ihr die Arme um Hals und Hüfte schlang.

So weinten sie eng umschlungen für lange Zeit. Als zehn Minuten um waren und das Schluchzen immer noch nicht nachgelassen hatte, wusste Laramie, dass sie das nicht länger ertragen konnte. Sie stand auf, ging um den Tisch herum und legte der Witwe eine Hand auf die Schulter. Keine Reaktion – das Wehklagen dauerte ebenso an wie das Schluchzen, Carter barg sein Gesicht auch weiterhin im Schoß seiner Mutter, seine »Mami-Mami«-Rufe gingen in ihren Klagelauten fast unter – aber zumindest, dachte Laramie, schiebt sie meine Hand nicht weg.

Laramie blieb noch eine ganze Weile so stehen, die Hand auf Janine Achars Schulter gelegt. Doch als die schrillen Schreie nicht abzuebben oder zu enden schienen, beschloss Laramie irgendwann, dass sie hier nichts mehr tun oder fragen konnte. Sie hatte erfahren, was sie erfahren musste. Jetzt konnte sie für diese Frau nichts mehr tun – nicht, dass sie überhaupt schon etwas für sie getan hätte. Nicht, dass es überhaupt jemanden gab, der das könnte – wahrscheinlich nie mehr.

Laramie machte die Tür auf und verließ das Verhörzimmer.

18

Er wartete, bis sie vollständig hereingekommen waren ... bis zum letzten Augenblick, bevor sie ihn packen wollten. Solange die Zellentür noch offen stand und er sich frei bewegen konnte. Er spürte ihre Gegenwart, hörte, dass die Tür noch nicht ins Schloss gefallen war, und wagte es.

Er machte einen Schritt zur Seite, drehte sich um die eigene Achse, riss dem Wärter, der ihm am nächsten stand, die Pistole aus dem Munitionsgürtel und fing blindlings an zu schießen. Dass er blindlings feuerte, hatte einen ganz naheliegenden Grund: Er trug eine Augenbinde, und seine Hände waren ihm mit Handschellen auf den Rücken gefesselt. Dennoch brachte er es fertig, die Revolvertrommel komplett zu leeren, und zwar in etwa in die Richtung, in der er die drei Männer vermutete. Dann hechtete er in den Flur und schlug mit dem Kinn und dem Ohr auf dem harten Steinboden auf.

Infolge seiner langen Gefangenschaft und des permanenten Hungers war er mittlerweile so mager und seine Muskulatur so schwach geworden, dass er seine gefesselten Handgelenke relativ problemlos und schnell an seinem Arsch vorbei und unter den angezogenen Beinen hindurchschieben konnte. Dabei spürte er, wie die Hände für einen kurzen Augenblick aus den Gelenken gerissen wurden, doch war es genau diese seltsame Verrenkung seiner ausgeleierten Knochen, die dafür sorgte, dass seine Hände sich mühelos aus der Umklammerung der Handschellen befreien konnten. Das alles hätte eigentlich wehtun müssen, aber er spürte nichts und konnte sich auch später nicht an irgendwelche Schmerzen erinnern.

Er erinnerte sich nur daran, dass seine Hände plötzlich frei waren.

Bis heute träumte er immer noch von dem nun folgenden Grauen, und zwar oft. Natürlich war er, wie jeder Soldat, zum Töten ausgebildet worden, und doch musste er sich eingestehen, dass das, was er an diesem Tag anrichtete, die Taten eines Mörders waren – nicht die Taten eines zum Töten ausgebildeten Soldaten, sondern die eines Mörders. Eines pathologischen Killers, der tötet, um sein sexuelles Verlangen zu stillen – je brutaler, desto besser. Von diesem Tag an sah er sich selbst anders als zuvor, und diese veränderte Wahrnehmung seiner selbst hatte sich im Lauf der

Jahre nicht verändert. Er wusste, dass sie sich nie mehr verändern würde. Nie mehr verändern konnte.

Nachdem er die Augenbinde abgenommen hatte und aus den Handschellen geschlüpft war, hob er den Blick und stellte fest, dass er zwei von ihnen zu Boden geschickt hatte. Sie gaben Laute von sich, ächzten und fluchten und waren alles andere als tot. Dann sah er den dritten Mann, feige wie er war, ein Stück weiter vorne im Flur um eine Ecke huschen. Er wollte Hilfe holen, wollte, das wusste Cooper, in die Kammer der Schrecken gelangen. Das, was nun folgte, würde Gott ihm niemals verzeihen, das war ihm klar. Das konnte ER nicht und sollte es auch nicht. Vorausgesetzt, es gab überhaupt jemanden da oben, was er oft nur sehr schwer glauben konnte. Angesichts des Tributs, den der Alte Herr zweifellos einfordern würde, wenn Coopers Stündchen geschlagen hatte, wäre ein unbewohntes Dachstübchen für ihn jedenfalls deutlich besser.

Einer der Männer, die er angeschossen hatte, besaß noch eine Waffe, und Cooper griff danach. Der blutende Wärter merkte, was er vorhatte, und streckte ebenfalls seine Hand aus, aber zu spät. Cooper hielt dem Kerl die Pistole unter das Kinn, beugte sich dicht vor ihn, Auge in Auge, stieß irgendeinen obszönen Fluch aus, an den er sich nie wieder erinnern würde, und drückte ab. Aus fünf Zentimetern Entfernung sah er, wie das Gesicht des Mannes explodierte, vom Kinn bis zum Scheitel, wie feuchte Knochenfragmente über den Fußboden spritzten, Zähne, Fleisch und Knorpel, ein Sprühnebel in Dreiecksform, der vom Fußboden abprallte und sich in alle Richtungen verteilte, dabei auch sein eigenes Kinn und seine Wangen mit feuchter Wärme überzog. Mit klingelnden Ohren und vorübergehend taub geworden, mit vom Mündungsfeuer verbranntem Gesicht und einem teilweise erblindeten Auge steckte Cooper die Pistole in die Tasche. Er wusste, dass er sie noch brauchen würde, wenn er den dritten Mann eingeholt hatte. Den Feigling, der gerade in die Kammer der Schrecken rannte.

Aber zuerst noch den zweiten der drei.

Cooper entdeckte den Mann auf dem Fußboden im Gang liegend, röchelnd vor Schmerz. Er schaukelte behutsam vor und zurück und versuchte dabei krampfhaft, Sauerstoff in seine überschwemmten Lungen zu pumpen. Cooper zog ihm die Machete aus dem Gürtel, und dann kamen die Erinnerungen an die Schnitte, die dieser Mann ihm an Armen und Beinen, ja, einmal sogar an seinem Schwanz zugefügt hatte. Sein Mund verzog sich zu einem kranken, wahnsinnigen, mörderischen Grinsen – und dann holte er aus. Mit einem einzigen Schlag trennte er den Arm vom Rumpf des Mannes. Die Machete schlug klirrend auf dem Steinboden des Gangs auf. Das fühlte sich so gut an, dass er spürte, wie das Beben eines Orgasmus auf seine Lenden zurollte, doch seine Hoden hatten schon so viele Schmerzen ertragen müssen, dass das Beben gegen eine unüberwindliche Mauer prallte und sich wieder zurückzog. Cooper jagte diesem lustvollen Gefühl hinterher, wild und ungezügelt – ein Süchtiger auf der Suche nach dem allerletzten Kick, so spaltete, hackte, zerstückelte, tobte er und zerteilte seinen ehemaligen Gefängniswärter in, so weit er sich erinnern konnte, neun Stücke. Dann wandte er sich noch einmal dem Mann ohne Gesicht zu, dem, den er erschossen hatte. Er war zwar schon tot, aber der Süchtige, der sich nach seinem nächsten Rausch verzehrte, konnte dem Drang einfach nicht widerstehen, und so riss er den Mann an seinen noch verbliebenen Haaren in eine aufrechte Position und trennte das, was von seinem Schädel noch übrig geblieben war, mit der Machete vom Rumpf.

Er steckte sich die Machete unter den Arm, dessen Hand den gesichtslosen Kopf gepackt hielt, zog mit der anderen Hand die gestohlene Pistole aus der Tasche und fing an zu rennen. Doch er rannte nicht weg, noch nicht. Den Kopf in der Hand, weit von sich gestreckt, so rannte er los, brüllte so laut, wie es sein verkümmerter Kehlkopf zuließ, sprintete geradewegs den düsteren Tunnel entlang … zu der Kammer.

Mit Feuer spuckender Pistole fiel er über sie her. Sie erwarteten ihn, waren durch den geflüchteten Feigling gewarnt worden, schossen aus den Schlupfwinkeln, in denen sie sich verkrochen hatten, auf ihn und trafen ihn mehr als einmal. Er sah, wo sie sich versteckt hielten – einer kauerte genau gegenüber der Türöffnung, einer lag flach neben dem Stuhl auf dem Boden und der Dritte stand hinter einem Holzbalken, der die Decke des altertümlichen Raumes am Einsturz hinderte. Ohne vernünftige Ausbildung und den erforderlichen Schneid jedoch war der Kampf gegen ein aus kurzer Distanz schießendes Ziel eine der schwierigsten Aufgaben überhaupt, und so waren diese Männer keine ebenbürtigen Gegner für den Junkie auf der Suche nach dem nächsten Schuss.

Jaulend und krachend prallten um ihn herum die Kugeln in Wand und Fußboden, doch Cooper musste feststellen, dass seine Gegner erbärmliche Feiglinge waren, die Fehlschuss um Fehlschuss produzierten. Eine Kugel traf ihn in den linken Unterarm, eine andere in die Außenseite seines Oberschenkels, doch angesichts der Schmerztoleranz, die er entwickelt hatte – zu der sie ihm erst verholfen hatten –, spürte er die Verletzungen nicht einmal. Er hatte fünf Patronen im Revolver und drei Gegner. Er wusste ganz genau, wer die drei waren: Der Wärter, der den Gang entlang geflüchtet war, das war der, der ihn immer mit harten Tortilla-Krusten gefüttert hatte, der neben dem Stuhl war der, der ihn ausgepeitscht und mit Schlägen überzogen hatte, und der Kerl mit dem Schnurrbart hatte immer auf ihn eingeredet, während der andere ihn mit dem gezackten Höllenprügel traktiert hatte.

Je zwei Kugeln fanden ihren Weg in Peitschenmann und Tortilla, eine in Schnurrbart. Alle drei wurden durch die Treffer außer Gefecht gesetzt. Sie stürzten zu Boden, und Cooper hatte nie erfahren, ob vielleicht zwei von ihnen die Schüsse überlebt hatten. Er wusste, dass Schnurrbart noch lebte, weil er ihm mit der Machete den Bauch aufschlitzte, während der Kerl sich brüllend auf dem Fußboden wand und wälzte. Ganz ähnlich verfuhr er dann mit den anderen beiden, wobei er ununterbrochen schrie und kreischte, als müsste er kein einziges Mal Luft holen, um dieses konstante, markerschütternde Geheul zu erzeugen, dass aus seiner Kehle drang. Als er mit den Männern fertig war, wandte er sich dem Stuhl zu – dem Stuhl – und brachte ihn genauso um wie die Männer. Mit der Machete. Nachdem er ihn in seine Einzelteile zerlegt hatte, schnappte er sich alle Schusswaffen, die es in diesem Raum gab, und schoss so lange auf die verbliebenen Holzstücke, bis jeder Revolver nur noch ein Klicken von sich gab. Bis es keine Kugeln mehr gab, mit denen er hätte schießen können.

Schon während er diese unmenschlichen Morde begangen hatte, war die Tür der Kammer irgendwie ins Schloss gefallen. Er wusste noch, wie er das gesehen und tief im Inneren eine unglaubliche Angst empfunden hatte, als ob der Teufel persönlich diese Tür ins Schloss geworfen hätte, um schon in Kürze den Backofen anzuheizen. Ihm war gerade eine unmögliche Flucht gelungen, er hatte eine unversöhnliche und verstörend befriedigende Vergeltung geübt … und doch kam es ihm so vor, als müsste er für immer ein Gefangener der Kammer der Schrecken bleiben.

Er ließ den Kopf fallen, den er dem ersten Mann abgeschlagen hatte und den er, ohne dass es ihm bis zu diesem Zeitpunkt bewusst gewesen wäre, noch immer in der Hand hielt. Er ließ die Waffe fallen, die er gerade leer geschossen hatte. Dann schlitterte er auf die Tür zu, glitt aus und fiel hin. Auf das Gesicht. Und die Hände. Er wusste noch genau, wie seine Hände in diesem Augenblick ausgesehen hatten, in diesem von Fackeln beleuchteten Raum, weil sie über und über mit Blut getränkt waren. Triefend nass, bis weit über die Handgelenke. Genau das gleiche Blut, das auch von seinem Gesicht tropfte, von seinem Kinn, seinem Hals, und als er aufstand, da sah er, dass er ganz damit bedeckt war, mit dem Blut seiner Feinde, dass er in einer ganzen Lache stand, einer Lache aus dem Blut, das er vergossen hatte, einer Blutlache, deren Ufer er nicht erkennen konnte. Seine nackten Füße verschwanden fast völlig darin, die Zehen so gut wie nicht mehr zu sehen.

Er glitschte und schlitterte durch das Blut, watete beinahe, als ob er im Traum versuchte, über Treibsand zu laufen. Er griff nach dem Türgriff, nach dem er sich all diese Male so verzweifelt gesehnt hatte, und seine Hände glitten ab, und einen kurzen, grausam schrecklichen Augenblick lang dachte er, dass die Tür verriegelt sei, dass er sich irgendwie selbst eingeschlossen hatte, aber dann versuchte er es noch einmal, und sie ging auf.

Er wusste nicht, wohin, aber er wusste, dass er dem verlorenen Licht folgen musste, dann würde er den Weg schon finden, jener Andeutung von Tageslicht, die jenseits der Dunkelheit und der brennenden Fackeln sichtbar war, jenem tristen, grauen Nebel, der hinter jeder Ecke und am Ende jeder Treppe ein klein wenig heller wurde, und dann stand er vor einer massiven Holztür mit einer runden, fensterlosen Öffnung in der Mitte und griff mit seiner blutigen Hand nach der Klinke, zog sie zu sich heran, und seine Augen, die monatelang kein Tageslicht gesehen hatten, wurden von der blendend hellen Äquatorsonne attackiert. Er brach unter der Wucht der Strahlen zusammen, und der Schmerz bohrte sich in seine Augen – eine Stelle, an der er keine Schmerzen gewöhnt war.

Langsam erholte er sich, erhob sich, mit zusammengekniffenen Augen, sodass er die Welt nur durch die winzigen Schlitze erkennen konnte, die seine ineinanderverwobenen Wimpern freiließen.

Dann rannte er los.

Irgendjemand sah ihn, nahm ihn von oben her unter Beschuss und traf ihn in den Rücken. Der Schuss ließ ihn stürzen, doch er stand wieder auf und stellte fest, dass er immer noch atmen konnte. Und rennen. Also rannte er. Er rannte so lange, bis er nur noch gehen konnte, ging so lange, bis er nur noch kriechen konnte, kroch so lange, bis er ohnmächtig wurde. Dann erwachte er vom Plätschern eines Flusses, des Flusses, der sich laut der Karten, die er vor seinem Einsatz so ausgiebig studiert hatte, östlich des Geländes befand, immer vorausgesetzt, sie hatten ihn in der Nähe der Stelle gefangen gehalten, wo er geschnappt worden war. Das war die Richtung gewesen, in die er zu laufen versucht hatte. Dreißig Kilometer, fünfzig, hundert – er hatte keine Ahnung, aber er hörte ihn und fand ihn schließlich auch: den Rio Sulaco. Als er ins Wasser stürzte, teilten sich die Tausende von Moskitos, die auf ihm ein Festmahl veranstaltet hatten, und schwebten als schmuddelige Wolke über die breite, stille Wasseroberfläche des Flusses hinweg davon.

Anderthalb Kilometer stromabwärts stieß er mit dem Kopf an einen Felsblock, wurde bewusstlos und hatte keine einzige Erinnerung mehr an die folgenden drei Jahre seines Lebens.

Am Ziel seiner Reise angekommen, saß Cooper auf der letzten Planke des Anlegers. Er nahm seine Angelrute, löste den Haken aus seiner Halterung nahe der Rolle, legte die Rute auf den Boden, holte einen Wurm aus dem Eimer und spießte das sich windende Tier der Länge nach auf den Haken. Dann nahm er die Rute in die Hand, senkte die Spitze über das Wasser, legte den Bügel der Kurbelarretierung um und bremste den Sturz des kombinierten, aus Haken und Senkblei bestehenden Gewichts ab, indem er den Daumen gegen die aufgerollte Schnur drückte. Als er merkte, dass das Gewicht den Grund erreicht hatte, legte er den Bügel zurück, holte ungefähr einen halben Meter Leine wieder ein, legte die Rute auf seinen Schoß, ließ den Arm sinken und hielt die Rute etwa in der Mitte fest.

Cooper machte wieder einmal einen Nahrungsketten-Versuch, eine Art zeitlich begrenztes Experiment, dem er sich von seinem heruntergekommenen Anleger gleich hinter Conch Bay immer wieder gerne widmete. Der alte Mann mit den Ziegen hatte den Anleger vor vielleicht fünfundzwanzig Jahren gebaut, ihn dann aber völlig verrotten lassen. Cooper ging jedes Mal über den hinter dem Club gelegenen Hügel, buddelte irgendwo unterwegs Würmer oder Sandkrabben aus und steuerte anschließend den Anleger an. Normalerweise dauerte es keine Stunde, bis er rund ein Dutzend Köderfische beisammen hatte. Sobald er die hatte, machte er Ernst und tauschte den ursprünglichen Haken gegen einen größeren, mit Widerhaken gespickten sowie die Nylonschnur gegen eine Stahlleine aus.

Dann suchte er sich einen guten, sicheren Standort auf dem fauligen Anleger und warf die Leine im Schein des Mondes ein paar Mal aus ... und fast jedes Mal hatte er, noch bevor seine Köder zur Neige gingen, ein paar richtige Monster am Haken. Und jedes Mal gab es einen Kampf auf Biegen und Brechen, während er versuchte, sich auf dem gammeligen Anleger zu halten und gleichzeitig den Fisch einzuholen.

Cooper wusste, dass die Cap'n-Roy-Theorie der einfachste Weg war, die naheliegendste Erklärung für Keelers Tod und die anschließende Flugzeug-Verdampfung. Und es ließ sich nicht verleugnen, dass ein solches Komplott aus Sicht des Oberbullen tatsächlich sinnvoll erscheinen konnte: Erst als Gegenleistung für Keelers Nicht-Auslieferung an den US-Heimatschutz ein Schmiergeld kassieren, den Jacht-Überführer dann laufen lassen, ihm beim Verlassen des Gefängnisses eins überbraten, den Verkauf des geraubten Grabschatzes abwickeln und dann alle Beweise einfach vom Himmel bomben, sodass die goldenen Artefakte zerschmettert auf dem Grund des Sir Francis Drake Channel landeten. Ein Plan, bei dem niemand zurückblieb, der von dem Geld, das Cap'n Roy beiseitegeschafft hatte, wusste – abgesehen von ihm selbst und Cap'n Roys fröhlichen Spielkameraden, von denen jeder seinen Teil der Beute eingesackt hatte.

Doch Cooper musste den Tatsachen ins Auge sehen: Cap'n Roy Gillespie war zwar alles andere als ein Waisenknabe, aber so etwas war nicht seine Kragenweite. Er nahm alles mit, was ging, und nutzte jede Chance, um solch knifflige Situationen – oder, dachte Cooper, solch stinknormale Polizeiaufgaben wie eine Mordermittlung – zu seinem Vorteil auszunutzen. Aber er war kein Mörder. Das konnte Cooper jedem Menschen problemlos ansehen, und zwar, weil er ganz genau wusste, wie es war, anders zu sein.

Und Cap'n Roy war nicht so wie er.

Wenn aber Roy nichts damit zu tun hatte, dann wurde die ganze Sache gleich sehr viel komplizierter. Dann lautete eine große Frage beispielsweise: Warum waren er und Cap'n Roy eigentlich überhaupt noch am Leben? Falls irgendjemand dieses ganze Problem bei der Wurzel packen wollte – aus einem Grund, den Cooper beim besten Willen nicht ahnen konnte, es sei denn, es handelte sich um einen Menschen mit einer seltsam extremen Ausprägung des rassistisch motivierten Hasses, den Cooper für die Statuen empfunden hatte –, dann waren Keeler, die Jungs im Flugzeug oder die Ware selbst wirklich das geringste der Probleme. Er selbst, Cap'n Roy sowie die kleine Armee halbkorrupter Polizisten der Royal Virgin Islands Police Force wussten doch wahrscheinlich viel mehr als Keeler und garantiert sehr viel mehr als alle Insassen des explodierten Flugzeugs zusammen.

Es bestand natürlich die Möglichkeit, dass demjenigen, der das getan hatte, nicht bewusst war, dass Cooper mit Keeler gesprochen hatte, und er daher auch nicht wissen konnte, dass Cooper wusste, dass die Ladung ursprünglich von einem Mann namens Ernesto Borrego auf die Reise geschickt worden war ... El Oso Polar. Aber jeder Strippenzieher, der auch nur halbwegs etwas taugte, würde, das war Cooper klar, davon ausgehen, dass Cap'n Roy den Jacht-Überführer verhört hatte und dass dabei zumindest eine winzige Andeutung bezüglich der Identität des Vorbesitzers der Schiffsladung gefallen war.

Der Logik dieser Theorie folgend hieß das nichts anderes, als dass irgendjemand von vornherein beschlossen hatte, ihn und Cap'n Roy *nicht* umzubringen. Dann war da noch Susannah Grant – auch wenn er seine Reise nach Austin mit falschen Papieren angetreten hatte, die ohne jede Verbindung zu seiner jetzigen Identität waren.

Nein, sinnierte er ... mal abgesehen von Susannah passte das alles wirklich sehr gut zusammen, allerdings mit einem ausgesprochen unangenehmen Beigeschmack.

Und dieser Beigeschmack war folgender: Wer immer diese Morde beging, schien kein besonders großes Interesse daran zu haben, sich mit Staatsbediensteten anzulegen. Falls die Verschwörer wussten, für wen er und Cap'n Roy arbeiteten – oder, in seinem Fall zumindest, für wen er *auf dem Papier* arbeitete –, dann folgte daraus, dass die Verschwörer die »Grenze zum Staat« absichtlich nicht überschritten hatten. Der einzige kleine Schönheitsfehler in dieser Theorie bestand in der relativ großen Wahrscheinlichkeit, dass die Strippenzieher ihre Brötchen ebenfalls aus einer Staatskasse bezahlt bekamen – der US-amerikanischen, der britischen oder sonst irgendeiner. Somit ließe sich zumindest ihre erhöhte Sensibilität in Bezug auf und ihre freiwillige Entscheidung gegen eine Ermordung US-amerikanischer beziehungsweise britischer Kollegen erklären. Sie versuchten, etwas Bestimmtes zu vertuschen, wollten dabei aber bestimmte Grenzen nicht überschreiten. Diese Leute wollten gewisse Dinge unter dem Deckel halten und waren im Zuge dessen durchaus bereit, andere Staatsdiener abzuschrecken, ohne jedoch zu Polizistenmördern zu werden, weil sie nämlich nicht wollten, dass der Deckel sich hob und ihnen den Arsch einklemmte.

Oder handelte es sich vielleicht doch nur um einen gerissenen Dieb, der schlau genug war, dem Stigma des Polizistenmörders auf dem Weg zu gehen?

Der erste Riesenfang des Abends hing gegen elf Uhr an der Angel. Nachdem Cooper die Leine, die sich anfühlte, als hinge ein Zwanzig-Pfünder daran, eingeholt hatte, brach er beinahe in lautes Lachen aus. Das Thunfisch-Baby, das durch die Wasseroberfläche stieß, war keine dreißig Zentimeter lang. Es glitzerte weiß im Schein des Mondes und wand sich hin und her. Sah fast so aus, als hätte es den ganzen, fünfzehn Zentimeter langen Köderfisch geschluckt, den Cooper ihm angeboten hatte.

Cooper behielt die Rute in der rechten Hand und griff mit der Linken nach dem Haken. Es war zwar nicht ganz einfach, das Gleichgewicht zu halten, aber wie sonst schaffte er es auch diesmal, die Rute auf den Boden zu stellen, den Haken aus dem Maul des hungrigen Thunfischs zu entfernen, den Stock aus seiner Badehose zu ziehen, dem Fisch damit einen Schlag zwischen die Augen zu verpassen, ihn per Rückhandwurf auf den Strand zu befördern, einen weiteren Köderfisch am Haken zu befestigen und ihn anschließend wieder ins Wasser zu werfen. Dort draußen, das wusste er, versammelten sich nachts noch deutlich größere Fische als das hungrige Thunfischbaby.

Gegen 0.30 Uhr hatte er zwar ein paar Mal gespürt, dass etwas an seinem Köder geknabbert hatte, aber ansonsten war nichts weiter passiert. Cooper packte seine Sachen und das Mittagessen für den folgenden Tag ein und machte sich auf den Rückweg. Er hatte Pech gehabt – es gab nur wenige Abende, an denen seine Ausbeute bei dem alten Anleger so mager gewesen war wie an diesem, auch, wenn diese Abende in den vergangenen Monaten spürbar mehr geworden waren.

Als er auf der Hügelspitze angelangt war, sah er die Lichter. Auf dem Scheitelpunkt des Weges waren die Lichter von Road Town eigentlich immer zu sehen, zumindest, wenn keine nächtlichen Nebelschwaden den Blick auf die acht Kilometer entfernt liegende Stadt verhüllten.

Aber an diesem Abend war es ein anderes Licht.

So, wie es aussah, befand sich das Zentrum des Geschehens irgendwo an der Blackburn Road, rund anderthalb Kilometer östlich des Hafens. Rote und blaue Blinklichter, die selbst über die Meerenge hinweg noch strahlend hell zu sehen waren. Er konnte auch erkennen, dass es sich nicht nur um ein einzelnes Lichterpaar handelte, vielmehr mochten gut und gerne alle Fahrzeuge der Royal Virgin Island Police Force im Einsatz sein, so viele jedenfalls, wie bei einem einzelnen Ereignis bloß denkbar waren.

Bei diesem Anblick wusste Cooper, dass es noch jemanden geben musste, der an diesem Abend ziemliches Pech gehabt hatte. Er marschierte durch das halb volle Restaurant und spürte, wie sich in seiner Brust eine gewaltige Hitze zusammenballte.

»Hurensohn«, sagte er und beschloss, einen kurzen Zwischenstopp im Bungalow Nummer neun einzulegen. Er wollte sich etwas anderes anziehen, etwas, was nicht nach Würmern und Fischen stank.

Für das, was er in Road Town vermutlich zu Gesicht bekommen würde, sollte er wahrscheinlich in klein wenig präsentabler aussehen.

19

Cooper erklomm noch einen Hügel, dieses Mal als Passagier eines Minivan-Taxis, und als der Taxifahrer sagte: »Weiter kann ich nich', *Moonn«,* bezahlte Cooper die Fahrt, stieg aus und überredete den Wachtmeister an der Straßensperre, ihn durchzulassen. Er war ihm erst ein-, zweimal vorher begegnet – das Bürschchen mochte vielleicht neunzehn Jahre alt sein und wirkte eher wie ein Achtklässler, der sich als Polizist verkleidet hatte, als wie ein Mitarbeiter der Strafverfolgungsbehörden. Sogar die charakteristische Mütze der Royal Virgin Islands Police Force war ihm zu groß. Obwohl Cooper das Bürschchen überhaupt nicht kannte, war ihm vollkommen klar, wie ihm zu Mute sein musste.

Die RVIPF-Streifenwagen standen kreuz und quer neben und auf der Straße, und das, was Cooper schon bei seinem Blick über die Meerenge vermutet hatte, bestätigte sich nun: Der ganze, von der Polizei und anderen Behördenvertretern veranstaltete Zirkus spielte sich mehr oder weniger vor der Eingangstür zum Haus des Regierungschefs ab – vor der Residenz keines Geringeren als Cap'n Roy Gillespie.

Die Straße, auf der Cooper die restlichen fünfzig Meter bis zu Cap'n Roys Haus zurücklegte, führte bergauf. Erst jetzt bemerkte er das gelbe Absperrband, das sich zwischen den beiden Geländern rechts und links der Eingangstreppe spannte. Direkt hinter und oberhalb der Treppe, dort, wo sich – wie Cooper wusste – der Swimmingpool befand, war eine ganze Scheinwerferbatterie aufgebaut worden. Während er noch damit beschäftigt war, das ganze Treiben zu betrachten, blitzte ein paar Mal ein Kamera-Blitzlicht auf. Zur Rechten des Pools war ein Lichtmast errichtet worden, und hinter einer Hecke im oberen Teil des Hanges waren etliche RVIPF-Mützen zu erkennen, die sich ununterbrochen hin und her bewegten.

Der Polizist am Fuß der Treppe fungierte normalerweise als eine Art Dienststellenleiter der Hauptwache. Als er beiseitetrat, um Cooper durchzulassen, da erkannte dieser in seinem Blick neben anderen Gefühlen auch so etwas wie Furcht.

Entweder der Dienststellenleiter oder aber das Bürschchen an der Straßensperre mussten sein Kommen per Funk angekündigt haben, denn als Cooper mit dem Ellbogen das Tor zum Poolbereich aufstieß, wurde er bereits von Riley erwartet. Der

Lieutenant sagte kein Wort, ließ auch keinen besonderen Ausdruck auf seinem breiten, normalerweise fröhlichen Gesicht erkennen – er nickte nur feierlich und trat zurück, um direkt hinter Cooper die Holzplanken, die den Pool umschlossen, zu betreten. Dort sah Cooper schließlich, auf halber Strecke zwischen den Glastüren auf der Rückseite des Hauses und dem Rand des Swimmingpools, alle viere von sich gestreckt und mit weit aus den Höhlen hervorgetretenen Augen, Cap'n Roy liegen. Er war ganz eindeutig tot.

Cooper blieb vor der Leiche stehen. Es dauerte ein paar Minuten, doch dann kamen die Funktionen einer Ermittlung in seinem Gehirn langsam in Gang, und Cooper fand darin einen gewissen Trost: *Zwei sichtbare Einschusslöcher, acht bis zehn Zentimeter voneinander entfernt im geographischen Zentrum seiner Brust. Ein blutgetränkter weißer Bademantel, der ihn zum Teil immer noch umhüllte. Der dazugehörige Frotteegürtel hatte sich ein wenig gelöst, vielleicht durch den Einschlag der Kugeln und den anschließenden Sturz, war aber immer noch so fest gebunden, dass er den Bademantel zusammenhielt. Eine dunkelblaue Badehose, ansonsten aber unter dem Mantel unbekleidet. Ein Flipflop, der linke, war ihm vom Fuß geglitten und lag auf den Holzplanken der Poolterrasse, während der andere nach wie vor Cap'n Roys rechten Fuß schmückte, den Gummisteg eingequetscht zwischen den Zehen. Eine Hand, seine rechte, knapp unterhalb der Wunden an die Brust gelegt.*

Cap'n Roy war beim Verlassen seines Hauses erschossen worden, als er in seinem unendlich langen Pool ein paar Bahnen hatte schwimmen wollen. Die Unterwasserbeleuchtung strahlte, als hätte Roy sie extra eingeschaltet – auf der Suche nach einem kleinen bisschen Entspannung hier in seiner privaten Chlorwasser-Oase, einem Swimmingpool mit einem Blick auf die Karibik, der mit dem der luxuriösesten Urlaubsressorts ohne Weiteres konkurrieren konnte.

Nach einer gewissen Zeit – Cooper hätte nicht genau sagen können, wie lange – trat Riley neben ihn. Die anderen Polizisten, die vorher mit Fotografieren und ähnlichen Ermittlungstätigkeiten beschäftigt gewesen waren, nahmen ihre Arbeit wieder auf. Erst jetzt wurde Cooper klar, dass sie ihre Arbeit unterbrochen hatten, um ihm einen Blick auf Roy zu ermöglichen.

»Der Cap'n hat zwei Mann abgestellt, die auf ihn aufpassen sollten«, sagte Riley. »Morgens, mittags, abends, nachts. Weil du ihm das geraten hast. ›Der Spion von der Insel hat gesagt, ich soll gut auf mich aufpassen‹, hat er zu mir gesagt, ›also pass' ich auf‹.«

Tief erschüttert schüttelte Riley den Kopf.

»Wir waren die Wache, *Moonn,* Tim und ich. Wir ha'm es so organisiert, dass immer einer Dienst hatte und einer frei, rund um die Uhr.« Sachte streifte er Coopers Schulter, und als Cooper aufblickte, wurde ihm klar, dass Riley ihn genau deshalb gestreift hatte: damit er aufblickte und Riley ihm etwas zeigen konnte.

»Tim hat da drüben gehockt«, sagte er und deutete auf einen nicht mehr genutzten Treppenschacht, der noch von dem Vorgängerbau stammte, der hier gestanden hatte, bevor Roy seine aus dunklen Quellen finanzierte Luxusresidenz errichtet hatte. »Von da konnte er die Straße und das Haus gleichzeitig im Auge behalten. Dann passiert Folgendes: Ich gehe g'rade die Treppe hoch und will die nächste Schicht übernehmen, da kommt Cap'n Roy raus ins Freie und wird erschossen. Zwei Schüsse, *Moonn,* und er fällt hin und ist sofort tot.«

Bei diesen Worten deutete Riley auf den Hügel direkt hinter der Poolterrasse, wo ebenfalls viele Scheinwerfer und eine Menge Aktivität zu erkennen waren. Durch die Art seiner Erzählung war Cooper völlig klar, was er meinte.

»Die Schüsse sind also von da oben gekommen«, sagte er und seine raue, gedämpfte Stimme klang heiser und belegt.

»Ganz genau. Scheiße, *Moonn.* Zwei Bewacher, die bloß einen einzigen Auftrag haben und trotzdem versagen. Vielleicht war der Killer ja zu gut für uns Insel-Bullen. Aber eins kann ich dir sagen – die beiden Bewacher waren zu gut für den Killer, als der sich verziehen wollte.«

Cooper hörte ganz genau hin.

»Über die Terrasse oder die alte Treppe konnte er jedenfalls nicht abhau'n«, sagte der Polizist, »also war klar, dass ihm bloß der eine steile Abhang zur Straße oder die Klippen da hinten bleiben. Er hat's am Abhang probiert, aber ich hab's gewusst. Da hab' ich keine Zeit verschwendet und keine Energie, *Moonn.* Wollte nich' zulassen, dass unser Attentäter den Hügel runterkommen und abhau'n kann.«

»Du hast auf ihn geschossen«, sagte Cooper.

»Sehr oft.«

Cooper nickte. So standen sie noch einen Augenblick lang da, nebeneinander, neben Cap'n Roys auf der Poolterrasse liegendem Leichnam, den Blick auf die Scheinwerfer und das Gewusel in der Ferne gerichtet, das sich, wie sie wussten, um den Toten drehte, der Rileys Rachedurst und seinen Zorn zu spüren bekommen hatte.

»Schauen wir's uns mal an«, sagte Cooper nach einer Weile.

Die Verwüstungen, die Rileys Geschosse mit dem Körper des Killers angerichtet hatten, waren kaum zu erkennen, da er fast ganz von Unterholz und Wildblumen bedeckt war. Selbst im Schein der Beleuchtung war der Leichnam zwischen all den kniehohen Pflanzen nur schwer auszumachen. Als Cooper jedoch oben angelangt war, da hatte sich sein ohnehin schon schlechtes Gefühl in Bezug auf Cap'n Roys Ermordung und die Frage nach den dafür Verantwortlichen noch weiter verschlechtert.

Das passte alles viel zu gut zu seiner sich langsam herauskristallisierenden Theorie.

»Mist«, sagte er.

»Ganz genau, *Moonn«,* sagte Riley, der neben ihm stand. »Ich hab' angefangen, und dann hab' ich nich' mehr aufgehört. Hab' zwei Magazine leer gemacht. Zwanzig Kugeln. Glaub nich', dass eine einzige daneben gegangen ist.«

»Nein«, erwiderte Cooper. Jetzt, wo er die Leiche sehen konnte, wurde deutlich, dass Riley den Körper des Scharfschützen, der Cap'n Roy von seinem Posten auf der Hügelspitze aus erschossen hatte, buchstäblich zerfetzt hatte. Aber das von Riley angerichtete Blutbad war nicht das eigentliche Problem. »Je mehr Kugeln, desto besser. Aber *wen* du da erschossen hast, *das* ist der Mist.«

»Was ... kennst du den?«

»Nicht ihn persönlich. Nicht diesen einen Mann. Muss ich auch gar nicht. Ich weiß, was er ist. Ich weiß, was er macht. Mein Gott, schau ihn dir an – wahrscheinlich könnte ich dir sogar sagen, wo er seine Ausbildung gemacht hat. Und vielleicht sogar seine zwei oder drei bevorzugten Schusswaffen nennen.«

»Das alles kannst du mit einem Blick auf die blutigen Fetzen hier im Unterholz erkennen?«, sagte Riley.

»Ich erkenne es an seinem Gesicht. An seinem gottverdammten Haarschnitt. Seiner Hautfarbe. Es ist wie bei Serienkillern – auch da gibt es ein Standard-Profil. Und dieses dreckige Arschloch hier *ist* das Standard-Profil. Mist«, wiederholte er.

»Und? Wer ist es? Ein Schnüffler, so wie du?«

Cooper schüttelte den Kopf. »Nicht ganz. Aber wahrscheinlich von Schnüfflern beauftragt.«

»Soll das heißen, du glaubst jetzt nich' mehr, dass Cap'n Roy den Schmuggler und das Flugzeug abgeknallt hat?«

Bei diesen Worten wandte Cooper sich Riley zu. Er betrachtete sein Gegenüber und sah, dass da mehr als nur ein bisschen Wut im Spiel war. Riley verteidigte die Ehre seines gefallenen

Chefs mit beachtlicher Tapferkeit. Cooper verstand. Er hielt Rileys Blick stand.

»Das muss ich mir erst mal überlegen«, entgegnete er.

Riley trat ein Stückchen näher, so nah, dass sein vorgerecktes Kinn beinahe mit Coopers zusammengestoßen wäre.

»Sag mir Bescheid, wenn du mit Überlegen fertig bist«, sagte er dann.

Cooper starrte den Lieutenant, der wohl bald Polizeichef werden würde, unnachgiebig an. Dann sagte er: »Warum zeigst du mir nicht das Gewehr, mit dem er geschossen hat?«, und senkte den Blick, damit Riley sich wie der Sieger des Wettbewerbs »Wer verteidigt Cap'n Roys Ehre am besten?« fühlen konnte. Cooper war sich nicht einmal sicher, ob Cap'n Roy überhaupt eine Ehre gehabt hatte, die man hätte verteidigen können, aber er dachte, dass der Hurensohn ihm schon jetzt genauso sehr fehlte wie allen anderen auch – einschließlich Lieutenant Rileys.

Riley führte Cooper zu dem Gewehr, das immer noch an der Stelle im Gras lag, wo der Attentäter es hatte fallen lassen, bevor er unter der Einwirkung von Rileys zwanzigschüssigem Trommelfeuer ein paar Meter hügelabwärts gepurzelt war. Ohne es zu berühren inspizierte Cooper das Gewehr, bückte sich, um es besser in Augenschein nehmen zu können. Als er fertig war, stand er auf und schüttelte noch einmal den Kopf.

»Und, ist das eine von diesen ›zwei oder drei Lieblingsschusswaffen‹?«

»Ist es.«

Von ihrem Standort aus konnten sie das Wasser sehen, und Cooper ließ seinen Blick über die Meerenge hinwegschweifen. Die fahlgelben Nachtlichter des Conch Bay Beach Clubs auf der flachen, kleinen Insel da draußen waren gerade noch zu erkennen. Cooper stand einfach da und schaute hinaus, die Hände in die Taschen seiner Tommy-Bahama-Badehose vergraben.

Riley schaute ebenfalls, die Hände in die Hüften gestützt, wobei eine wegen des Pistolenhalfters ein bisschen tiefer saß als die andere.

»Ziemlich unwahrscheinlich«, meinte Cooper, »dass das schon das Ende ist.«

Riley überlegte.

»Ganz genau, *Moonn«*, sagte er dann.

Cooper starrte das schwarze Wasser und den schwarzen Himmel an.

»Dieser gottverdammte Cap'n Roy«, sagte er.

Nach einem langen Schweigen hörte Cooper, wie Riley mit kaum vernehmbarer Stimme erwiderte: »Ganz genau, *Moonn,* ganz genau.«

20

Ihre zweiundsiebzig Stunden waren so gut wie um – das war Laramie ohnehin schon klar gewesen, auch ohne, dass ihr Betreuer an die Tür geklopft hätte. Es war sechs Uhr morgens, als er vor ihrer Tür eine fröhliche kleine Melodie pfiff. Laramie saß geduscht, angezogen und geföhnt an ihrem runden kleinen Tisch, schlürfte ihre zweite Tasse schlechten Kaffee und ließ sich das, was sie Ebbers darlegen wollte, noch einmal durch den Kopf gehen. Sie hatten ihr keine Telefonnummer oder sonst eine Möglichkeit genannt, wie sie mit ihm in Kontakt treten konnte, also ging sie davon aus, dass die sich bei ihr melden würden. Was sie hiermit auch getan hatten.

Ihr Betreuer brachte sie in ein leer stehendes, zweistöckiges stuckverziertes Haus in der Nähe des Rathauses. Die kleine Ladenzeile, hinter der sich das Haus befand, hieß »Brick Walk«, »Backsteinweg«. Laramie nahm an, dass die Namensgebung mit dem Backstein-Bürgersteig zusammenhing, der sich an einem 7-Eleven, einem Nagelstudio und einem Computer-Laden vorbei bis zu dem Gebäude mit dem auffälligen Schild BÜRORÄUME ZU VERMIETEN schlängelte.

Im Inneren des Gebäudes schleuste ihr Betreuer sie durch etliche mit elektronischen Zahlenschlössern gesicherte Türen in einen schmucklosen Konferenzraum – es sei denn, dachte Laramie, man betrachtete die kaputten Telefone und altertümlichen Computer-Monitore, die sich an der hinteren Wand stapelten, als Zimmerschmuck. Ihr Betreuer trat vor einen kleinen Aktenschrank, schloss eine Schublade auf, holte ein Gerät, das aussah wie ein Insekt, mit etwa zwanzig Zentimetern Durchmesser heraus und schloss es an eine Steckdose am unteren Rand der hinteren Wand an. Dann drückte er eine kleine rote Taste in der unteren rechten Ecke des Geräts, worauf ein quäkendes Freizeichen ertönte, das wie ein verzerrtes Gitarrenfeedback bei einem Who-Konzert durch den stillen, leeren Raum lärmte.

Ihr Betreuer beugte sich über das Telefon und wählte eine Nummer, die Laramie aber nicht erkennen konnte, weil er ihr mit dem Rücken die Sicht versperrte. Nach zweimaligem Klingeln drang Lou Ebbers' Carolina-Singsang aus dem Lautsprecher.

»Ich nehme an, Sie haben sie dabei«, sagte er.

Laramies Betreuer nickte, als könnte Ebbers ihn sehen. »Hab' ich.«

»Also dann, Miss Laramie.« Ebbers' normalerweise so freundliche Stimme drang entstellt und irgendwie bedrohlich aus dem Lautsprecher. »Sie sind dran.«

Laramie hätte ihren Betreuer am liebsten nachträglich noch zu einem Zwischenstopp in dem 7-Eleven verdonnert, um sich den zusätzlichen Schub einer dritten Tasse Kaffee zu verschaffen. Die hätte ihr vielleicht geholfen, bei der Sache zu bleiben, denn so wie es aussah, würde sie jede nur erdenkliche Hilfe brauchen können. Ohne diese Bonus-Tasse spürte sie bereits, wie ihr wieder einmal der Boden unter den Füßen weggezogen wurde – ein viel zu vertrautes Gefühl. Das schien ihr jedes Mal zu passieren, und ganz egal, wie viel Zeit sie sich genommen hatte, um vorab ihre Gedanken zu sortieren, jetzt passierte es wieder. Wenn sie alleine war, war sie mutig und tapfer und entwarf großartige Theorien über das Böse, das überall in der Welt lauerte – für gewöhnlich, während sie sich im Büro über irgendwelche Satellitenbilder beugte –, aber kaum hatte sie ihre Motelzimmer-Bibliothek verlassen, hing sie völlig in der Luft. Der Glaube an ihre eigenen Theorien war verdampft, noch bevor sie überhaupt angefangen hatte. Laramie spürte ein unangenehmes Ziehen in der Magengegend. Das war die Angst, dass ihr Chef ihre anfängerhaften Interpretationen sofort durchschauen und begreifen würde, was für ein gewaltiger Fehler es gewesen war, ihr einen solchen Auftrag überhaupt anzuvertrauen.

Halt die Klappe und fang endlich an, Laramie. Sie beschloss, ohne Umschweife zum Punkt zu kommen, anstatt erst lange um den heißen Brei herumzureden.

»Sie hatten Recht«, sagte sie dann. »Die Sonderkommission war wirklich sehr entgegenkommend. Ich weiß nicht, ob sie mir wirklich alle Unterlagen gezeigt haben, aber es war auf jeden Fall genug. Genug um die Vermutung zu äußern, dass die Ermittlungsarbeit der Sonderkommission auf mindestens zwei grundlegend falschen Voraussetzungen basiert.«

Im Lautsprecher war ein Knistern zu hören.

Dann sagte Ebbers: »Also dann.«

Die Laute aus dem Lautsprecher klangen irgendwie digital verzerrt. Laramie musste an ein Stück von Cher denken, bei dem die Stimme der Sängerin mit einem Synthesizer bearbeitet worden war. Vielleicht galt das ja für alle ihre Stücke.

»Ich *selbst* gehe unter anderem von der Voraussetzung aus, dass Sie kein Interesse daran haben, von mir ein ›Ermittlungsdossier‹ in die Hand gedrückt zu bekommen … nichts Schriftliches. Aber ich bin selbstverständlich gerne bereit, alles, was ich Ihnen jetzt sage, und mehr in einem Bericht zusammenzufassen, falls Sie das wünschen. Außerdem gehe ich davon aus, dass Sie über diesen Fall mindestens genauso viel wissen wie ich, wenn nicht sogar mehr. Also fasse ich mich in Bezug auf die Hintergründe kurz – oder lasse sie sogar ganz beiseite.«

Aus der knisternden Telefonleitung drang keine Antwort, was Laramie als *Und warum kriege ich dann diese ganzen Hintergrundinformationen zu hören, Miss Laramie?* interpretierte.

»Die erste falsche Voraussetzung«, sagte sie, »ist die, dass Benny Achars eigentliches Ziel die Metropolregion Miami war. Ich stimme zwar zu, dass diese Vermutung angesichts der großen Bevölkerungsdichte und der grundsätzlichen Nähe zum Explosionsort naheliegt. Wenn der Filo auf mehr als die gut hundert Opfer überspringt, die er getötet hat, und irgendeinen Zipfel des Miami-Dade County infiziert, dann haben wir plötzlich etliche hunderttausend Tote zu beklagen, vielleicht sogar noch mehr. Natürlich hat Achar nicht seinen ganzen Vorrat in die Luft gejagt – hätte er das getan, so lautet zumindest die Theorie, dann hätte er mit seinem hoch entwickelten, hämorrhagischen Fieberserum die gesamte Bevölkerung Miamis angesteckt. Also muss das demnach sein Ziel gewesen sein.«

»Machen Sie weiter«, sagte Ebbers.

»Allerdings ist der Marburg-2-Virus der viel diskutierten, bislang aber noch nicht aufgetretenen Vogelgrippe-Mutation insofern vergleichbar, als er sowohl Menschen als auch zahlreiche Tierarten befällt. Alle Menschen, die mit ihm in Kontakt kommen, sterben. Das Gleiche gilt für viele Tierarten. Der Virus springt ohne erkennbaren Widerstand von einer infizierten Tierart auf die nächste über. Worauf ich hinauswill: Wenn man sich die geographische Lage von Achars Explosionsort anschaut, dann wird schnell klar, dass er, wenn es ihm um möglichst viele potenzielle Opfer gegangen wäre, mit einem anderen Ziel eine noch verheerendere Wirkung hätte erzielen können. Nämlich am Lake Okeechobee.«

Laramie unterbrach sich und wartete fast auf einen sarkastischen Kommentar. *Er wollte einen See infizieren?*, oder etwas in der Art. Als nichts kam, begann sie mit einer Zusammenfassung der Erläuterungen des Biologen in Bezug auf die Funktion des Lake Okeechobee als Wasserspeicher der Everglades.

»Selbst wenn das gar nicht der Plan gewesen wäre, müssten wir uns mit diesem Szenario befassen«, sagte Laramie. »Mehr als einen unkontrollierbaren, mit dem M-2-Virus verseuchten Zufluss in die Everglades hätte Achar im Grunde genommen gar nicht gebraucht, um den gesamten Bundesstaat zu erledigen. Praktisch jedes Tier, das irgendwie mit dem Ökosystem der Everglades in Berührung kommt, hätte dann den Filo übertragen, und zwar mehr oder weniger auf jedes Tier und jeden Menschen in ganz Florida. Wenn dieses Szenario wirklich sorgfältig durchgeführt und die Quarantäne ein paar Tage zu spät eingerichtet worden wäre, dann hätte der Anteil der Todesopfer in der Bevölkerung hier bei weit über neunzig Prozent liegen können.«

Beredtes digitales Schweigen drang aus dem Telefonlautsprecher. Laramie beschloss, gar nicht erst auf einen Kommentar von Ebbers zu warten.

»Ich will gar nicht behaupten, dass es uns im Augenblick irgendwie weiterbringt, wenn wir die Tierwelt der Everglades als eigentliches Ziel des Anschlags betrachten, aber falls er tatsächlich kein Einzeltäter war, dann könnten wir dadurch auf eine ganze Anzahl weiterer Gebiete schließen, die wir nach möglichen Schläfern durchsuchen könnten. Gehen wir mal von weiteren zehn aus. Einer könnte für den Colorado River zuständig sein, einer für den Mississippi, einer für den Hudson. Ich war in Erdkunde nie eine besondere Leuchte, aber geben Sie mir zehn Minuten und ich entwickle Ihnen ein Szenario, in dem zehn oder elf Schläfer, richtig platziert und mit derselben Menge M-2 ausgestattet, die Achar in seinem Keller hatte, fünfundsiebzig bis neunzig Prozent der gesamten Bevölkerung unseres Landes auslöschen können, indem sie Gebiete infizieren, die von vielen Tieren bevölkert werden und gleichzeitig in der Nähe größerer Ballungsräume liegen.«

Jetzt meldete Ebbers sich wieder zu Wort.

»Ich weiß nicht, ob ich die zweite Fehleinschätzung überhaupt noch hören will.«

Laramie spürte ein plötzliches, angsterfülltes Ziehen. Wie eine Überdosis Koffein jagte es durch ihre Adern: *Mein Gott, vielleicht glaubt er ja, dass ich Recht habe ... und was, wenn es tatsächlich so wäre?*

»Die zweite, nun ja, nicht direkt Fehleinschätzung, aber aus meiner Sicht der zweite falsche ...«

»Dann eben *gottverdammter Patzer«,* sagte Ebbers. Er brüllte es eigentlich eher, damit sie ihn auch wirklich hörte. »Sagen Sie mir endlich, wo diese Typen danebenliegen, Miss Laramie.«

Laramie blinzelte. »Na ja, wäre ich Polizistin, dann dürfte ich eigentlich nur Leute festnehmen, gegen die ein begründeter Verdacht vorliegt und nicht bloß auf der Grundlage einer Ahnung. Aber meine Ahnung ist, dass Benny Achar gar keinen Fehler gemacht hat. Dass er gar kein ›Straftäter‹ ist. Das glaubt nämlich die Sonderkommission, und so reden sie auch von ihm ... als ›Straftäter‹. Ich glaube hingegen, dass er ein sehr gut getarnter Tiefschläfer war, der sich dann aber assimiliert hat.«

Die nun folgende Stille wurde lediglich von dem digitalisierten Knacken, Knistern und Knacksen der verschlüsselten Telefonleitung unterbrochen. Laramie versuchte sich vorzustellen, wie Ebbers dasaß und aus dem, was sie ihm gerade erzählt hatte, seine Schlüsse zog.

Dann hörte sie seine sachliche, emotionslose Stimme.

»Ich bin mit dem Begriff durchaus vertraut«, sagte er, »aber angesichts der Tatsache, dass er bei einem Selbstmordattentat und durch die Freisetzung eines tödlichen Krankheitserregers über hundert amerikanische Bürger umgebracht hat, weiß ich nicht so recht, wie ich das mit der Vorstellung der ›Assimilation‹ in Zusammenhang bekommen soll.«

Jetzt ist es Zeit, so viel wie möglich loszuwerden.

»Ich halte es nicht nur für möglich«, sagte sie, »sondern sogar für wahrscheinlich, dass er sich gegen seine Auftraggeber gewandt hat. Oder gegen sein Land, je nachdem, wer ihn zum ›Schlafen‹ geschickt hat. Ich glaube, dass Achar keineswegs der ›Straftäter‹ war, als der er immer wieder bezeichnet wurde, sondern dass er übergelaufen ist. Zu uns. Ich glaube, seine Tat war genauso geplant, wie er sie durchgeführt hat. Ich glaube, er hat die Menge des Filoserums und den Zeitpunkt der Tat – unmittelbar nachdem seine Frau und ihr gemeinsames Kind Miami verlassen hatten – sehr sorgfältig und mit Bedacht gewählt, um damit drei Dinge zu erreichen.«

Sie holte zwischen den einzelnen Sätzen kaum Luft und sprach weiter.

»Erstens: so wenige Todesopfer wie möglich bei gleichzeitig eindeutiger Demonstration der Wirkung des Pathogens. Zweitens: Enthüllung seiner Rolle als tief in der Gesellschaft verwurzelter Schläfer gegenüber Leuten wie Ihnen und mir. Und drittens: Die aus der Explosion folgende M-2-Epidemie sollte nur so weit um sich greifen, dass sie aller Wahrscheinlichkeit nach innerhalb des Zeitraums, den er seiner Frau genannt hatte, wieder eingedämmt war. Sieben Tage plus x oder so. So konnte sie ebenso überleben wie sein Sohn, während er gleichzeitig seine anderen Ziele erreicht hatte.«

Laramie beließ es dabei.

Es dauerte eine Weile, aber irgendwann sagte die blecherne, doppelt verschlüsselte Stimme von Lou Ebbers: »Er hat seiner Frau gesagt, sie soll sich eine Woche lang verstecken? Das stand aber nicht im Dossier.«

Laramie wollte keine Zeit verschwenden. Er hatte angebissen, jetzt musste sie nur noch den Haken setzen.

»Er hat gesagt, sie soll sich ›nicht weniger als sieben Tage lang‹ verstecken. Das hat sie mir bei einer Befragung im Verhörzimmer des Sheriffs von Hendry County verraten. Sie hat zugegeben, dass er sie gewarnt hat. Ich bin mir zwar ziemlich sicher, dass er ihr nicht gesagt hat, was er genau vorhat, aber bevor sie abgereist ist, hat er zu ihr gesagt, dass sie sich so lange verstecken soll ›falls irgendwas passiert‹. Was sie auch getan hat – mit ausreichend Bargeld, um so lange unter falschem Namen in einem Hotel absteigen zu können.«

»Dann hat er also gewusst, was er vorhatte? Das beweist noch gar nichts.«

»Ich glaube, seine Worte beweisen, dass er ungefähr gewusst hat, wie weit der Virus sich verbreiten würde. Wie lange er sich ausbreiten konnte, bevor ihm die Luft ausgeht, vor allem angesichts der zu erwartenden Reaktion des Center of Desease Control in diesen vom Terrorismus heimgesuchten Zeiten. Wenn er, ohne dass irgendjemand auf irgendwelche Quarantänemaßnahmen vorbereitet ist, seinen ganzen Vorrat in die Luft entlassen hätte, dann wäre die Epidemie bis heute noch in vollem Gang. Er hat gewusst, dass es nicht so weit kommen würde, weil er nämlich gewusst hat, dass die Menge, die er in Umlauf bringt, in sieben, spätestens in zehn Tagen unter Kontrolle sein würde. Fazit: Wenn wir davon ausgehen, dass Achar seine Frau gewarnt hat, um ihr das Leben zu retten, dann müssen wir gleichzeitig davon ausgehen, dass er nur die Menge M-2-Filo freigesetzt hat, die er auch tatsächlich freisetzen wollte.«

»*Wenn.*«

»Wenn ich Recht habe, dann wollte er zu keinem Zeitpunkt die Bewohner von Miami töten. Er wollte nicht einmal die Everglades mit seinem Virus infizieren, obwohl ich glaube, dass das sein ursprünglicher Auftrag war. In Wirklichkeit wollte er nur eines: ein Zeichen geben. Und zwar *uns.*«

»Wenn das tatsächlich seine Absicht war«, meinte Ebbers, »wäre es dann nicht sehr viel einfacher gewesen, das nächstgelegene FBI-Büro aufzusuchen und alles zu gestehen?«

»Es gibt mindestens eine einleuchtende Erklärung dafür, warum er das nicht getan hat«, sagte Laramie.

»Und die wäre?«

»Damit hätte er seine Frau und seinen Sohn umgebracht. Ganz abgesehen von der Skepsis, mit der man ihm begegnet wäre.«

»Wieso denn umgebracht?«

»Sein Auftraggeber hätte erfahren, dass er übergelaufen ist, und für diesen Fall könnten Vergeltungsmaßnahmen gegenüber seiner Familie angedroht worden sein. Wenn er das Ganze aber so durchzieht, wie er es getan hat, dann sieht es für seine Auftraggeber vielleicht so aus, als hätte er einfach einen Fehler gemacht. Genau das haben wir am Anfang ja auch gedacht. Und die Sonderkommission denkt das bis heute. Aber wenn man es von meinem Standpunkt aus betrachtet, dann hat Achar seiner Frau und seinem Sohn den Fluch der ›schmutzigen Bio-Bombe‹ erspart, aber gleichzeitig Lou Ebbers & Company mitgeteilt, dass die feindlichen Truppen bereits im Land sind.«

Nachdem es noch ein paar Mal in der Leitung geknistert hatte, ließ Ebbers sich erneut vernehmen.

»Andere«, sagte er, »die sich nicht assimiliert haben.«

Laramie nickte, als stünde er neben ihr.

»Und gemacht hat er das, wenn ich Ihrer Theorie folge, aus Liebe zu Frau und Kind?«, hakte Ebbers nach.

»Kann sein, sicher – er hat seine Tarnexistenz zu seinem wahren Ich gemacht und wollte nicht, dass sie sterben müssen.«

»Mal angenommen, Sie haben Recht«, meinte Ebbers. »Dann müsste er uns doch noch mehr Hinweise hinterlassen haben.«

Laramie überlegte. Von der vierspurigen Straße am anderen Ende des roten Backsteinweges drang Verkehrslärm in den Konferenzraum – das Rumpeln eines vorbeifahrenden Sattelschleppers, das Zischen etlicher Limousinen, das Brummen eines Geländewagens. Sie sagte nichts, und Ebbers sagte auch nichts. So ging das eine ganze Weile, bis Laramie sich fragte, ob die Verbindung womöglich bereits unterbrochen war.

Dann ließ sich Ebbers' verwischte Stimme aus dem Lautsprecher vernehmen.

»Also dann. Suchen Sie sie.«

»Suchen? Die anderen Hinweise, meinen Sie?«, erwiderte Laramie.

»Die anderen Hinweise ... und die anderen Schläfer.«

Der Job, um den sie sich beworben hatte, war anscheinend gerade zu einer Dauerstellung geworden.

»Ich bin mir allerdings noch nicht so ganz im Klaren darüber, wie ich vorgehen soll, Sir. Kann ich einzelne Mitglieder der Sonderkommission dazu heranziehen? Die Gespräche mit einigen der Männer und Frauen dort haben mir sehr geholfen, und ich brauche unbedingt Unterstützung, wenn ich ...«

»Die Sonderkommission wird aufgelöst. Von jetzt an übernehmen Sie die Sache.«

»Wie bitte?«

Ein paar Sekunden lang war nur das Pfeifen und Knacken der Leitung zu hören. Dann sagte Ebbers in seinem digitalen, monotonen Tonfall: »Was war denn daran unverständlich?«

Laramie ließ sich kurz durch den Kopf gehen, was sie bisher schon alles herausgefunden hatte und an welchen Stellen sie noch suchen musste. An die Gespräche, die sie führen, die Hilfsmittel, die sie einsetzen musste. Alles nicht gerade ihre Spezialität. Wie sollte sie bloß ...

»Hören Sie, Lou, ähm ... ich kann ziemlich viel Einsatzbereitschaft an den Tag legen, aber Ihnen ist doch sicherlich klar, dass ich nicht für operative Einsätze ausgebildet bin. Und meine analytischen Erfahrungen, auch das wissen Sie, haben nicht viel mit Terrorismus zu tun. Ehrlich gesagt: überhaupt nichts. Ich bin vermutlich der letzte Mensch auf Erden, den Sie ...«

»Was Sie nicht sagen, Columbo.«

»Was?«

»Ist das nicht der Satz, den Ihr Vater immer zu Ihnen gesagt hat?«

Laramie spürte, wie ihr die Hitze den Hals empor und bis auf die Wangen kroch.

»Hören Sie«, sagte sie. »Ich weiß schon, dass Sie alles über mich wissen, was es zu wissen gibt. Meinen Glückwunsch. Da fällt mir ein, könnten Sie mir vielleicht sagen, wann ich das nächste Mal menstruiere? Die Abstände sind momentan etwas unregelmäßig, was hauptsächlich mit meiner Ernährung und der Länge meiner morgendlichen Joggingstrecke zusammenhängt. Also, wenn Sie mir vielleicht Bescheid sagen könnten, wann es das nächste Mal so weit ist ... das würde dann ganz wunderbar zu diesem Columbo-Satz, dem Kaffee, dem Sandwich und den Sachen, die Ihre Leute in meine Tumi-Tasche gepackt haben, passen. Bis dahin fühle ich mich geschmeichelt von Ihrem Job-Angebot, falls es das wirklich sein sollte ... aber ich bin nicht die Richtige, Lou. Sie brauchen mich nicht. Sie brauchen paramilitärisch ausgebildete Kräfte. Spione. Und Konterterror-Experten für die Einsatzleitung. Ich möchte wirklich nicht undankbar kling ...«

»Vielleicht so etwas wie eine ›autonome Konterterror-Einheit‹?«, sagte Ebbers.

Sein Tonfall war geschäftsmäßig wie immer, als hätte er mit Laramies empörtem Ausbruch zum Thema Menstruationszyklus gerechnet.

»Oder, noch besser«, fuhr Ebbers fort. »Vielleicht sollten wir zur Beschreibung dessen, was Sie meinen, den Begriff ›Autonome Konter-Terrorzellen-Zelle‹ oder abgekürzt ›AKT‹ wählen.«

Laramie vergaß für einen Augenblick fast das Atmen. Sie brauchte keine weitere Erklärung, sondern wusste ganz genau, worauf Ebbers angespielt hatte. Die Begriffe »Konter-Terrorzellen-Zelle« und »AKT« waren ihr durchaus vertraut: So hatte sie die Organisationsform genannt, die sie dem Staat als Reaktion auf die aktuellen Bedrohungen durch den Terrorismus empfohlen hatte – in der Abschlussarbeit ihres Projektkurses. Der Arbeit, die sie bei Ebbers gesehen hatte und die, wie sie festgestellt hatte, der höchsten Geheimhaltungsstufe unterlag.

»Wir haben Sie zur Leitung einer solchen ›Zelle‹ rekrutiert«, sagte Ebbers' digitalisierte Stimme. »Den Satz ›Was Sie nicht sagen, Columbo‹ habe ich gewählt, weil ich Ihnen durchaus zustimme: Ja, Sie werden ein Team brauchen. Paramilitärische Eingreiftruppen, weitere Analytiker, alle Konterterror-Spezialisten, die Sie für notwendig halten. Um keine Missverständnisse aufkommen zu lassen: Die einzige Aufgabe Ihres Teams – der Auftrag Ihrer ›Zelle‹ – besteht darin, die Person, Personen oder Organisation, für die Benjamin Achar gearbeitet hat, zu identifizieren, zu isolieren und auf Anweisung zu beseitigen. Zusammen mit Achars Selbstmord-Schläfer-Kollegen, die noch auf freiem Fuß sind.«

Laramie machte die Augen zu und zählte stumm, genauso, wie ihr Vater es ihr geraten hatte. Erst, als sie damit fertig war, fing sie an zu reden.

»Bei der Auswahl des Teams kann ich da auf einen Kreis von Mitarbeitern oder Freiwilligen zurückgreifen und außerdem auch davon unabhängige Personalentscheidungen treffen?«

»Ja. Wir sind zwar nicht genauso organisiert, wie Sie das in Ihrer Arbeit vorgeschlagen haben, aber in dieser Hinsicht ist die Struktur absolut vergleichbar. Der Kreis der verfügbaren Mitarbeiter besteht aus ganz normalen Bürgern, offiziellen staatlichen Vertretern und Angehörigen des Militärs, die jeweils einzeln ausgewählt, angesprochen und anschließend gebeten worden sind, sich freiwillig zur Verfügung zu stellen. Oder umgekehrt. Die meisten haben sich unmittelbar nach der Katastrophe vom Elften September freiwillig angeboten. Jeder Einzelne wurde gründlich durchleuchtet, und zwar bis zurück zum Zeitpunkt seiner Geburt, manche sogar noch darüber hinaus. Bei den Personen, die Sie unabhängig davon hinzuziehen möchten, müssten wir selbstverständlich eine vergleichbare Hintergrundanalyse durchführen, bevor wir Ihnen eine Genehmigung erteilen. Aber ich habe das Gefühl, als wüssten Sie die Antwort auf Ihre nächste Frage bereits.«

»Habe ... habe ich denn eine nächste Frage?«, sagte Laramie.

Nachdem sie eine ganze Weile nichts als Schweigen gehört hatte, dachte sie, dass sie ihre brüchige Fassade eigentlich auch gleich fallen lassen konnte.

»Mein Gott«, sagte sie. »Wenn Sie damit sagen wollen, dass Sie glauben, Sie wüssten, wen ich zuerst anrufen würde, dann haben Sie Recht. Meine nächste Frage wäre gewesen, ob Sie ihn kennen und ob Sie glauben, dass er den Test bestehen würde. Aber Sie kennen ihn natürlich.«

»Er steht bereits auf der Liste der genehmigten Personen.«

»Natürlich.«

Die wissen wirklich so ziemlich alles, stimmt's?, dachte sie, und wenn sie wirklich so ziemlich alles wussten, dann wussten sie mit Sicherheit auch von *ihm.* Sie wussten, dass sie als Erstes an ihn denken würde, zumindest, wenn sie ihr so eine Aufgabe übertrugen. Ob die Tatsache, dass Ebbers sie für diesen Auftrag ausgewählt hatte, vielleicht in erster Linie mit *ihm* zusammenhing und weniger mit irgendwelchen Hausarbeiten während des Studiums oder danach durchgeführten Geheimdienst-Analysen?

Eines der Dinge, die sie nicht *wissen, ist, dass er ja gut und gerne auf* ihrer *Liste der genehmigten Personen stehen mag, aber auf* meiner *garantiert nicht.*

Ehrlich gesagt befand er sich auf ihrer persönlichen Liste der vollkommen ungenehmigten und zur Weißglut treibenden Personen, einer Liste, die nur eine einzige Person umfasste.

Trotzdem konnte sich seine Erfahrung vermutlich als sehr wertvoll erweisen, und sie war sich ziemlich sicher, dass sie dem Hurensohn vertrauen konnte.

»Sie können ihn also gerne anrufen«, sagte Ebbers.

Laramie erwiderte nichts.

Auch Ebbers blieb noch eine Minute lang stumm. Vielleicht waren es auch zehn. Laramie hatte jedes Zeitgefühl verloren, bis seine Stimme ein letztes Mal krächzend aus dem Lautsprecher drang.

»War nett, mit Ihnen zu plaudern, Miss Laramie«, sagte er. »Hals und Beinbruch.«

Dann legte er auf.

21

Obwohl Venezuelas Erdölvorkommen größer waren als die der meisten OPEC-Staaten, war es der Regierung des Landes bis zum Anfang des 21. Jahrhunderts nicht gelungen, mehr als einen symbolischen Prozentsatz der Bevölkerung aus der bittersten Armut zu befreien. Die mit dem Öl erzielten Einnahmen wurden von der staatseigenen Petróleos de Venezuela S.A.

verwaltet, wobei die Gewinne zwar den Armen versprochen, für gewöhnlich aber ausschließlich nach Gutdünken des jeweiligen Staatsführers verteilt wurden. So war die República Bolivariana de Venezuela auch nach ihrer Unabhängigkeit von den spanischen Kolonialherren trotz des schwarzen Goldes aus der Erde eine Nation mit zwar prominenten Führern, glitzernden, modernen Stadtzentren aber ansonsten – überwiegend – slumartigen Barackensiedlungen, so genannten *Barrios,* geblieben.

Der aktuelle Staatschef war Hugo Chávez. Er hatte wegen eines gescheiterten Putschversuchs im Gefängnis gesessen, war begnadigt worden und hatte später etliche Präsidentschaftswahlen gewonnen. Seitdem war es ihm immer wieder gelungen, die für Südamerika üblichen politischen Herausforderungen zu überstehen – eine Volksabstimmung, bei der er abgewählt werden sollte, einen nur sehr vorübergehend erfolgreichen Putsch, ein paar Mordanschläge. Chávez ließ durch sein Außenministerium ständig irgendwelche Initiativen starten, die, so hatte es den Anschein, einzig und allein darauf abzielten, offizielle Vertreter der USA zu verprellen, und das mit bemerkenswertem Erfolg. Die USA verbrauchten den Großteil des venezolanischen Öls, und dabei würde es wahrscheinlich auch bis in alle Ewigkeit bleiben – doch die aus Chávez' antiamerikanischem Maulheldentum entstehende Missstimmung reichte aus, um einen Besuch in Venezuela für jeden US-Bürger zu einem durch und durch unangenehmen Erlebnis werden zu lassen.

Cooper umging den vierstündigen Aufenthalt beim Zoll, den US-amerikanische Touristen normalerweise ertragen mussten, indem er am Schalter der Copa Airlines in San Juan ein Ticket kaufte und mit einer MasterCard bezahlte, die auf den Namen Armando Guttierez ausgestellt war. Derselbe Name stand auch in dem kolumbianischen Reisepass, den er heute einweihte, direkt unter Coopers Passbild.

Er mietete sich ein Auto und suchte sich, nachdem er durch die schwüle Hitze bis zum Wagen gegangen war, einen Weg zur *Autopista.* Dann machte er sich auf den Weg nach Süden, Richtung Caracas. Es dauerte eine Stunde, bis er im Dauerstau zu der Ausfahrt gelangte, die er, bei der Suche in einem Online-Atlas auf der Terrasse seines Bungalows sitzend, ermittelt hatte.

Außerdem hatte er mit einem oder auch drei Telefonaten noch ein paar andere Dinge ermittelt, nämlich, dass Ernesto Borrego alias El Oso Blanco seine Finger tatsächlich, genau wie Po Keeler behauptet hatte, in allen möglichen schmutzigen Geschäften hatte. Zu diesen Geschäften, die unter dem Dach von »Borrego Industries« abgewickelt wurden, gehörten Transporte mit Lastwagen und Containerschiffen ebenso wie der Import und Export von Unterhaltungselektronik und PCs, Großhandelsaktivitäten sowie »Auftragsabwicklung«. Das alles hatte Cooper dem Hintergrundbericht entnommen, den er in Langley angefordert hatte und der mit Sicherheit alles andere als vollständig war.

Außerdem hatte er noch ein paar Leute angerufen und erfahren, dass Borrego sich gerne in seinem Bürokabuff im Logistikzentrum von Borrego Industries südlich der Stadtgrenze verschanzte. Anscheinend verließ er das Grundstück nur selten und hatte im Prinzip dort seinen Wohnsitz. Das Logistikzentrum in Caracas war auch der Ort, wo er seine wenigen Besprechungen abhielt, während er tagtäglich vierzehn bis fünfzehn Stunden telefonierte. Angeblich waren ihm Sitzungen in Form regelmäßiger Videokonferenzen am liebsten.

Außerdem war in der näheren Umgebung allseits bekannt, dass Borrego enorme Mengen an Imbiss-Nahrung vertilgte. Zwar verließ er nur selten das fensterlose Büro in seinem massiven Lagerhaus-Komplex, wurde jedoch in regelmäßigem Rhythmus von unterschiedlichen lokalen Fast-Food-Läden mit Essbarem versorgt. Am liebsten mochte er die sechzig Zentimeter langen und mit Fleischbergen belegten Riesensandwiches aus dem nahe gelegenen Deli, die eigentlich für Geburtstagsfeiern und Firmenveranstaltungen gedacht waren.

Nachdem Cooper das Logistikzentrum ausfindig gemacht hatte, umrundete er das Areal, um sich einen Überblick zu verschaffen. Das Gelände war riesig, und Cooper musste unwillkürlich an New Jersey denken – eine ausgedehnte Fläche, überall einstöckige Gebäude mit Laderampen, umgeben von einem fünfundzwanzig Quadratkilometer großen Parkplatz. So kam es ihm zumindest vor. Es schien zwei Zufahrten zu geben, die beide mit einem Wachhäuschen und einer Schranke gesichert waren. Die eine Zufahrt war sehr viel breiter als die andere und war für Sattelzüge gedacht. Cooper zählte die Container, die in diesem Meer an Gebäuden be- und entladen wurden, doch bei 237 verlor er den Überblick. Ein paar Sattelzüge verließen das Gelände, ein paar andere kamen hinzu. Die Wachen wirkten zwar nicht allzu gewissenhaft, aber Cooper hatte leider gerade keinen Neun-Achser zur Hand.

Der zweite Kontrollpunkt befand sich an einem Standard-Firmentor, das genauso aussah wie in jedem anderen Land der Welt auch. Man musste den Firmenausweis über das schwarze Magnetfeld eines Geräts ziehen, das auf einem Pfosten vor dem Wärterhäuschen montiert war, dann fuhr das Tor auf. Cooper sah, wie der Wärter in dem Häuschen jedem einzelnen Wagen zuwinkte oder den Fahrer mit einer persönlichen Geste begrüßte. Diese zweite Einfahrt und der dazugehörige Parkplatz waren den Verwaltungsangestellten vorbehalten. Die Autos standen in Reih und Glied vor dem einzigen Gebäude auf dem Gelände, das keine Laderampe besaß.

Dort lag wahrscheinlich auch Borregos Büro.

Es war nicht ganz leicht, einen unauffälligen Weg ins Innere zu finden, aber bei seiner neunten Runde um das Gelände wurde Cooper auf die Eisenbahnwaggons aufmerksam. Eine

Rangierlok bugsierte Container-Waggons hinein und hinaus, immer fünf oder sechs Stück auf einmal. Sogar Cooper, der eigentlich ein Strandmensch war, musste dem intermodalen Transportsystem, das Borrego da auf die Beine gestellt hatte, sein Anerkennung zollen: Die Container, die heute noch auf einem Eisenbahn-Waggon standen, befanden sich morgen vielleicht schon auf dem Auflieger eines Sattelschleppers oder auf einem Schiff. Die Rangierlok suchte sich aus mehreren, kilometerlangen Zügen, die auf etlichen Nebengleisen neben der durchs ganze Gelände führenden Hauptspur standen, ständig neue Waggons heraus. Gut möglich, dass auch noch andere Firmen in der näheren Umgebung einen Anschluss an das Schienennetz hatten, aber der Hauptbahnhof, der schien bei Borrego Industries zu sein.

Cooper stellte seinen Mietwagen auf dem staubigen Seitenstreifen zwischen einer wilden Müllhalde und einer Tankstelle ab. Er verriegelte das Auto per Fernbedienung und steuerte die Rückseite der Tankstelle an, als wollte er die Toilette aufsuchen, doch dann ging er einfach weiter, bis er zu dem Rangiergleis gelangte. Er zog sich ein paar hundert Meter weit zurück, versteckte sich auf der Müllhalde und wartete, bis die Rangierlok angerumpelt kam, angekündigt vom rhythmischen *tuut tuut* ihres Signalhorns. Dieses Mal hatte der Zugführer vier Waggons angehängt.

Cooper blieb hinter einem Stapel durchlöcherter Autoreifen hocken, bis die Rangierlok vorbeigefahren war, achtete sorgfältig darauf, dass der Lokomotivführer ihn nicht sehen konnte, kam aus seinem Versteck und lief neben dem langsam dahinrollenden Güterzug her, bis er sich irgendwo festhalten und an Bord ziehen konnte. Er klammerte sich an einer Leiter zwischen zwei hoch aufragenden Zwillingscontainern fest, ließ sich auf das Gelände fahren, wartete auf das hydraulische Pfeifen der Zugbremse, sprang ab, verschwand hinter einer Lagerhalle, schlängelte sich bis zu dem Fußweg, der das Verwaltungsgebäude umgab, und betrat das hinter einer Glastür liegende Foyer.

Schon beim Eintreten stellte er fest, dass hier nicht gerade Pracht und Herrlichkeit regierten. Die Zahl der Autos auf dem Parkplatz ließ darauf schließen, dass im Bürotrakt höchstens fünfundzwanzig Menschen arbeiteten … und dass keiner einen besonders luxuriös ausgestatteten Arbeitsplatz besaß.

Er ging auf eine ernst dreinblickende Empfangsdame zu. Sie saß hinter einem Klapptischchen, das in einem früheren Leben vielleicht einmal ein Kartentisch gewesen war.

»Afternoon«, sagte er auf Englisch, ohne dass es dafür einen speziellen Grund gab.

In dem Blick, mit dem sie ihn ansah, lag nur wenig Leben.

Cooper fügte hinzu: »Ich möchte den Eisbären sprechen.«

»Pardon me?«, sagte sie und hatte selbst mit diesen beiden englischen Wörtern ihre liebe Mühe.

»El Oso Blanco«, sagte Cooper und grinste wie ein Vertreter, der ihr einen neuen Telefonvertrag aufschwatzen wollte. »Den guten, alten Ernie.«

Sie schien ein wenig erleichtert zu sein, dass er ins Spanische gewechselt war, und kehrte zu ihrer beruhigend vertrauten Muttersprache zurück. »Der Wachdienst hat uns gar nicht mitgeteilt …«

»Sí«, unterbrach Cooper. »Die haben ziemlich viel zu tun da vorne.«

»Sie stehen aber gar nicht in Señor Borregos Terminkalender.«

Sie blieben bei Spanisch. Cooper registrierte den kurzen Seitenblick, als sie Borregos Namen nannte: die Doppeltür am Ende des Flurs zu Coopers Rechten. Nicht, dass er nicht auch so dahintergekommen wäre, wo in diesem ansonsten spartanisch eingerichteten Komplex der Chef hauste.

Cooper sagte: »Sie haben doch nichts dagegen, wenn ich einfach mal ...« und ging, das Vertreterlächeln immer noch mitten ins Gesicht gemeißelt, an dem Kartentischchen vorbei den Flur entlang.

Die Empfangsdame war aufgestanden und machte ihn mit voller Lautstärke auf ihre Vorbehalte aufmerksam, dann drückte sie eine Taste an ihrer Telefonkonsole und fing an, irgendetwas von wegen »*Seguridad!*« in den Hörer zu brüllen. Cooper stieß einen der beiden Türflügel am hinteren Ende des kurzen Flurs auf, trat ein, machte die Tür hinter sich zu und schloss ab. Er drehte sich um und hatte genau das Bild – oder zumindest genau den Mann – vor Augen, mit dem er gerechnet hatte, allerdings in einem sehr viel größeren Maßstab.

Vor einem Becken mit tropischen Fischen, das an die sechs Meter lang und zweieinhalb Meter hoch sein musste – den Inhalt schätzte Cooper auf grob sechzig bis siebzig Kubikmeter –, saß ein Mann. Sein Kopf war so riesig, dass es wohl kaum ein anderes menschliches Wesen mit einem ähnlich großen Schädel gab. Der Mann, den Cooper für Ernesto Borrego hielt, trug ein Funk-Headset, einen dreiteiligen, eierschalenfarbenen Anzug, der Cooper irgendwie an Tom Wolfe erinnerte, und war gerade dabei zu essen. Und wie!

Cooper sah, wie der Mann, den alle den Eisbären nannten, sich völlig unbeeindruckt von seinem Eintreten über einen Behälter beugte, der die Größe eines Ködereimers auf einem Hochseefischerboot hatte. Mit einer Serviergabel spießte er eine Ladung Pasta auf, wickelte sie mit Hilfe eines Löffels von der Größe einer Schöpfkelle zu einer dichten Spirale und schob die nunmehr an der Gabel klebende Spirale aus Hartweizengrieß und Soße in seine monströse Gesichtshöhle.

Eine Haut wie die Farbe des Mondes in einer besonders klaren Karibiknacht, den Anzug zum Schutz vor den Elementen unter einer riesigen, rot-weiß karierten Serviette versteckt, so attackierte Borrego auch eine Flasche Roten, der in einem Dekanter neben dem Eimer auf seinem mächtigen Schreibtisch stand.

So, wie der Mann sein Essen verschlang, wobei er sich durch sein Erscheinen nicht im Mindesten stören ließ, fühlte Cooper sich unwillkürlich ... an einen Eisbären erinnert.

Borrego schaufelte sich noch eine Ladung Nudeln in den Schlund. Nachdem er gekaut und geschluckt und den ganzen Bissen mit einem Zug direkt aus der Karaffe hinuntergespült hatte, wischte er sich mit seinem Lätzchen den Mund ab und sagte: »Wer bist du denn, verflucht noch mal?«

Soweit Cooper mitbekommen hatte, hatte Borrego bis jetzt noch nicht einmal den Kopf gehoben, um ihn in Augenschein zu nehmen.

»Ich sehe vielleicht nicht so aus«, meinte Cooper, »aber ich bin ein Kanarienvogel.«

Borrego zermalmte die nächste Nudel-Spule. Cooper hatte den Eindruck, als sei er mit zwei Dingen gleichzeitig beschäftigt: zum einen mit dem sinnlichen Genuss seiner Pasta und zum anderen mit der intellektuellen Verarbeitung von Coopers hirnrissiger Denksportaufgabe. Als er mit Kauen fertig war, erzeugte er irgendwo in seinem gewaltigen Mund ein klickendes Geräusch, dann lud er sich die nächste Baggerladung auf die Serviergabel.

»Ein Kanarienvogel im Bergwerk, das meinst du«, sagte er. Starb der Kanarienvogel, bedeutete das Gefahr für die Bergleute. Sein Englisch war so klar und rein wie das eines Nachrichtensprechers.

Hinter der Tür in Coopers Rücken waren jetzt gedämpfte Stimmen zu vernehmen. Irgendjemand rüttelte am Türknauf, und Cooper hielt ihn lieber fest, nur für den Fall, dass das Schloss nichts taugte. Dann ertönten noch mehr gedämpfte Stimmen im Flur.

»Mehr oder weniger«, sagte Cooper. »Ich rechne eigentlich nicht damit, in nächster Zeit in den Vogelhimmel zu kommen, aber Tatsache ist: Die Leute, die sich im Augenblick mit der Frage beschäftigen, ob sie mich umlegen sollen, werden als Nächstes Sie ins Visier nehmen. Vielleicht sogar als Erstes.«

Borrego blickte ihn an und aß dabei weiter. Es hatte den Anschein, als würde er Cooper zum ersten Mal überhaupt wahrnehmen.

»Dann bin ich also der Kanarienvogel?«, sagte er. »Oder doch du?«

Cooper zuckte mit den Schultern.

»Wie bist du eigentlich hier reingekommen?«, wollte Borrego dann wissen.

»Die Wachen in den Wärterhäuschen achten nicht auf die Güterzüge.«

Borrego stellte für einen Augenblick das Kauen ein, dann machte er weiter.

»Das muss ich ändern«, sagte er.

Jetzt drehte sich der Türknauf in Coopers Hand. Er versuchte ihn festzuhalten und wurde von der sich öffnenden Tür nach hinten weggeschoben. Damit hatte er gerechnet, und trotzdem musste er sein Gewicht vom einen auf den anderen Fuß verlagern, um nicht zu stürzen. Bald stellte er jedoch fest, dass seine raffinierte Beinarbeit ihn nicht entscheidend weiterbrachte. Kaum hatte er das Gleichgewicht wiedergefunden, da rammte ihm ein außergewöhnlich groß gewachsenes Individuum seine muskulöse Schulter in die Wirbelsäule, während sich ein Paar ebenfalls muskelbepackte Arme um seine Hüfte schlangen und er von drei Wachleuten gleichzeitig attackiert wurde. Als er schließlich mit dem Kinn voran auf dem Boden landete, hatte er das Gefühl, als würden sie sich alle gemeinsam auf ihn werfen. Sobald sie ihn unter sich begraben hatten, pressten sie ihm die Handgelenke auf die dazugehörigen Schulterblätter und quetschten sein Gesicht auf den Teppichboden, mit dem Borrego sein Büro hatte auslegen lassen. Irgendjemand nahm ihm seine FN-Browning, eine CIA-Spezialanfertigung, ab, die hinten in seinem Hosenbund steckte. Da begann es Cooper zu dämmern, dass er vielleicht ein klein wenig zu begeistert von seiner Idee gewesen war, in die Höhle des Löwen einzudringen. Und es wurde ihm gleichermaßen klar, dass diese Jungs wohl keine Handschellen bei sich hatten, sonst hätten sie ihm mittlerweile schon längst ein Paar angelegt.

Eine kräftige Hand drückte Coopers Gesicht auf den Teppich, und so konnte er Borrego nicht sehen, als dieser sagte: »Vorsichtig, Kanarienvögel sind ja bekannt für ihre empfindliche Konstitution.«

Cooper spürte, wie der Druck der harten Teppichschlaufen auf seine Lippen ein wenig nachließ.

Das hab ich wohl nicht anders verdient.

Keiner der Leute, die in den Raum gekommen waren, sagte etwas. Er hörte das *tuut tuut* der Rangierlok, das ferne Klingeln eines Telefons, aber das war auch schon alles – bis ein tiefes Rumpeln zu hören war, das zunächst aus dem Boden zu kommen schien. Es fing als zitternder Basston an, wie aus einem Tieftöner, dann wurde der Ton heller und schärfer und klang nun deutlich vertrauter. Das war der Punkt, an dem Cooper erkannte, dass Borrego soeben ein Eisbär-Kichern von sich gegeben hatte. Aus dem Kichern wurde schnell ein herzliches, durchdringendes Lachen.

»Ach, du Scheiße«, sagte El Oso Blanco, während die Lachsalven aus seiner Kehle hervorkollerten wie Brecher an der südkalifornischen Küste. »Ah, *puta mierda* …!«

Schließlich verebbte das Brandungslachen, und parallel dazu ließ auch der Druck der Hand auf Coopers Kopf nach. Auch die Hände, die ihm die Arme auf dem Rücken festgeklemmt hatten, lockerten ihren Griff, und so lag er bald schon unbehelligt auf dem Teppich. Borrego musste seinen Personenschützern wohl einen entsprechenden Wink gegeben haben, und Cooper drehte sich um, um sich die Leute anzuschauen. Überrascht und verlegen zugleich sah Cooper jetzt, welche Armee ihn da zu Boden geworfen hatte: Ein einzelner Mann stand da und blickte auf ihn herab, ein Koloss mit Wespentaille, der eigentlich, trotz seines halbwegs ordentlichen Anzugs und seiner billigen Herrenschuhe, eher wie ein Velociraptor aussah als wie ein Mensch.

Auf ein weiteres unsichtbares Zeichen hin trat der Velociraptor ein paar Schritte zurück und stellte sich neben die Doppeltür an die Wand, die Hände vor den Lenden gefaltet.

»Das war witzig«, sagte Borrego. »Witzig.« Als Cooper seine Beine sortiert hatte und sich aufrecht hinsetzte, konnte er sehen, wie Borrego ihn über den Rand seines Eimers hinweg anlächelte. »Also, noch mal«, sagte er. »Wer, zum Teufel noch mal, bist du und was, verdammt noch mal, willst du hier und wer oder was will das Bergwerk vergiften?«

Cooper fühlte nach, ob seine Lippen bluteten, aber sie waren trocken – wundgescheuert und trocken. Die ersten Worte kamen nur zögerlich aus seinem Mund, hauptsächlich, weil seine tauben Lippen nur mühsam in der Lage waren, sie zu formen.

»Es geht um eine Ladung goldener Kunstgegenstände, die mittlerweile etliche Leichen im Kielwasser haben«, sagte er. »Die besagte Ladung, das waren die Kisten, die Sie in La Guaira an Bord der braven *Seahawk* geschafft haben. Und was Ihnen vielleicht gleichermaßen ernüchternd vorkommen wird: Auch die Kunstgegenstände wurden zerstört. Beziehungsweise in den Tiefen der Karibik versenkt.«

Borrego, der sich wieder seiner Mahlzeit zugewandt hatte, zuckte mit den Schultern.

»Das ist wahrscheinlich einer der Gründe, wieso es Schwarzmarkt heißt«, sagte er. »Ein bisschen Risiko gehört eben dazu.«

»Aus meiner Sicht müssten Sie eigentlich auch schon zu den bereits erwähnten Leichen gehören – vor allem angesichts der Tatsache, wie leicht man an ihrer Wachmannschaft vorbeischlüpfen kann ...« Cooper warf einen schnellen Blick auf den Velociraptor-Leibwächter und hoffte auf eine Reaktion, bekam aber keine. »Dass Sie noch am Leben sind, kann ich mir nur so erklären, dass derjenige, der alle diese Leichen produziert, nicht weiß, dass Sie die Gepäckscheine haben.«

Der Eisbär stieß ein *Uuumpf* aus. »Hab' ich auch gar nicht«, erwiderte er. »Zumindest nicht mehr.«

Cooper stand auf und machte ein paar Beugeübungen in der Hoffnung, dadurch seine Wirbelsäule wieder geradezubiegen. Ohne Erfolg. Der stechende Schmerz in einem seiner fleischigen Muskeln am unteren Rücken blieb unverändert. Er schleppte sich auf einen der Stühle vor Borregos ausladendem Schreibtisch und sprach laut aus, was Borrego gemeint hatte.

»Sie haben sie nicht ... das heißt, Sie haben die Taschen gar nicht selbst auf die Reise geschickt?«

»Ganz richtig. Ich habe sie verkauft.«

»Komisch«, erwiderte Cooper. »Ich nämlich auch.«

»Kein Wunder – hat mein Vorgänger ja auch gemacht. So funktioniert das Ganze doch«, meinte Borrego. »Ich hab nicht mal den Löwenanteil bekommen. Antiquitäten sind zwar tatsächlich eine meiner Leidenschaften, aber ich möchte damit auch Gewinn machen. Du weißt schon – sehr günstig einkaufen, nicht ganz so günstig weiterverkaufen. Wenig bis gar kein Risiko – schnell rein und schnell wieder raus.«

Borrego unterbrach seine Mahlzeit gerade so lange, um ein Grinsen sehen zu lassen, und Cooper stellte fest, dass die scharfen Zähne des Eisbären im Kontrast zu seiner hellen Haut und dem noch helleren Anzug fast braun wirkten.

»Abgesehen von der Tatsache, dass ich normalerweise ein paar Stücke für mich behalte, bevor ich mich endgültig verabschiede«, sagte er.

»Na, da haben wir ja noch was gemeinsam. Was ist denn mit diesen beiden dämlichen Revolverhelden, die Sie dem Schiffsführer für die Fahrt nach Naples aufs Auge gedrückt haben? Wenn Sie das Gepäck nicht für einen Geschäftspartner aufgegeben haben, der es am Ende der Reise in Empfang nehmen sollte, warum wollten Sie die Ware dann überhaupt beschützen?«

»Dämlich ist genau das richtige Wort. Aber auch wenn unser Gespräch bis jetzt ganz nett und freundlich verlaufen ist, möchte ich trotzdem endlich eine Antwort auf meine anderen Fragen haben«, sagte Borrego.

»Sie meinen: ›Wer, zum Teufel, ich eigentlich bin‹ und ›was ich, verdammt noch mal, hier will?‹«

Borrego zeigte ihm über den Eimerrand hinweg den nach oben gereckten Daumen.

»Ich habe ein paar Fantasie-Namen, aus denen ich mir einen raussuchen könnte«, erwiderte Cooper, »aber die meisten Leute nennen mich Cooper. Und ich bin mir gar nicht hundertprozentig sicher, was ich, verdammt noch mal, hier will, aber wenn Sie wirklich der Mittelsmann sind, der Sie sein wollen, dann würde ich gerne die Namen der Leute erfahren, denen Sie die Kunstwerke verkauft haben, und die Namen der Leute, von denen Sie sie gekauft haben.«

»Und weißt du, was ich gerne erfahren würde?«, sagte Borrego. »Ich würde gerne erfahren, wieso du mich nicht einfach angerufen hast. Sich so an meiner Wachmannschaft vorbeizumogeln. Normalerweise rufe ich sogar zurück.«

»Ich bin altmodisch.«

»Das soll wohl heißen, dass du solche Angelegenheiten gerne persönlich besprichst.«

»Manchmal.«

»Oder du gehst einfach gerne anderen auf den Sack und hoffst, dass du damit weiterkommst als per Telefon.«

»Na los«, sagte Cooper. »Was sollte die Nummer mit diesen Revolverhelden?«

El Oso Blanco schüttelte seinen mächtigen Schädel.

»Ich habe keine Ahnung, ›Cooper‹«, sagte er dann. »Die Waffenbrüder waren eine Bedingung des Käufers. Dämlich und überflüssig, ganz egal, was man geladen hat. Den US-Sondereinheiten ist es doch scheißegal, was man dabeihat, Hauptsache, keine Drogen. Wenn sie einen geschnappt haben, dann dauert es vielleicht eine Weile, bis man sich durch den ganzen Bürokratiescheiß gewühlt hat, aber diese Typen glauben doch, sie sind im Krieg und haben gar keine Zeit für was anderes als die vorderste Front. Das habe ich den Käufern auch so gesagt, aber sie haben das bezahlt, was ich verlangt habe, und sobald das Geld bei mir eingegangen war, habe ich die Ware verschickt. Ich hab gewusst, dass sie bewaffnete Begleiter haben wollten, also hab ich das schon im Vorfeld entsprechend arrangiert. Der Kunde ist König.«

»So, wie's aussieht«, meinte Cooper, »war diese Ladung ganz schön viel wert.«

»Oh, ich weiß, was sie wert war. Hat aber offensichtlich auch ganz schön viel Ärger gebracht.«

»Sie wissen, was passiert ist?«

»Na, klar.« Borrego deutete mit seiner Gabel auf den Computer-Monitor auf seinem Schreibtisch. »›US-Küstenwache erschießt Schmuggler auf hoher See‹, oder so ähnlich.«

»Haben die Käufer sich danach bei Ihnen gemeldet?«

»Das wäre sowieso nicht auf direktem Weg geschehen, aber trotzdem: Die Antwort lautet nein.«

»Hat Sie das überrascht?«

»Dass sie sich nicht gemeldet haben?« Borrego zuckte mit den Schultern. »Ein bisschen.«

»An wen haben Sie verkauft?«

Borrego fing an, die Überreste seiner Mahlzeit einzupacken. »Da du zu mir gekommen bist und mich auf diese ... Wie hast du es formuliert? ... ›Leichen im Kielwasser‹ aufmerksam gemacht hast, würde ich dir wirklich sehr gerne einen Namen nennen, auch, wenn ich damit gegen die Regeln verstoße. Aber der Betreffende ist natürlich auch nicht der Käufer. Nur ein weiterer Mittelsmann, ein Hehler. Falls er nicht mittlerweile umgezogen ist, was er in regelmäßigen Abständen tut, dann findest du ihn in Naples.«

Nachdem das Essen und das Besteck beiseitegeschoben waren, nahm Borrego die Serviette ab, holte einen Stift aus einer Schublade, schrieb etwas auf einen selbstklebenden Notizzettel und reichte ihn Cooper über den Schreibtisch hinweg.

»Da müsstest du ihn eigentlich erreichen können.«

Cooper beugte sich nach vorne und nahm den Zettel entgegen.

»Danke für die Hilfe.«

»Danke für die Warnung.«

»Was ist mit dem Verkäufer?«, sagte Cooper.

»Wissen Sie was, Señor *Cooper?* Sie sind ein richtig gieriger Hund.«

»Und egoistisch«, sagte Cooper. »Und außerdem stinksauer.«

Da war das bräunlich gelbe Grinsen wieder, doch dann verschwand es, und der Eisbär sagte: »Nichts zu machen, *Compañero.«*

»Wieso nicht?«

»Dieser ganze Kunstmarkt funktioniert nur, wenn die Anonymität des Verkäufers gewahrt bleibt. Ich habe überall da draußen – in Süd- und Mittelamerika, Afrika, China – meine Leute, die den Einkauf für mich erledigen, und zwar, ohne irgendwelche Fragen zu stellen. Wir bezahlen kaum mehr als den absoluten Mindestpreis, aber jeder weiß, dass der Eisbär niemals jemanden verpfeift.«

Er grinste erneut, sichtlich zufrieden mit dieser Beschreibung seines guten Rufs.

Cooper dachte einen Augenblick lang nach. »Aber Sie wissen, wo Ihre Leute die Sachen gekauft haben«, sagte er dann. »In welcher Region, meine ich. Und ich könnte mir vorstellen, dass Sie niemanden ›verpfeifen‹ würden, wenn Sie mir wenigstens das verraten.«

»Sie interessieren sich für eine Tour durch den mit Rebellen verseuchten mittelamerikanischen Dschungel?«

Allein das Wort *mittelamerikanischer Dschungel* versetzte Coopers Magen in Aufruhr. Er verkrampfte sich, und so langsam kotzte es ihn wirklich an, dass jedes Mal, wenn er sich zu intensiv mit der Herkunft dieser gottverdammten Kunsthandwerksgegenstände beschäftigte, aus unerklärlichen Gründen ein Schmetterlingsschwarm in seinem Bauch umherschwirrte. Kurz musste er an die Statue der Göttin denken, die auf dem Regal in seinem Bungalow stand: *Ja, genau, Cooper,* hörte er ihr brüchiges, raues Krächzen, *wir hocken hier oben im Jenseits un' warten auf deine Hilfe. Wir schau'n von hier oben runter un' seh'n ein Stück mittelamerikanischen Dschungel, ungefähr da, wo du schon mal das Eine oder Andere nich' mehr richtig mitgekriegt hast.*

»Ich kann Ihnen nicht folgen«, sagte Cooper.

»Ohne Scheiß, *Amigo«,* entgegnete Borrego. »Ich fahre ja auch gerne mal weg – so zwei-, dreimal im Jahr, mindestens. Dann ziehe ich zusammen mit meinen Jungs los und erledige den Einkauf selbst. Manchmal kriege ich sogar den einen oder anderen Grabräuber dazu, dass er uns auf seine Reise ins Schattenreich mitnimmt.«

»Schattenreich«, sagte Cooper.

»Unter die Erde … zu den Höhlen. Den Gräbern, wenn man

sie entdeckt. Davon gibt es immer noch jede Menge – Inkagold, Maya-Antiquitäten, Kunstgegenstände und Schätze, die über tausend Jahre lang gut versteckt waren. Erst heute, mit Hilfe der modernen Technik und unserer Zivilisation, können wir etliches davon ausfindig machen.«

Dass Susannah Grant das Alter der Keeler-Artefakte auf höchstens hundertfünfzig Jahre bestimmt und damit deutlich jünger angesetzt hatte, behielt Cooper für sich.

»Danke für das Angebot, aber das lasse ich lieber bleiben«, meinte Cooper. »Waren Sie auch bei der Bergung der Ladung dabei, von der wir hier reden? Und wenn nicht, warum sagen Sie mir nicht einfach, woher Sie die Sachen haben?«

»Tja, das ist ja der springende Punkt. Wir haben sie in einer abgelegenen Bergregion irgendwo im Grenzgebiet zwischen Guatemala und Belize eingekauft – aber wenn du es noch genauer wissen willst, dann müssten wir uns, unter anderem, persönlich auf den Weg machen und versuchen, die Verkäufer aufzutreiben. Ich könnte sie wahrscheinlich sogar ausfindig machen, wenn ich dort ein bisschen herumschnüffeln würde, aber so was wie eine Telefonnummer habe ich leider nicht.«

Borrego winkte die Empfangsdame herein, die die Szene bis jetzt vom Türrahmen aus beobachtet hatte, und sie räumte die Überreste seines Mittagessens ab. Dabei warf sie Cooper immer wieder aufgebrachte Blicke zu. *Vielleicht will sie ja bloß den kühnen Schwung meiner Wangenknochen ausgiebig bewundern.*

Dann stand der Eisbär auf und streckte ihm die Hand entgegen.

»Das Angebot gilt«, sagte er.

Cooper, der eigentlich ein wenig größer war als der Durchschnitt, musste weit nach oben schauen, während er El Oso Blancos Hand ergriff und schüttelte. Der Mann war mindestens 2,05 Meter groß, vielleicht sogar noch größer. Eine realistische Einschätzung seines Körpergewichts erschien ihm vollkommen unmöglich.

»Ein netter Ausflug in die unberührte Natur würde mir bestimmt genauso gefallen wie jedem anderen auch«, sagte Cooper, »aber dieses Fleckchen Erde ist nicht gerade meine Lieblingsecke. Trotzdem, Ihren Käufer in Florida, zu dem werde ich Kontakt aufnehmen.«

»Hehler. Wollen Sie ihn anrufen?«

Cooper neigte den Kopf ein wenig zur Seite. Er wusste nicht genau, was Borrego damit sagen wollte.

»Ich möchte bloß wissen«, sagte der Eisbär, »ob Sie den Mann anrufen oder lieber per Eisenbahn an seinen Wachleuten vorbeifahren wollen.«

Cooper ließ Borregos Hand los.

»Was *ich* gerne wissen möchte, ist«, erwiderte er dann, »wann Ihre Ein-Mann-Armee mir meine Pistole zurückgeben will.«

Borrego gab seinem Leibwächter ein Zeichen, und Cooper drehte sich um und fing die Browning auf, die der Velociraptor ihm zuwarf.

»Hasta luego«, sagte Cooper zum Abschied und bemühte sich nach Kräften, dem Leibwächter beim Verlassen des Büros auf die Zehen zu treten. Doch als er an ihm vorbeiging, zog der Sicherheitsbeauftragte einfach seinen Schuh beiseite – und wenn Cooper ihn angeschaut hätte, dann hätte er bemerkt, dass sein wenig überzeugender Versuch ein spöttisches Grinsen auf das Gesicht des Velociraptors gezaubert hatte.

Trotz dieses relativ demütigenden Abschieds verließ Cooper das Verwaltungsgebäude und steuerte die Bahngleise an.

22

Es war sechs Uhr morgens, und Cooper hörte, wie das Telefon zum vierzigsten oder fünfzigsten Mal klingelte. Irgendjemand brachte es dann zum Schweigen, und so war es kein besonderes Kunststück, die drei derben Schläge an seiner Tür Ronnie zuzuordnen, der ihm sagen wollte, dass der Anruf für ihn sei.

»Raus aus den Federn, du armselige Witzfigur!«

Coopers erster Gedanke war *Wer ist wohl jetzt schon wieder gestorben?* Doch dann verscheuchte er diesen Gedanken, so gut es ging, griff unter sein Bett, holte seinen Baseballschläger hervor, einen Louisville-Slugger mit Autogramm von Ken Griffith Junior, und zielte damit in Richtung Haustür.

Ronnie würde nichts passieren, er würde sich einfach nur in die Hosen machen vor Angst. Cooper war zu müde, um aufzustehen und den Schläger so zu schwingen, dass mehr daraus wurde, also zielte er genau und sah zufrieden zu, wie der schwere Baseballschläger einmal auf dem Betonboden des Bungalows aufprallte und dann in die Holzjalousie an der Tür krachte. Die zwölf Lamellen der Jalousie zersplittern in tausend Teile, und als der Schläger auch noch das dahinterliegende Fliegengitter durchbohrte, konnte Cooper zwar nicht sehen, aber zumindest hoffen, dass der harte Holzgriff Ronnie noch am Schienbein erwischt hatte.

»Hau ab!«, bellte er.

Durch das Fenster am Fuß seines Bettes sah Cooper, wie Ronnie die Treppe hinunterging und aus seinem Blickfeld verschwand – mit ausgestrecktem Mittelfinger und bei jedem Schritt hinkend.

Ein Leck-mich-am-Arsch-Affenzirkus, dachte Cooper. Was für ein wunderbarer Start in den Tag.

Er suchte seine schwarze Shorts mit dem AND1-Logo auf

dem Oberschenkel und schlüpfte in seine Reefs. Den dreißig Grad warmen Regen, der in dicken Tropfen auf sein zerzaustes Haar und seine nackten, wettergegerbten Schultern fiel, ignorierte, nein, genoss er sogar. Als er durch die dunkle, leere Küche mit den riesigen Edelstahl-Töpfen ging, drang, wie jedes Mal, wenn er früh aufgestanden war, der leichte Duft nach Hopfen, Gerste, Rum und Conch Fritters aus dem Fußboden in seine Nase. Daran war der alte Wischmop, mit dem der Boden sauber gemacht wurde, wahrscheinlich genauso Schuld wie die Speisen und Getränke, die am Vorabend auf demselben gelandet waren.

In einem Kabuff hinter der Küche befand sich ein klobiges Telefon. Den Hörer hatte Ronnie danebengelegt.

»Ja«, sagte er, noch während er den Hörer in die Hand nahm.

»Guten Morgen, Professor.«

Kaum hatte Cooper Julie Laramies Stimme gehört, nahm er mit einer ruckartigen Bewegung den Hörer vom Ohr und ließ ihn aus großer Höhe auf die Gabel fallen.

Gemächlich schlenderte er durch den Garten zurück in seinen Bungalow, zog die AND1-Shorts aus und schlüpfte wieder unter die Decke. Er spürte den Sand auf den Bezügen, wie immer, auch dann, wenn das Bettzeug erst dreißig Minuten zuvor aus der Waschmaschine gekommen war.

Dann fing es erneut an zu klingeln, doch nach einundzwanzig schrillen Plärrtönen war wieder Schluss. Erleichtert registrierte Cooper, dass bis auf den nachlassenden Regen auf den Metalldächern und die vom Wind geschüttelten Palmenblätter alles ruhig geblieben war.

Dann kamen die gottverdammten Schritte wieder bis vor seine Tür.

»Verflucht noch mal, Guv«, sagte Ronnie. »Ich hab wieder aufgelegt, aber sie weckt doch alle Gäste auf.«

»Und was soll ich, verdammt noch mal, deiner Meinung nach machen?«

»Keine Ahnung, wie oft ich dir das noch sagen muss, Alter. Gib diesen Wichsern deine Handynummer, dann können wir anderen vielleicht wenigstens bis halb sieben schlafen ... oder sogar bis sieben.«

»Wenn du bis sieben schläfst, dann hat Woolsey dich am Arsch, ›Guv‹.«

»Wär mir ein Vergnügen«, erwiderte Ronnie. »Verdammt und zugenäht, seit meinem ersten Tag hier will ich ihn dazukriegen, dass er mich rausschmeißt.« Eine Minute lang war nichts mehr von ihm zu hören, auch keine Schritte, sodass Cooper wusste, dass der Laufbursche immer noch vor seiner Tür stand.

»War doch eigentlich ganz nett, als sie noch da war, weißt du«, fuhr Ronnie fort. »Warum gehst du denn nicht ran, du Riesenarsch?«

Mit fast schon behutsamer Stimme erwiderte Cooper: »Kümmer dich lieber um deinen eigenen Kram.«

Er hörte die gesammelten Regentropfen von den Dachrinnen, von den Geländern, gelegentlich auch von einem breiten, wachsigen Blatt tropfen. Der Regen ließ langsam nach, genau wie der Wind. Nach einer Weile mischten sich für ein paar Augenblicke auch noch Ronnies langsam leiser werdende Schritte dazwischen.

Noch eine Weile später, Cooper lag immer noch im Bett, hörte er die letzten Wassertropfen den Abfluss hinunterrieseln, und dann begann die stumme Hitze sich auf die vom Regen benetzten Stellen zu stürzen und sein Dach aufzuwärmen und bis in die Tiefen seines Zimmers vorzudringen.

Wieder ein neuer Tag hier in Conch Bay, dachte er.

Cooper saß auf seiner Terrasse, die zu einem glühenden Inferno geworden war. Schuld daran war die Sonne, die jeden

Tag von zwei bis fünf Uhr nachmittags mit voller Wucht auf das alte Holzding niederbrannte. Für eine solch aggressive und direkte Einstrahlung war sie eigentlich nicht gebaut. Einmal hatte er ein Thermometer auf den Tisch gelegt, weil er wissen wollte, wie heiß es genau war, und dann war das Ding tatsächlich zersprungen, und das Quecksilber war ausgelaufen. Es hatte über sechzig Grad Celsius angezeigt, aber Cooper hatte beschlossen, dass das unmöglich war. Er hatte wohl einfach ein defektes Gerät gekauft, das die direkte Sonneneinstrahlung nicht ausgehalten hatte.

Gegen Mittag hatte das Küchentelefon noch einmal mehrfach hintereinander geklingelt, und irgendjemand hatte die Nummer dieser Frau aufgeschrieben, deretwegen man Cooper – das wussten mittlerweile alle – gar nicht erst zu holen brauchte. Jetzt bruzzelte er also in der Nachmittagshitze, langweilte sich angesichts der großen Auswahl an Gestaltungsmöglichkeiten für den restlichen Nachmittag und tippte missmutig Laramies Nummer in sein Satellitentelefon ein. Der Mann am anderen Ende der Leitung teilte ihm mit, dass er mit dem Motor 8 Luxury Motel in LaBelle verbunden sei. Cooper folgte den Instruktionen auf seinem Zettel und verlangte Zimmer Nummer achtzehn.

Sie meldete sich beim zweiten Klingeln.

»Also gut, was ist los?«, sagte er.

Laramie brauchte nur ein paar Sekunden, dann hatte sie sich gefangen.

»Wieso ich dich angerufen habe, meinst du?«, sagte sie. »Vielleicht wollte ich ja bloß hören, wie es dir in letzter Zeit so ergangen ist.«

»Vielleicht auch nicht.«

Cooper beugte sich ein wenig nach vorne und stützte die Ellbogen auf die Knie. Die Hitze seines Freiluft-Backofens trieb ihm den Schweiß aus den Poren. Er hatte es zwar noch nie ausprobiert, aber immer wieder fragte er sich, ob man auf dem Lesetisch zwischen den Liegestühlen vielleicht ein, zwei Eier braten könnte. Er dachte, dass Julie Laramie ein paar Monate lang – zwischen diversen Ausfahrten mit der Apache zu verschiedenen Urlaubs-Ressorts – ab und zu in dem anderen Liegestuhl gelegen und ebenfalls die eine oder andere Stunde Backofenhitze abbekommen hatte, wenn auch nicht viele. Zu wenige. Laramie hatte die Nachmittagshitze nicht gefallen, ihr war die Terrasse nachts lieber gewesen, unter dem Sternenhimmel.

So viel lieber allerdings auch nicht, wie sich bald herausgestellt hatte.

»Ich ...« fing Laramie an, dann unterbrach sie sich. »Das ist irgendwie eine blöde Situation.« Sie zögerte erneut, und Cooper hatte den Verdacht, dass sie auf ein, zwei ermunternde Worte hoffte – *Nun sag schon, Laramie* –, aber er biss nicht an. Hielt erfolgreich seinen Ruf als Miesepeter aufrecht.

Laramie redete jetzt sowieso weiter.

»Ich befinde mich in einer komplexen und schwierigen Situation«, sagte sie. »Man hat mir die Erlaubnis und den Auftrag erteilt, mit dir zu reden ... offiziell, meine ich. Ich soll dich rekrutieren. Als ein Mitglied meines Teams.«

Cooper saß eine Weile schweigend da, während seine Ellbogen rötliche Druckstellen auf den Oberschenkeln produzierten.

»Das ist wirklich blöd«, sagte er.

»Ich bin in Florida. Du kannst dir denken, dass ich nicht am Telefon mit dir besprechen kann, wieso oder wofür wir deine Hilfe brauchen. Wir bezahlen dir ein Honorar, wenn du bereit bist, dich mit uns zu treffen.«

Cooper stieß ein gleichmäßiges, monotones Kichern aus.

»Ich weiß, ich habe dir schon einmal Geld angeboten, und da hast du mich auch ausgelacht. Ich weiß auch, dass du nicht darauf angew...«

»Kein Problem«, unterbrach sie Cooper. »Wenn ich wirklich kommen wollte, dann würde ich die Kosten mit größtem Vergnügen selbst übernehmen. Um ehrlich zu sein, ich würde mein Spesenkonto damit belasten, sodass die Frage höchstens wäre, welche Abteilung letztendlich dafür bezahlt.« Dann fiel ihm etwas ein, und er sah Laramies Anruf aus einem etwas veränderten Blickwinkel. »Beziehungsweise welche Organisation.«

»Dieses Treffen ist wirklich sehr wichtig. Du hast eigentlich keine Wahl.«

»Keine Wahl, hmm?«

»Wir besprechen das, sobald du da bist. Vorher geht es nicht. Du wirst mir einfach vertrauen müssen. Dafür schaffen wir dich so schnell wir irgend können hierher.«

»Kein Interesse«, erwiderte er.

»Nein, darum geht es nicht – hör zu, du musst kommen. Du wirst dringend gebraucht.«

»Was mich interessieren würde:«, sagte Cooper. »In welcher Hinsicht habe ich mich unklar ausgedrückt?«

Das für die Satellitenverbindung charakteristische, gelegentlich hörbare Sirren der Interferenzen vollführte sein akustisches Tänzchen, während sie einander eine ganze Weile anschwiegen.

Dann sagte Laramie: »Wenn du dich weigerst, dann wollen die Leute, für die ich arbeite, sich überlegen, ob sie deine Reserven einfrieren. Sie hätten die Befugnis dazu, und du hast mir immerhin so viel verraten, dass wir uns einen ganz schönen Batzen von deinem Geld holen könnten.«

Coopers monotones Morse-Kichern lebte wieder auf und hatte ihn in Windeseile überwältigt. Dann ging es in ein brüllendes Gelächter über, so ähnlich wie das, mit dem der Eisbär von Caracas ihn vor zwei Tagen überschüttet hatte. Nach ungefähr einer Minute schluckte Cooper sein Lachen hinunter wie den letzten Schluck eines köstlichen Drinks und seufzte.

»Tut mir leid«, meinte Laramie, »aber die Leute, für die ich arbeite, haben mich angewiesen, dir mitzuteilen, dass das unser letztes Mittel wäre, solltest du mein ursprüngliches Angebot ablehnen. So wichtig ist es. Und ich habe keine Zeit, dich später noch einmal zu fragen. Wenn ich dich zwingen muss hierherzukommen, dann werde ich das tun.«

»›Ursprüngliches Angebot‹«, sagte Cooper. »Das hast du hübsch ausgedrückt. Weißt du, ich finde es wirklich amüsant, dass der amerikanische Staat sich auch an Orten für allmächtig hält, wo er weniger zu sagen hat als ein Gecko. Viel Glück.«

Sehr gemächlich nahm er das Telefon vom Ohr, hielt es sich vor die Nase, damit er die Taste sehen und seinen Daumen auf das Wort END drücken konnte, das in roten Buchstaben in der oberen rechten Ecke der Tastatur prangte. Anschließend legte er das Telefon auf den Lesetisch, ließ sich gegen die Rückenlehne seines Liegestuhls sinken und machte die Augen zu, um sich ganz von der das Quecksilberthermometer sprengenden Hitze umhüllen zu lassen.

Mit allergrößter Zufriedenheit dachte er, dass ihm immer noch mindestens anderthalb Stunden blieben, bis die Temperaturen wieder unter die Vierzig-Grad-Marke sinken würden.

23

In Collier County, in Lee County und im gesamten Gebiet bis hinab nach Miami, überall galt Ricardo Medvez als *der* Nachrichtensprecher schlechthin, bei den Reichen genauso wie bei den Armen, den Schicken und beinahe allen, die irgendwo dazwischen anzusiedeln waren. Er war der Mann, dem sie vertrauten, der die Abendnachrichten um sechs und die Spätnachrichten um elf präsentierte und der den Leuten aus seinem Sessel in einem Studio in Fort Myers genau sagte, was Sache war.

In manchen, deutlich weniger öffentlichen Kreisen war Medvez darüber hinaus noch für einige andere Dinge bekannt: seine Spielsucht, seine regelmäßigen Ausflüge in die unendlich weite Welt von Speed, Koks und Freebase sowie eine großzügige Bereitschaft zu Abfindungszahlungen, die verhindern sollten, dass einer seiner zahlreichen Vaterschaftsprozesse den Weg bis in den Nachrichtenüberblick seiner eigenen Sendung schaffte.

Es war Medvez weitgehend gelungen, seine Nacht- und Wochenend-Aktivitäten unter dem Deckel zu halten, doch eines Abends hatte er, der sich ansonsten eigentlich als durch und durch heterosexuell empfand, ein Video aufgenommen. Vielleicht war das Freebase dafür verantwortlich gewesen, vielleicht hatte er auch nur die Tür zu einer lange verschlossenen Kammer geöffnet, jedenfalls war Medvez eines Nachts ans Telefon gegangen, hatte ein halbes Dutzend Stricher zu sich bestellt, die Aufnahmetasten etlicher Camcorder gedrückt und einen privaten Pornostreifen gedreht, gegen den *Deep Throat* ein Kinderfilm war. In der Folgezeit hatte er den Film reichlich genutzt und ihn überall mit hin genommen, wo er genügend privaten Spielraum und einen Videorecorder zur Verfügung gehabt hatte.

Doch damit war Schluss gewesen, als einer der Typen, bei denen er hundert Riesen Spielschulden hatte, das Band in die Finger bekam. Von diesem Augenblick an war der Zinssatz für seinen stetig wachsenden Schuldenberg um etliche Dutzend Prozentpunkte nach oben geschnellt, und Medvez hatte gedacht, dass er für den Rest seines Lebens am Arsch war.

Anderthalb Jahre später, die Situation des Nachrichtensprechers mit der olivbraunen Haut hatte sich nicht entscheidend verändert, war er in Key West in ein Kartenspiel geraten. Die Einsätze waren hoch. Unter den Mitspielern hatte sich an jenem Abend auch ein wettergegerbter Kartenhai mit Baritonstimme befunden. Ein paar der Typen, denen er sämtliches Geld abgenommen hatte, hatten ihn als »Spion von der Insel« bezeichnet und Medvez hatte sich gefragt, was das wohl zu bedeuten hatte. Nach dem Spiel hatte er mit Hilfe seiner ausgefeilten Interview-Technik – nur ein klein wenig eingeschränkt durch die Wirkung der Koks-Linien, die er zwischen den einzelnen Partien auf der Toilette gezogen hatte – festgestellt, dass sein Mitspieler tatsächlich eine Art Spion war und auf einer zu den British Virgins gehörigen Insel residierte.

Medvez sprach ihn an Ort und Stelle an.

»Was würde es kosten, wenn ich Sie um einen Gefallen bitten würde?«, sagte er.

Cooper musterte Medvez von oben bis unten. Sie standen auf dem Bürgersteig vor dem Restaurant, in dem das Kartenspiel stattgefunden hatte.

»Was für einen Gefallen?«, fragte er zurück.

Nachdem Medvez ihm erklärt hatte, worum es ging, dachte Cooper – es war vier Uhr morgens, und er trug ein kurzärmeliges Tommy-Bahama-Hemd – ein paar Minuten lang darüber nach, dann sagte er: »Ich werde niemanden umbringen, aber das dürfte eigentlich nicht so schwierig sein. Ich brauche sämtliche Informationen, die Sie über diese Leute haben, jeden Ort, an dem Sie sie gesehen oder getroffen haben, für wen sie möglicherweise arbeiten und so weiter.«

Dann erkundigte er sich, was Medvez ihm als Gegenleistung anbieten konnte.

»Mögen Sie Boote?«, lautete Medvez' Antwort.

»Klar.«

»Lust auf einen kleinen Spaziergang?«

»Wie weit?«

»Zur Old Key West Marina. Fünf Minuten, höchstens.«

Cooper würde sich immer an seine erste Begegnung mit dem weiß-grau-orangefarbenen Rennboot erinnern, einer Sonderanfertigung auf Basis einer Apache 41, wie es mit seinem lang gezogenen, geduckten Rumpf nahe dem Treibstofflager des beliebtesten Jachthafens der Insel festgemacht im Wasser lag. Für ihn war es wie die Begegnung mit einer Frau gewesen, für die er bestimmt war – er hatte das Gefühl, als würde er das Boot schon ewig kennen. Bei einer gründlichen Inspektion der zwölfeinhalb Meter langen Rennmaschine registrierte er die kraftstrotzenden Zwillingsmotoren, das luxuriös eingerichtete Unterdeck und stellte fest, dass es so gut wie neuwertig war. Ihm war klar, dass das Boot an die vierhunderttausend Dollar wert sein musste.

»Ich nehme es gleich mit«, hatte er damals zu Medvez gesagt, »aber falls ich Ihr Problem nicht beseitigen kann, können Sie es wiederhaben.«

Medvez hatte sich einverstanden erklärt, aber merkwürdigerweise – aufgrund seiner eigenen Leidenschaft für dieses Rennboot, das genau nach seinen Vorgaben gebaut worden war – stellte er mit der Zeit eine gewisse Enttäuschung darüber fest, dass die Leute, die Cooper irgendwie zum Schweigen gebracht haben musste, sich nie wieder gemeldet hatten. Medvez hatte Cooper nie danach gefragt, ob er das Video an sich genommen hatte und wollte es letztendlich auch gar nicht wissen.

Cooper ließ den Namen und die Telefonnummer, die auf dem Notizzettel des Oso Polar standen, durch drei verschiedene Waschgänge laufen – die Rückwärts-Suchmaschinen der CIA, des FBI sowie eines privaten Datenverzeichnisses. Das Ergebnis waren drei fein säuberlich verschnürte, inhaltlich jedoch leicht unterschiedliche Päckchen. Sie lieferten ihm, alles zusammen genommen, eine Postfach-Adresse, drei Wohnadressen – zwei in Süd-Florida und eine in Louisiana – eine Geschäftsadresse, einen Namen in zwei unterschiedlichen Schreibweisen, eine Sozialversicherungsnummer, Bankauskünfte von vier verschiedenen Kreditinstituten, wie man sie zum Beispiel beim Kauf eines neuen Autos vorlegen musste, sowie eine allgemeine Übersicht über die diversen Bank- und Kreditkartenkonten des Mannes, seine laufenden Kredite sowie verschiedene Adressen, wo er sich angeblich gerade aufhielt.

Cooper hatte kein besonders großes Interesse, bei jemandem anzurufen, den er gar nicht kannte, der mit seinem Anruf nicht rechnete und der seinerseits nicht das geringste Interesse haben würde, die Fragen zu beantworten, die er ihm stellen würde. Woran er aber ein Interesse hatte, das war, herauszufinden, wer diesen Profikiller auf Cap'n Roy angesetzt hatte. Und seine einzige Spur im Moment – abgesehen von der Regierung der Vereinigten Staaten von Amerika und allen anderen, die Zugang zu den Berichten und zum Funkverkehr der Drogenbekämpfungseinheiten der US-Küstenwache hatten – war der Name des Hehlers, den der Eisbär ihm gegeben hatte. Cooper konnte sich vorstellen, dass ein persönliches Gespräch mit diesem Mann ihm ein paar Antworten auf die Frage verschaffen konnte, wer sonst noch von der bevorstehenden Transaktion gewusst hatte.

Er fuhr mit seinem Boot nach Naples – eine lange Fahrt, aber ihm war nach einer Herausforderung zumute. Einschließlich einiger weniger, halbstündiger Unterbrechungen schaffte er es in knapp unter neunzehn Stunden von Bucht zu Bucht. Das entsprach einer Durchschnittsgeschwindigkeit von achtundvierzig Knoten.

Er legte in zweiter Reihe an einer ziemlich langen Jacht an, die Po Keelers *Seahawk* nicht unähnlich sah, warf die Fender über Bord, vertäute die beiden Kähne an Bug und Heck miteinander und schlenderte auf dem Weg zum Anleger durch die Achterkabine des zweiten Bootes. Höchstwahrscheinlich würde die große Jacht in absehbarer Zeit gar nicht benutzt werden, das wusste er ... Leuten, die solche Boote besaßen, ging es eher um das Haben als um das Benutzen. Er nahm ein Taxi zu dem Fernsehsender, der in einem Gebäude am Rand von Fort Myers seinen Sitz hatte.

Im Foyer des Fernsehstudios erzählte Cooper der Empfangsdame, dass er eine Geschichte zu erzählen hätte, die den Mann, der das Gesicht der Spätnachrichten war, sicherlich interessieren würde. Darin ginge es um einen Film über eine prominente Persönlichkeit, der ohne Genehmigung dieser prominenten Persönlichkeit gedreht worden sei und darum, dass die Konkurrenz sich wie wahnsinnig auf die Geschichte stürzen würden, falls Ricardo Medvez nicht sofort herauskam und sich die Rechte sicherte, solange er noch alle Chancen hatte.

Um 23.23 Uhr – Cooper sah, wie auf dem Bildschirm im Foyer gerade die Wettervorhersage begann – kam Medvez ins Foyer gestürzt. Er trug genau den Anzug, in dem Cooper ihn gerade eben noch im Fernsehen gesehen hatte. Durch den Kontrast zwischen dem dunklen Anzugstoff und dem weißen Hemd wirkte seine Latino-Haut noch dunkler als Coopers Inselbräune, obwohl Cooper blass orangefarbene Make-up-Flecken an Medvez' Hemdkragen entdeckte.

Medvez erkannte, dass Cooper der Mann gewesen war, der ihm diese kaum verhüllte Drohung hatte zukommen lassen, und grinste. Nickend bestätigte er der Empfangsdame, dass alles in Ordnung war, sah, dass Cooper auf den Bildschirm geschaut hatte, und machte die Studiotür auf.

»Wollen Sie sich den Rest von hier drin anschauen?«, sagte er. »Wir machen gerade Schluss.«

»Warum nicht«, erwiderte Cooper und folgte Medvez ins Studio.

Medvez war gut, sehr gut sogar. Cooper saß auf einem Klappstuhl, nur einen guten Meter hinter dem Regieassistenten, und sah sich den letzten Teil der Sendung an. Der Regieassistent gab Medvez die Einsätze. Abgesehen von der Wetterfrau und dem Typen vom Sport war er der einzige Sprecher im Studio. Wie er da saß und das helle Licht der Studioscheinwerfer auf Medvez' schimmerndes Haar fallen sah, konnte Cooper sich ziemlich gut vorstellen, dass alte Damen sich mit diesem Kerl genauso gut identifizieren konnten wie einfache Arbeiter. Ob links, ob rechts, ob heimatvertriebener Kubaner oder silberglänzendes Haar – egal, wer man war, in Medvez konnten sich alle irgendwie wiederfinden.

Auch die Angehörigen der Drogen-, der schwulen Porno- und der Glücksspielszene.

Als die Sendung zu Ende war, bot Medvez Cooper einen Platz in seinem kleinen Büroraum mitten im Studiogebäude an. Obwohl die letzte Sendung des heutigen Tages bereits gelaufen war, herrschte um sie herum eine zurückhaltende, aber gleichbleibende Atmosphäre der Aktivität. Cooper fühlte sich unwillkürlich an eine Polizeiwache erinnert. Medvez behielt das Jackett an und ließ sich auch nicht abschminken, lockerte aber seine Krawatte.

»Also gut«, sagte er dann. »Welchem Anlass verdanke ich diese Ehre?«

»Ich habe eine Geschichte für Sie«, sagte Cooper. »Sogar eine mit ziemlich viel Sex-Appeal. Wenn auch nicht ganz so viel wie auf Ihrem Video.«

Medvez' Blick wurde hart und unsicher, und Cooper konnte zusehen, wie der Großteil der Live-Sendungs-Aura von der oliv-orangefarbenen Haut des Nachrichtensprechers abfiel.

Cooper machte weiter.

»Es gibt da einen Ring von Antiquitäten-Schmugglern«, fuhr er fort, »der einen Teil seiner Geschäfte von Naples aus abwickelt. Könnte sogar sein, dass so was wie ein altmodischer Fluch mit im Spiel ist, da in letzter Zeit etliche aufrechte Bürger im Zusammenhang mit diesem Schmuggel-Unternehmen ihr Leben ausgehaucht haben.«

Medvez ließ sich gegen seine Stuhllehne sinken.

»In Florida passieren ziemlich viele Morde, mit denen man sich beschäftigen kann«, sagte er.

»Na ja, aber mit diesem Fall können Sie die Konkurrenz ausstechen, Ihre eigene Stellung sichern und noch mehr Babys machen ... oder wozu Sie sonst eben Lust haben«, erwiderte Cooper. »Aber Sie müssen mir so oder so einen Gefallen tun, also können Sie dabei genauso gut noch eine Geschichte für Ihre Sendung abstauben.«

Medvez sah aus, als hätte er gerade in eine Zitrone gebissen. Cooper schob ihm seine gesammelten Informationen über den Hehler des Eisbären in Naples über den Tisch.

»Der Mann, um den es in diesen Bankauskünften geht«, sagte er, »ist als Makler für die in den USA ansässigen Käufer der geraubten Artefakte tätig. Ich gebe Ihnen diese Papiere, weil ich will, dass Sie ihn ausfindig machen. Mit diesen Informationen müsste es für einen erstklassigen Reporter, wie Sie es sind, eigentlich ein Leichtes sein, ihn aufzutreiben.«

Cooper schaute auf seine Armbanduhr.

»Sie haben bis morgen Nachmittag Zeit. Dann will ich ganz genau wissen, wo ich ihn finden kann. Ich komme nach den Sechs-Uhr-Nachrichten hier vorbei, und dann wischen Sie sich das verdammte Make-up aus dem Gesicht und bringen mich zu ihm, und wir unterhalten uns mit dem Kerl. Um elf sind wir wieder hier, und Sie können einen weiteren Abend lang Ihre Berühmtheit genießen.«

Medvez nahm die Papiere in die Hand. Vielleicht, dachte Cooper, will er ja nachsehen, wie der Typ heißt. Dann ließ er den ganzen Stapel auf den Tisch fallen.

»Wofür, zum Teufel, brauchen Sie mich eigentlich?«, sagte er. »Ich bin doch gar kein Reporter. Ich sitze an meinem Studiotisch, trage ›dieses verdammte Make-up‹ und lese vor, was andere für mich aufgeschrieben haben. Ich habe während der Sendung sogar meistens kurze Hosen an – die Kameras können ja nicht sehen, was unterhalb der Hüfte los ist.«

Cooper streckte sich und gähnte.

»Ich habe mich schon so auf einen schönen, langen Lauf am Strand gefreut«, sagte er. »Das hat man normalerweise eben nicht, wenn man auf einer Insel mit nur vierhundert Metern Strand wohnt, so wie ich. Ich werde ausschlafen, mir irgendwo ein typisch mexikanisches Frühstück besorgen und dann so lange laufen, wie ich kann. Falls meine kaputten Beine mich so weit tragen, dann rechne ich mit ungefähr zehn, zwölf Kilometern hin und anschließend wieder zurück. Wenn ich das erledigt habe, gehe ich ins Hotel, um zu duschen, dann setze ich mich ins Vergina in der Fifth Street und bestelle mir einen Teller Fettuccini mit Meeresfrüchten, und danach stocke ich im Tommy-Bahama-Laden meine Garderobe mit einer Auswahl der neuesten tropischen Seidenkreationen auf.« Cooper erhob sich. »Und da ich schon so viel auf dem Zettel habe, wäre es einfach kontraproduktiv, wenn ich die Zeit meines kurzen Aufenthalts hier mit der Suche nach der aktuellen Adresse irgendeines Schwarzmarkthändlers verplempern würde.«

Medvez schüttelt den Kopf, ohne dass sich an seinem verärgerten Gesichtsausdruck etwas geändert hätte. Der Nachrichtensprecher war sich vollauf bewusst, dass er gar keine andere Wahl hatte.

Cooper lächelte und äffte dann die Worte nach, mit denen Medvez sich von seinen Zuschauern verabschiedet hatte.

»Passen Sie auf sich auf«, sagte er. »Und dann bis morgen Abend um sechs.«

24

Mit einem Muskelkater infolge seines Strandlaufs und einem vollen Magen infolge einer Eisbär-großen Portion Nudeln mit Meeresfrüchten saß Cooper auf dem Beifahrersitz des Mercedes S-500 AMG. Neben ihm, am Steuer des Fahrzeugs, dessen Besitzer, der ungeschminkte Nachrichtensprecher. Seine kräftige, bronzefarbene Haut sah ohne Make-up auch nicht viel anders aus als mit, dachte Cooper, vielleicht zehn Jahre älter, vorausgesetzt, man saß so dicht in seiner Nähe wie er.

»Von hier aus kann man seine Wohnung sehen«, sagte der Nachrichtensprecher.

Er fuhr auf einen Parkplatz, der zu einer kleinen Ladenzeile und einem Restaurant namens »Tin City« gehörte, und stellte den Wagen in einer Parkbucht gegenüber der Durchgangsstraße ab, sodass sie durch die Windschutzscheibe hindurch den Wohnblock auf der anderen Straßenseite sehen konnten. Der Parkplatz war fast leer, und Cooper konnte das Dach eines Touristen-Rundfahrt-Bootes erkennen, das in dem Kanal neben dem Parkplatz festgemacht hatte. Er wusste, dass die äußerste Spitze der Naples Bay sogar noch am Tin City vorbei und unter dem Higway 41 hindurch ins Landesinnere ragte, wo sie auf die Größe eines Bachlaufs schrumpfte und sich schließlich in einem salzigen Marschgebiet verlor. Es war schon längst dunkel geworden, und das bisschen Berufsverkehr, das es in der Innenstadt von Naples gab, hatte sich vor wenigen Minuten endgültig gelegt.

Medvez reichte ihm ein Fernglas.

»Zweiter Stock, rechter Gebäuderand, Eckwohnung«, sagte er. »Er hat die Vorhänge offen gelassen, daher kann man den Großteil seiner Wohnung ohne Probleme einsehen.«

Cooper riskierte einen Blick durchs Fernglas.

»Hat das Licht angelassen«, sagte er.

»Das war heute Morgen um sechs auch schon an, und als ich vorhin noch mal hier war, auch«, erwiderte Medvez. »Ich glaube nicht, dass seit gestern Abend irgendjemand in der Wohnung war, es sei denn, er ist ein echter Frühaufsteher.«

»Was ist mit den anderen Adressen?«

Medvez zuckte mit den Schultern. »Er ist unter keiner Telefonnummer erreichbar und reagiert auch nicht auf E-Mails. Wenn man die Nummer dieser Wohnung da anruft, dann hat man den Anrufbeantworter dran, und eine Computerstimme sagt, dass das Band voll ist. Ich habe alle vier Adressen überprüft, wo er laut den Angaben in Ihren Unterlagen während der letzten zehn Jahre gewohnt hat – zwei waren Geschäftsadressen, und zwei gehörten zu einer Wohnung. Unter der einen Geschäftsadresse firmiert jetzt eine dieser Banken, die hier in der Gegend alle paar Wochen aus dem Boden sprießen – Sun Coast Bank oder so. Ist erst vor zwei Monaten da eingezogen. Eine der angegebenen Wohnungen befindet sich ungefähr sechs Kilometer östlich am Highway 41. Dort wohnt eine allein erziehende Mutter mit ihren beiden lärmigen Teenager-Söhnen. Das zweite Geschäftsgebäude sieht ziemlich leer aus, und das hier ist die letzte Adresse auf der Liste.«

Cooper ließ das Fernglas sinken und schaute Medvez an.

»Na, wieder Spaß an der Reporterarbeit gefunden?«, sagte er.

Medvez zuckte noch einmal mit den Schultern.

»Den Sprechersessel hab' ich mir mit ein paar investigativen Geschichten verdient«, sagte er. »Aber das ist schon lange her.«

»Was haben Sie mit ›sieht ziemlich leer aus‹ gemeint?«

Er nickte. »Ein Lagerhaus. Auf dem Schild steht *Meeresfrüchte,* aber danach sieht es nicht aus, und riechen kann man auch nichts. Vielleicht ja ein Tiefkühllager, aber auf keinen Fall Einzelhandel, nicht an diesem Standort am Rand der Bucht, in einer Gegend, wie sie schlechter kaum sein könnte. Da sind sonst nur ein paar Fischverpackungsbetriebe und Boots-Rundfahrt-Büros in der Nähe. In einigen umliegenden Gebäuden war sogar nachmittags um fünf noch was los, aber in der Lagerhalle Ihres Typen gar nichts. Kein Licht den ganzen Tag über. Keine Arbeiter, keine Autos auf dem Parkplatz, kein Boot am Anleger. Ach, der Anleger ist übrigens total verrottet und kaputt, da hat seit etlichen Wirbelstürmen kein Boot mehr festgemacht. Auf dem Parkplatz sieht es nicht viel besser aus – man fährt einen vierhundert Meter langen Feldweg entlang, und am Ende steht dann nichts anderes als die Lagerhalle. Die benachbarten Betriebe haben alle eine eigene Zufahrtsstraße und einen asphaltierten Parkplatz.«

»Waren Sie schon drin?«, sagte Cooper und machte eine Bewegung mit dem Fernglas. »Haben Sie schon einen Blick in die Wohnung oder die Lagerhalle geworfen?«

Medvez' Miene verzog sich wieder zu diesem Ausdruck, als hätte er in eine Zitrone gebissen. »Berichterstatter durch Erpressung, ja. Unerlaubtes Eindringen, nein.«

Cooper legte das Fernglas auf die Ablage hinter der Handbremse.

»Ich weise Sie in die neuesten Techniken ein«, sagte er und deutete auf das Wohnhaus. »Was wird so eine Wohnung wohl Miete kosten? Zwei, maximal drei Zimmer, Küche, Bad.«

»Hier in der Stadt? So zwischen siebenhundertfünfzig und achthundert.«

»Und dafür kriegt man freien Blick auf das Tin City und die Salzmarschen?«

»Das Paradies ist relativ, mein verehrter Erpresser.«

Cooper nickte. *Das Paradies ist relativ,* der Ausdruck gefiel ihm. Im Gegensatz zu seiner Bedeutung.

»Sehen wir uns mal um«, sagte er.

Auf dem Anrufbeantworter des Zwischenhändlers waren siebenundzwanzig Nachrichten gespeichert. Cooper hörte sich jede einzelne an und stellte fest, dass zwanzig Nachrichten im Lauf der vergangenen fünf Tage eingegangen waren. Daraus ergab sich jedoch kein erkennbarer Hinweis darauf, was der Hehler am heutigen Abend vielleicht vorhaben könnte, zumindest konnten Cooper oder Medvez nichts dergleichen heraushören. Cooper kritzelte ein paar Notizen auf den Schreibblock neben dem Anrufbeantworter des Zwischenhändlers.

Der Schlüsselring mit den Wagen- und Wohnungsschlüsseln des Typen lag auf der Ablage im Flur. Fast alle Lichter brannten, auch die in beiden Badezimmern. Die Wohnung hatte zwei Schlafzimmer und zwei Badezimmer, wobei das zweite Schlafzimmer als Büro genutzt wurde – ein Dell-Computer, ein HP-Drucker, Ikea-Aktenschränke, ein Ghettoblaster, ein Telefonhörer auf der Ladestation. Das Fenster bot einen Blick auf die Salzmarschen.

Während Medvez halb versteckt an einem Türpfosten im Flur lehnte, durchsuchte Cooper das Büro. Er fand aber kaum mehr als das, was er mit Hilfe der Bankauskünfte und der anderen Informationen aus seinen eigenen Quellen bereits in Erfahrung gebracht hatte – ein paar Kontakte, von denen er vorher nichts gewusst hatte, aber das war alles. Nachdem er ein paar Dutzend Mal versucht hatte, das Computer-Passwort zu knacken, gab er auf. Er kannte zwar ein paar Leute, für die das kein Problem gewesen wäre, aber das brachte ihn im Moment auch nicht entscheidend weiter.

Cooper knipste das Licht im Schlafzimmer an und stellte fest, dass der Raum hübsch und ziemlich genauso eingerichtet war, wie man es vom Schlafzimmer eines Junggesellen erwarten würde. Die Kleider in den Schubladen machten den Eindruck, als seien sie von jemand anderem zusammengefaltet worden. Im Schrank hingen zwei dunkle Anzüge und eine überschaubare Sammlung an Freizeitkleidung im Tropenstil.

Im Kühlschrank standen eine Milchpackung kurz vor dem Verfallsdatum und ein paar Bud-Light, aber ansonsten gab es in der ganzen Wohnung nichts, was irgendwie von Bedeutung gewesen wäre.

Medvez, der sich die ganze Zeit über nicht von seinem Standort neben dem Türpfosten wegbewegt hatte, sagte: »Sie wissen genau, was Sie machen, stimmt's?«

Cooper überhörte diese Bemerkung und machte noch einen letzten Rundgang durch die Wohnung einschließlich des Flurs mit dem Anrufbeantworter. Er hatte das unbestimmte Gefühl, dass der Mann, der hier gelebt hatte, nicht mehr da war ... überhaupt nicht mehr.

Er nickte Medvez mit einer Kinnbewegung zu.

»Schauen wir doch mal nach, wie leer dieses Lagerhaus tatsächlich ist«, sagte er.

Achselzuckend ging Medvez hinter ihm her, und sie verließen die Wohnung auf dem gleichen Weg, auf dem sie gekommen waren.

Noch während Cooper im Mercedes saß und das alte Gebäude betrachtete, hatte er die Vision, dass er in dem Augenblick, in dem er aus dem Auto stieg, von einem Alligator verschlungen wurde. Wie in jedem anderen nur teilweise erschlossenen Sumpfgebiet Floridas, herrschte auch hier eine bestimmte Atmosphäre – die Kiefern, das Unterholz, die dicken Blätter der tropischen Pflanzen –, die in ihm jedes Mal wieder den leisen Verdacht nährte, dass überall gefräßige Bestien auf der Lauer lagen, die nur auf leichte Beute warteten.

Dann schüttelte er dieses Gefühl ab – typisch Nordstaatler –, stieg aus, ging mit knirschenden Schritten über den Schotter des Parkplatzes und dachte dabei, dass es tatsächlich eher

Schotter war als Erde. Er ließ den Rand seines Sichtfeldes nie aus dem Blick, immer gefasst auf einen plötzlich auftauchenden Alligator, und umrundete so das ganze Lagerhaus.

Dabei bestätigte sich im Großen und Ganzen das, was der Nachrichtensprecher gesagt hatte: Die in die Jahre gekommene Holzkonstruktion war an einer unschwer als Erddeponie erkennbaren Stelle errichtet worden. Sie ragte ein Stück weit in einen schmalen, sumpfigen Arm der Bucht hinein, wie eine Art Seebrücke mit einem einzigen, heruntergekommenen Anleger, der einen mehr als instabilen Eindruck machte. Durch das Restlicht, das von den umliegenden Häusern herüberdrang, konnte Cooper die Umrisse des Gebäudes erkennen, doch sein Versuch, einen Blick durch die verschmierten Fensterscheiben ins Innere zu werfen, scheiterte.

Er entdeckte ein Fenster mit ausgeleiertem Scharnier, musste sich ordentlich dagegenstemmen, um die dicke Farbschicht zu überwinden, da das Fenster etliche Dutzend Male gestrichen worden sein musste, und kletterte ins Innere des baufälligen Lagerhauses. Es dauerte nicht lange, da hatte er einen Lichtschalter entdeckt, und schon erwachten zwei in konisch geformten Blechröhren steckende Lampen flackernd zum Leben. Das Geräusch, das sie von sich gaben, erinnerte Cooper an einen sterbenden Moskito. Er drehte sich um und sah, wie Medvez hinter ihm hergeklettert kam – der Mann konnte einfach nicht widerstehen.

Zwischen all den aufgereihten Kisten und Bücherregalen, die bis zum Anschlag mit vergilbenden Taschenbüchern gefüllt waren, sah das Ganze aus wie ein Großhandel für den ganzen billigen Mist, den man in Head Shops angeboten bekam: bemalte Holzstatuen von diversen Ureinwohnern, Totempfähle, dunkle Tropenholzmöbel, Tische, vollgestellt mit Figuren aus Blech und Gusseisen, sowie ganze Stapel mit großen Bilderrahmen, umhüllt von dicken Schutzhüllen.

Cooper meinte, noch etwas anderes wahrzunehmen – nur sehr entfernt, aber dennoch erkennbar hing es in der feuchten Luft des Lagerhauses. Vermutlich nicht gerade ein optimaler Aufbewahrungsort für Gemälde und neue Bücher. Und wahrscheinlich auch nicht für das, was er zu riechen glaubte.

Er gelangte in ein kleineres Hinterzimmer in dem Gebäudeteil, der über dem Wasser hing. Dort nahm er zum ersten Mal das tiefe Brummen großer Tiefkühlaggregate wahr. Hier befand sich auch der erste Hinweis darauf, dass El Oso Blancos Hehler ein legales Unternehmen betrieb: Schilder, Etiketten, Plastiktüten und niedrige Tiefkühltruhen, die alle mit demselben Logo versehen waren: eine Krabbenschere und dazu eine rote Inschrift: *Königskrabbenbeine aus Snow Country, tiefgefroren nördlich der Grenze und frisch auf Ihren Tisch.*

Von einem Ende des Landes zum anderen, dachte Cooper ... eine Nation, deren Konsumenten schon lange nicht mehr wussten, was *Frische* eigentlich bedeutete.

Er dachte, dass der Geruch ja auch von den Krabben stammen könnte, wusste aber, dass das nicht stimmte. Dann entdeckte er einen Wandschalter und machte noch mehr Licht. Er klappte die erste der drei hüfthohen Tiefkühltruhen auf und durchwühlte sie. Dabei handelte er sich ein halbes Dutzend Schnitte an den Händen ein, verursacht durch die gefrorenen Krabbenbeine, die er hin und her schieben musste, um besser sehen zu können.

In der zweiten Truhe entdeckte er dann – eingequetscht zwischen eine volle Ladung in Plastik verpackter, importierter Königskrabbenbeine – die unbedeckte, aber durch und durch gefrorene Leiche eines Mannes. Das musste nach Coopers Einschätzung der Hehler sein, den Ernesto Borrego für seine Geschäfte auf dem Festland benutzt hatte.

Er war sich zwar nicht ganz sicher, da die Kleidung der Leiche mit einer weißen Eisschicht überzogen war, aber es sah fast so aus, als befänden sich in der unmittelbaren Nähe der Herzkammern des verblichenen Hehlers mindestens zwei Einschusslöcher. Er wischte die Frostschicht vom Gesicht des Kerls und konnte anhand einiger Fotos, die er in seiner Wohnung gesehen hatte, seine Identität bestätigen.

Cooper ließ den Deckel der Tiefkühltruhe wieder fallen. Medvez lauerte direkt hinter ihm.

»Nur für den Fall, dass Sie sich fragen sollten«, sagte Cooper. »Für mich ist das keine besondere Überraschung.«

»Nein? Na, dann vielen Dank, dass Sie mich mitgenommen haben«, erwiderte Medvez. »So was wollte ich schon immer mal sehen – frisch gefrorenen Kunstschmuggler. Elf neunundneunzig das Pfund.«

Cooper nickte düster.

Staatsdiener hin oder her, er hatte eine ziemlich konkrete Vorstellung davon, wer als Nächstes an der Reihe war. Dann schaltete er das Licht aus.

»Auf geht's, Mr. Spätnachrichten«, sagte er in die Dunkelheit. »Wenn wir schnell genug von hier verschwinden, dann kriegt vielleicht niemand mit, dass Sie für mich Detektiv gespielt haben. Und dann können wir vielleicht zumindest dafür sorgen, dass Sie nicht *auch* noch auf die Liste kommen.«

25

Benommen griff Laramie zum Hörer.

»Ja?«

»Raus aus den Federn«, hörte sie den vertrauten Bariton sagen. Übernächtigt wie sie war, wäre sie beinahe in eine alte Gewohnheit geschlüpft – diese Stimme war so etwas wie ein bequemer alter Schuh. Sie spürte seine Gegenwart und dachte an den Sand, der sich immer in ihre Betten geschlichen hatte, ganz egal, wo sie gewesen waren. Träge räkelte sie sich zwischen ihren Laken ...

Und schreckte hoch.

»Mein Gott«, sagte sie. »Wie viel Uhr ist es?«

Sie stemmte sich in eine sitzende Position und lehnte sich an das Kopfbrett.

»Früh«, sagte Cooper, »oder spät. Je nachdem.«

Das bestätigte sich bei einem Blick auf die blassgrünen Zahlen ihres Weckers: 4:42 Uhr.

»Du solltest so langsam in die Hufe kommen«, sagte Cooper. »Wenn du dich nicht sofort aus dem Bettchen schwingst, dann schaffst du es nicht bis um sieben zu deinem Frühstücks-Termin in Naples.«

»Ich habe um sieben Uhr einen Termin in Naples?«

»Im Sunrise Café. Bekannt für seine pochierten Eier, aber es gibt da auch vorzügliche Doughnuts.«

So langsam bekam Laramie einen klaren Kopf. Sie behielt ihre Fragen – *Heißt das, du hast dir unser Angebot noch einmal durch den Kopf gehen lassen?* Oder noch besser: *Was machst du denn in Naples?* – wohlweislich für sich. Ich warte lieber ab, dachte sie, bis wir uns gegenübersitzen.

Allerdings ... einen kleinen Vorstoß konnte sie sich doch nicht verkneifen.

»Und warum sollte ich mich deiner Meinung nach um diese Uhrzeit überhaupt über anderthalb Stunden lang ins Auto setzen?«

»Ich bin zufällig in der Gegend. Da dachte ich, ich könnte dir und ›den Leuten, für die du arbeitest‹, einen Gefallen tun. Ihnen ein bisschen Zeit sparen ... du weißt schon, für den Fall, dass sie schon mal angefangen haben, nach dem Nummernkonto zu suchen, auf das meine Lösegeldforderung ursprünglich eingezahlt worden ist, oder nach den etlichen hundert Investitionen, die meine Finanzverwalter mittlerweile getätigt haben und die wie kleine finanzielle Ostereier rund über ganzen Globus verteilt sind. Außerdem solltest du dir auch keine allzu großen Hoffnungen machen, aus deinem persönlichen Erfahrungsschatz etwas zu der fruchtlosen Suche der staatlichen Behörden nach meinen Reserven beitragen zu können ... bloß weil wir eine Zeit lang zusammen waren, heißt das noch lange nicht, dass du mehr über den Aufenthaltsort des Geldes weißt als die Wasserschildkröten südlich von Conch Bay.«

»Aha«, sagte Laramie. *Ich wusste doch, ich hätte gar nicht erst damit anfangen sollen ...*

»Aber sei es, wie es will«, fuhr Cooper fort. »Da sie mehrere Generationen Steuerfahnder darauf ansetzen könnten und trotzdem nichts finden würden, erspare ich ihnen einfach den ganzen Aufwand und trinke mit dir eine Tasse Kaffee – so, wie es deinem ›ursprünglichen Angebot‹ entspricht. Und was die Fahrerei angeht ... einer der Gründe, wieso du die Kilometer fressen musst, ist der, dass ich nicht einmal in die Nähe der Leute kommen will, für die du arbeitest.«

»In Ordnung.«

Die Telefonleitung stand irgendwie zwischen ihnen, teils laut, teils leise.

»Du hast von einer Tasse Kaffee gesprochen«, sagte Laramie. »Trinkst du denn mittlerweile Kaffee?«

»Ist gut gegen das Kopfweh.«

»Und was sind die anderen Gründe?«

»Warum ich Kaffee trinke?«

»Du hast gesagt: ›einer der Gründe‹ ... dass du wegen ›der Leute, für die ich arbeite‹ nicht hierherkommen willst, und dass das ›einer der Gründe‹ sei, wieso ich fahren muss. Was sind die anderen?«

Aus ihrem Telefonhörer drang eine Art ersticktes Seufzen.

»Laramie, nach unserem Frühstücks-Termin hüpfe ich wieder an Bord meiner vollgetankten Rennmaschine und mache mich auf den Weg in Richtung Süden. Das Wetter soll schlechter werden, weil der Tropensturm, der im Augenblick gerade 150 Millimeter Regen auf Cancún niederprasseln lässt, sich auf den Golf zubewegt, und das bedeutet, dass ich spätestens um zehn Key West hinter mir haben muss, weil sonst nämlich die besagte Rennmaschine irgendwo auf halber Strecke als Glasfiber-Trümmerhaufen im Meer landet.«

»Und wenn der Sturm schneller weiterzieht als erwartet?«

»Dann musst du dein Müsli alleine essen.«

Dagegen lässt sich nichts sagen, dachte Laramie.

»Also gut«, sagte sie. »Falls der Sturm es zulässt, dann sehen wir uns um sieben, und ich weihe dich ein.«

»Du kannst mich so lange einweihen, wie du willst«, erwiderte Cooper, »und ich sage dir gerne, was ich von dem allem halte. Aber falls du mich danach oder auch jetzt bitten willst, für die geheimnisvollen Leute zu arbeiten, für die du arbeitest, dann lautet meine Antwort: kein Interesse.«

Dann war ein Knall zu hören, und Laramie wusste, dass er den Hörer auf die Gabel geworfen hatte.

Sie ließ sich gegen das Kopfbrett sinken, sodass der Nebel, der ihr unausgeschlafenes Gehirn umgab, sich langsam verziehen konnte. Sie blieb mit geschlossenen Augen sitzen, eine Minute lang, vielleicht auch fünf, dann warf sie die Decke beiseite und stellte ihre Füße auf den Boden.

Sie stand auf und überlegte, wie sie sich wohl um fünf Uhr morgens am besten einen der kohlrabenschwarzen Suburbans der Sonderkommission besorgen konnte.

»Es ist nur eine Frage der Zeit.«

Cooper nippte an seinem schwarzen Kaffee und versuchte vergeblich dahinterzukommen, was Laramie ihm eigentlich mitteilen wollte. Er war sich sicher, dass es nicht das sein konnte, wonach es geklungen hatte.

»Könntest du das vielleicht noch mal wiederholen?«

»Deine Koffein-Sucht«, sagte sie. »Du hast doch früher keinen Kaffee getrunken. Aber jetzt siehst du mir verdächtig nach einem Zwei-Tassen-zum-Frühstück-Typen aus. Da ist die Sucht nicht mehr weit.«

»Kann sein«, meinte er. »Aber als ich das letzte Mal nachgesehen habe, da waren ein paar andere Süchte für das rapide Schwinden meines Vermögens verantwortlich. Keine Ahnung, ob da überhaupt noch welche Platz haben.«

Cooper war gereizt – oder fühlte sich zumindest äußerst unbehaglich. Seit Laramie an seinen Tisch getreten war, hatte sich, so kam es ihm vor, seine Pulsfrequenz leicht erhöht. Das war ein vertrautes Gefühl – vertraut unerfreulich. Er hatte eigentlich gedacht, dass er dagegen immun sei, und das war ja das Unerfreuliche daran: Er war davon ausgegangen, dass seine mittlerweile über ein Jahr andauernde Wut über Laramies Entscheidung, ihm und seinem Inselleben den Rücken zu kehren, in Kombination mit der gleichermaßen sinnlosen wie lachhaften Drohung, die sie in Zusammenhang mit ihrem »ursprünglichen Angebot« ausgesprochen hatte, als eine Art Kraftfeld fungieren würde. Wie ein Burggraben.

Und nun saß er hier, sein Frühstückstermin war gerade einmal drei Minuten alt, und das Kraftfeld hatte sich bereits verflüchtigt und dem guten, alten, erhöhten Pulsschlag Platz gemacht. Er stellte sich eine imaginäre Wand vor, die sich explosionsartig in eine Million digitale Pixel auflöste und den Blick auf ein dahinter befindliches Bild freigab.

»Du bist ein Arschloch«, sagte Laramie.

Cooper blinzelte.

»Du bist ein infantiles, leichtfertiges, unbeherrschtes, unausstehliches kleines Kind«, fuhr sie fort, »in der Hülle eines alternden, sonnenverbrannten, von Schlägen und der Zeit geschundenen Mannes.«

Sie machte gar keinen besonders emotionalen Eindruck, sondern hatte sich einfach nach vorne gebeugt, die Unterarme quer auf den Tisch gelegt, und ihm über seinen und ihren Kaffee hinweg die Meinung gegeigt. Cooper nahm ein paar Züge, ließ Zeit verstreichen, spülte jeden Schluck der bitteren, schokoladenartigen Flüssigkeit ausgiebig im Mund herum und stellte die Tasse zwischendurch immer wieder auf der Untertasse ab, um die Zeit zwischen jedem Nippen-Schmecken-Schlucken in die Länge zu ziehen. Er wusste, dass die Analytikerin, die ihm gegenübersaß, noch nicht fertig war.

»Ein erwachsenes menschliches Wesen«, sagte Laramie, »würde die Entscheidungen eines anderen menschlichen Wesens nämlich respektieren und, auch wenn diese Entscheidungen schwierig und schmerzhaft oder sogar verletzend waren, einen gewissen zwischenmenschlichen Anstand wahren. Sogar ein trotziges, kleines Kind, dessen Freundin sich in einem qualvollen, gründlichen und bewussten Prozess entschlossen hat, zu ihrer Arbeit zurückzukehren, und das diese Entscheidung *persönlich* genommen hat, würde *irgendwann* einsehen, dass seine Reaktion viel zu heftig ausgefallen ist, und würde anrufen, sich vielleicht sogar entschuldigen oder wenigstens, um Gottes willen – du Pferdearsch! – ans Telefon gehen, wenn ich schon die Reife und die Langmut aufbringe, in diesem gottverdammten Beach Club anzurufen, obwohl ich genau weiß, dass Ronnie dazu verdonnert worden ist, mich abzuwimmeln, verfluchte Scheiße noch mal.«

Diese Worte kamen in einem solch sachlichen Ton daher, dass Cooper sich vorkam wie in einer der nicht ganz so beliebten, lokalen Nachrichtensendungen, die Abend für Abend gegen Ricardo Medvez' demonstrative, gut unterrichtete Heimeligkeit antreten mussten.

Obwohl er gerade nicht in der Stimmung war, sich zu rechtfertigen – obwohl er *nie* in der Stimmung war, sich zu rechtfertigen – entgegnete Cooper: »Hey, ich hab dich angerufen. Schon zweimal.«

»Einfach deinen groben Schädel aus dem Wasser zu strecken, nachdem du mich ein Jahr lang komplett auflaufen lassen hast, das habe ich mit ›irgendwann‹ nicht gemeint.«

»Irgendwann ist ein relativer Begriff«, sagte er. »Sogar ein subjektiver.«

Sie schaute ihn eine ganze Weile an, immer noch auf die Unterarme gestützt. Trotzdem ging ein Stück ihrer distanzierten Fassade verloren. Auf der blassen Haut seitlich an ihrem Hals waren ein paar rosafarbene Flecken zu sehen, die sich langsam weiter nach oben arbeiteten. Er konnte das Knistern in der Luft hören, als sie mit aller Macht versuchte, die Färbung unterhalb ihres Blusenkragens zu halten.

»Also, es geht um Folgendes«, sagte sie.

Dann fing Laramie an, von Benny Achars schmutziger, selbstmörderischer Heldentat und deren Folgen in Gestalt der einhundertfünfundzwanzig verstorbenen und ehemaligen Einwohner von Hendry County zu berichten. Sie kam auf Achars falsche Identität ebenso zu sprechen wie auf die Frage, was geschehen könnte, wenn Achar nur einer von vielen war und wie wahrscheinlich das war. Es folgte eine überarbeitete Fassung der Fakten, die in den Medien bereits präsentiert worden waren. Dann sagte sie, dass sie beauftragt worden war, eine Konterterror-Einheit zu leiten, die die Aufgabe hatte, Achars Genossen, wenn es denn welche gab, sowie diejenigen, die Achar überhaupt erst aktiviert hatten, ausfindig und nach Möglichkeit unschädlich zu machen.

»Ach so, mehr nicht«, erwiderte Cooper.

Laramie beachtete ihn gar nicht und schloss mit einer kurzen Erläuterung ihrer Theorie, dass Achars Filovirus-Bombe eine Botschaft sein sollte – eine Art Brotkrümel, dem sie folgen sollten. Die Ähnlichkeit zwischen der Konterterror-Strategie, die sie im Rahmen ihres Projektkurses skizziert hatte, und der Organisation, für die sie allem Anschein nach jetzt tätig war, verschwieg sie. Laramie brauchte genau vierunddreißig Minuten einschließlich Coopers Unterbrechung, dann hatte sie ihren Vortrag beendet.

Da Cooper im Anschluss an seine vierte Tasse Kaffee Kopfschmerzen bekommen hatte, bestellte er sich eine Portion pochierte Eier. Laramie wollte schon abwinken, da bestellte Cooper für sie ein Müsli mit Obst der Saison.

»Fettarme Milch, bitte«, fügte Laramie hinzu, bevor die Kellnerin davonwatschelte.

Als sie wieder alleine waren, sagte Cooper. »Das war interessant, wie du die ganze Geschichte von Benny Achar und deiner eigenen Rolle erzählt hast«, sagte Cooper, »ohne einmal zu erwähnen, wer dich beauftragt hat oder wer für diese ›Konterterror-Einheit‹ eigentlich zuständig ist.«

Laramie sagte gar nichts.

»Gleichermaßen interessant wie die Tatsache, dass eine eins zweiundsechzig große Geheimdienst-Analytikerin mit zarter Haut und umwerfenden Beinen mir erzählen will, dass sie plötzlich die Aufgabe hat, internationale Terroristen ›ausfindig und nach Möglichkeit unschädlich zu machen‹. Vielleicht«, fuhr er fort, »sollte ich dir gar nicht erst meinen Rat anbieten, sondern dir die Pistole leihen, die da östlich von meiner Hüfte hängt.«

Laramie lehnte sich ein kleines Stück zurück und verschränkte die Arme vor der Brust.

»Wow«, sagte sie. »Sollte das vielleicht ein halbherziger, leicht kindischer Versuch einer Entschuldigung sein? Das mit der zarten Haut und den umwerfenden Beinen?«

»Ich weiß nicht, ob ich so weit gehen würde.«

»So, wie ich dich kenne – und das ist nach meiner Überzeugung ein winziges bisschen besser, als du dich selbst kennst –, interpretiere ich das als Entschuldigung. Ich weiß, dass das alles ist, was ich jemals kriegen werde.«

Dann schwiegen sie, bis das Essen serviert wurde. Als Cooper seinen halben Teller geleert und Laramie einmal von ihrer Melonenspalte abgebissen hatte, sagte Laramie: »Und, was hältst du davon?«

»Von der Achar-Zwickmühle, meinst du?«

»Ja.«

Cooper dachte über ihre Frage nach.

»Wen hast du denn in deinem Team?«, sagte er. »In deiner ›Konterterror-Einheit‹?«

»Ich habe mit einer ganzen Reihe von Kandidaten gesprochen. Freiwillige mit den unterschiedlichsten Erfahrungshintergründen, die alle bis in die letzte Ecke durchleuchtet worden sind. Außerdem«, sagte sie, und ihre Worte wurden schneller, »habe ich mit einem meiner ehemaligen Professoren Kontakt aufgenommen. Er wird wahrscheinlich ebenfalls dazustoßen.«

Cooper hob den Blick von seinen pochierten Eiern und schaute sie leicht angewidert an. »Du willst mich verarschen, stimmt's?« Er überlegte, ob er noch etwas hinzufügen sollte, beschloss dann aber, dass der abfällige Kommentar, der ihm durch den Kopf ging, an seiner stetig zunehmenden Verärgerung nichts Entscheidendes ändern würde. Also ließ er es sein und sagte: »Und, wie geht es Professor Eddie denn so?«

»Es geht ihm gut.«

»Um dir ein paar Antworten oder Ratschläge geben zu können«, sagte Cooper, »brauche ich mehr Informationen als diesen halbstündigen Vortrag. Ich müsste mir wahrscheinlich alle deine Unterlagen mal anschauen ... keine Ahnung ... Verhörprotokolle, vielleicht alles, was du schriftlich über diesen Typen hast, von dem Zeitpunkt an, als er zum ersten Mal unter falschem Namen aufgetaucht ist. Natürlich verfüge ich über gewisse Erfahrungen im Erschaffen einer neuen Identität. Aber abgesehen von diesem Vorwissen bin ich mir nicht so sicher …«

»Warte mal … dann müsstest du aber deine Rückfahrt verschieben, sonst sehe ich keine Möglichkeit …«

»Ich dachte, du willst meinen Rat?«

»Aber ich kann dich auch nicht einfach mit einem Stapel streng geheimer Akten auf dein Boot …«

»Na, klar kannst du das.«

»Hör zu. Du weißt, dass ich … dass *wir* deine Hilfe haben wollen, nein, *brauchen,* aber wenn du dabei die ganze Zeit auf Conch Bay hockst oder in San Juan oder wo immer du jetzt hinfahren willst, dann funktioniert das nicht.«

»Nein? Tja, dann trotzdem danke für das Frühstück. Ist ja immer besser, mit vollem Magen auszulaufen.«

Er signalisierte der Kellnerin, dass er zahlen wollte.

»Du kannst dich doch nicht einfach weigern oder bestimmen wollen, wie die Sache läuft«, sagte Laramie, und Cooper konnte sehen, wie sich die Rosafärbung langsam wieder über den Kragenrand schob. »Du hast schon begriffen, dass womöglich Tausende oder eher Hunderttausende oder noch mehr Menschen sterben müssen, falls Achar einer von vielleicht einem Dutzend Schläfern war, von denen jeder ein riesiges Wasserreservoir oder ein anderes lebenswichtiges Gebiet ins Visier genommen hat, oder?«

Sie beugte sich über den Tisch und wirkte mit einem Mal ausgesprochen aufgebracht. »Und da willst du einfach nach Hause schippern und dich an den Strand legen?«

»Ehrlich gesagt«, meinte Cooper. »Ja.«

Sie starrte ihn an.

»Vielleicht«, fuhr Cooper fort, »kannst du ja zusammen mit

Professor Eddie und deinem Team aus freiwilligen Heilsarmisten weitermachen und dieses kleine Rätsel auf eigene Faust lösen.«

Da kam die Rechnung, und Cooper legte ein paar Zwanziger auf das Tablett, ohne einen Blick auf den genauen Betrag zu werfen. Dabei fiel ihm eine Geschichte ein, die er einmal gehört hatte. Sie handelte von Frank Sinatra und Sammy Davies junior. Vor irgendeinem Casino in Las Vegas hatte Sinatra Sammy gefragt, ob der ihm einen Zwanziger in Kleingeld wechseln könnte, und Sammy hatte gesagt: »Zwanziger *sind* Kleingeld, Baby.« Cooper wusste zwar nicht mehr, wer ihm die Geschichte erzählt hatte oder ob es vielleicht Sammy gewesen war, der den Schein gewechselt haben wollte, aber es war schon eine ganze Weile her, dass er diese Geschichte gehört hatte, und er hatte sie nie vergessen.

»Hör zu, warte doch, du gottverdammte Nervensäge«, sagte Laramie. Sie hatte die Hand über den Tisch gestreckt, ohne jedoch seinen Arm zu berühren. Trotzdem spürte er die Wärme ihrer Finger, die nur zwei Zentimeter von seinem Handgelenk entfernt auf der kühlen Glasplatte lagen. »Ich kann dir einen Teil der Unterlagen per Diplomatenpost zuschicken. Sie sind verschlüsselt, aber ich lasse mir etwas einfallen, wie du an den Code kommen kannst. Aber alles kann ich dir nicht schicken, und du musst dich beeilen, denn falls Achar sich nicht auf Befehl seiner Auftraggeber in die Luft gesprengt hat, dann sind sie womöglich in der Zwischenzeit dahintergekommen, was er gemacht hat. Dass er Alarm geschlagen hat, meine ich, und das könnte bedeuten, dass die anderen Schläfer bereits aktiviert sind. Wir haben unter Umständen nur noch einen Monat, eine Woche, ... einen Tag.«

Cooper lächelte ohne jede Überzeugung und machte sich daran, den Köder auszuwerfen.

»Ich sehe mir alles an, was du mir schickst«, sagte er, »und was immer du mir später noch mitteilen willst. Aber nur unter der Bedingung, dass die Leute, für die du arbeitest, dafür sorgen, dass es sich für mich auch lohnt.«

»Was?«

»Mit schwebt da schon etwas vor, in groben Zügen zumindest.«

»Moment mal, du hast aber schon verstanden, dass ich immer von einer *freiwilligen* Mitarbeit im Team gesprochen habe, oder? Willst du etwa behaupten, du willst aus einer terroristischen Bedrohung persönlichen Profit ...«

»Ja.«

Sie starrte ihn an, schweigend, und Cooper entdeckte in ihrem Blick eine Art hasserfülltes Mitleid. Laramie war eindeutig sauer auf ihn und seine degenerierte Moral. Er stellte fest, dass diese Reaktion ihn gleichermaßen erregte wie enttäuschte. Und genau dieses Gefühl hatte er in ihrem Beisein eigentlich von Anfang an gehabt – als ob sie ihn aufgrund seines rüpelhaften Benehmens ständig mit Vorwürfen konfrontiert hatte.

»Ich schlage Folgendes vor«, sagte Cooper. »Am besten erstattest du den Leuten, für die du arbeitest, Bericht. Berichte ihnen, dass ein Mitglied deines Teams nach eingehender Überlegung grundsätzlich bereit gewesen wäre, sich um der nationalen Sicherheit willen *kostenlos* an dieser Aktion zu beteiligen – wäre da nicht diese Drohung gewesen, zu der man dich gedrängt hat, in der Hoffnung, mich dadurch zum Mitmachen zwingen zu können. Da du – und sie –, da ihr also diese Drohung ausgesprochen habt, werde ich meine Dienste der Organisation, die für die ganze Aktion die Verantwortung trägt, in Rechnung stellen. Das Ministerium für Heimatschutz? Die National Security Agency? Jemand Neues? Das ist mir scheißegal. Ihr wollt mein Expertenwissen, das bisschen, das ich habe, also müsst ihr dafür bezahlen. Es kostet euch genauso viel wie unseren verstorbenen, gemeinsamen ehemaligen Boss Peter M.

Gates vor achtzehn Jahren, zuzüglich Zinsen. Da wir beide uns aber so nahestehen, will ich mal nicht so sein und setze den Zinssatz auf symbolische viereinhalb Prozent pro Jahr fest, geradezu ein Schnäppchen.«

»Mein Gott«, sagte Laramie, und ihr mitleidiger Gesichtsausdruck wich blankem Ekel. »Um wie viel Geld soll es denn gehen?«

»Nicht viel. Pete hat mir zwanzig Jahre Gehalt ausbezahlt, beginnend bei einer GS-14-Stelle, dazu jährliche Leistungsprämien, regelmäßige Beförderungen und den üblichen jährlichen Gefahrenzuschlag. Plus die Zinsen selbstverständlich.«

»Das ist doch nicht dein Ernst. Ich kann unmöglich ...«

»Als sie dir diesen Auftrag gegeben haben, haben sie da gewusst, dass du mich kennst?«

»Was?« Laramie zwinkerte, dann blitzte sie ihn wütend an. »Wie kommst du darauf, dass mich jemand anders beauftragt haben könnte?«

»Du meinst, jemand anders als die CIA?«

»Ja.«

»Weil das nicht ihr Stil ist. Die CIA gibt nicht einfach irgendjemandem so viel Macht, wie du sie, nach allem, was ich bis jetzt gehört habe, hast. Nicht mehr. Zumindest nicht, ohne dass man sie dazu erpresst.«

Er grinste.

Laramie seufzte. »Und worauf läuft es nun hinaus?«

»Nehmen wir einfach eine runde Summe, und sagen wir: 20 Millionen.«

»Ach, komm schon.«

»Ich denke, ich werde unbedingt gebraucht?«

»Vielleicht hätte ich es nicht so ausdrücken sollen.«

»Vielleicht. Ich möchte das Geld als Einmalzahlung. Die Nummer des Nummernkontos, auf das das Geld überwiesen werden soll, gebe ich dir noch. Und dieses Konto wird schon wenige Sekunden nach Eintreffen des Geldes nicht mehr vorhanden sein, also komm gar nicht erst auf dumme Gedanken.«

Er überlegte kurz, griff dann nach dem Kugelschreiber auf Laramies Tischseite und schrieb vier Telefonnummern auf eine Serviette mit einem großen Tabasco-Fleck. Alle vier hatten dieselbe Vorwahl und denselben Ländercode.

»Ich bin während der kommenden acht Tage unter einer dieser Nummern erreichbar. Jede Nummer ist nur achtundvierzig Stunden lang gültig, dann kommt die nächste dran. Nach ungefähr einem Jahr habe ich alle Nummern durch, bis der Zyklus wieder von vorne beginnt.«

Er reichte ihr die Serviette, stand auf, machte auf dem Absatz kehrt und ging hinaus.

26

Während des größten Teils der Fahrt von Naples nach Hause machte Cooper sich Gedanken über die jüngste Vergangenheit, über ihre konkrete Ausgestaltung durch und ihre Auswirkung auf Po Keeler, Cap'n Roy, El Oso Blancos mit tiefgefrorenen Krabben schlafenden Hehler ... und über die anonymen Killer, die sie alle kaltgemacht hatten. Cooper nannte sie im Stillen *Ausknipser* – die *Ausknipser*, die auch den Killer angeheuert hatten, den Lieutenant Riley auf dem Abhang neben Cap'n Roys unendlich langem Pool erschossen hatte.

Er würde Lieutenant Riley anrufen und sich erkundigen, ob die Ballistiker eine Übereinstimmung zwischen den Geschossen, die Keelers Tod verursacht hatten, und denen, die auf Cap'n Roy abgefeuert worden waren, gefunden hatten. Er nahm an, dass das der Fall sein würde – je mehr Leichen zusammenkamen, desto klarer wurde das Bild. So viel jedenfalls stand fest: Alle bisherigen Todesopfer hatten mit dem Transport, dem Raub oder dem Wiederverkauf der goldenen Artefakte zu tun gehabt. Die Liste der noch lebenden, unmittelbar Beteiligten war nicht besonders lang: er selbst, El Oso Blanco, Lieutenant Riley und dessen Männer sowie Susannah Grant, deren Mitwirkung aber seines Erachtens nicht zurückverfolgt werden konnte. In jedem Fall war die Wahrscheinlichkeit groß, dass er und seine bislang überlebenden Mitstreiter bald schon zum Kreis der Opfer zählten, sollte es ihm nicht gelingen, die Ausknipser zu identifizieren und auszuschalten.

Nach wie vor wunderte er sich, dass noch kein Anschlag auf sein Leben verübt worden war, und falls er davon ausgehen konnte, dass El Oso Blanco sich nach wie vor abwechselnd von diversen Imbissbuden eimerweise Mittagessen liefern ließ – was aber vermutlich mittlerweile nicht mehr der Fall war –, dann war es genauso verwunderlich, dass auch Borrego noch nicht das Vergnügen eines Attentats gehabt hatte. Vielleicht glaubten die Killer, dass Lieutenant Riley durch den Mord an seinem Regierungschef so eingeschüchtert worden war, dass er Stillschweigen bewahrte. Vielleicht war Riley aber auch nur schlau genug, immer auf der Hut zu sein ... oder aber die Ausknipser hatten einfach noch keinen zweiten Killer losgeschickt, der sich um den Lieutenant kümmern sollte. Trotzdem, falls der Ausknips-Auftrag weiterhin Bestand hatte, dann war Riley nach Coopers Einschätzung wohl als Nummer drei an der Reihe.

Er und der Eisbär wären die beiden Bewerber um die Spitzenposition.

Wenn allerdings das Ziel der Ausknipser darin bestand, die Spur der goldenen Artefakte zu verwischen, warum hatten sie dann den Eisbären nicht als Allererstes umgebracht? Vielleicht hatten sie gar nicht gewusst, dass der Hüne damit etwas zu tun hatte, aber das erschien Cooper ziemlich unwahrscheinlich –

schließlich war es ja erst Borrego gewesen, der die ganze Sache ins Rollen gebracht hatte. Vielleicht war es ja sehr schwierig, Borrego umzubringen, aber auch diese Theorie war alles andere als wasserdicht, besonders angesichts des Schweizer-Käse-artigen Sicherheitssystems in seinem Hauptquartier in Venezuela.

Könnte doch sein, sinnierte er, dass der *Eisbär* der Ausknipser ist – aber so schön das auch ins Bild gepasst hätte, nach Coopers Ansicht war es Blödsinn. Borrego hätte ja nichts davon gehabt, genauso wenig wie Cap'n Roy.

Auch nach stundenlangem Theoretisieren kam Cooper immer wieder zu demselben Schluss: Die Ausknipser hatten ihn nur deshalb noch nicht ausgeknipst, weil er auf der Gehaltsliste der CIA stand. Jetzt, wo auch Cap'n Roy erschossen worden war, war klar, dass es nicht reichte, Mitarbeiter einer staatlichen Behörde zu sein. Die Ausknipser hatten offensichtlich keine Hemmungen, den Regierungschef eines kleinen Inselstaates und NATO-Verbündeten ins Visier zu nehmen. Wenn es jedoch – so lautete zumindest seine Arbeitshypothese – um einen Mitarbeiter einer staatlichen Behörde der guten alten Vereinigten Staaten von A. ging, dann bekamen sie Hemmungen.

Was hieß, dass die Ausknipser wahrscheinlich ebenfalls im Dienst der Vereinigten Staaten von A. standen – oder, noch genauer: im Dienst der *Regierung* der Vereinigten Staaten von A. Es gab außerdem eine ganze Reihe von Indizien, die nahtlos in dieses Bild passten. Der Profikiller beispielsweise war ein Typ gewesen, wie er von bestimmten Institutionen aus dem Reich des Bösen gerne beschäftigt wurde. Cooper dachte, dass dieser Killer nach einem fehlgeschlagenen Attentat, einer unmöglichen Flucht aus einem Foltergefängnis, einer klug konzipierten Erpressung seines Arbeitgebers und dazu noch ein paar Jahrzehnten Sonne und Alkohol vermutlich eine große Ähnlichkeit mit jemand anderem gehabt hätte.

Als er östlich von Kuba durch einen viereinhalb Meter hohen Wellenkamm pflügte, war er nach mehreren Stunden intensiven Nachdenkens wieder an seinem Ausgangspunkt angelangt.

Cap'n Roy war tot. Irgendjemand, der vermutlich auf Onkel Sams Gehaltsliste stand, wollte nicht, dass etwas über die wertvollen Antiquitäten bekannt wurde, die El Oso Blanco gekauft, verkauft und verschickt hatte. Cap'n Roy hatte schlicht und einfach das Pech gehabt, sich unter mehreren dämlichen Gierhälsen entweder als der dämlichste oder der gierigste oder als beides zu erweisen – und war deshalb umgebracht worden.

Cooper dachte plötzlich, dass er, sollte er sich einmal in einer rachelüsternen Stimmung befinden – *Und wann bin ich das nicht?* –, herausfinden musste, wer die Ausknipser waren. Und falls er keine Lust hatte, die Festplatte des Hehlers aus der Wohnung bei den Salzmarschen zu entwenden und sich ein paar Wochen lang damit zu beschäftigen, jeden einzelnen Namen, den er dem elektronischen Adressenverzeichnis entlocken konnte, zu überprüfen, obwohl er bereits jetzt schon wusste, dass er dabei nicht das Geringste über die Ausknipser erfahren würde ...

Verdammt noch mal, ich muss genau in der entgegengesetzten Richtung suchen.

Das einzige Problem bestand darin, dass alle, die sich auf der anderen Seite der Gleichung befanden, bereits tot waren. Alle, bis auf einen: den 2,05 Meter großen Koloss und blasshäutigen Star des intermodalen Transportgewerbes, genannt der Eisbär.

Er konnte El Oso Blanco ja anrufen, konnte ausprobieren, ob es stimmte, dass er normalerweise zurückrief. Vielleicht gelang es dem Hünen ja, ein bisschen Licht in das Dunkel zu bringen, das den Ursprung der Artefakte umgab. Ein wenig mehr als das, was er ihm in seinem Büro über einen Eimer Nudeln hinweg zugenuschelt hatte: *irgendwo im Grenzgebiet zwischen Guatemala und Belize.* Keine Gegend, in der Cooper seine Freizeit verbringen wollte. Keine Gegend, in der Cooper überhaupt irgendwelche Zeit verbringen wollte.

Aber er hatte stark das Gefühl, als gäbe es keine andere Möglichkeit – selbst, wenn Borrego die Wahrheit gesagt hatte und sie persönlich zum Fundort der Kunstgegenstände reisen mussten, um genau die Dinge zu entdecken, die Cooper interessierten. Er hatte, verdammt noch mal, keine andere Wahl – nicht mehr, nicht, nachdem der Geist der dreißig Zentimeter hohen Priesterinnenstatue in seinem Schädel von einer zweiten Erscheinung Gesellschaft bekommen hatte, einer Erscheinung, die einst Cap'n Roy Gillespie gewesen war. Cooper hörte, wie der gierige, dämliche Hurensohn in zweistimmiger Harmonie mit der gleichermaßen lästigen Priesterin auf ihn einredete: *»Ey, Cooper, hier oben warten wir, die unrechtmäßig Abberufenen, und jetzt bist du alles, was wir haben. Oh, ja, die Wahrheit wird uns frei machen, Moonn, und dann denken wir vielleicht auch mal d'rüber nach, dich frei zu lassen!*

Cooper schwenkte hinter Anegeda in den Sir Francis Drake Channel und dachte, dass es aller Wahrscheinlichkeit nach noch eine ganze Weile dauern würde, bis Cap'n Roy in Frieden ruhen konnte. Dass der »Spion von der Insel«, wie der verstorbene Regierungschef ihn gerne genannt hatte, im Anschluss an ein letztes Telefonat, das keinerlei weiterführende Erkenntnisse bringen würde, eben noch ein bisschen vorsichtiger sein musste als sonst – zumindest so lange, bis der Fluch, der alle traf, die mit diesen goldenen Kunsthandwerksgegenständen und der nervtötenden Dreißig-Zentimeter-Priesterin zu tun bekamen, sich verdammt noch mal endgültig verzogen hatte.

27

Laramies Diplomatenpost war schneller als Cooper. Wie üblich in solchen Fällen hatte jemand – vermutlich Ronnie – das Päckchen bereits auf seine Terrasse gelegt. Cooper vermutete außerdem, dass es von einem Kurier nach Conch Bay gebracht worden war, der klare Anweisung erhalten hatte, das Päckchen nur an ihn persönlich zu übergeben, dass aber Ronnie oder einer der anderen Mitarbeiter den Kurier dazu überredet hatten, sich an der Bar erst mal ein bisschen zu entspannen, um ihn dort betrunken zu machen und anschließend zurück auf das Boot oder Wasserflugzeug zu schicken, mit dem er angekommen war.

Anfangs hatte Cooper das Päckchen auf der dunklen Terrasse einfach ignoriert, war nach neunzehn Stunden auf hoher See in seinen Bungalow getaumelt und direkt auf sein Bett geplumpst, um so lange zu schlafen, wie die Ziege des Tages es ihm gestattete.

Als er aufwachte, hörte er menschliche Stimmen und Musik und war schockiert angesichts des mittagshellen Sonnenscheins, der durch die Jalousien drang. Sein erster Gedanke war, dass die Ausknipser womöglich die gottverdammte Ziege umgelegt hatten.

Ein Blick auf die Armbanduhr machte ihm jedoch klar, dass drunten im Bar & Grill nicht das Frühstück, sondern bereits das Mittagessen im Gang war.

Die Musikauswahl des Restaurants bediente sich aus einem immer gleichen Bestand karibischer Melodien, die ihm jedoch niemals langweilig wurden. Der Lebensstil, auf den manche sich ein ganzes Jahr lang freuten, um ihn dann sieben Tage lang genießen zu können: die Musik, der Rum, die Sonne, der Sand, das Wellenrauschen, die Fische, die Korallenriffe, die Taucher-

und Schnorchelausrüstungen ... Cooper hatte das das ganze Jahr über, und es wurde ihm niemals überdrüssig. Niemals. Es wurde Jahr für Jahr ein klein wenig voller, jedes Mal, wenn man etwas genauer hinschaute, schien der Glanz ein klein wenig abgestumpft zu sein, aber aus seiner Sicht hätten die British Virgin Islands sich das Elixir, das in jeder Lagune der ganzen Inselkette sprudelte, patentieren lassen können. Es war die Essenz der Karibik – zumindest die Essenz jenes Teils der Karibik, den man genießen konnte, wenn man genügend Geld hatte oder aber irgendwann zwischendurch zu dem Schluss gekommen war, dass Geld nicht so wichtig war.

Vielleicht würde er Lieutenant Riley anrufen und ihm vorschlagen, dass die Royal Virgin Islands Police Force das Patent beantragte – jetzt, wo Cap'n Roy nicht mehr war, brauchte sie schließlich eine neue Einnahmequelle.

Cooper war selbst überrascht von seiner guten Laune, führte sie aber darauf zurück, dass er so lange geschlafen hatte. Er schlenderte auf seine Terrasse, wo es an diesem Tag etwas kühler war als sonst, und begutachtete das Diplomaten-Päckchen. *Ein bisschen Vorbereitung kann ja nicht schaden – nur für den Fall, dass meine absurden 20 Millionen von »den Leuten, für die sie arbeitet«, abgenickt werden.*

»Ronnie!«

Coopers Stimme erreichte eine erhebliche Lautstärke. Es dauerte nicht lange, bis der Laufbursche mit dem Pferdeschwanz durch den Garten spaziert kam und vor seiner Treppe stand.

»Schinken-Sandwich, Conch Fritters, eine Flasche Cabernet.«

Ronnie war angesichts dieser erniedrigenden Behandlung anscheinend auch nicht gekränkter als sonst, machte wortlos kehrt, ging ein paar Schritte, blieb stehen, drehte sich um und musterte den quengeligen Dauergast aus Bungalow neun mit einem fragenden Blick aus zusammengekniffenen Augen.

»Cabernet?«, sagte er.

»Bring ihn einfach her.«

Cooper setzte sich hin, machte das Päckchen auf und holte einen kleinen Aktenstapel heraus. Er legte ihn auf den Boden, griff nach dem ersten Ordner und fing an, sich mit der jüngsten und recht turbulenten Geschichte von Hendry County, Florida, sowie mit den Meinungen der kleinen Menschenarmee zu beschäftigen, die sich vor ihm mit dieser Geschichte befasst hatten. Laramie hatte auf seinem Satellitentelefon eine Nachricht hinterlassen und ihm den Dechiffrier-Code mitgeteilt.

Nachdem Ronnie das Essen und die geöffnete Flasche Wein gebracht hatte, schenkte Cooper sich ein Glas ein, nahm einen ersten Schluck, wurde, wie jedes Mal, daran erinnert, wie unangenehm er den ersten Kontakt zwischen Wein und Zunge empfand, und befreite sich mit Hilfe eines zweiten Schlucks, gefolgt von etlichen weiteren, aus dieser misslichen Lage.

Er aß, las und trank. Als er mit der letzten Akte fertig war und sie auf den Stapel zu den anderen gelegt hatte, ließ er sich ein wenig tiefer in seinen Sessel sinken.

»Tja, Benny Achar«, sagte er laut. »Wie kriegen wir wohl am besten dein altes Ich zu fassen?«

Er dachte kurz an sein eigenes Verschwinden, das unfreiwillig und unbeabsichtigt gewesen war, sowie an sein anschließendes, erneutes Auftauchen in einer selbst geschaffenen Gestalt. Als Mann mit einem erfundenen Namen, einem neuen Heim, neuen Gewohnheiten, neuen Nachbarn – alles anders als vorher. Ohne jeden Kontakt zu den Menschen oder der Welt seiner Vergangenheit. Nicht, dass er davor viele solcher Kontakte gehabt hätte, nicht, nachdem die Verbindungen mit diesem alten Leben gekappt worden waren, ob nun gegen seinen Willen oder nicht.

Vielleicht hatte Benny Achar genauso etwas erlebt. Zu Hause, wo immer das gewesen sein mochte ... vielleicht hatte er dort niemanden gehabt. Vielleicht waren alle, die ihm etwas bedeutet hatten, verschwunden. Gestorben oder umgebracht worden. Aber angesichts dessen, worauf er sich dann eingelassen hatte, musste er noch irgendetwas in sich gehabt haben – und wenn es nur Hass oder Wut oder Traurigkeit gewesen sein mochten. Falls Laramie in Bezug auf Achars Absichten richtiglag – und Cooper wusste, dass Laramie meistens richtiglag –, dann hatte Achar in Gestalt seines neuen Ichs womöglich eine gegenteilige Erfahrung gemacht: hatte Zufriedenheit, Glück oder sogar etwas noch Besseres gefunden, vielleicht mit Hilfe seiner Frau und seines Sohnes. Und hatte eben deshalb beschlossen, seine Mission abzubrechen. Um eine Warnung auszusenden. Um Brotkrümel auszustreuen.

Cooper konnte die Erfüllung, die Achar in seinem neuen Leben gefunden haben mochte, nachvollziehen. Für ihn war Conch Bay eine solche Quelle der Erfüllung, zumindest während der ersten Stunden nach einer erholsamen Nacht. Und er hatte noch eine solche Quelle gehabt – zumindest so lange, bis die Frau, die ihm diese kaum gekannte Zufriedenheit beschert hatte, beschlossen hatte, die Versorgungsleitungen zu kappen und sich auf den Weg zurück in die Zivilisation zu machen.

Ach ja, die Zivilisation, dachte er, und der Cabernet ließ seine Grübeleien zu glasklaren Gedanken werden, dort, wo es solch raffinierte Dinge wie *»Konterterror-Einheiten«* gibt.

Er überlegte kurz, wie jemand vorgehen würde, der *seine* frühere Identität lüften wollte. Das wäre keine allzu große Herausforderung. Die Informationen waren ja nicht gerade versteckt, vertuscht oder irgendwie geheim gehalten worden. Er wusste, dass er angeblich bei einem Flugzeugabsturz ums Leben gekommen war, der nichts mit seinem tatsächlichen Verschwinden zu tun gehabt hatte. Vermutlich befand sich in irgendeinem streng geheimen Aktenschrank eine genaue Dokumentation der Mission, die sämtliche Kameraden aus seiner Spezialeinheit das Leben gekostet hatte. Der Mission, die sein altes Ich ausgelöscht hatte.

Das war ein interessanter Gedanke. Vielleicht war es ja bei Benjamin Achar ähnlich gewesen. Vielleicht war auch seine reale Version offiziell tot. So, wie er die Identität eines Verstorbenen angenommen hatte, konnte er doch auch eine andere, wenn auch nur offiziell tote Identität abgelegt haben.

Vielleicht war das aber auch überhaupt kein interessanter Gedanke, und es spielte sowieso keine Rolle.

Cooper stellte fest, dass er das Sandwich und die Fritters vollständig aufgegessen und den Cabernet bis auf einen winzigen Schluck geleert hatte. Außerdem stellte er fest, dass er sich mit einer ganzen Flasche *Vino* im Bauch ziemlich gut fühlte.

Vielleicht noch nicht gerade *erfüllt,* aber trotzdem ziemlich gut.

Er trank den letzten Schluck aus, suchte nach dem Fax von Susannah Grant und wählte mit dem Satellitentelefon ihre Nummer.

Sie meldete sich nach dem dritten Klingeln, und Cooper wusste, dass er keine weitere Bestätigung brauchte. Er legte auf – war ja nicht nötig, die Wunden der in Austin so plötzlich abgebrochenen Leidenschaft wieder aufzureißen. Ihr ging es gut und selbst, wenn sie an ihrem Telefon die Anruferkennung eingeschaltet haben sollte, dann würde sie lediglich die Meldung NUMMER UNTERDRÜCKT auf ihrem Display erkennen. Die Ausknipser hätten sie schon längst erledigt, wenn sie etwas von ihr wüssten.

Jetzt wählte Cooper erneut, dieses Mal die Nummer von Borrego Industries in Caracas. Als er die Empfangsdame bat, ihn mit dem Eisbären zu verbinden, erwiderte die Frau kurz und knapp und in dem schlechten Englisch, das er schon bei seinem persönlichen Besuch zu hören bekommen hatte: »Wer ist da?«

Cooper hörte ihren Tonfall und spürte, wie sein Magen sich zusammenkrampfte.

»Sagen Sie ihm, Cooper ist dran«, sagte er.

»Was ist der Grund?«

»Sagen Sie ihm einfach, Cooper ist dran.«

Sie legte ihn in die Warteschleife, und Cooper wartete. Nach rund einer Minute meldete sich ein Mann, dessen Stimme Cooper nicht sofort erkannte. Aber dass es sich nicht um Ernesto Borrego handelte, das war ihm auf der Stelle klar.

»Warum rufen Sie hier an?«, sagte der Mann. Er hatte eine tiefe Stimme, fast so tief wie Cooper, und mit demselben schweren Akzent wie die Rezeptionistin – sowie ein hörbar finsteres Gesicht, das Cooper sogar trotz der vielen Tausend Kilometer, die zwischen ihnen lagen, ganz deutlich wahrnehmen konnte.

»Na ja, ich habe angerufen, weil ich mit Borrego sprechen will«, sagte Cooper. »Deshalb wollte ich ja mit ihm verbunden werden.«

»Er ist nicht erreichbar.«

»Und ich dachte, er sei so kompetent im Telefonieren?«

»Kompetent?«

»Gut. Fachmännisch. Begabt ...«

»Ich weiß, was das Wort bedeutet. Man kann aber nur schwer kompetent sein, wenn man tot ist.«

Mist.

»Wann?«, wollte Cooper wissen.

»Bitte. Wir haben bereits die *Policia* über Ihren Anruf verständigt.«

»Richten Sie ihr schöne Grüße aus ...«

»Sie sind der Hauptverdächtige in diesem Mordfall. Ich schlage vor, Sie stellen sich den Behörden in Ihrem Wohnort Tortola.«

Daneben, dachte Cooper, aber nur knapp.

»Ja, klar«, erwiderte Cooper. »Das mache ich gleich als Nächstes. Wer ist denn da?«

»Was glauben Sie denn?«

»Ich wette, Sie sind der freundliche Aufpasser, der mir die Pistole abgenommen hat«, sagte Cooper.

Der Velociraptor am anderen Ende der Leitung schwieg.

»Sí«, sagte er dann. »Und ich nehm' sie dir auch wieder ab, falls du noch mal hier aufkreuzt. Aber diesmal schieß ich damit auf dich und geb' sie dir nicht wieder zurück.«

»Viel Glück. Stehe ich wegen meines Besuchs von letzter Woche unter Verdacht?«

»Du stehst unter Verdacht, weil du ihn erschossen hast.«

Cooper sagte: »Ich brauche die Namen der Grabräuber, denen Borrego die goldenen Artefakte abgekauft hat. Die Ladung war von Caracas unterwegs nach Naples. Borrego hat gesagt, Sie würden mir die Namen geben.«

»Quatsch. Ich würde sie dir nicht mal geben, wenn er das wirklich gesagt hätte. Weißt du was? Ich bringe dich persönlich um«, erwiderte der Velociraptor. Dann war ein gedämpftes *Pfft* zu hören. Vermutlich hatte der Kerl ausgespuckt. »Ich werde dich eigenhändig umbringen. Ich weiß, wo du wohnst.«

Cooper fragte sich, ob Borregos Schläger auf den Boden oder einen Schreibtisch gespuckt hatte. Und er fragte sich, ob der Typ vielleicht zu viele Comics gelesen hatte.

»Da wärst du nicht der Erste, der das probiert«, sagte er nur und legte auf.

Nach dem langen Strandlauf in Naples und der noch längeren Heimfahrt auf seinem Boot spürte Cooper eine Art dumpfes Ziehen in jedem einzelnen Teil seines Körpers. Ob es wirklich an dem Lauf und der Fahrt lag? Vielleicht gab es ja auch eine andere Ursache, den Wein zum Beispiel. Vielleicht, so dachte er, sollte ich mal umziehen, an einen längeren Strand, wo ich jeden Tag ein größeres Stück laufen kann, ohne dass ich, wie hier, nach fünfhundert Schritten schon wieder umkehren muss. Oder vielleicht sollte ich mir überhaupt einen anderen Strand suchen, egal, ob lang oder kurz, irgendwo, wo das Paradies nicht relativ ist. Zumindest noch nicht.

Wo ich nach einem der seltenen Male, die ich ungestört ausschlafen konnte, nicht erfahren muss, dass ich der nächste Kandidat auf der Todesliste bin.

Vielleicht gibt es ja in Tahiti oder Fidschi oder Malaysia einen Strand, wie ich ihn mir vorstelle. Vielleicht gibt es ja dort einen Ort, wo ich mir einen anderen Bungalow suchen, mir einen neuen Namen ausdenken und schließlich meine gottverdammte Flucht vor dem Wahnsinn zu Ende bringen kann, wie ich es schon vor neunzehn Jahren versucht habe. Vielleicht wäre es sogar ein Ort ohne Erinnerungen, ohne Telefonanrufe und ohne die vielen Zwickmühlen in Gestalt von Cap'n Roy, Po Keeler, der Küstenwache, dieses gottverdammten, dreißig Zentimeter großen, goldenen Götzenbildes in meinem Regal, des gottverdammten Eisbären, des Hehlers des Eisbären und seiner Königskrabben – ja, sogar ohne diesen anderen Typen mit dem ausgedachten Namen, den guten, alten Benny Achar, der sich in die Luft gesprengt, dabei mehr als hundert Bewohner des Staates Florida umgebracht und ein oder zwei staatliche Institutionen gegen sich aufgebracht hatte.

»Andererseits ... vielleicht würde ich auch gar nichts anderes finden«, sagte er und ließ Ronnie noch eine Flasche Wein bringen.

28

Nachdem Wally Knowles einen Verlag für sein drittes Taschenbuch-Manuskript gefunden hatte, hatte er sich ein kleines, einstöckiges Häuschen in New Hampshire gekauft – drei Zimmer, Küche, ein kleines Bad, alles in allem rund fünfundfünfzig Quadratmeter groß. Zum Haus gehörten außerdem siebeneinhalb Hektar Wald und ein über hundert Meter langes Steilufer, das direkt hinab in den Sunapee Lake stürzte. Hatte ihn 62 900 US-Dollar gekostet. Rund acht Jahre später erkannten die ersten Touristen, dass der Wintersportort Sunapee auch im Sommer ein herrliches Fleckchen Erde war, und sie bezahlten das Zehnfache des Betrages, den Knowles für seinen Besitz ausgegeben hatte, nur um einen 20 Ar großen Bauplatz zu ergattern.

Zwei Wochen, bevor er das Haus am See gekauft hatte, war er von seiner Frau verlassen worden. Da er sich ihre Ansicht zu eigen gemacht hatte und sich selbst für bedeutungslos hielt, beschloss Knowles, der für seinen dritten Roman einen Vorschuss von 75 000 US-Dollar kassiert hatte – sein erster Vorschuss überhaupt –, so sparsam wie nur möglich zu leben. Das würde er auch müssen angesichts der Maßnahme, mit der er seine immer mächtiger werdende Midlife Crisis in den Griff bekommen wollte. Unmittelbar nach der Unterzeichnung der Scheidungspapiere hatte Knowles seinen mit 38 400 Dollar pro Jahr dotierten Job als Pflichtverteidiger in der Bronx gekündigt. Ab sofort wollte er seinen Lebensunterhalt mit Schreiben verdienen. Er nahm einen großen Teil seines Vorschusses als Anzahlung für das Haus, handelte für den Rest des Kaufbetrages einen Kredit mit einer Laufzeit von dreißig Jahren aus und fand sich am Tag der Unterschrift in einem Haus mit Seeblick wieder, in dem er, einschließlich aller Notar- und anderer Nebenkosten, für 208,71 US-Dollar im Monat so lange schreiben konnte, wie es ihm passte.

Wäre Mrs. Knowles nicht ums Leben gekommen, bevor ihr Exmann in den Einflussbereich eines positiven Karmas geraten war, sie hätte es womöglich bereut, dass sie bei den Scheidungsverhandlungen gesagt hatte, sie wolle »keinen roten Heller haben«, und den ihr eigentlich zustehenden, fünfzigprozentigen Anteil an den »lästigen kleinen Büchern« ihres Mannes ausgeschlagen hatte. Buch Nummer fünf sprang in der ersten Woche nach Erscheinen auf den zweiten Platz der Bestsellerliste der *New York Times* und war anschließend beinahe drei Jahre lang nicht aus den ersten fünf Rängen zu verdrängen. Dreizehn Millionen verkaufte Exemplare. Das führte unter anderem dazu, dass auch von seinen ersten vier Büchern etwas über sechs Millionen Exemplare verkauft wurden.

Knowles bereute zu keinem Zeitpunkt, sein vorheriges Leben so vollständig hinter sich gelassen zu haben. Als einziger Afroamerikaner weit und breit, dazu noch mit einer Vorliebe für schwarze Anzüge, schwarze Ray-Ban-Brillen, schwarze Hemden und Krawatten sowie einen schwarzen Cowboyhut, gepaart mit einem absoluten Desinteresse an jeder Art von Gespräch, wurde Knowles allgemein nur »der schwarze Typ vom See« genannt. Er hatte zwar mitbekommen, dass sich das mit der Zeit gewandelt hatte und er mittlerweile auch »der Schriftsteller« genannt wurde, aber dennoch war klar, dass die Leute ihn trotz seines Erfolges für einen ziemlich seltsamen Kauz hielten.

Was Knowles ganz vorzüglich in den Kram passte.

Als »der schwarze Typ vom See« hatte Knowles eine Menge Freizeit. Er sprach nur mit seinem Lektor und verbrachte den größten Teil seiner Zeit damit, Computer-Systeme, Datenbank-Zugänge, Satelliten- und ultraschnelle Kabelverbindungen sowie praktisch jedes andere technische Zubehör zu installieren, das normalerweise der Förderung der Kommunikation diente. Für Knowles jedoch erfüllten all diese Geräte und Anschlüsse einen anderen Zweck: Er konnte dadurch den Kontakt mit anderen Menschen komplett vermeiden und ihnen trotzdem immer in jeder Hinsicht einen Schritt voraus sein. So war Knowles beispielsweise die erste nicht an einer Universität beschäftigte Privatperson, die über einen Internet-2-Anschluss verfügte, der sehr hohe Übertragungsgeschwindigkeiten und sehr große Bandbreiten bietet und ursprünglich ausschließlich einem Zusammenschluss verschiedener Universitäten vorbehalten war. Der Schriftsteller gefiel sich in der Vorstellung, dass er mit Hilfe all der Recherchedienste und der Firmen-Intranets, zu denen er Zugang hatte, jede Tatsache herausfinden und jeden Menschen ausfindig machen konnte, und zwar schneller als jeder andere Zivilist auf dieser Welt.

Als seine Frau ums Leben gekommen war, ergriff Knowles zwei wichtige Maßnahmen. Zunächst einmal benutzte er, der unter einer viermonatigen Schreibblockade litt, seine ganze technische Ausrüstung, um sich bis zur Halskrause mit Forschungsergebnissen, Untersuchungen und Meldungen einzudecken. Er erfuhr alles, was es über die Menschen zu erfahren gab, die seine Exfrau zum Opfer ihres eigenen, unbändigen Zorns gemacht hatten, über diejenigen, die sie nicht ausreichend beschützt hatten, und auch über die Vergeltungspläne der Regierung. Mit einem Blutdruck im gesundheitsgefährdenden Bereich und der Erbitterung als ständiger Begleiterin zog er sich in ein einziges Zimmer seines Hauses am See zurück. Vor seinem inneren Auge liefen unaufhörlich Filme ab – Filme, auf denen zu sehen war, wie seine Exfrau wie gewöhnlich um 8.30 Uhr ihr Büro betrat, die üblichen Dinge erledigte, vielleicht kurz einmal aus dem Fenster schaute, das einen Blick auf die Stadt bot, wie ihn nur der 103. Stock des World Trade Center Nummer eins bieten konnte. Aber alle diese Filme hatten, wie sollte es anders sein, immer denselben Schluss: Weißes Papier schwebte umher. Graue Wolken senkten sich auf die Erde, stoben zur Seite, dann wieder gen Himmel. Gegen Ende des vierten Monats, den er in diesem einen Zimmer verbracht hatte, entwarf Knowles die Handlung des Romans, der sein Durchbruch werden sollte. Aber vor allem erkannte er, dass die Frau, mit der er verheiratet gewesen war, noch immer einen festen Platz in seinem Herzen einnahm.

Die andere Maßnahme, die Knowles ergriff, hatte er mit einem Mann namens Dennis Cole gemeinsam.

Cole war Detective im Morddezernat des New York Police Department, 23. Bezirk. Früher hatte er höchstens knappe acht Stunden pro Tag gearbeitet, um möglichst viel Zeit mit seiner neuen Ehefrau verbringen zu können. Coles Juniorpartner hatte da noch so viel Eifer an den Tag gelegt, dass er die Mehrarbeit kommentarlos auf sich genommen hatte. Es dauerte jedoch nicht lang, da musste sein Partner überhaupt keine Mehrarbeit mehr machen – Cole blieb immer länger im Dezernat, kam auch an den Abenden vorbei, an denen gar nichts mehr zu tun war, und griff mehr oder weniger nach jedem x-beliebigen Strohhalm, nur um sich nicht eingestehen zu müssen, dass Cynthia Cole allabendlich sehr viel länger unterwegs war, als ihre Aufgaben als Wertpapierhändlerin es erforderlich machten. Nach zwei langen Jahren voller erfundener, kostspieliger Arbeitsessen, Gala-Diners und – obwohl Cole sich das nicht eingestehen wollte – einer Menge Sex unter Nicht-Teilnahme ihres Ehemanns, hatte Mrs. Cole eine »Trennung auf Probe« vorgeschlagen.

Im Gegensatz zu Knowles, der sich zu Anfang nicht viel daraus gemacht hatte, dass seine Frau ihn verlassen hatte, grämte sich Cole vor Kummer und Sehnsucht fast zu Tode. Er fing an zu trinken ... aber das war erst der Anfang. Die Tatsache, dass Cole sich nach seiner Frau verzehrte, bedeutete unter anderem auch, dass – als sie sich an jenem zweiten Dienstag im September nicht meldete und nicht von der Arbeit nach Hause kam, als sie sich, trotz Coles Abstieg in die Hölle, die der Süden Manhattans an jenem Tag war, nicht blicken ließ, und als keine Spur von ihr zu finden war, nachdem Cole, einer Statue gleich und unermüdlich, drei volle Wochen lang für alle deutlich sichtbar in der Triage-Station, nur einen Straßenzug vom Ort des Grauens entfernt, ausgeharrt hatte – es bedeutete, dass Cole es geschafft hatte, sich selbst davon zu überzeugen, dass sie vielleicht doch wieder zusammengekommen wären.

Hätte nicht die vollgetankte Boeing 767 ihrer vermeintlichen Sehnsucht nach einer Rückkehr in seine starken Arme ein plötzliches Ende bereitet.

Buchstäblich unmittelbar im Anschluss an die Beerdigung in Stamford kehrte Cole an seine Arbeit zurück – eine trübsinnige Fahrt in der Metro North bis zum Grand Central, und er war wieder da. Vergrub sich in die drei ungelösten Mordfälle, die er und sein Partner auf den Tisch bekommen hatten, noch bevor ein paar Querstraßen weiter zweitausendachthundert Menschen auf einen Schlag ermordet worden waren. Von einer unbändigen Wut angestachelt, löste er alle drei Fälle und wurde zu einem der erfolgreichsten Detectives des gesamten New York Police Department. Im nächsten Jahr hatte er eine Aufklärungsquote von hundert Prozent – sechzehn von sechzehn Fällen gelöst.

Was er jedoch mit seiner Freizeit anfing, das war eine andere Geschichte.

Wenn er nicht arbeitete, benahm sich Cole, eins achtzig groß, fünfundneunzig Kilogramm schwer und ehemals aktiver Sportler, mehr oder weniger wie ein Bulimie-kranker Teenager. Tagtäglich kurz nach 17.00 Uhr fing er an zu trinken und zu essen, nur um später, zwischen halb vier und fünf Uhr nachts, alles wieder auszukotzen. An den Abenden trank er so viel und so regelmäßig, dass seine Not leidende Leber irgendwann nach Mitternacht einen Kalorienschub verlangte, der einen ganzen Elefanten satt gemacht hätte. Das wiederum führte zu einem Morgenritual, an dem er mit grausamer Entschlossenheit festhielt: Tagtäglich gegen kurz vor vier stolperte er den Flur seines kleinen Ein-Zimmer-Lochs ohne Aufzug in Queens entlang, gewöhnlich von irgendeiner merkwürdigen Stelle aus, an der er am Abend zuvor zusammengebrochen war. Sein Ziel war das Badezimmer. Manchmal stürzte er dabei und stieß sich die Knochen an den harten Flächen und Kanten wund, knallte mit dem Knie auf den Kachelboden oder stieß mit dem Schienbein gegen die Badewannenkante. Jeden Morgen torkelte er dort hinein und kotzte sich die Seele aus dem Leib.

Und jedes Mal kam es ihm so vor, als ob sein traumatisierter Körper nichts von all den Speisen und Getränken, die er Stunden zuvor zu sich genommen hatte, verdaut hatte. Als ob das ganze Essen und Trinken einfach in seinem Magen geblieben wäre und darauf gewartet hätte, dass es wieder ausgestoßen wird. Und genau das machte er. Er stieß es aus. Unter Schmerzen.

Mit der Zeit weitete sein Magen sich immer mehr, wurde zuerst weich, dann groß, dann monströs, so lange, bis die geschwächten Muskeln im Bereich seiner Rippen nur noch eine Quelle stechenden Schmerzes waren, während er seine Eingeweide immer und immer wieder in das aus den Dreißigerjahren stammende American-Standard-Becken erbrach, das nur deshalb noch nicht erneuert worden war, weil das gottverdammte Ding so einwandfrei funktionierte.

So geschah es also, dass Cole und Knowles ungefähr zur gleichen Zeit und auf ähnliche Art und Weise ihrem Zorn auf sehr ungewöhnliche Art und Weise Ausdruck verliehen. In einer

Woche Anfang Januar – auf den Tag genau vier Monate nach dem Verlust ihrer Exfrauen – verfassten beide Männer einen Brief an die Central Intelligence Agency.

Knowles' Brief war zwar geschmeidiger formuliert, aber letztendlich hatten beide denselben Inhalt: Knowles und Cole brachten auf ungefähr anderthalb handgeschriebenen Seiten das Bedürfnis zum Ausdruck, ihrem Land dienen zu wollen. Beide schrieben sie über ihre getöteten Frauen und ihren Wunsch nach Vergeltung. Jeder gestand ein, dass er möglicherweise zu alt sein könnte, um als Freiwilliger in den Militärdienst treten zu können. Daher, so stellten sie beide fest, sei es eigentlich naheliegend, sie im Rahmen des Geheimdienstes, oder, noch konkreter, im staatlich koordinierten Anti-Terror-Kampf einzusetzen.

In den Jahren nach dem Elften September waren Cole und Knowles nicht die Einzigen, die solche Briefe verfassten, und die CIA war nicht die einzige Institution, die solche Briefe erhielt. Die Personalabteilungen von CIA und FBI, die wie verrückt nach Mitarbeitern suchten, die mit der arabischen Sprache und Kultur vertraut waren, bewahrten solche Briefe normalerweise sorgfältig auf und gaben die Namen der Freiwilligen gelegentlich auch an andere Institutionen weiter.

Nach zahlreichen Befragungen, einer gründlichen Durchleuchtung ihres persönlichen Hintergrundes und einer genauen und persönlichen Überwachung ihres normalen Tagesablaufs wurden Dennis Cole und Wally Knowles, genau wegen des Zorns, den sie in sich trugen, und der Briefe, die dieser Zorn hervorgebracht hatte, auf die Liste der Personen gesetzt, aus denen Julie Laramie ihre »Konter-Terrorzellen-Zelle« zusammenstellen sollte.

29

Das eingeschossige Motel, das vor seiner Übernahme durch einen privaten Unternehmer der Motelkette TraveLodge angeschlossen gewesen war, hatte einen neuen Farbanstrich bekommen, ein kränkliches Beige, das einen seltsamen Kontrast zu dem blau-weißen Schlafbären bildete, dem Firmen-Maskottchen von TraveLodge, das immer noch über dem Haupteingang Wache stand. Auf dem Schild neben dem Bären war zwar »Flamingo Inn« zu lesen, doch unter der in schwungvollen, kursiven, rosafarbenen Lettern aufgemalten Inschrift lugten noch die alten TraveLodge-Buchstaben hervor. Davor stand, mit seinem blauen Schlafanzug und der Nachtmütze, der abgeblätterte und verblasste Bär.

Mit Hilfe ihres persönlichen Betreuers hatte Laramie zwei nebeneinanderliegende Zimmer mit Zwischentür zum Büro umgewandelt. In einem Zimmer hatten sie sämtliche Möbel mit Ausnahme eines Tisches an die Wand geschoben und stattdessen ein paar Klappstühle und einen Sessel hineingestellt, die sie in einem Wandschrank entdeckt hatten. Dazu noch eine abwischbare Tafel aus der einzigen Schreibwarenhandlung in LaBelle und schon war ihre kleine Einsatzzentrale für Arme fertig.

Wally Knowles trug einen schwarzen Leinenanzug, schwarze Halbschuhe und eine Ray Ban. Er saß mit übereinandergeschlagenen Beinen auf dem Bett, den schwarzen Hut, seinen ständigen Begleiter, neben sich gelegt. Dennis Cole, der sich für einen Klappstuhl entschieden hatte, trug eine Jeans, ein grünes Poloshirt und einen Seersucker-Blazer. Laramies Betreuer saß unsichtbar für die anderen im Nebenzimmer und machte sich an seinem Laptop zu schaffen. Sie wusste, dass er ihr demnächst Bescheid sagen würde, damit sie den dritten ihrer insgesamt vier Rekruten vom Flughafen abholen konnten ... einen ordentlichen Professor für politische Wissenschaft an der Northwestern University namens Eddie Rothgeb.

Rothgeb war der Professor, bei dem Laramie ihre beiden unabhängigen Projektkurse belegt und mit dem sie auch sonst noch ein paar Dinge gemacht hatte, die sie vielleicht lieber hätte bleiben lassen sollen. Ihn mit an Bord zu holen, war ein Schritt, bei dem sie sich nicht gerade besonders wohl fühlte, aber er war auf seinem Gebiet der Beste, und genau diese Erfahrungen brauchte sie jetzt.

Laramie hatte außerdem grünes Licht für Coopers Forderung bekommen – Rekrut Nummer vier, wie ihr Betreuer ihn genannt hatte, als er ihr die Nachricht von Ebbers oder wer immer solche Entscheidungen traf, überbracht hatte. Es hatte keine Nachfragen und keine Verhandlungen gegeben: 20 Millionen Dollar, praktisch ohne Formalitäten, für einen einzigen Mann. Darüber würde sie später noch einmal intensiv nachdenken müssen, aber eines war mit Sicherheit klar: Irgendjemand – die CIA, die NSA, die DIA, das FBI, die DEA, *wer auch immer* – nahm die Eskapaden des Benny Achar sehr, sehr ernst.

Das heißt, dass die Teilnehmer meiner kleinen Versammlung hier im Flamingo Inn nicht hier sind, um am Pool zu liegen und Piña Coladas zu schlürfen.

Am Vorabend hatten Knowles und Cole eine Zusammenfassung des Ermittlungsdossiers bekommen, erweitert um einige Schlussfolgerungen Laramies, und jeweils alleine auf ihren Zimmern durchgelesen. Rothgeb ist wahrscheinlich gerade dabei, sich seine Version anzuhören, dachte sie.

Laramie hörte auf, mit dem abwischbaren Filzstift herumzuspielen, den sie in der Hand hielt.

»Also«, sagte sie.

Cole zog die Augenbrauen nach oben und ließ sie wieder sinken. Laramie dachte, dass Tom Selleck in *Magnum* das auch immer gemacht hatte, bloß, dass er sehr viel besser ausgesehen hatte als Cole.

»Vielleicht haben Sie sich gewundert, dass man Sie hierherbestellt hat«, fing Laramie an, »oder dass Sie ohne weitere Erklärung und Einleitung gebeten wurden, diese Unterlagen durchzulesen. Das war Absicht. Die Unterlagen, die Sie gestern Abend bekommen haben, sind in diesem Fall das ›Ermittlungsdossier‹, wie es auch bei jeder Morduntersuchung angelegt wird. Das haben wir Ihnen absichtlich nicht gesagt, weil wir wollten, dass Sie sich Ihre eigene, unabhängige Meinung bilden. Weil Sie die einzelnen Umstände genauso abwägen und bewerten sollten, wie es Ihrer persönlichen Sicht entspricht.«

Wieder griff sie nach dem abwischbaren Filzstift und ließ mit Daumen und Zeigefinger den Deckel abwechselnd auf und wieder zu schnappen. Sie hatte zwar einen Teil dieser Ansprache einstudiert, sich aber letztendlich dafür entschieden, mehr oder weniger spontan zu reagieren, je nachdem, wie das Gespräch verlief.

»Sie haben sich freiwillig zur Verfügung gestellt, um Ihr Land zu verteidigen. Man hat Sie auf Ihre Eignung und Ihre Zuverlässigkeit geprüft und diese Tests haben Sie, zumindest vorläufig, bestanden. Herzlichen Glückwunsch. Sie arbeiten jetzt für mich. Ich arbeite für jemand anders. Der Mann im Nebenzimmer behält uns alle miteinander im Blick und besorgt uns außerdem alles, was wir brauchen. In Kürze wird noch ein weiteres Mitglied unseres Teams hier eintreffen.«

Laramie hatte beschlossen, Cooper in dem Umfang, in dem seine Gage von 20 Millionen Dollar es zuließ, genauso einzusetzen, wie man im Verborgenen operierende Geheimdienstmitarbeiter einsetzen sollte – nämlich geheim. Solange sie noch gar keine genaue Vorstellung davon hatte, wie er ihnen überhaupt nützlich sein konnte, würde sie ihn den anderen Team-Mitgliedern einfach verschweigen.

»Wir sind ganz auf uns allein gestellt und operieren so geheim, wie das hier im Flamingo Inn eben möglich ist, und jetzt sage ich Ihnen, was wir von Ihnen erwarten«, sagte sie. »Trotz der indirekten, in die gegenteilige Richtung weisenden Hinweise in Ihrem ›Ermittlungsdossier‹ gehen wir von der Annahme aus, dass Benny Achar kein Einzelgänger war. Wir gehen davon aus, dass innerhalb unserer Grenzen fünf, zehn, zwanzig oder noch mehr Tiefschlaf-Agenten mit falscher Identität leben, ausgestattet mit einer vergleichbaren Menge an Marburg-2-Filoviren und allen notwendigen Mitteln, um die Viren über ein sehr viel größeres Gebiet zu verstreuen, als Achar es getan hat.«

Knowles zeigte keine Reaktion. Die Sonnenbrille saß unverrückbar fest auf seiner Nase. Der Mann war ein Pokerspieler.

»Ich werde im Folgenden einige Ihrer Fragen schon im Vorwege beantworten, da wir nicht genügend Zeit haben, um allzu sehr ins Detail zu gehen. Im Augenblick ist dieses Motel unsere Operationsbasis. Sie bekommen Verpflegung gestellt, und wir sorgen dafür, dass Ihre Wäsche gewaschen wird. Es gibt bestimmte Regeln, aber dazu kommen wir später. Sie gehören jetzt, allerdings nur vorübergehend, zu einer winzig kleinen, streng geheimen Konterterror-Einheit. Das ist zwar stark vereinfacht ausgedrückt, aber trotzdem die treffendste Bezeichnung, die mir einfällt. Für die gesamten ermittlungstechnischen Arbeiten wie Recherche, Fingerabdruckvergleiche, kriminaltechnische Dinge und technische Analysen steht bei Bedarf ausreichend Personal zu unserer Verfügung. Außerdem können wir für Ermittlungsaufgaben, Überwachungsaufträge oder bestimmte Präventiv-Aktionen auf einen verdeckt operierenden Agenten zurückgreifen. Man könnte das Ganze auch so sehen: Sie sind soeben in ein Konterterror-Videospiel – oder auch in ein Brettspiel, falls einer von Ihnen genauso altmodisch sein sollte wie ich – eingestiegen, das bereits in vollem Gang ist. Mit dem einen Unterschied, dass es kein Spiel ist, sondern Realität. Unsere Rolle in diesem ›Spiel‹ ist leicht zu erklären: Wir wollen mit Hilfe sämtlicher uns zur Verfügung stehender Hinweise, Hilfsmittel und unserer Intuition Benjamin Achars Schläfer-Kollegen sowie die Person beziehungsweise die Organisation, die sie beauftragt hat, ausfindig machen und an ihrem Vorhaben hindern.«

Knowles räusperte sich, und Laramie deutete mit dem Kinn in seine Richtung.

»Der Unterschied zwischen ›Konterterror‹ und ›Antiterror‹ wird über die Frage der präventiven Maßnahmen definiert, die zur Bekämpfung der terroristischen Bedrohung eingesetzt werden – Konterterrormaßnahmen sind proaktiv, werden also auf eigene Initiative hin durchgeführt, Antiterrormaßnahmen stellen dagegen eine Reaktion auf den Terror dar. Ich setzte voraus, dass Sie sich bei Ihrer Wortwahl dieser Tatsache bewusst waren. Haben Sie denn auch ein Elitekommando in Ihrem Werkzeugkasten stecken?«

Cole runzelte seufzend die Stirn.

Laramie erwiderte: »Falls Sie darauf hinauswollen, ob ein Teil unseres Auftrages darin besteht, den Feind zu töten, so kann ich dazu nichts wirklich Eindeutiges sagen. Es könnte im Lauf unserer Aktionen aber durchaus dazu kommen. Falls Sie damit also irgendein Problem …«

»Von meiner Seite aus nicht«, unterbrach Knowles.

Laramie nickte. Knowles verzichtete auf weitere Fragen, und Laramie deutete mit dem abwischbaren Filzstift zunächst auf Knowles, dann auf Cole.

»Es wird erwartet, dass Sie, Mr. Knowles, die Entwicklung diverser denkbarer Szenarien übernehmen, während Sie, Detective Cole, in erster Linie in Ihrer Eigenschaft als Ermittlungsbeamter gefragt sein werden. Das dritte Team-Mitglied ist ein recht bekannter Professor für Diplomatie und Außenpolitik, der der Regierung schon gelegentlich als Berater zur

Seite gestanden hat. Er wird uns dabei behilflich sein, diejenigen Staaten oder Personen zu ermitteln, die die Schläfer hier eingeschleust haben könnten. Abgesehen von dieser allgemeinen Aufgabenverteilung existieren hier keine Titel und, abgesehen von meiner Leitungsfunktion, keine Hierarchie und keine Grenzen zwischen Ihrer Rolle und der Rolle Ihrer Kollegen.«

Sie stellte den Filzstift senkrecht wie einen Turm auf den Tisch und nahm einen Schluck von dem letzten aus einer langen Reihe schlechter Kaffees. Wenigstens war Ihre Gier nach Koffein dadurch spürbar geringer geworden. Sie schluckte und stellte die Tasse neben den Filzstift auf den Tisch.

»Solange Sie mich nicht vom Gegenteil überzeugt haben«, sagte sie dann, »gehen wir davon aus, dass Benjamin Achar sich weder versehentlich selbst in die Luft gesprengt noch das Pathogen ungewollt freigesetzt hat. Nach allem, was seine Frau mir anvertraut hat – und was nicht im Ermittlungsdossier enthalten war –, hat Achar zu ihr gesagt, dass sie sich ›nicht weniger als sieben Tage lang‹ versteckt halten soll, falls irgendetwas Besonderes passiert, während sie mit ihrem Sohn verreist war. Er hat genau gewusst, was er tat und wann er es tat, und ich glaube, dass er auch ganz genau gewusst hat, wie viel Filo-Serum er nehmen muss, damit er zwar einen gewissen Schaden anrichtet, aber nicht gleich eine Seuche auslöst.«

»Also hat er die Leuchtpistole abgefeuert«, sagte Cole barsch.

Laramie hatte ihn nicht richtig verstanden.

»Wie bitte?«

»Er hat seine Leuchtpistole abgefeuert. Hat eine Leuchtrakete in den Himmel gejagt, damit wir aufmerksam werden. ›Seht mal, was bald passieren wird, wenn ihr nicht irgendwas dagegen unternehmt.‹ Damit wir gegen die anderen vorgehen können. So würde ich das auch interpretieren.«

»Ach, tatsächlich«, schaltete sich Knowles ein. Sein sarkastischer Tonfall machte überdeutlich, dass er Cole für einen Streber hielt, der sich ein Extralob verdienen wollte und seiner Lehrerin deshalb nach dem Mund redete. Laramie sah, wie Cole dem Schriftsteller einen herausfordernden Blick zuwarf. *Ich komme mir schon jetzt vor wie eine Kindergartentante,* dachte sie und wandte sich an Cole.

»Wenn aber die ganze Explosion eine Leuchtrakete war«, sagte sie, »würden Sie dann nicht auch davon ausgehen, dass er wahrscheinlich irgendwo noch ein paar Knallfrösche hinterlassen hat? Oder Brotkrümel? Je nach Analogie.«

»Ja«, meinte Cole zustimmend und setzte das Duell der bösen Blicke mit Knowles fort.

»Suggestivfrage«, sagte Knowles. Laut.

»Suggestive Antwort«, meinte Laramie. »Vielleicht.«

Vielleicht hatte Knowles gerade ein kleines Grinsen angedeutet, aber das kurze Zucken seiner schmalen, zusammengepressten Lippen hörte sofort wieder auf.

»Was wissen Sie über die Lügen der Massenmedien?«, sagte er.

Laramie überlegte sich ihre Antwort genau.

»Nicht viel«, sagte sie dann. »Warum fragen Sie?«

»Ich habe nicht allzu viel Vertrauen in den Berufsstand des Journalisten«, sagte der Schriftsteller, »aber vielleicht können Sie mir ja ein bisschen auf die Sprünge helfen. Ich verfolge die Nachrichten mit geradezu religiösem Eifer, und ich kann Ihnen mit Sicherheit sagen, dass nichts von dem, was wir in diesem ›Ermittlungsdossier‹ zu lesen bekommen haben, nach außen gedrungen ist. Das erscheint mir ziemlich unwahrscheinlich, wenn nicht sogar unmöglich. Es sei denn, natürlich, diese so genannte Krise, in die Sie uns da so plötzlich hineingezogen haben, wäre nichts weiter als eine Übung.«

Laramie musste über diesen so ausgesprochen ernsthaften Wally Knowles schmunzeln.

»Ich gebe zu, das Ganze klingt wirklich sehr unwahrscheinlich«, erwiderte sie. »Ich selbst bin vor sechs Tagen mit dem Fall betraut worden, und zwar ziemlich genauso wie Sie jetzt. Ist es eine Übung? Genau diese Frage habe ich auch gestellt. Antwort: könnte sein. Ich weiß es nicht. Ich glaube es zwar nicht mehr, aber Sie werden sich diese Frage selbst beantworten müssen.«

»Das mache ich sowieso«, sagte er.

Cole wandte seinen durchdringenden Blick von Knowles ab.

»Und was ist mit Ihnen?«, wandte Laramie sich an Cole. »Irgendwelche Fragen? Zweifel? Forderungen?«

»Keine«, erwiderte der Polizist.

»Falls er keine hat«, schaltete Knowles sich ein, »dann will ich die ganze Sache mal ein bisschen vorantreiben. Es gibt also keinerlei Beweise – Papiere, Fotos, Filme – für Achars Existenz, die weiter zurückreichen als zum Januar 1995?«

Sie wog seine Frage und ihre Antwort sorgfältig ab.

»Nein«, sagte sie dann. »Zumindest haben wir keine.«

»Dann hätte ich eine Idee«, fuhr er fort. »Dafür brauchen wir fünf bis zehn Fotos von Achar, am besten schön verteilt über die letzten zehn Jahre, damit wir Aufnahmen bekommen, auf denen er unterschiedlich alt ist. Wir brauchen außerdem einen Computer mit einem schnellen Internetzugang und eine Genehmigung der Stellen, die bisher die Wahrheit vertuscht haben, damit wir uns in mein Rechner-System zu Hause einklinken können.«

Laramie wartete ab, ob ihr Betreuer sich in der Verbindungstür zwischen den beiden Zimmern sehen lassen und Knowles' Vorschlag zur Kenntnis nehmen würde. Tat er aber nicht.

»Ein Bildabgleich?«

»Richtig. Es gibt ja bereits eine nationale Foto-Datenbank sowie eine kompatible Software für einen Bildabgleich, entwickelt von zwei Privatunternehmen in Zusammenarbeit mit etlichen Universitäten. Diese Datenbank enthält auch Videos. Ich besitze zwar eine Beta-Version der Suchmaschine, aber die läuft nur mit einem Internet-2-Zugang, und den habe ich eben nur zu Hause. Natürlich findet man da lediglich die Bilder, die auch in der nationalen Datenbank gespeichert sind. Aber wir leben im Zeitalter der Kamera, und das war vor elf Jahren schon angebrochen.«

»Also hat ihn möglicherweise irgendjemand irgendwo fotografiert oder gefilmt, als er noch seine alte Identität hatte«, sagte Laramie.

»Genau. Die Suchmaschine arbeitet noch sehr lückenhaft, und irgendjemand hat einmal behauptet, dass bis jetzt etwa drei Prozent aller Bilder weltweit digital archiviert seien. Ich persönlich schätze, dass es weit weniger als ein Prozent sind. Aber trotzdem, es ist einen Versuch wert.«

»Immer vorausgesetzt«, erwiderte Laramie, »dass das Ganze keine Übung ist.«

»Ja. Das vorausgesetzt. Aber es ist so oder so eine gute Idee.«

Eine, auf die die Sonderkommission nicht gekommen ist, dachte Laramie. *Zumindest haben sie mir nichts davon berichtet.*

»Als Polizist, besonders als Ermittler bei der Mordkommission, macht man immer wieder die gleiche Erfahrung«, meldete sich jetzt Cole zu Wort, »nämlich, dass die Leute einen anlügen.«

Laramie, ganz die geduldige Kindergartentante, wandte ihre Aufmerksamkeit jetzt dem Polizisten zu.

»Meistens fangen sie erstmal an zu lügen«, fuhr er fort, »und dann knicken sie irgendwann ein. Schlussendlich wollen alle etwas gestehen, auf die eine oder andere Art.«

Damit schien er seinen Beitrag beendet zu haben. Laramie hatte jedenfalls nicht den Eindruck, als wollte er weiterreden.

Da schaltete sich Knowles ein, erneut bebend vor Sarkasmus.

»Und?«

Cole zuckte mit den Schultern.

»Ich glaube, das liegt daran, dass jeder irgendwelche Geheimnisse mit sich herumträgt«, sagte er. »Im Alltag werden sie normalerweise fein säuberlich vor den Blicken der anderen versteckt, wie Bargeld unter der Matratze. Aber im Lauf einer Morduntersuchung stellen wir das Leben der Menschen im Grunde genommen auf den Kopf und schütteln, weil wir nämlich wissen wollen, was dabei alles rausfällt. Zuerst wollen die Leute ihre Geheimnisse um jeden Preis festhalten. Und damit meine ich in erster Linie solche Dinge, die mit dem Mord nicht das Geringste zu tun haben. Zum Beispiel der verheiratete Mann, der angeblich nur gelegentlich mit diesem netten Mädchen geredet hat. Aber sobald man ihren Bluff durchschaut und die erste Schicht durchdrungen hat, fühlen sie sich mit einem Mal wohl in ihrer Rolle und fangen an, jede einzelne jemals gesagte Lüge zu gestehen. Als würden sie einen Stundenlohn dafür kriegen. Als hätten sie schon die ganze Zeit den Wunsch gehabt, das alles mal rauszulassen.«

Laramie wartete ab, doch Cole schien seine Gedanken abgeschlossen zu haben. Knowles, zu Laramies großem Erstaunen, fing an, zustimmend zu nicken.

»Sie wollen damit sagen, dass Achar seine wahre Identität vielleicht doch preisgegeben hat, irgendjemandem gegenüber, auch wenn es nicht danach aussieht.«

Cole nickte, ohne Knowles anzuschauen.

»Sein ganzes Leben war eine einzige Lüge. Er muss das Bedürfnis gehabt haben, zumindest einen Bruchteil davon irgendjemandem zu gestehen. Auch wenn er, abgesehen von seinem vermeintlichen Fehler mit der Selbstmordbombe, keine weiteren Brotkrümel hinterlassen wollte, so besteht doch die Möglichkeit, dass er es trotzdem getan hat. Und falls wir mit der Leuchtraketen-Theorie richtigliegen, dann hat er wahrscheinlich verschiedene Möglichkeiten gesucht, wie er uns in sein Vorhaben einweihen kann. Ich würde mir gerne alle verfügbaren Videoaufnahmen von ihm anschauen, weil ich wissen möchte, wie er war – aber am besten wäre es, wenn ich sämtliche wichtigen Befragungen noch einmal durchführen könnte.«

Laramie fragte nach: »Sie meinen, Sie wollen alle Befragungen, die die Sonderkommission durchgeführt hat, noch einmal wiederholen?«

»Ja. Alle. Nichts gegen das FBI, die CIA, den Rest der Sonderkommission oder Sie persönlich, aber ich mache meine Arbeit am liebsten selbst. Vielleicht kriege ich ja raus, was er uns sagen will, wenn ich selbst mit den Leuten rede, denen er einen entsprechenden Hinweis gegeben hat – zumindest stehen die Chancen dafür deutlich besser, als wenn ich mir nur die Protokolle durchlese.«

»Ich sehe zu, dass Sie noch heute damit anfangen können.«

Laramie stand auf und schrieb zwei Dinge in die linke obere Ecke der abwischbaren Tafel: *Internet-2-Bildabgleich* und *Wiederholung aller Befragungen.*

»Ich hätte da noch ein paar andere Ideen«, sagte Cole, »falls Sie interessiert sind.«

»Sie haben aber viele Ideen«, sagte Knowles.

Cole überging die Bemerkung des Schriftstellers. Laramie ertappte sich bei dem flüchtigen Gedanken, dass die Kindergarten-Dynamik sich mit Rothgebs Ankunft noch verstärken würde. Und als sie sich dann noch ausmalte, wie viel schlimmer das Ganze geworden wäre, wenn sie auch noch Cooper zu den anderen gesteckt hätte, gratulierte sie sich selbst im Stillen zu der Entscheidung, ihren »verdeckt operierenden Agenten« vor den anderen geheim zu halten.

»Schießen Sie los«, sagte sie zu Cole.

»Gestohlene Geburtsurkunden«, sagte er. »Ich würde in Mobile anfangen, wo Achars Urkunde herstammt, und dann immer größere Kreise ziehen. Nach allem, was ich gelesen hab', hat die Sonderkommission sich damit überhaupt nicht beschäftigt, aber das kann ich eigentlich kaum glauben.«

»Weiß ich nicht«, sagte Laramie. Da sie mittlerweile kapiert hatte, wie Detective Cole funktionierte, musste sie den Gedanken wohl selbst zu Ende bringen. »Sie wollen also damit sagen, dass wir überprüfen sollten, ob dort, wo Achars Geburtsurkunde gestohlen wurde, vielleicht noch mehr solche Diebstähle vorgekommen sind?«

»Ja, genau. Das Problem beim Diebstahl solcher Geburtsurkunden ist, dass es manchmal gar kein Verzeichnis gibt, aus dem ihre Existenz überhaupt hervorgeht.«

»Wir sollten das Ganze von der anderen Seite her aufziehen und uns auf die Verstorbenen konzentrieren«, sagte Knowles.

Cole drehte den Kopf, musterte Knowles, dachte über seine Worte nach und nickte.

Laramie kam immer noch nicht ganz mit.

»Kann mir jemand mal auf die Sprünge helfen?«, sagte sie.

»Was …«

»Es …«

Sie hatten beide gleichzeitig angefangen und wieder aufgehört zu reden. Laramie rechnete fest mit einem Streit und wollte schon erschreckt zusammenzucken.

»Bitte sehr«, sagte Cole.

Knowles nickte. Laramie zog die Augenbrauen hoch.

»Für unseren Schläfer hätte es gar keinen Sinn gehabt«, sagte Knowles dann, »wenn er sich die Identität eines Lebenden angeeignet hätte. Vielmehr besorgt man sich – zumindest habe ich es so verstanden – die Geburtsurkunde oder die Sozialversicherungsnummer eines Toten.«

Laramie, der langsam ein Licht aufging, sagte: »Denn schließlich kann niemand behaupten, dass man gar nicht existiert.«

»Genau.« Jetzt übernahm Cole den Staffelstab. »Am effektivsten wäre es, sich die Sozialversicherungsnummer eines toten Kindes anzueignen, eines Kindes, das vor fünfundzwanzig bis dreißig Jahren auf die Welt gekommen ist. Das wäre in zweierlei Hinsicht das Sinnvollste.«

»Weil es dann niemanden mehr gibt, der, wie soll ich sagen, noch aktuell um den Verstorbenen trauert?«

»Na ja, das auch, aber ich meine jetzt die Akten. Im Lauf der letzten Jahrzehnte haben die meisten Verwaltungen angefangen, elektronische Kopien der Geburts- und Sterbeurkunden im selben Computer-System abzuspeichern. Aber davor konnte man in ein und derselben Stadt geboren werden und sterben, und der einzige Nachweis für beide Ereignisse wurde in unterschiedlichen Aktenschränken in unterschiedlichen Gebäuden abgelegt. Dazu kommt noch, dass man eine Sozialversicherungsnummer mit dem passenden Alter bekommt. Aber das Wichtigste ist vielleicht, dass ein Kind, das früh stirbt – wie zum Beispiel der echte Benjamin Achar, der dem plötzlichen Kindstod zum Opfer gefallen ist –, keine relevanten Spuren bei den Behörden hinterlässt. In vielen Fällen hat man Kindern erst im Alter von sechs, acht oder zehn Jahren eine Sozialversicherungsnummer zugeteilt. Das hat sich erst in letzter Zeit geändert.«

Laramie überlegte.

»Wenn Sie also Achar oder sein Auftraggeber wären«, sagte sie, »dann würden Sie aus irgendeinem Rathaus eine Geburtsurkunde stehlen, und zwar die Geburtsurkunde eines jung verstorbenen Menschen. Am liebsten noch aus der Zeit vor der elektronischen Datenerfassung. Und dann, ja, was? Würden Sie mit Hilfe der Geburtsurkunde einen neuen Sozialversicherungsausweis beantragen?«

»Ganz genau«, erwiderte Knowles. »Oder gleich eine neue Nummer. Sie würden sagen, dass Sie Ihre verloren haben ... oder noch nie eine bekommen haben. Und *wir* sagen, dass wir auf die gleiche Art und Weise, mit der Achar sich seine Sozialversicherungsnummer besorgt haben könnte, ein paar Nummern heraussuchen und überprüfen könnten. Wir würden uns auf Personen konzentrieren, die jung und ungefähr zur selben Zeit wie der echte Benjamin Achar gestorben sind, und würden überprüfen, ob ihre Sozialversicherungsnummern nach einer langen Ruhephase erst in letzter Zeit wieder auf irgendwelchen Bankauskünften oder Steuererklärungen aufgetaucht sind.«

Laramie schrieb als dritte Zeile *Gestohlene Geburtsurkunden – Verstorbene – Mobile u.a.* an die Tafel. Doch noch bevor sie damit fertig war, dachte sie bereits an die Probleme, die diese Ermittlungsstrategie automatisch mit sich brachte.

»Da müssen sehr viele Tote in sehr vielen unterschiedlichen Orten überprüft werden«, sagte sie. »Und wie sollen wir die überhaupt finden? Über die Rathäuser?«

»Bibliotheken wären besser«, meinte Cole. »In alten Zeitungen auf Mikrofilm.«

»Wenn man das alles zusammennimmt, dann ist das wirklich eine Wahnsinnsidee, Detective«, sagte Knowles.

Laramie hätte um ein Haar laut gelacht. Sie sagte: »Könnte sein, dass unsere Hilfskräfte damit an die Grenzen ihrer Belastbarkeit kommen, aber es ist auf jeden Fall ein interessanter Ansatz.«

Laramie bemerkte den lachsfarbenen Hut als Erste. Dann wurde ihr klar, was los war – ihr Betreuer stand in der Verbindungstür zwischen den beiden Zimmern.

»Wir müssen jetzt zum Flughafen«, sagte er und deutete mit dem Daumen über die Schulter nach hinten. »In Zimmer zwölf gibt es frischen Kaffee und Bagels. Die Tür ist offen.«

»Was?«, erwiderte Laramie. »Keine Doughnuts? Wir haben

doch seit heute Morgen einen Polizeibeamten in unseren Reihen.«

Cole wandte den Kopf und musterte ihren Betreuer – die Frage interessiert ihn wirklich, dachte Laramie. Womit das klischeehafteste aller existierenden Klischees wieder einmal bestätigt wurde.

»Keine Angst«, erwiderte der Betreuer mit schelmischem Grinsen. »Sind sogar welche von Krispy Kremes.«

Cole wandte sich wieder ab.

»Ich gehe davon aus, dass Sie den letzten Teil unseres Gesprächs mitgehört haben«, sagte Laramie. »Können Sie auch das veranlassen?«

»Wir setzen unverzüglich ein paar Ermittlungsbeamte darauf an«, sagte er.

Knowles erhob sich und setzte seinen Hut auf.

»Da ich für die Entwicklung verschiedener Szenarien zuständig bin«, sagte er, »würde ich sagen, dass dies der geeignete Zeitpunkt ist, um etwas zwischen die Kiemen zu kriegen.«

»Hört, hört«, meinte Cole.

Der Kriminalpolizist erhob sich ebenfalls und verließ im Schlepptau des Schriftstellers das Zimmer.

Laramie schaffte es, so lange zu warten, bis die beiden draußen waren, dann brach sie in prustendes, lang anhaltendes Gelächter aus.

30

Der rötlich blonde, alterslose Professor für Politikwissenschaften mit der runden Drahtgestellbrille und den leuchtend blauen Augen gehörte zu den Menschen an der Northwestern University, die Laramie – in positiver wie in negativer Hinsicht –

besonders stark geprägt hatten. Sein Name lautete Eddie Rothgeb. Normalerweise sprach man ihn mit Professor Rothgeb oder auch, wenn man eher der lockere Typ war, mit »Ed« an. Nur wenige Menschen durften ihn Eddie nennen, unter anderem auch Laramie, Rothgebs Frau Heather und seine beiden Söhne. Gewisse Dinge, die zwischen ihr und Professor Eddie vorgefallen waren, entschuldigte Laramie gerne damit, dass sie zu jung und zu dumm gewesen war, um es besser zu wissen.

Nachdem Laramie und ihr Betreuer Rothgeb am Flughafen abgeholt hatten, ließ der Betreuer die beiden – auf Laramies ausdrücklichen Wunsch – beim Krispy Kreme aussteigen. Sie bat ihn, draußen zu warten, damit sie sich mit Rothgeb alleine unterhalten konnte.

Er sah immer noch genauso aus wie früher. Genau wie immer. Er trug sogar noch dieselbe Kleidung ... genau dieselbe, als ob die Universität darauf bestand, dass er die Jeans, den Pullover mit dem runden Kragen, den Blazer und die Converse All-Stars trug, als sei es eine Art Uniform. Sogar sein sorgfältig gestutzter Bart hatte, so meinte sie, genau dieselbe Länge wie bei ihrer letzten Begegnung.

Rothgeb nahm einen Doughnut mit Zuckerguss und fing an, ihn in winzige Stückchen zu zerbrechen und aufzuessen, während er gleichzeitig an seinem koffeinfreien Mochaccino, bestehend aus Espresso, heißer Milch und Schokoladensirup, nippte. Laramie dachte: *Ich und meine ständig wechselnden Kaffeetanten mit ihren viel zu süßen Kaffee-Kompositionen. Ist überall das Gleiche, im Norden wie im Süden.* Er saß ihr an einem der Resopaltische des Restaurants gegenüber, während Laramie eine zweite Tasse koffein*haltigen* Kaffees in Angriff genommen hatte. Auf Milch und Süßstoff hatte sie verzichtet, nachdem sie Rothgebs Bestellung gehört hatte.

Was den Kaffee anging, musste wenigstens eine hier ihren Mann stehen.

»Also«, begann sie, wie üblich. »Ich möchte mit einer Frage anfangen.«

Rothgeb brach ein Stück von seinem Doughnut ab und kaute, unterstützt von einem kleinen Schluck Schokokaffee, darauf herum.

»Einverstanden«, sagte er.

»Wie enttarnt man einen Schläfer?«, sagte Laramie. »Und damit meine ich einen echten Schläfer, keinen neu zugezogenen arabischen Immigranten mit schwerem Akzent und langjähriger Zugehörigkeit zu einer radikalen Moschee, sondern einen, der sich schon vor langer Zeit vollkommen integriert hat. Ein perfekt getarnter, verdeckter Agent, der auf Befehle wartet, ohne dass irgendetwas auf eine Verbindung zu den Leuten hindeutet, von denen er die Befehle bekommt, weil er sich schon vor langer Zeit eine wasserdichte, falsche Identität zugelegt hat. Wie fängt man so jemanden, ja, wie spürt man ihn überhaupt auf?«

Laramies Betreuer hatte dafür gesorgt – Laramie hatte ihn nicht gefragt, wie –, dass Rothgeb auf dem Flug von Chicago hierher eine MP3-Audiodatei hatte hören können, die sich nach einmaligem Abspielen nicht wieder öffnen ließ. Am Ende dieser Datei waren auch Laramies Erkenntnisse und Theorien enthalten gewesen.

Der Professor neigte seinen fein säuberlich gestutzten Kopf ein wenig zur Seite und überlegte.

»Weißt du«, sagte er dann, »vor zwanzig Jahren hat man gedacht, das sei ein sehr weit verbreitetes Problem.« Dabei zog er die Worte *weit verbreitet* sehr in die Länge, als wäre das eine Art Schimpfwort, das er gerne benutzte. »Ich habe schon Spekulationen gehört, dass nach dem Zusammenbruch der UdSSR Hunderte, wenn nicht Tausende sowjetische Schläfer im Land geblieben sind und bis heute ihr Leben als Amerikaner weiterleben. Dass sie einfach weiterschlafen, oder sollte ich besser sagen: aufgewacht sind? Ich weiß nicht, wie ich das ausdrücken soll.«

Er brach das nächste Stück Doughnut ab, ohne es jedoch in den Mund zu schieben oder irgendetwas zu sagen – ein Wissenschaftler, der sich im Meer seiner eigenen, komplexen Gedankenwelt verloren hatte. Laramie hatte langsam genug von dem verbalen Geplänkel, das jedes Mal notwendig war, damit diese Typen sie an ihren Gedanken teilhaben ließen, und sagte: »Und?«

»Na ja, ein richtiges Mittel dagegen haben wir noch nicht gefunden. Ich würde dir ja herzlich gern einen Schläfer-Aufspür-Spezialisten empfehlen, der mir vielleicht irgendwann einmal über den Weg gelaufen ist, aber entweder sind diese Experten schon damals, zusammen mit den Schläfern, in Rente gegangen, oder ich kenne einfach nicht die richtigen Leute. Vielleicht können ja die Leute, für die du zurzeit arbeitest, so jemanden auftreiben.«

Laramie drehte den Styropor-Becher langsam in den Fingern hin und her und fragte sich nachdenklich, wieso eigentlich alle zu wissen schienen, dass sie nicht von der CIA mit dieser Aufgabe betraut worden war.

»Nun«, sagte sie, »die Leute, die du gerade angesprochen hast, haben sich entschlossen, nicht etwa einen solchen Spezialisten aufzutreiben, sondern jemand anderen zu rekrutieren, nämlich *mich.* Obwohl es natürlich auch sein kann, dass sie mich erst später hinzugezogen haben und auch mit anderen Spezialisten zusammenarbeiten. Das weiß man nie.«

»Nein«, meinte er, »das weiß man nie, oder?« Er schob sich das abgebrochene Doughnut-Stück, das kaum der Rede wert war, in den Mund. »Aber dein Benjamin Achar hat große Ähnlichkeit mit den sowjetischen Schläfern, zumindest in Bezug darauf, wie sie angeblich positioniert worden sind. Wenn wir davon ausgehen, dass es sich nicht um irgendeinen amerikanischen Exsträfling gehandelt hat, der seiner düsteren Vergangenheit entkommen und ein zweiter Timothy McVeigh werden wollte, dann müsstest du dich mit der Möglichkeit befassen, dass er regelrecht zum Amerikaner *ausgebildet* worden ist. Gewohnheiten, Akzent, berufliche Fähigkeiten und so weiter.«

»Alles, bis auf eine gewisse, schichtspezifische Vorliebe für Pickup-Trucks«, sagte Laramie.

Rothgeb blinzelte, ging aber nicht weiter auf ihre Bemerkung ein. »Was ich damit sagen will: Es muss irgendwo eine oder mehrere Einrichtungen geben, wo Achar ausgebildet wurde. Und wenn sie nicht nur diesen einen Agenten ausgebildet haben, dann wäre es eigentlich logisch, dass sie die Auszubildenden alle an einem Ort versammeln und die Ausbilder im Wechsel kommen lassen.«

»Eine Amerikanisierungs-Schule«, sagte sie und nahm einen Schluck von dem bitteren, unverdünnten Kaffee. »Darüber gibt es doch auch einen Roman, oder nicht?«

Rothgeb nickte. »Von Nelson DeMille. Vielleicht könnte man über Satellitenaufnahmen von terroristischen Ausbildungslagern einen Hinweis auf den Standort der Schule bekommen, vorausgesetzt, sie ist für Satelliten überhaupt zu sehen.«

»Ich habe zwar, glaube ich, schon so viele Satellitenaufnahmen gesehen, dass es für zehn Leben reicht, aber das ist wirklich keine schlechte Idee«, sagte sie. »Diese Ausbildungsstätte ist aber vermutlich schon vor langer Zeit wieder geschlossen worden, oder etwa nicht?«

»Weil er vor zehn Jahren aufgetaucht ist? Trotzdem«, sagte er.

»Ja, stimmt. Trotzdem.«

Sie nahm noch einen Schluck.

»Wie ist es dir denn so ergangen?«, sagte sie dann und dachte *Gleich macht er dicht.*

Rothgeb zuckte mit den Schultern. Das war insofern eine ungewöhnliche Geste, als sie unpräzise war. Sonst machte dieser Mann eigentlich alles mit Präzision. Vermutlich hatte er mit den Schultern gezuckt, um etwas zu tun zu haben, während er ihrer Frage möglichst unauffällig aus dem Weg ging.

»Ganz gut, schätze ich«, sagte er. Dann, gefährlich nahe an seinem letzten Ablenkungsmanöver, brach er ein weiteres Stück von seinem Doughnut ab, aß es auf, nippte beiläufig an seinem Kaffee und sagte: »Das ist unsere Schwachstelle, weißt du.«

Laramie schaute ihn an. »Die Schläfer, meinst du.«

»Ja.«

»Grundsätzlich bin ich mit dir einer Meinung, dass wir verwundbar sind«, sagte sie, »aber was genau willst du damit sagen?«

Er aß seinen vorletzten Bissen.

»Wir haben immer noch nicht gelernt, uns anzupassen. Die schwerfälligen Mühlen der Bürokratie, die für die Auseinandersetzung mit den Sowjets geschaffen worden sind, mussten sich neu orientieren und sich auf ein anderes, konkretes Ziel einstellen. Daher hat sich der ganze Apparat, sobald eine neue Gruppierung ins Blickfeld geraten ist, sofort darauf konzentriert: die Al Kaida. Palästinenser. Innenpolitisch gewisse arabischstämmige Amerikaner oder arabische Einwanderer, genau, wie du sagst. Wir setzen also die großen, schwerfälligen Mühlräder in Gang, richten unser Augenmerk auf Leute, die bestimmte äußere Merkmale besitzen oder aus der entsprechenden Gegend kommen, und hoffen, dass der Richtungswechsel funktioniert.«

Laramie nickte geistesabwesend.

»Wenn man sich aber das Geschäft der Spionage einmal genau betrachtet«, fuhr er fort, »dann dreht sich dort alles ums Untertauchen. Während wir uns also zum Angriff bereit machen, ist der schlaue Feind schon fleißig dabei, einfach in unserer Kultur unterzutauchen. Sich zu assimilieren.«

Während er sprach, beobachtete Laramie seine Augen und seinen Mund. Sie wusste noch, wie sie damals, als sie völlig in ihrem neuen Leben in Evansville aufgegangen war, seine Worte aufgesogen und ihn dabei unentwegt betrachtet hatte. Aber als sie jetzt hörte, wie er – ganz der selbstverliebte Akademiker, der er tatsächlich auch war – immer weiterschwafelte, da fragte sie sich, ob es die richtige Entscheidung gewesen war, ihn mit ins Boot zu nehmen. Vielleicht war das der wahre Grund für ihren kleinen Zwischenstopp im Krispy Kreme gewesen, bevor sie mit ihm ins Flamingo Inn fuhr: Vielleicht hatte sie sich einfach noch einmal versichern wollen, dass es keine allzu dämliche Idee gewesen war. Ein zusätzlicher aufgeblasener Wichtigtuer wirkte sich zwar vielleicht förderlich auf die Diskussionsfreudigkeit in ihrer »Einsatzzentrale« aus, aber sie hatte gewisse Zweifel, ob er ihnen wirklich bei der Ausarbeitung von Strategien und Aktionsplänen behilflich sein konnte. Aber genau das musste jetzt passieren – falls es überhaupt irgendetwas zu tun gab.

Zu spät, Laramie. Du hast ihn hierhergeholt, dein Betreuer hat ihn vom Flughafen abgeholt – willst du ihn etwa gleich wieder nach Hause schicken?

Außerdem hatte er ja schon einen interessanten Punkt angesprochen.

»Liest du eigentlich immer noch so viele Spionageromane wie früher?«, erkundigte sie sich dann.

Rothgeb lächelte artig. Das wirkte sehr viel sicherer und präziser als das schwerfällige Achselzucken zuvor.

»Gibt bloß heutzutage nicht mehr so viele gute wie früher«, sagte er, »aber den einen oder anderen Bestseller nehme ich immer noch mit.«

Laramie drückte den Plastikdeckel auf ihren halbleeren Kaffeebecher.

»Dann lass uns mal rüber ins Flamingo Inn fahren«, sagte sie. »Ich habe da eine Überraschung für dich.«

31

Der Velociraptor hieß Jesus Madrid.

Madrid bekleidete gegenwärtig die Funktion des Interims-Geschäftsführers von Borrego Industries. Wie unter seinem verstorbenen Chef, so erledigte er seine Arbeit auch jetzt ohne Aufhebens, lebte aber auf großem Fuß – man konnte sich des Eindrucks nicht erwehren, als ob im Transport- und Auftragsabwicklungsgewerbe eine ganze Menge Kohle zu verdienen war.

Madrid hatte jeden der insgesamt sechs Tage seit Borregos Verschwinden mit mehr oder weniger demselben luxuriösen Ritual beendet, und das würde er auch an diesem Tag tun. Nach Abschluss des Arbeitstages brachte Borregos Chauffeur Madrid in das Wellness-Center, das er und Borrego regelmäßig aufsuchten, und dort war der Ablauf jedes Mal gleich: Er duschte, ging in die Sauna, überließ sich einer Tiefengewebe-Massage, überließ sich einem zwanzigminütigen Lustrausch mit der Masseurin, die gerade die Tiefen seines Gewebes massiert hatte, duschte noch einmal und kehrte zu seinem Wagen zurück. Dann saß er auf der Rückbank, hörte Jazz auf seinem iPod nano und wartete ab, während der Fahrer eine von Borregos Imbissbuden ansteuerte, um das vorbestellte, scharf gewürzte Thunfisch-Sushi abzuholen, und ihn anschließend nach Hause zu fahren.

Es war beinahe Viertel nach zehn, als der Fahrer per Fernbedienung das Tor zu Madrids Besitz öffnete und über die rund vierhundert Meter lange Zufahrt den Hügel hinauf und bis vor die stattliche Villa fuhr. Madrid bewohnte ein Haus im englischen Tudor-Stil, das ziemlich fehl am Platz wirkte. Es hatte eine Wohnfläche von rund 750 Quadratmetern und verfügte über diverse Annehmlichkeiten wie zum Beispiel siebzehn Plasmafernseher. Wie am Abend zuvor und am Abend davor auch, zog Madrid sich in sein Schlafzimmer zurück und schlüpfte in seine Sportkleidung: eine schwarze Sporthose aus Elasthan, Asics-Laufschuhe, ein Tanktop mit der Aufschrift *BI SECURITY* quer über der Brust. Anschließend holte er eine Flasche Gatorade aus dem Gefrierschrank in der Küche und kam die Treppe herunter in seinen Fitnessraum.

Von den Maßen und der Atmosphäre her entsprach der Raum in etwa einem durchschnittlichen Vorstadt-Fitnessclub. Er war mit einer ganzen Reihe verschiedener Kraftmaschinen, Langhanteln, Kurzhanteln, neuesten Ausdauergeräten sowie einer unmittelbar ins Auge fallenden Besonderheit ausgestattet: Der Fußboden und die Wände waren eine Miniatur-Nachbildung des Stadions, in dem Madrids Lieblings-Fußballmannschaft zu Hause war, nämlich des Old Trafford Stadions von Manchester United. Auf dem Fußboden waren die Strafräume, die Fünfmeterräume sowie eine Mittellinie eingezeichnet, der Belag bestand komplett aus FieldTurf, einem Kunstrasen der neuesten Generation, dessen grüne Plastikgrashalme länger und weicher waren als bei den vorangegangenen Versionen. Aber die Fußball- und Footballprofis, die auf diesem Belag spielen mussten, wussten ganz genau, dass man sich bei einer Grätsche auf FieldTurf genauso schmerzhafte Verbrennungen zuziehen konnte wie auf AstroTurf.

Genau das sollte sich für Jesus Madrid als unglückselige Tatsache erweisen, denn Cooper, der den Tagesablauf des Velociraptors mehrere Tage lang aufmerksam studiert und sich dann dort hineingestohlen hatte, um ihn zu überfallen, kauerte hinter dem Trinkwasserbehälter und kam zu dem Entschluss, dass seine beste Möglichkeit, den Leibwächter des Eisbären aufs Kreuz zu legen, in einem kombinierten Manöver bestand, mit dem er ihn zugleich überraschen und sofort bewegungsunfähig machen konnte.

Es gelang ihm, mit dem ganzen Gewicht auf Jesus Madrids unterem Rücken zu landen, dem Velociraptor die Arme auf den Rücken zu drehen und den Kerl mit dem Kinn voran auf den Kunstrasen zu drücken.

»Hijo de la gran puta!«, stieß Madrid hervor.

Cooper presste das linke Handgelenk des Mannes gegen das rechte Schulterblatt und umgekehrt und drückte ihm gleichzeitig das Knie in den untersten Lendenwirbel. Dann holte er mit seiner freien Hand die Browning aus dem Hosenbund und sorgte dafür, dass das Kinn des Velociraptors regungslos nahe der Strafraumlinie des Old Trafford verharrte, indem er ihm den Pistolenlauf in den Nacken drückte.

»Immer, wenn man am wenigsten damit rechnet, stimmt's?«, sagte er.

Cooper trug ein blaugrünes, kurzärmeliges, mit Papageien und Palmenblättern verziertes Tommy-Bahama-Hemd, Khaki-Shorts mit tiefen Taschen sowie seine Reise-Sandalen. Er genehmigte sich einen Blick durch den gewaltigen Trainingsraum.

»Du hast deinen Kraftraum in ein Fußballstadion gestellt?«, sagte er.

»Sí«, erwiderte der Velociraptor. »Old Trafford. Man United.«

»Man United, hmm?«, sagte Cooper. Ihm war klar, dass die fußballverrückten britischen Angestellten von Conch Bay, allen voran Ronnie, diese seltsame Demonstration unerhörten Reichtums eher zu schätzen gewusst hätten als er. »Weißt du, für einen Leibwächter kannst du es dir ja wirklich ziemlich gut gehen lassen. Vor allem für einen unfähigen Leibwächter.«

Aus dem hohen Kunstrasen unter Coopers Hand drang eine Art Grunzen hervor.

»Jede Wette, dass Borrego dich nicht bloß für seinen leiblichen Schutz so gut bezahlt hat. Aber mir ist es egal, was du sonst noch bist. Mir ist einfach klar geworden, dass dein leicht verspätetes, aber äußerst effektives Auftauchen in Borregos Büro während meines Besuchs ein kleines bisschen zu lässig ausgefallen ist. Das kann aus meiner Sicht nur das Ergebnis endloser und regelmäßiger Praxis sein.«

»Na, und?«

»Ich will damit nur sagen, dass ich schätze, du warst immer in der Nähe deines Chefs. Bist überallhin mitgegangen. Auch nach Mittelamerika, wo ihr die Kunstgegenstände gekauft habt, die Borrego nach Naples schicken wollte.«

Zwar hatte Cooper eigentlich gar keine Frage gestellt, doch als er keine Antwort bekam, stieß er dem Velociraptor wütend den Pistolenlauf in die Nackenmuskulatur und verstärkte den Druck seiner Kniescheibe auf dessen Wirbelsäule.

»Von wem habt ihr die Sachen gekauft, wo haben die das Zeug her, und wie finde ich diese Leute?«, sagte Cooper. »Fang endlich an zu reden.«

Er dachte, er hätte den Velociraptor etwas sagen hören, presste ihm die Browning noch ein bisschen fester in den Nacken, hörte erneut ein Nuscheln, das sich im Kunstrasen verlor, stützte sich schließlich, stinksauer geworden, mit dem ganzen Gewicht auf sein eines Knie und sagte: »Hab' dich nicht verstanden, du Arschgesicht!«

Madrid drehte den Kopf auf den messerscharfen Grashalmen und verzog das Gesicht.

»So einfach ist das nicht!«

»Weiter.«

»Maladita puta, dieser verdammte Belag tut weh«, sagte Madrid. Und dann, nachdem er den Kopf noch ein paar Millimeter weiter in Coopers Richtung gedreht hatte, schien der Velociraptor zu grinsen – zumindest bog sich einer seiner Mundwinkel nach oben, was immer er damit ausdrücken wollte. »Wir waren uns ziemlich sicher, dass du noch mal hier vor-

beischauen würdest. Und wir sind bereit, alle deine gottverdammten Fragen zu beantworten. Aber nicht so.«

»Nein? Und wieso nicht? Unser Gespräch läuft doch eigentlich gar nicht so schlecht, finde ich.«

Obwohl Cooper über seine Antwort innerlich schmunzeln musste, war er ein klein wenig irritiert. Warum hatte der Velociraptor das Wörtchen *wir* verwendet?

»Weil du, *Gringo,* lieber mit jemand anders darüber sprechen solltest.«

»Ach, ja?« Cooper spürte, wie sein Magen sich zusammenzug … er war an der Nase herumgeführt worden.

»Sí«, erwiderte der Velociraptor. »Welche Redewendung habt ihr Amerikaner dafür? ›Am besten erfährt man es aus erster Hand‹, stimmt's?«

»So ungefähr«, meinte Cooper und wusste bereits, was der Leibwächter als Nächstes sagen wollte.

»Dann wärst du also mit deinen Redewendungen einer Meinung, dass du die Antworten auf deine Fragen am besten von *Oso Blanco* zu hören bekommst«, fuhr Madrid fort.

Cooper blieb eine Minute lang regungslos auf dem Rücken des Velociraptors sitzen. Er hatte den Eindruck, als würde er in letzter Zeit ziemlich oft an der Nase herumgeführt.

Direkt vom Eisbären.

Mit einer schnellen, präzisen Bewegung, um nicht irgendwie nachlässig zu werden, stand Cooper auf und trat ein paar Schritte zurück, die Browning unverändert auf den Velociraptor gerichtet.

»Also dann, Mr. Man United, aufstehen«, sagte er.

Bei Madrids Fahrstil fühlte Cooper sich unwillkürlich an einen Formel-1-Rennfahrer erinnert. Der Tachometer des BMW M5 zeigte so oft auch in Kurven noch knapp 140 Stundenkilometer an, dass Cooper schon dachte, er müsste zum ersten Mal in seinem Leben eine Tablette gegen Seekrankheit schlucken. Trotz des wahnsinnigen Tempos wirkte der Velociraptor hinter dem Steuer kein bisschen angespannt – teilnahmslos traf es ganz gut, fand Cooper. Madrid bewerkstelligte die ständigen Schalt-, Brems- und Beschleunigungsvorgänge in etwa mit demselben Enthusiasmus wie der Fahrer des Shuttle-Busses einer Flughafen-Autovermietung.

Nach rund fünfundzwanzig Minuten hatte der M5 ein Wohnviertel der Marke untere Mittelschicht am Fuß eines lang gestreckten Hügels erreicht. Die ganze Gegend war wahrscheinlich vierhundertmal reicher als achtundneunzig Prozent des übrigen Venezuela, und trotzdem waren es winzige Häuschen, die auf schmalen, ungepflegten Grundstücken viel zu dicht nebeneinanderstanden. Cooper hatte sofort den Eindruck, als könnte die Polizei hier kaum auf die Unterstützung der Bewohner bauen.

Nachdem sie von der Durchfahrtsstraße abgebogen waren und ein Dutzend lang gezogener Häuserblocks hinter sich gelassen hatten, scheuchte der Velociraptor den M5 um ein paar letzte Kurven, bremste und ließ den Wagen fast anmutig in eine kurze Einfahrt neben einem heruntergekommenen, zweigeschossigen Haus mit einem baufälligen Tonziegeldach gleiten.

Madrid stellte den Wagen ab und betätigte dreimal die Lichthupe.

Cooper sah das Haus und dachte, dass es genauso aussah, wie ein »sicheres Haus« auszusehen hatte. Auch die Lage war gut gewählt. In solchen Wohnvierteln ließ man einander weitgehend in Ruhe, niemand stellte irgendwelche Fragen oder mischte sich sonstwie in das Leben der anderen ein. Cooper dachte, dass *er* sich vielleicht auch mal so was überlegen sollte. Sicher, hier gab es keinen Strand und keine Schnorchelgründe, keine Hängematte, keine Terrasse und keinen Anleger, aber umso besser: Lieutenant Riley und seine Freunde würden ihn hier jedenfalls in Ruhe lassen, oder?

Der Velociraptor führte ihn zu einer Seitentür, die von zwei Männern geöffnet wurde. Sie sahen ungefähr so aus wie Madrid – zumindest, wie Madrid aussah, wenn er im Dienst war. Jeder trug einen Anzug mit Krawatte und strahlte eine gewisse gelassene Bedrohlichkeit aus. Sie machten einen etwas dämlicheren Eindruck als die absolute Nummer eins des Eisbären und bestätigten diesen ersten Eindruck sogleich durch die erstaunte Miene, die sie angesichts der feminin angehauchten Trainingsklamotten ihres Chefs aufsetzten.

Der leicht schockierte Gesichtsausdruck wurde jedoch schnell kaschiert, und die Männer traten beiseite. Der Velociraptor ging zwischen ihnen hindurch ins Haus, und da er seinen Männern kein erkennbares Zeichen gab, dass sie sich auf Cooper stürzen sollten, ging Cooper hinterher. In der Küche brannte Licht, und die Vorhänge waren zugezogen. Hier saßen vier weitere Leibwächter an einem Klapptisch und spielten Karten. Der Tisch sah so aus, als hätten sie ihn einzig und allein zum Kartenspielen gekauft. Die vier Typen sahen zu, wie Madrid, Cooper und einer der Türsteher durch die Küchentür kamen und dann durch eine Tür neben dem Kühlschrank in den Keller hinabstiegen.

Das Kellergeschoss des heruntergekommenen Reihenhauses war, entgegen allem, was man von außen erwarten konnte, luxuriös ausgestattet. Auf einem Großbild-Plasmabildschirm, der deutlich über zweieinhalb Meter breit sein musste, lief stumm ein Actionfilm, in dem ein U-Boot von etlichen Torpedos verfolgt wurde. Im und um den Fernsehschrank standen zahlreiche Geräte – DVD-Player, Stereoanlagen und mehr –, außerdem ein ganzer Turm mit CDs sowie ein Regal mit DVD-Kassetten. Die meisten Filme, das war an den Kassettenrücken zu erkennen, kannte Cooper.

Der Fernseher lief deshalb lautlos, weil Ernesto Borrego sich den Ton über einen dickbauchigen Kopfhörer liefern ließ. Das gewundene Kopfhörerkabel führte gestreckt und teilweise in der Luft baumelnd zu einem Anschluss an einem der zahlreichen Geräte im Fernsehschrank.

Der Eisbär ignorierte die Ankunft Coopers und seiner Sicherheitsleute, bis die Szene, die er sich gerade anschaute, ihren Höhepunkt erreicht hatte. Nachdem das U-Boot den Torpedos entkommen war, drückte Borrego eine Taste auf der Fernbedienung in seiner Hand, nahm den Kopfhörer ab und wandte sich Cooper zu.

»Hab mich schon gefragt, wie lange es wohl dauern würde«, sagte er und entblößte dabei seine scharfen, gelbbraunen Zähne. »Nicht lange, wie ich sehe.«

Da sich keiner aus der hoch qualifizierten Sicherheitsmannschaft des Eisbären bemüßigt gesehen hatte, ihm die Pistole abzunehmen, schob Cooper eine Kugel in den Lauf und richtete die Waffe auf den auf der Couch sitzenden Borrego.

»Ich hätte da ein paar Fragen«, sagte er.

»Nur zu, raus damit.« Wie üblich ließ der Tonfall des Eisbären keinerlei Anspannung erkennen.

»Ich wollte gerade dein Angebot zu einem Ausflug ins Schattenreich annehmen, da habe ich erfahren, dass du tot bist«, sagte Cooper. »Also dachte ich, ich statte diesem Herren da mal einen kleinen Besuch ab. Hätte ja sein können, dass er mir alles das verrät, was du mir nicht sagen wolltest.«

»Du meinst damit die Antwort auf die Frage, von wem ich die Kunstgegenstände gekauft habe.«

»Und zusätzlich noch, wo genau die Verkäufer die Sachen entdeckt haben. Und ob sich daraus eine Antwort auf die Frage ergibt, wieso irgendjemand alle umbringt, die irgendwie mit dem Schatz zu tun gehabt haben.«

»Ich glaube, da haben wir genau dieselben Fragen«, erwiderte Borrego. Cooper fand Gefallen an der geradlinigen Art des Eisbären. »Ich weiß sicherlich ein bisschen mehr als das, was ich dir bereits gesagt habe, aber nicht viel mehr. Wenn wir auch den Rest erfahren wollen, dann müssen wir hinfahren und nach ihnen suchen … nach den Verkäufern, meine ich.«

Cooper behielt den Velociraptor und den Türsteher genau im Blick. Sie hatten sich nicht von der Stelle gerührt und machten auch keinen besonders nervösen Eindruck.

»Wieso habt ihr damit gerechnet, dass ich hier auftauchen würde?«, erkundigte sich Cooper.

Borrego zuckte mit den Schultern.

»Ich hatte das Gefühl, dass du ein ziemlich schlaues Bürschchen bist.«

»Sicher«, meinte Cooper. »Was noch?«

»Ich glaube, ich habe dir bereits gesagt, dass es mir irgendwie merkwürdig vorgekommen ist, dass mich niemand angerufen hat, nachdem die Lieferung nicht in Naples angekommen ist. Also habe ich, nachdem du wieder weg warst, versucht, meinen Hehler zu erreichen. Ging nicht. Da ich so ungefähr weiß, wer seine bevorzugten Kunden waren – ist immer gut, sich nicht allzu sehr auf einen Mittelsmann zu verlassen –, habe ich drei oder vier davon angerufen. Auch nicht erreichbar. Vermisst oder tot, nehme ich an. Wie mein Hehler. Das weiß ich aus den Online-Ausgaben der Zeitungen in Fort Myers.«

»Eine Geschichte, von der die Öffentlichkeit in den Spätnachrichten im Fernsehen zum ersten Mal erfahren hat«, sagte Cooper, »und zwar durch einen gewissen Ricardo Medvez.«

Borrego dachte einen Augenblick lang nach, verarbeitete diese Information.

»Das heißt also, du warst da«, sagte er dann.

Cooper nickte. »Hab seine Leiche gefunden. In einer Tiefkühltruhe unter ein paar hundert Pfund Alaska-Königskrabben.«

»In Florida?«

»Fangfrisch tiefgefroren«, meinte Cooper.

»Dieser Medvez, ist das ein Freund von dir?«

»So weit würde ich nicht gehen.«

»Aber du hast ihm die Geschichte überlassen.«

»Vielleicht bist du ja der Mann, der all diese Leute auf dem Gewissen hat«, entgegnete Cooper.

Der Eisbär rührte sich nicht, rutschte nicht hin und her, und auch seine Miene blieb regungslos. Er sagte auch nichts.

Nach einer Weile, immer noch mit gezogener Pistole, sagte Cooper: »Wenn du es nicht bist, dann sehe ich – falls wir wirklich wissen wollen, wer diese Ausknipser sind und wieso sie die ganzen Leute umgebracht haben – ehrlich gesagt keine andere Möglichkeit, als zu denen zu gehen, die den Goldschatz entdeckt haben, und uns den genauen Fundort anzuschauen.«

»›Ausknipser‹?«, sagte Borrego.

»So sehe ich sie mittlerweile.«

Borrego überlegte.

»Also dann eben Ausknipser. Du solltest aber wissen«, fuhr er dann fort, »dass wir unter Umständen gar nichts finden.«

»Dann ist es eben so«, meinte Cooper.

Er ging ein paar Schritte nach hinten, schob sich einen Schritt nach links und trat den Türsteher gegen die Hüfte, an die Stelle, wo dieser seine Waffe stecken hatte. Wie Cooper angesichts der Ausbeulung im Jackett vermutet hatte, steckte die dicke schwarze Automatik nicht in einem Halfter. Daher löste sie sich nun aus dem Gürtel, flog ein kleines Stückchen durch die Luft und landete klappernd auf dem Fußboden. Cooper hob sie auf und steckte sie zusammen mit der Browning in seinen eigenen Hosenbund.

Ohne besondere Eile schälte sich der Eisbär aus seinem Sofa und stand auf.

»Jesus und seine Jungs packen noch ein paar Sachen für uns

ein«, sagte er dann. »Wir können morgen früh starten. Sollen wir dir ein Plätzchen zum Schlafen suchen oder glaubst du immer noch, dass ich der Ausknipser bin?«

Cooper erwiderte: »Ich schnappe mir diesen M5, den Jesus gerade in der Einfahrt abgestellt hat, und bringe ihn morgen früh wieder zurück. Bist du Frühaufsteher?«

»Wir sehen uns um sechs«, entgegnete Borrego.

Er neigte sein Kinn in Richtung des Velociraptors, und Madrid warf Cooper die Schlüssel zu.

»Hasta mañana«, sagte Cooper, während er bereits die Treppe hinaufging.

32

Cooper erkannte die Vorwahl des Anrufers und drückte auf die grüne Taste. Normalerweise wäre daran nichts Besonderes gewesen, aber da Cooper sich im Augenblick an Bord der im Besitz von Borrego Industries befindlichen Gulfstream G-450 auf dem Weg nach Belize befand, war er überrascht angesichts der Klarheit, mit der Laramies Stimme an sein Ohr drang.

»Deine Forderung wurde akzeptiert«, sagte sie, »und das Geld ist bereits überwiesen. Du kannst also deine Bank anrufen und dir den Eingang bestätigen lassen.«

Der Pilot hatte nichts davon gesagt, dass man während des Fluges nicht telefonieren durfte, und weder Borrego noch Madrid machten irgendeinen Versuch, ihn davon abzuhalten. Cooper wusste, dass das Handy-Verbot in Passagierflugzeugen totaler Schwachsinn war – das Funksignal war viel zu schwach, um irgendeinen Einfluss auf die Instrumente des Flugzeugs zu haben –, aber bei den Signalen eines tragbaren Satellitentelefons war er sich nicht so sicher.

Cooper wählte seine Worte mit Bedacht. Es war schließlich nicht notwendig, dass der Eisbär und sein Adjutant irgendetwas über die Ereignisse von Emerald Lakes erfuhren, was sie nicht erfahren sollten.

»Das Buch, das du mir geschickt hast, ist wirklich spannend«, sagte er. »Hat mir viel Spaß gemacht.«

Die Pause dauerte nicht lange, dann sagte Laramie: »Du bist nicht allein?«

»Nein. Ist aber nicht so entscheidend. Ich hab' das Gefühl, als hätte euer Benny sein wahres Ich wirklich verdammt clever hinter sich gelassen.«

»Das ist das Ergebnis deiner Analyse? Dass unser Schläfer seine eigentliche Identität gut verschleiert hat? Ist das nicht vielleicht ein bisschen wenig angesichts dessen, was du unseren Staat kostest?«

»Kommst du denn wenigstens bei Professor Eddie auf deine Kosten?«

Noch eine Pause, ein klein wenig länger diesmal, und dann: »Er ist in einer etwas niedrigeren Besoldungsstufe angesiedelt. Aber wir haben schon die eine oder andere Idee, deshalb melde ich mich bald wieder. Eigentlich wollte ich dir empfehlen, schon mal mit dem Lesen anzufangen, aber anscheinend hast du ja geahnt, wie die verantwortlichen Stellen auf deinen Vorschlag reagieren würden.«

Cooper erwiderte: »Ich weiß ja, dass du sehr überzeugend sein kannst«, nur um sich unmittelbar anschließend zu fragen, wieso er das überhaupt gesagt hatte.

»In zwei, drei Tagen melde ich mich wieder, dann in einer Konferenzschaltung mit dem gesamten Team. Falls sich ein konkreter Auftrag für dich abzeichnen sollte, dann wohl eher früher als später.«

Cooper warf einen Blick auf die etliche Kilometer unterhalb der Gulfstream vorbeiziehende Landschaft.

»Kann sein, dass ich dann gerade ziemlich beschäftigt bin«, sagte er. Dann fiel ihm etwas ein. Er nahm das Telefon vom Ohr und blickte auf die Anzeige mit Laramies Nummer. »Bist du unter dieser Nummer erreichbar?«

»Zimmer achtzehn.«

»Ich melde mich«, sagte er und unterbrach die Verbindung.

Da meldete sich der Pilot zu Wort und teilte seinen drei Passagieren mit, dass sie sich anschnallen und zur Landung in Belize City bereit machen sollten.

Belize ist ein lang gezogenes, schmales Land am westlichen Ende des Karibischen Meeres, etwas südlich der offiziellen Grenze zwischen der Karibik und dem Golf von Mexiko. Cooper war bereits ein paar Mal da gewesen, meistens mit dem Boot und hauptsächlich, um am Rand des berühmten Korallenriffs zu tauchen. Der Eindruck, den er dabei vom Land gewonnen hatte, war mehr oder weniger der einer karibischen Insel mit Festlandanbindung: dunkelhäutige Einheimische, bunt gestrichene, vom Wetter gezeichnete Gebäude und Fischerboote an jeder Ecke.

Nach einer kurzen Fahrt quer über den Philip S. W. Goldson International Airport ließ die G-450 ihre Düsen vor einem privaten Hangar abkühlen, vor dem ein aus einer schwarzen Cadillac-Limousine und einem schmutzig gelben Jeep bestehender Fahrzeugkonvoi wartete. Bei näherer Betrachtung stellte der Jeep sich als ein Land Rover Defender heraus, der mit dieser Ausstattung vermutlich einhundertfünfzig Riesen wert war. Angesichts des M5, des Land Rover und der Gulfstream musste Cooper zumindest zugeben, dass die Top-Riege von Borrego Industries es verstand, stilvoll zu reisen.

Es stellte sich heraus, dass der Caddy lediglich dazu da war, den Fahrer des Defender wieder nach Hause zu bringen.

Nachdem der Kerl, der aussah wie ein verschollener Bruder des Baseballspielers Derek Jeter, dem Velociraptor die Schlüssel ausgehändigt und sich auf den Beifahrersitz der Limousine geschwungen hatte, jagte sie über den Asphalt davon. Madrid klappte die Gepäckluke an der Seite des Flugzeugs auf und fing an, ihr Gepäck in den Kofferraum des Defender zu laden. Der Kerl, dachte Cooper, ist anscheinend pausenlos bereit und in der Lage, alles das anzupacken, was Borrego nicht selbst erledigen will. Na ja, verdammt, dachte er dann: Wenn ich so viel Geld verdienen würde wie Borrego dem guten, alten Jesus vermutlich bezahlt, dann würde ich mich vielleicht auch mit Vergnügen als Mädchen für alles engagieren lassen.

Als Cooper die Treppe heruntergekommen war und neben Borrego auf dem Asphalt stand, da lächelte der Eisbär.

»Das ist unserer«, sagte er und bedeutete Cooper, er solle mit ihm in den Land Rover steigen. Als Borrego ihm den Beifahrersitz anbot, dachte Cooper in einem Anflug von Höflichkeit sogar kurz daran zu verzichten, doch dann fiel sein Blick auf die Konstruktion im hinteren Teil des Defender. Unterhalb des Vinyl-Daches, direkt hinter dem Überrollbügel des Jeeps, war ein Thron eingebaut worden, der aussah wie eine Kreuzung zwischen einem Recaro-Schalensitz und einem Liegesessel. Dieser Sitz war ebenfalls, wie die Karosserie des Wagens, schmutzig gelb und schwarz und besaß zu beiden Seiten verschließbare Gepäckfächer, in denen Madrid jetzt die letzten Gepäckstücke verstaute. Nachdem der Velociraptor sie abgeschlossen hatte, waren die Fächer kaum noch zu erkennen. Sie bildeten eine übergangslose Einheit mit dem Boden des Jeeps, der höher gelegt worden war, um den Einbau des speziell angefertigten Thrones zu ermöglichen. Cooper nahm an, dass das Fahrzeug außerdem noch über ein paar zusätzlich eingebaute Monster-Benzintanks verfügte.

Der rund hundertfünfzig Kilogramm schwere Borrego hüpfte über die Seitenwand des Jeeps, ohne die Beifahrertür aufzumachen, und kletterte behände auf den Rücksitz. Cooper fühlte sich unwillkürlich an Boss J.D. Hogg aus der Fernsehserie »Ein Duke kommt selten allein« erinnert. Der Eisbär suchte nach einer Kühltasche, holte eine Flasche Gatorade hervor und ließ sie in den Getränkehalter an der Armlehne seines Throns plumpsen. Dann schnallte er sich an, nahm einen langen Zug aus der Gatorade-Flasche und, nachdem Cooper sich mühsam auf den Beifahrersitz geschwungen hatte, klappte die Kühltasche auf, damit dieser sich ebenfalls bedienen konnte.

»Warum nicht«, meinte Cooper und nahm die kalte Plastikflasche in die Hand.

Madrid glitt hinter das Lenkrad und raste mit seiner Fracht vom Flughafengelände.

Nachdem der Eisbär einem behördenähnlichen Gebäude nahe des ständig größer werdenden Containerhafens von Belize City einen kurzen Besuch abgestattet hatte, steuerte Madrid den Defender durch etliche schmale Straßen, in denen es genauso farbenprächtig, heruntergekommen und überfüllt aussah, wie an vielen Orten in der Karibik und weiter südlich. Cooper hatte sich mittlerweile an den Anblick gewöhnt. Dann ließen sie den Hafenbezirk und das Meer hinter sich. Cooper drehte sich noch einmal um und warf einen letzten Blick durch das Heckfenster des Defender auf das kühl-blaue Karibische Meer. Es war hinter einem Wald aus Industrie-Anlegern kaum mehr zu erkennen, und doch war es da, und darüber war Cooper froh. Der Velociraptor bog jetzt auf einen Highway ein, und Cooper sah die riesigen Kräne der Container-Terminals in der Ferne verschwinden.

Er fragte den in seinem Sitz thronenden Borrego, wohin sie fuhren.

»So eine Art Auto-Waschanlage«, sagte Borrego zwischen

zwei Schlucken Gatorade. Von Schlaglöchern durchgeschüttelt beugte er sich nach vorne, stellte seine leere Flasche in die Kühltasche zurück, holte eine mit einer anderen Geschmacksrichtung heraus, schraubte mit zwei Fingern den Deckel ab und leerte sie zur Hälfte. »Belize City hat vielleicht den dritt- oder viertkorruptesten Hafen des amerikanischen Kontinents. Alle zwei Monate oder so kommt eine Schiffsladung mit mehreren hundert ... Wie heißt es bei Lexus so schön? ... ›Jahreswagen‹ hier an. Bei Nacht. Die Zollbeamten, die im Hafen patrouillieren, haben allem Anschein nach nichts dagegen einzuwenden, dass die Ladung auf sechs, sieben kleinere Schiffe verteilt wird. Diese kleineren Schiffe befördern ihre aus japanischen Mittelklassewagen bestehende Fracht dann in ein paar Hafenstädte in der näheren Umgebung, wo Leute wie die, die wir jetzt besuchen, die Fahrgestellnummern beseitigen und die Autos dann weiterschicken.«

»Und wo genau«, meinte Cooper, »ist da der Zusammenhang zu diesen Kunstgegenständen?«

»Die Grabräuber, denen ich das Zeug abgekauft habe, arbciten alle in dieser Waschanlage.«

Cooper überlegte.

»Als reguläre Arbeit.«

»Genau. Ich habe vorhin zuerst noch bei der Hafcnaufsicht vorbeigeschaut, weil wir ja gar nicht wussten, wo die Waschanlage heute steht. Normalerweise werden die Typen von der Hafenaufsicht genau deshalb geschmiert, dass sie mit solchen Informationen sehr zurückhaltend umgehen.«

Cooper betrachtete die Ausläufer der Stadt, die am Rand der Schnellstraße an ihnen vorbeizogen.

»Aber ein paar von den Containern dort im Hafen gehören Ihnen?«, sagte er.

»Die meisten.«

Cooper nickte. Er brauchte keinen Taschenrechner, um sich

ausrechnen zu können, wie leicht Borrego als örtliche Nummer eins des Speditionsgeschäftes den genauen Standort der »Waschanlage« vom »Hafenaufsichts-Personal« hatte erfahren können. Borrego bezahlte wahrscheinlich jedem Einzelnen von ihnen das Zwei- bis Dreifache seines Monatsgehalts, nur um sie bei Laune zu halten.

Nachdem sie eine Stunde lang auf einer zunehmend kurvigen, schlecht geteerten und mit Rissen übersäten Straße unterwegs gewesen waren, wühlte Borrego in seiner Kühltasche und fing an, Dreifach-Sandwiches zu verteilen. Er erläuterte, dass die Anlage, die sie aufsuchen wollten, am Rand eines für sein enormes Hummeraufkommen bekannten Fischerdorfes namens Dangriga gelegen sei.

»Wäre ganz nett, wenn wir bis zum Abendessen dort wären«, sagte er und hieb seine Reißer dabei mit Wucht in das Sandwich. »Geht doch nichts über einen vierpfündigen Belize-Hummer.«

Dagegen hatte Cooper nichts einzuwenden.

Ein paar Kilometer hinter der Stadtgrenze von Dangriga jagte Madrid den Defender auf einer nicht asphaltierten Nebenstraße in die Berge hinauf. Cooper war bereits kurz davor, sein halb verdautes Putensandwich auf dem Schoß des Velociraptors zu verteilen, da tauchte am rechten Straßenrand ein mächtiger, stabiler Maschendrahtzaun mit Stacheldrahtkrone auf, dazu ein paar Gebäude, Berge verbeulter Autos und eine ganze Reihe anderer, hinter dem Schutzzaun kaum zu erkennender Bauten.

Sieht nicht gerade aus wie ein gewöhnlicher Gebrauchtwagenhandel, dachte Cooper, ist aber vielleicht hervorragend geeignet, um ein paar neueren amerikanischen Modellen einen jungfräulichen Anstrich zu verpassen und sie anschließend über den gesamten Globus weiterzuverkaufen.

Madrid entdeckte die Toreinfahrt und brachte den Defender neben einem Pfahl mit einer Gegensprechanlage und einer weißen Taste zum Stehen. Dann drückte er mit der Linken auf die Taste, während seine Rechte, wie Cooper registrierte, sich in der Nähe des Pistolenhalfters an seiner Hüfte befand.

»Ja«, ließ sich eine verzerrte männliche Stimme aus dem Lautsprecher vernehmen.

»Wir würden gerne ein paar Freunde besuchen«, sagte der Velociraptor in knappem English.

Nach einer kurzen Pause sagte die Stimme: »Wen denn?«

Madrid ratterte vier Namen herunter, die Cooper noch nie gehört hatte.

Es entstand eine längere Pause. Als Madrid gerade noch einmal etwas sagen zu wollen schien, meldete sich die Stimme aus dem Lautsprecher wieder: »Von denen ist heute bloß einer da.«

»Na ja«, erwiderte Madrid, »dann würden wir ihn gerne sprechen.«

»Soll ich ihn fragen, ob ihr wirklich Freunde seid?«, sagte die Stimme.

»Na klar«, stimmte der Velociraptor zu. »Richte ihm aus, der Eisbär ist da.«

Wieder Stille. »Der Eisbär.«

»Ganz genau«, meinte Madrid.

Cooper hatte die Überwachungskamera am oberen Rand des Tores schon längst gesehen. Er ging davon aus, dass die Stimme sich nicht erkundigen musste, ob sie von der Polizei waren, da der Landrover beim besten Willen keine Ähnlichkeit mit einem Streifenwagen des Belize City Police Department aufwies.

Es klickte, und von einem quietschenden Geräusch begleitet schwang das Tor auf, ruckelnd, aber unaufhaltsam, als liefe es über eine verrostete Kette. Madrid fuhr auf das Gelände, als ob er den Weg kannte, aber Cooper hegte den leisen Verdacht, dass das nicht der Fall war. Ein Mann mit dicken Backen und dunkelbrauner Haut, einem zerrissenen T-Shirt und schmuddeligen Jeans kam aus einer Art Schuppen in der Nähe des Tores hervor. Cooper fand es interessant, dass der Mann einfach nur dastand und den Defender beobachtete.

Madrid stellte den Wagen auf einer offenen, nicht asphaltierten Fläche neben dem Hauptgebäude des Schrottplatzes ab. Cooper sah die riesige, aus Wellaluminium-Fertigteilen bestehende Halle und dachte, dass sie wahrscheinlich beim nächsten stärkeren Windstoß in sich zusammenfallen würde. Außerdem konnte das Gebäude vermutlich innerhalb eines halben Tages abgebaut und an anderer Stelle wieder aufgebaut werden, wenn man wusste, wie man es anstellen musste, und außerdem einen Tieflader zur Hand hatte. Eine in Längsfetzen gerissene, blaue Plane baumelte wie ein Vorhang vor dem Haupteingang, sodass man zwar nicht hineinsehen, aber mit einer Handbewegung hineingehen konnte. Madrid ging voraus und blickte sich erst einmal um, bevor er die Plane beiseiteschob, damit Borrego eintreten konnte.

Cooper schlüpfte hinter dem Eisbären ins Innere und wusste durch die Eindrücke, die auf seine Augen, Ohren und seine Nase einstürmten, sofort, dass er sich in einer Autowerkstatt befand. Rund fünfzehn Männer unterschiedlichen Alters machten sich an unterschiedlichen Teilen unterschiedlicher Autos in unterschiedlichem Zustand zu schaffen. Die einzelnen Arbeitsplätze waren klar voneinander abgegrenzt, fast wie in einem Großraumbüro, nur dass hier die Abgrenzung durch die Funktion und nicht durch Stellwände bedingt war. Und während die Arbeit ohne Unterbrechung weiterging, nahm doch jeder einzelne Mann in der Halle auf seine Weise Notiz von ihrer Ankunft. Cooper machte ebenfalls eine Bestandsaufnahme – schwarze, weiße und braune Gesichter, manche davon mit Schweißermasken geschmückt, andere mit Baseballkappen. Einige trugen Overalls, andere mit bunten Farbspritzern versehene Plastik-Ponchos, aber was ihnen allen gemeinsam war, das war dieser Galgenvogel-Gang, aufmerksam und lässig zugleich. So bewegten sich Typen auf Hafturlaub oder mit Bewährungsstrafen.

Nach außen den Eindruck träger Gleichgültigkeit erwecken, aber jederzeit bereit abzuhauen.

Einer der Arbeiter stand etwas abseits, das Schweißgerät in der Hand und die Schutzmaske in den Nacken geschoben. Für Cooper sah er aus wie ein Guatemalteke, aber er war sich nicht sicher, ob das Bild, das er von den Guatemalteken hatte, auch wirklich zutraf.

Borrego winkte dem Mann so selbstverständlich überschwänglich zu, dass die skeptische Anspannung unverzüglich von der Armee der Exsträflinge abfiel. Als er dem Guatemalteken schließlich die Hand schüttelte, schienen sich alle wieder wohl in ihrer Haut zu fühlen, hatten das Arbeitstempo und der Lärm wieder zugenommen. Cooper und Madrid folgten Borrego, blieben aber ein wenig abseits stehen, als Zuhörer, nicht als Gesprächsteilnehmer.

Während Borrego dem Guatemalteken noch die Hand schüttelte, hielt dieser sich die andere Hand vors Gesicht und nieste. Dann wischte er sich mit dem Handrücken die Nase ab, und Cooper bemerkte seine geröteten, wunden Nasenlöcher.

»Mierda«, sagte der Guatemalteke. Das Gespräch wurde auf Spanisch geführt, aber Cooper konnte jedes Wort verstehen. »'Tschuldigung ... ich war todkrank und bin immer noch nicht richtig fit.«

»Ach ja? Wir besorgen dir ein paar Vitamine, wenn du willst«, erwiderte Borrego. »Ich kenne da jemanden in der Stadt, der kümmert sich darum. Vitamine, die dich von einem Tag auf den anderen wieder quicklebendig machen.«

»*No, gracias*«, antwortete der Guatemalteke und hob abwehrend die Hand. »Es wird schon besser. Was man von den anderen nicht sagen kann.«

»Nein?« Cooper registrierte anerkennend, wie Borrego Unterhaltungen führte, indem er vorgab, jedes Wort seines Gesprächspartners zu verstehen, obwohl er eindeutig nicht den geringsten Schimmer hatte, wovon der andere eigentlich gerade redete.

Der Guatemalteke senkte die Stimme, und Cooper musste ihm die nächsten Worte mehr oder weniger von den Lippen ablesen.

»Das ist der Fluch«, sagte er. »Dieser gottverdammte Fluch.«

Borrego lachte. »Ach, komm schon.«

Der Guatemalteke zitterte zwar nicht gerade am ganzen Körper, erinnerte aber insgesamt stark an eine in die Enge getriebene Maus. Und es schien nicht Borrego zu sein, der ihm solche Angst einjagte – Borrego war jedermanns Freund, auch der des Guatemalteken.

»Wo stecken denn deine Kumpels, sind die auch alle krank?«, erkundigte sich Borrego jetzt.

»Krank?« Der Guatemalteke stieß ein nervöses Lachen aus. »Scheiße, *Oso,* die sind tot!«

Cooper spürte ein Ziehen im Magen, während seine Konzentration schlagartig voll da war. Vermutlich spürte auch Borrego ein solches Ziehen.

»Wie?«

»Ich sag's dir, *Oso,* das ist der Fluch. So wie das, was sie einem immer im Museum erzählen. Dass jeder, der so dämlich ist und ein antikes Königsgrab ausraubt, an irgendeinem komischen Scheiß stirbt. Daran sind diese Statuen Schuld, die wir dir verkauft haben. Verdammte Scheiße! Ich hab eine Woche lang im Bett gelegen. Und dabei hab ich noch Glück gehabt.«

Cooper hörte Borrego sagen: »Dann waren die anderen drei also auch krank, genau wie du.«

»Und ob die krank waren. Haben sich in diesem gottverfluchten Dorf angesteckt. In den Höhlen. Aber daran sind sie nicht gestorben.«

»Nein?«

»Es war einfach Pech. Das Pech, das man eben hat, wenn einen ein Grabräuber-Fluch trifft. Radame ist von einer verirrten Kugel getroffen worden, in Dangriga. Genau wie Eduardo. Sie waren zusammen unterwegs und sind mitten in eine Bandenschießerei geraten …«

»Schon kapiert«, sagte Borrego und drehte sich ein wenig zur Seite, um Cooper einen Blick zuzuwerfen. Cooper hob die Augenbrauen und deutete ein Kopfschütteln an.

»So weit, so gut«, fuhr der Guatemalteke fort, »aber willst du wissen, wie es Chávez erwischt hat? Der ist von einem gottverfluchten Bus überfahren worden. Von einem Schulbus, in dem kein einziges Schulkind gesessen hat. Einfach nur Pech. Riesenpech. Dieser gottverdammte Fluch. Ich kann froh sein, dass ich bis jetzt noch am Leben bin.«

»Vielleicht war es eben wirklich einfach nur Pech«, meinte Borrego. »Riesiges Pech.«

»Vielleicht, aber eins sag ich dir: Das ist mir egal. Ich hör auf. Setz mich zur Ruhe.« Dann deutete er mit der linken Hand auf das Schweißgerät in seiner Rechten. »Siehst du das? Das ist meine Arbeit, und genau das werde ich in Zukunft machen. Das oder etwas in der Art. Den anderen Scheiß fasse ich nicht mehr an. Nie wieder.«

Borrego legte seine Pranke auf die Schulter des Guatemalteken. Der Kerl zuckte zusammen, lief aber nicht weg. Vielleicht kann er nicht, dachte Cooper, weil Borrego ihn festhält.

»Ich kann dich wirklich gut verstehen«, sagte Borrego. »Und da du jetzt nicht mehr im Geschäft bist, möchte ich dich etwas fragen, was ich sonst normalerweise nicht fragen würde.«

»Na, klar«, erwiderte der Guatemalteke. »Was immer du willst.«

»Kannst du mir verraten, wo ihr das Zeug gefunden habt?«, sagte Borrego.

»Du meinst das Zeug mit dem Fluch?«

»Ja, genau«, entgegnete Borrego. »Das Zeug mit dem Fluch.«

»Verdammt, das kann ich dir ganz genau sagen. Ich hab' die Landkarte noch in meiner Tasche, weil ich gedacht hab, dass da noch mehr von dem Zeug ist. Dass wir gar nicht alles gefunden haben, weil da sonst noch niemand war. Nicht vor uns und wahrscheinlich auch nicht nach uns. Also hab' ich gedacht, dass ich vielleicht noch mal dort vorbeischaue. Aber das war, bevor der Fluch uns erwischt hat. Jetzt will ich nicht mehr. Scheiße!«

Sein letztes *Scheiße* geriet ihm ein bisschen zu laut, und ein paar Exsträflinge warfen einen schnellen Blick auf Borrego, um zu sehen, ob sich da vielleicht irgendetwas entwickelte.

Der Guatemalteke senkte den Kopf.

»Ich hätte es wissen müssen«, sagte er dann etwas leiser.

»Was hättest du wissen müssen?«, erkundigte sich Borrego.

»Ich hätte wissen müssen, dass wir alle den Fluch kriegen.«

Da Borrego sich vorhin schon ein wenig in Coopers Richtung gedreht hatte, konnte Cooper jetzt sein Gesicht erkennen. Der Eisbär verengte seine Augen zu Schlitzen.

»Warum?«, wollte er wissen.

»Weil alle anderen den gottverdammten Fluch auch gekriegt haben, darum«, entgegnete der Guatemalteke.

»Wo denn?«

»Na, dort, wo wir die Sachen gefunden haben.«

»Wer denn?«, wollte Borrego wissen.

»Alle«, antwortete der Guatemalteke. »Vielleicht ist es ja schon tausend Jahre her, keine Ahnung. Ich weiß bloß, dass sie tot waren. Jeder Einzelne.«

Borrego sagte nichts. Madrid sagte nichts. Cooper sagte auch weiterhin nichts. Da sah er hinter einem der fast fertig lackierten Autos den dickbackigen Typen mit dem zerrissenen T-Shirt auftauchen. Es war nicht klar, wie er in die Halle gekommen war, aber Cooper hatte nicht das Gefühl, als ob das eine große Rolle spielte. Er wollte sie nicht angreifen, sondern wollte dem Guatemalteken zu verstehen geben, dass er sich gefälligst wieder an die Arbeit machen sollte. Der Guatemalteke spürte die Gegenwart seines Vorgesetzten und wandte sich zu ihm um.

»Soll ich dir dann die Landkarte holen?«, sagte er zu Borrego.

»Das wäre schön«, erwiderte der Eisbär und nahm seine Pranke von der Schulter des Guatemalteken.

Dieser ging zu seinem Spind und kehrte mit einem zerknitterten Stück Papier zurück. Borrego nahm es entgegen, nicht, ohne der in die Enge getriebenen Maus vorher ein Bündel Geldscheine zu überreichen. In welcher Währung, das konnte Cooper jedoch nicht erkennen. Dann verzog sich der Mann und verschwand in der Werkstatt.

Ohne erkennbares Zeichen von Borrego schlenderte Madrid zielsicher auf den dickbackigen Vorgesetzten zu, reichte auch ihm ein dickes Bündel Scheine, kam wieder zurück und geleitete Cooper und Borrego durch den blauen Vorhang nach draußen.

Als sie wieder im Land Rover saßen, beugte Borrego sich aus seinem Thron nach vorne und hieb seine dicke, fette Pranke auf Coopers Schulter.

»Ich weiß ja nicht, wie's dir geht, *Amigo*«, sagte er, »aber dieses ganze Fluch-Gequatsche hat mir so richtig Appetit auf einen vierpfündigen Hummer gemacht.«

33

Die Route, die auf der Landkarte des Guatemalteken eingezeichnet war, stellte vermutlich sowohl auf dem Papier als auch auf der Straße den kompliziertesten aller möglichen Wege zu ihrem Ziel dar. Trotzdem folgten sie diesen Angaben – beinahe tausend kurvenreiche Kilometer, zum Teil auf befestigten, überwiegend jedoch auf unbefestigten Wegen. Die ersten Stunden brauchten sie, um sich aus Belize herauszuschlängeln, die restlichen zwölf mit der Umfahrung und anschließenden Erklimmung eines Gebirgszuges, der, wie Cooper fand, einer der heimtückischsten der gesamten Anden sein musste.

»Sie sind gut«, hatte Borrego schlicht geantwortet, als Cooper angesichts der Länge und des Verlaufs der auf der Karte eingezeichneten Strecke Bedenken geäußert hatte. »Sie wissen genau, was sie machen.«

»Die toten Grabräuber, meinen Sie?«, sagte Cooper.

»Ja«, erwiderte Borrego.

»Wie Sie meinen«, sagte Cooper.

Gegen Sonnenuntergang gelangten sie an einen Kontrollpunkt der Rebellen.

Vor acht Stunden hatten sie die Grenze nach Guatemala überquert. Das war reibungslos gelaufen – Reisepässe vorzeigen, Bargeld übergeben, weiterfahren. Borrego hatte gesagt, dass eigentlich niemand Interesse daran hatte, Besucher aus Guatemala fernzuhalten, da es sich normalerweise um Touristen handelte, die bereit waren, Geld auszugeben. Ein paar

Maya-Ruinen besichtigen, einem oder zwei Reiseleitern ein paar Münzen zustecken – die Behörden hatten keinen Grund, sich mit irgendwelchen lächerlichen Grenzkontrollen aufzuhalten, zumindest nicht, wenn es um die Einreise ging.

Die eigentliche Herausforderung, so hatte Borrego gesagt, seien die Rebellen-Kontrollpunkte.

Die linken Rebellen in Guatemala waren Mitte der Achtzigerjahre zwar durch Regierungstruppen mit Unterstützung der USA im Großen und Ganzen besiegt worden, hatten den Kampf jedoch nie ganz aufgegeben. Daher hatten sie als eine Art Trostpreis bestimmte abgelegene Gebiete des Landes zu ihrem Territorium erklärt, und niemand hatte sie daran gehindert – hauptsächlich deshalb, weil dort fast kein Mensch wohnte und noch weniger Menschen diese Gebiete aufsuchen wollten. Also machte es auch nichts, wenn man die bewaffneten Gruppierungen, die einst in der Hauptstadt des Landes einen Krieg entfacht hatten, in abgeschiedenen Gegenden mehr oder weniger in Ruhe regieren ließ.

Wenn man hier draußen allerdings Geschäfte machen wollte, dann, so hatte Borrego Cooper erzählt, musste man mit erheblichen Steuerforderungen rechnen. Das sei einer der Hauptgründe, wieso sein schwunghafter Antiquitätenhandel nur so wenig Gewinn abwarf: An den meisten Orten, wo man noch unentdeckte Originale finden konnte – ob in Guatemala, Ägypten, Nordafrika oder sonst irgendwo – gab es so viele lokale Konflikte, meist in Verbindung mit irgendeinem Bürgerkrieg, dass die notwendigen Bestechungsgelder eine ernsthafte Gefährdung der eigentlich möglichen Gewinne darstellten.

Und außerdem, erzählte Borrego weiter, war es oft genug so, dass man den Typen bezahlen konnte, was man wollte, sie nahmen einem letztendlich doch alles ab, was man bei sich hatte, und manchmal steckten sie einen zu allem Überfluss auch noch in ein Gefängnis, dass sie sich irgendwie zusammengeschustert hatten.

»Ziemlich unfair eigentlich für denjenigen, der das bezahlen muss«, sagte Cooper.

»Unfair – oder bescheuert«, sagte Borrego zwischen zwei Schlucken Gatorade. »Und was noch dazukommt: Ständig verschieben sich die Grenzen, und deshalb weiß man nie so genau, wer eigentlich gerade welches Gebiet kontrolliert.«

»Dann besticht man also immer wieder mal die Falschen«, meinte Cooper.

»Meistens sogar«, erwiderte Borrego. »Also schmiert man zwei oder drei Typen, bevor man schließlich durchkommt. Andererseits ... so machen wir das in Caracas natürlich auch.«

Als sie sich den beiden Typen in Kampfmontur näherten, hatte Cooper einen kurzen, wahnsinnigen Augenblick lang das Gefühl, als hätte er einen der Rebellensoldaten erkannt – und dieser ihn auch. Madrid brachte den Wagen langsam zum Stehen, und dann blickte Cooper dem Soldaten auf der Beifahrerseite kurz und sehr real direkt in die Augen. Und wusste mit einem Mal, dass er in der Falle saß – *in der Falle* –, dass der Mann sein Bild auf einem anlässlich seiner Flucht veröffentlichten Fahndungsplakat gesehen hatte und dass ihm sofort klar gewesen war, dass er jetzt einen Feind des Staates gefasst hatte ...

Wir wissen, wer du bist, sagte der Blick des Soldaten, *und jetzt haben wir dich.*

Panik kochte in ihm auf wie sprudelnde Galle, und er hätte um ein Haar nach seiner Pistole gegriffen. Vielleicht konnte er ja beide mit zwei schnellen Schüssen ...

Dann fiel ihm wieder ein, wo er war. In einem *anderen* mittelamerikanischen Land, verdammt noch mal. Außerdem erkannte Cooper, wie jung das Bürschchen mit dem Gewehr noch war. Allerhöchstens siebzehn, aber wahrscheinlich erst vierzehn oder fünfzehn, wenn man bedachte, wie hart das Leben hier draußen in der Wildnis war.

Diese Typen waren noch nicht mal auf der Welt, als du zum letzten Mal in der Gegend warst.

Der Velociraptor wechselte ein paar Worte mit dem Soldaten auf seiner Seite, wovon Cooper unter anderem die Worte *Oso Blanco* und *Dinero* verstand – und dann begegnete sein Blick noch einmal dem des Jungen auf seiner Straßenseite.

Der Teenager-Rebell senkte den Blick, machte eine halb lässige, halb drohende Geste mit seinem Gewehr und winkte sie durch.

Unter ein paar Weidenbäumen machten sie Rast und fuhren noch vor Einbruch der Dämmerung weiter. Nachdem der Defender sich zwei Stunden lang auf einem Schlammpfad bergauf gekämpft hatte, sagte Cooper: »Mal angenommen, Ihre Grabräuber waren wirklich so gut, wie Sie sagen, und das hier ist der einfachste Weg zum Fundort, dann hätte ich eine Frage.«

»Raus damit«, sagte der in seinem Thron festgeschnallte Borrego, während der Landrover seine Insassen hin und her schleuderte.

»Wie haben sie es, verdammt noch mal, geschafft, acht Kisten mit goldenen Kunstgegenständen, jede vielleicht eine halbe Tonne schwer, hier rauszubefördern?«

Borrego lächelte, und seine gelben Zähne leuchteten.

»Das ist die große Frage, stimmt's?«

Cooper wartete ab. Madrid umkurvte eine Spurrille, geriet aber gleich in eine andere, und Cooper musste sich anstrengen, um einen Zusammenprall des Armaturenbretts mit seinem Kinn zu verhindern.

»Um ehrlich zu sein«, meinte Borrego, »so genau weiß ich das auch nicht, obwohl ich schon gelegentlich hier in der Gegend gegraben habe, zumindest ungefähr. In der Regel wird man nur dort fündig, wo vorher noch niemand gewesen ist. Viele dieser unentdeckten Ruinen liegen mitten in aktiven Vulkanmassiven, die früher mal von Mayas oder von anderen Naturvölkern besiedelt waren. Aber an all diesen Orten hat es seither etliche tausend Schlammlawinen, Erdbeben und sogar Vulkanausbrüche gegeben. Die Leute verlassen die Gegend, und bis auf ein paar Wanderer kommt nie wieder jemand da hin, der Regenwald überwuchert das Dorf, und dann kostet es eine Menge Arbeit, die Wertgegenstände, die die ehemaligen Bewohner vielleicht zurückgelassen haben, herauszuholen.«

Trotz Allradantrieb verlor Madrid an dem schmierigen Hang die Haftung. Die Straße war mittlerweile so steil geworden, dass Cooper sich fühlte wie im Business-Class-Liegesessel eines Flugzeugs.

»Das ist aber keine Antwort auf meine Frage.«

»Wird schon noch«, erwiderte Borrego. »Was ich sagen will: Niemand schafft die zwei oder drei Lastwagenladungen mit der Ausrüstung, die man braucht, um an die ganzen Leckereien zu kommen, eine senkrechte Felswand hinauf oder am Rand eines Vulkankraters entlang. Darum transportieren die Grabräuber, genau wie wir, ihre Ausrüstung erst mal möglichst weit in das betreffende Gebiet hinein. Sobald man dann die Statuen oder die Mumien oder die Taschen mit dem Gold – ganz egal – gefunden hat, finden sich in der Regel ganz in der Nähe ein paar steile Abhänge. In dieser Gegend hier kann es sogar sein, dass man plötzlich vor einer 300 Meter hohen, senkrechten Felswand steht.«

Cooper hielt sich mit aller Kraft fest, während Madrid am Scheitelpunkt eines besonders steilen Anstiegs um eine Haarnadelkurve driftete.

»Jedenfalls geht es«, fuhr Borrego fort, »bei solchen Höhenunterschieden bergab sehr viel einfacher als bergauf.«

Sie hatten die Kurve jetzt hinter sich, und Cooper sah, dass sie vor einem Anstieg standen, der stark an eine olympische Skisprungschanze erinnerte. Das momentane Tempo von vier bis fünf Stundenkilometern war jedenfalls bei weitem nicht genug, um diese Steigung zu bewältigen.

»Festhalten«, sagte Madrid, riss das Lenkrad nach links, trat das Gaspedal bis zum Anschlag durch, raste noch zehn, fünfzehn Meter weiter und versenkte den Defender dann in einem Dickicht aus Farnen und kleinen, dicken Bäumen. Dann zog er den Zündschlüssel ab und die Handbremse an.

»Endstation«, sagte er.

Der Eisbär schälte sich aus seinem Thron und sprang mit einem geschmeidigen, fast leichtfüßigen Satz auf den schlammigen Boden. Dann schaute er Cooper an. Obwohl Borrego draußen stand und Cooper hoch oben auf dem Beifahrersitz saß, musste er den Kopf in den Nacken legen, um dem Eisbären in die Augen schauen zu können.

»Wenn ich diese Landkarte richtig interpretiere«, sagte Borrego, »dann müssen wir erst diesen steilen Hügel rauf, dann ein bisschen klettern und dann noch mal zehn bis zwölf Kilometer durch den Dschungel, bevor wir am Ziel sind.« Er grinste. »Bist du bereit?«

Cooper schaute noch einmal den Abhang hinauf. Er machte einen wahnsinnig lang gezogenen Eindruck und war ja nur das Vorspiel vor dem »bisschen Klettern«, an das er jetzt lieber gar nicht denken wollte.

»Kleinigkeit«, sagte er.

Um die Mittagszeit waren Coopers Füße bereits mit Blasen übersät, und um Viertel nach zwei hatten sie endlich den Kraterrand erklommen. Dahinter ging es ein kurzes Stück bergab, und dann begann das endlos weite Meer des Dschungels.

Borrego kam mit flinken Schritten hinter Cooper hergeklettert und stellte sich dann neben ihn, um das Panorama zu bewundern.

»Eine namenlose Regenwald-Hochebene«, sagte er. »Einer von etlichen tausend solcher Paradiesgärten hier in der Gegend.«

Der Regenwald wurde von hohen Bergen umgeben, und Cooper erkannte, dass die Hochebene in einem Vulkankrater – vielleicht sogar in mehreren verfallenen und überwucherten Kratern – lag. Der Wald schien im Wesentlichen aus zwei grünen, in etwa kreisförmigen Flecken zu bestehen. Der erste, größere begann ganz in ihrer Nähe, der zweite, kleinere lag auf einer zweiten, etwas erhöhten Ebene. Zusammengenommen erinnerten die beiden Waldgebiete an eine liegende Acht. Er fragte sich, wie viele archäologisch bedeutsame Ruinen – ob nun von den Maya oder anderen Völkern – allein auf dieser Hochebene unter Schlingpflanzen begraben wohl vor sich hinfaulen mochten, überlegte noch einmal und kam dann zu dem Schluss, dass die Vorstellung, dass hier oben überhaupt jemand lebte, sowieso ziemlich merkwürdig war, heute genauso wie damals.

Dann war Madrid neben ihnen, mit einem Rucksack, der etwas voller war als der seiner Begleiter, richtete sich ebenfalls auf und weidete sich an der Aussicht.

»Zu eurer Information, ihr Hobby-Historiker«, sagte Borrego. »In der traditionellen Geschichtsschreibung wird der Zusammenbruch der klassischen Maya-Gesellschaft für das 9. und 10. Jahrhundert angesetzt. Aber an Orten wie diesem hier ist die Indio-Kultur noch bis zu tausend Jahre länger lebendig geblieben. Hier herauf hat sich bis vor kurzem eigentlich nur alle sechs- bis siebenhundert Jahre irgendjemand verirrt. Und wenn man weiß, wie's geht, dann kann man in diesem Dschungel so lange überleben, wie man will. Sogar bis in alle Ewigkeit, gäbe es da nicht andere Menschen, so wie uns, die ständig in jeden unentdeckten Winkel der Erde vorstoßen und alle möglichen Krankheiten einschleppen müssen.«

Borrego zog die Landkarte des Kerls aus der Autowerkstatt hervor und studierte sie eine Weile. Dann blickte er über die Dschungel-Ebene hinweg, kratzte sich am Kopf und deutete auf eine bestimmte Ecke des Regenwaldes, nach Coopers Einschätzung auf die nordwestliche.

»Wenn die Karte stimmt«, sagte Borrego, »dann müssen wir in diese Richtung.«

Cooper vertrat sich die schmerzenden Füße auf der steinigen Erde des Kraterrandes.

»Das sollen die zehn, zwölf Kilometer sein, von denen du vorhin gesprochen hast?«, meinte er kopfschüttelnd.

»Ja, genau«, entgegnete Borrego. »Bloß, dass es eher wie sechzehn aussieht.«

»O Gott.«

»Kaum zu glauben, stimmt's?«, meinte Borrego.

»Was denn?«

Der Riese deutete noch einmal in dieselbe Richtung.

»Dass die Antwort auf die Frage, wer zum Teufel deine ›Ausknipser‹ sind und warum zum Teufel sie dieses schmutzige Geschäft betreiben, tatsächlich irgendwo da draußen zu finden sein könnte. In diesem gottverdammten Dschungel.«

Cooper ließ seinen müden Geist wandern, dachte an Cap'n Roy und Po Keeler und die tiefgekühlte Leiche unter den Alaska-Königskrabben. Das alles erschien ihm so unendlich weit von diesem Ort, diesem – wie hatte Borrego es formuliert? – Paradiesgarten hier entfernt. Einem Ort, den sie per Flugzeug, per Landrover und zu Fuß erreicht hatten und der – geopolitisch betrachtet – inmitten eines weitgehend unbedeutenden Dritte-Welt-Landes lag.

Aber selbst im ersten Paradiesgarten hatte ja angeblich nicht immer nur eitel Sonnenschein geherrscht, und das galt wahrscheinlich auch hier. Vielmehr hatte der Automechaniker und Teilzeit-Grabräuber dort draußen in diesem Regenwaldkrater etwas gesehen, was ihn davon überzeugt hatte, dass dieser Ort und jeder, der ihn aufsuchte, verflucht war.

Cooper wollte eigentlich gar nicht weiter darüber nachdenken, was sie dort wohl erwartete. Zumindest noch nicht. Er streckte den Arm aus, streckte ihn weit, sehr weit nach oben, und versetzte Borrego einen freundschaftlichen Klaps auf die Schulter.

»Dann wollen wir mal sehen, was es da zu sehen gibt«, sagte er.

34

Kurz vor Einbruch der Abenddämmerung hatten sie das Dorf gefunden.

Cooper stieß als Erster auf eines der Gebäude, ein überwuchertes Rechteck aus Lehm und dunklen Hartholzbalken, die praktisch keine faulen Stellen aufwiesen. Er hätte es beinahe übersehen, hauptsächlich, weil er eine andere Art Ruine erwartet hatte. Nicht, dass es dafür einen bestimmten Grund gab ... aber was war eigentlich aus den eingestürzten und vom Dschungel überwucherten Steinbauten der Maya geworden?

Bald schon entdeckte er das nächste Gebäude. Und dann noch eines. Sie hatten das Gelände zu dritt abgesucht, in fünfzig Metern Abstand voneinander, sodass sie einen möglichst breiten Streifen abdecken und einander trotzdem noch hören, vielleicht sogar sehen konnten. Cooper stieß einen Pfiff aus.

»Ich hab was«, rief er. »Weiß zwar nicht genau, was, aber ich hab' was.«

»Ich auch«, meldete sich Borrego irgendwo links von Cooper

zu Wort. Und von rechts hörte Cooper Madrid näher kommen. Oder war es ein großes Tier?

Die Sicht wurde jetzt noch schlechter, obwohl es schon tagsüber schwierig gewesen war, überhaupt etwas zu erkennen. Das Blätterdach ließ nur wenig Sonnenlicht eindringen. Alles war nass, und es war heiß bei vielleicht dreißig, zweiunddreißig Grad Celsius. Vier- oder fünfmal während ihres Dschungelmarsches hatte Cooper mehr gehört als gespürt, wie Regenschauer auf das oberste Stockwerk des Blätterdaches geprasselt waren. Irgendwann tropfte der viele Regen aber schließlich doch auf den Boden und sorgte dafür, dass dort im Prinzip eine einzige, riesige Matschpfütze entstand.

Jetzt stand Madrid bei Cooper, und sie betrachteten die kleinen Häuser.

»Gar nicht so alt«, sagte er.

In dem Häuschen, das Cooper gerade in Augenschein nahm, befanden sich Kochgeschirr, ein Holztisch mit Bänken, zwei Töpfe – gebraucht und schmutzig, aber allem Anschein nach aus Gold – sowie zwei menschliche Skelette an einer Wand neben der Bank. Cooper stakste zu dem Häuschen, das Madrid gerade untersuchte, und stellte fest, dass es praktisch identisch mit seinem war, abgesehen von dem etwas größeren Grundriss und der Tatsache, dass nicht zwei, sondern drei Skelette darin lagen.

Borrego ließ sich immer noch nicht sehen, und so machte Cooper sich auf den Weg zu der Stelle, von wo der Eisbär auf seinen Pfiff geantwortet hatte. Madrid kam ihm nach. Es war mittlerweile Nacht geworden, und so dauerte es ein paar Minuten, aber nachdem sie ein paar Mal nach ihm gerufen hatten, entdeckten sie den Hünen schließlich. Auf einem Knie kauernd schien er ein paar Sträucher zu untersuchen.

»Haben Sie da auch ein paar Skelette entdeckt?«, erkundigte sich Cooper.

Borrego richtete die Taschenlampe von dem Strauch, den er sich soeben angeschaut hatte, weg auf den Boden. Selbst jetzt noch wurden sie geblendet, weil ihre Augen sich mittlerweile so an das Zwielicht des Regenwaldes gewöhnt hatten.

»Ja, schon«, erwiderte Borrego, »aber nicht nur das.«

Er richtete den Strahl der Taschenlampe nach vorne, wo Cooper jetzt eine Art Straße zu erkennen glaubte. Sie war zwar teilweise überwuchert, aber als Borrego den Lichtstrahl über den Boden gleiten ließ, waren unter der dünnen Blätterdecke Reifenspuren zu erkennen.

»Ich schätze mal«, sagte Borrego, »dass sie die Artefakte auf diesem Weg rausgeschleppt haben. Die Spuren stammen von einem motorisierten Fuhrwerk, einer Art Minipanzer, wie er von den Grabräubern unserer Zeit bevorzugt eingesetzt wird. Ich wette, wir sind ein Stückchen im Kreis gegangen – der Teil des Kraterrandes, der am dichtesten an der Grenze zu Belize liegt, ist gar nicht mehr weit entfernt. Ein paar Kilometer von hier müsste es eigentlich eine steile Klippe geben, wo sie die Sachen mit Seilen und Flaschenzügen hätten abseilen können.«

Cooper schaltete seine eigene Taschenlampe ein, sah sich um und nahm alles, was nicht Baum, Strauch, Insekt oder Schlange war, etwas genauer unter die Lupe. Er hörte, dass Borrego und Madrid ihm folgten, und so marschierten sie durch die Dunkelheit und nahmen noch ein paar Gebäude unter die Lupe, darunter auch ein traditionelleres Steinhaus. Außerdem entdeckte er etliche Feuerstellen. Wohin sie auch gingen, überall waren die Geräusche des Dschungels einfach überwältigend – kreischende Insekten, Frösche oder sonst irgendwelche Kreaturen, Cooper hatte keine Ahnung. Außer dem Rascheln von Schlangen, Nagetieren und vielleicht auch Vögeln war gelegentlich ein ziemlich bedrohliches Knurren zu hören. Cooper wusste nicht, was diese Laute zu bedeuten hatten, aber er wusste, dass er sie verabscheute. Er verabscheute praktisch alles an diesem Ort hier – die Form der Blätter, die Größe der Schlingpflanzen, die sich an den Bäumen emporrankten, den Geruch der Fäulnis und den der frischen, jungen Triebe. Er musste die Zähne fest zusammenbeißen, um nicht von Wahnsinn und Furcht und dem instinktiven Drang wegzulaufen überwältigt zu werden.

Er wusste auch, warum: Es gab keinen erkennbaren Unterschied zwischen diesem Dschungel und dem, durch den damals seine Flucht geführt hatte ... in dem er gefangen gehalten worden und über dem er, dämlich und überheblich wie er gewesen war, mit dem Fallschirm abgesprungen war.

Schubweise überkam ihn das dringende Bedürfnis, einfach abzuhauen, aber zwischendurch registrierte er sehr aufmerksam, was seine Augen sahen. Und das waren, neben einer relativ primitiven, mittelamerikanischen Indiosiedlung, noch mehr Leichen. Skelette, und zwar eine ganze Menge davon.

Oder, wie der Grabräuber in der Autowerkstatt es formuliert hatte: *Alle.*

Vor allem angesichts der Körperhaltung der Skelette, die allesamt scheinbar entspannt dazuliegen schienen, wurde sehr schnell deutlich, dass die Bewohner dieses Dorfes fast zur selben Zeit gestorben beziehungsweise ermordet worden sein mussten. Manche waren wohl noch gepflegt worden und manche nicht, aber es deutete alles darauf hin, dass der Tod ziemlich schnell über sie gekommen war.

Tatsächlich, ein Fluch. O Gott.

Kurz ergriffen Angst und Übelkeit von ihm Besitz, und er stützte sich mit der Hand an einen Baum. Und dabei hörte er sie. Zuerst war sie nur schwach, mischte sich unter die anderen Dschungelgeräusche, aber dann wurde ihr kreischender Singsang lauter und lauter, und er wusste, wer das war. Es war diese verdammte goldene Priesterin, dieses Götzenbild, das über das Karibische Meer hinweg nach ihm rief. Ihre Stimme klang jetzt tiefer, verzerrt, die Kehle trocken und rau ...

Oh, ja, Cooper, du hast uns gesucht, und jetzt hast du uns gefunden.

Endlich bist du gekommen, um uns zu befreien. Also hol uns hier raus, du dämlicher, alter Sack von einem Dschungelkämpfer. Lass uns unserer Verdammnis entfliehen. Dann verdanken wir unsere Flucht einer Seele, die genauso verdammt ist wie wir ...

Cooper bückte sich und untersuchte eines der Skelette etwas sorgfältiger. Es lehnte zum Teil an der Wand seines Hauses und lag zum Teil auf dem Boden, als ob dieser Mensch an der Wand sitzend gestorben war und die Knochen dann im Verlauf des Zersetzungsprozesses ein wenig verrutscht waren.

»Wir sollten uns mal ein Lager machen«, sagte Borrego. »Ungefähr hundert Meter in diese Richtung ist eine kleine Lichtung, die sich ganz gut dafür eignet. Wir könnten ein Feuer machen und uns von dort aus strahlenförmig auf die Suche machen – vom Feuer weg und dann wieder zurück, weg und zurück, damit wir immer genau wissen, wo wir schon waren und wo noch nicht, mit dem Feuer als Kompass.«

Madrid räusperte sich.

»Vielleicht wäre es ja besser, bis zum Morgen zu warten«, sagte er, »und sich erst dann umzuschauen.«

Borrego kicherte.

»Wie?«, sagte er dann. »Und die ganze Nacht über rumsitzen? Wenn du es tatsächlich aushältst, noch einmal zehn Stunden zu warten, bis wir jeden Stein in diesem Dörfchen umdrehen und in jeden Winkel kriechen können – verdammt, wenn du bei diesem Lärm überhaupt schlafen kannst –, dann hast du's eindeutig besser als ich.«

»Also gut«, lenkte der Velociraptor ein, allerdings ohne Borregos Begeisterung zu teilen. »Dann fange ich mal an, die Sachen auszupacken.«

Borrego zeigte Madrid die enthusiastisch nach oben gereckten Daumen und wandte sich um, um vorauszugehen.

In wechselnden Zweier-Teams, während einer – meistens Madrid – das Lager bewachte, schauten sie sich das gesamte Dorf oder zumindest das, was das gesamte Dorf zu sein schien, an. Dazu stießen sie jeweils sechs- bis siebenhundert Meter weit vor, kehrten dann auf demselben »Strahl« wieder zum Feuer zurück und untersuchten unterwegs alles, was vom Lichtkegel ihrer Taschenlampen erfasst wurde. Nachdem sie so bereits einen Dreiviertelkreis durchforstet hatten, stießen Cooper und Borrego ungefähr hundert Meter östlich des Feuers auf eine Treppe in den Untergrund.

Zwei Steinsäulen, die erst kürzlich umgefallen und zerbrochen waren, hatten vorher offensichtlich den Eingang markiert, der sich am unteren Ende dieser Treppe verbarg. Die Treppenstufen bestanden aus Steinplatten, die, wie sich im Schein der Taschenlampen herausstellte, unter den Boden des Regenwaldes führten. Cooper zählte dreißig Stufen und schätzte, dass der Gang, der sich an die unteren Stufen anschloss, rund sechs bis sieben Meter unter dem Erdboden liegen musste. Erde, Blätter, Stöcke, Steine und Felsbrocken lagen überall auf der Treppe und im Gang verteilt. Außerdem waren Fußspuren, geradlinige Vertiefungen und an der Oberfläche, ganz in ihrer Nähe, wieder die Reifenspuren zu sehen.

»Ich schätze mal, da haben sie den Schatz gefunden«, meinte Borrego.

»Und vielleicht auch den Fluch.« Cooper war nicht recht wohl bei dem Gedanken, in den Untergrund zu steigen.

»Ach was, nein«, erwiderte Borrego kichernd. »Den Fluch kriegt man da drüben, wo wir unser Lager aufgeschlagen haben.«

»Sehr witzig.«

»Nach Ihnen.«

»Noch witziger.«

»Ich könnte auch Madrid holen«, meinte Borrego. »Damit er als Erster reingeht. Vielleicht kann er ja die Sprengfallen auslösen.«

»Ich dachte, Sie haben so viel Erfahrung mit Besuchen im Schattenreich?«, sagte Cooper.

Ihre Taschenlampen beleuchteten weiterhin das untere Ende der Treppe.

»Habe ich auch.«

»Und?«

»Sie sind der Kanarienvogel«, sagte Borrego. »Oder etwa nicht?«

Ach, zum Teufel, was soll's, dachte Cooper und ging los. Er stieg rückwärts die Treppe hinunter, um Borrego im Auge zu behalten. Einen anderen Grund als seinen Instinkt gab es dafür nicht – aber man konnte ja nie wissen. Borrego kam vorsichtig hinter ihm drein. Seine Schritte waren jetzt nicht mehr ganz so federnd wie während der Wanderung.

Etliche Steine und Balken, die die Wände des Gangs vor dem Einsturz hindern sollten, waren zerbrochen und zu Boden gefallen. Überall da, wo die Wände nachgegeben hatten, lagen Erdhaufen herum, doch die meisten schienen älter zu sein als der Raub, da auf ihnen ebenfalls Reifenspuren, Fußabdrücke und Schleifspuren zu erkennen waren.

Entlang der Treppe waren nach jeweils ungefähr zehn Stufen Mauervorsprünge in Schulterhöhe zu sehen, abwechselnd links und rechts. Als Cooper sie etwas näher untersuchte, stellte er fest, dass sie als Fackel- oder Laternenhalter dienen sollten. Genau wie die übrigen Gebäude machten auch sie keinen besonders altertümlichen Eindruck.

Der Gang schwenkte nach rechts, und Cooper nahm zunächst nur Dunkelheit wahr. Dann richtete er den Strahl der Taschenlampe in die Schwärze und sah, dass sie in einem riesigen Raum standen. Borrego trat neben ihn, sodass sie mit beiden Lampen das Gewölbe wenigstens teilweise beleuchten konnten.

Sie befanden sich in einer massiven Kammer mit steinernen Wänden und einer ganzen Anzahl hintereinanderstehender Bänke, die aus demselben dunkeln Hartholz geschnitzt waren wie die Gebäude oben im Regenwald. In die beiden Längswände waren in regelmäßigen Abständen Höhlen gehauen worden, die sich bei näherer Betrachtung als leer erwiesen. So, wie die Spinnweben, der Staub und die Erde in den Höhlen aussahen, war für Cooper eindeutig klar, dass sie erst kürzlich leer gemacht worden waren.

Eine ähnliche, rechteckige Leere aus Schmutz und Staub war im Schein ihrer Taschenlampen auch an der kürzeren Rückwand der Kammer zu erkennen. Cooper musste sofort an die goldenen Wandteppiche denken, die er in Cap'n Roys Scheune auf dem Marinestützpunkt gesehen hatte.

»Sieht aus wie 'ne Kirche«, knurrte Borrego an Coopers linker Seite.

Links und rechts von der Stelle, wo der Wandteppich gehangen hatte, befand sich je eine Doppeltür. Cooper nahm den einen Ausgang und Borrego den anderen. Dann fanden sie sich beide im selben Raum wieder, der deutlich breiter war als der andere, dafür aber niedriger. Cooper ließ den Strahl der Taschenlampe über die verschiedenen hier gelagerten Gegenstände gleiten und spürte, wie ihm ein eisiger Schauer über den Rücken lief.

»Oder wie ein Beerdigungsinstitut«, sagte er.

In langen Reihen standen dicht an dicht unzählige Särge. Auch sie bestanden aus dem schwarzen Hartholz. Sie sahen insgesamt verwitterter aus als die Dielenbretter der Hütten. Älter, dachte Cooper.

»Das ist ihr Friedhof«, dachte er laut.

»Sieht ganz danach aus«, erwiderte Borrego.

Die meisten Särge schienen schon einmal geöffnet und wieder verschlossen worden zu sein. Die Deckel saßen meist ein wenig schief, ohne jedoch ganz herabzurutschen. Auch in diesem Raum waren Höhlen in die Seitenwände geschlagen worden, die ebenfalls leer waren, genau wie die Kisten neben den Särgen, von denen Cooper und Borrego etliche in Augenschein nahmen.

»Da Ihre Ihre Leute ja ordentlich aufgeräumt«, sagte Cooper.

»Ich hab Ihnen doch gesagt, dass die gut sind.«

»Nicht, dass mich das besonders überraschen würde«, meinte Cooper dann, »aber ich komme mir hier nicht gerade vor wie der große Sherlock Holmes. Die Dorfbewohner sind alle tot, okay, aber das sind sie in anderen Maya-Ruinen auch, abgesehen davon, dass die Leute hier ganz offensichtlich sehr schnell gestorben sind. Dann haben wir da noch die gründlichen Ihrer Grabräuber – aber abgesehen von diesen Tatsachen sind wir nicht gerade über eine Erklärung für die multikontinentale Ausknipserei gestolpert, die irgendwelche Unbekannte zurzeit anrichten.«

Der Lichtkegel aus Borregos Taschenlampe hüpfte ruckartig von Wand zu Wand. Cooper schaute ihn an und stellte fest, dass der Eisbär angefangen hatte, sich langsam, ausgiebig und genüsslich zu strecken. Und wie um die Befriedigung, die diese Ganzkörperdehnung ihm bereitete, noch zu unterstreichen, riss er jetzt den Mund auf und ließ ein großes, vibrierendes Gähnen sehen.

Als er damit fertig war, sagte Borrego: »Ich schätze, man könnte es auch so sehen: Entweder hat es etwas mit dem Tod dieses Dorfes zu tun, oder aber die ganze Reise war eine einzige riesige Zeitverschwendung. Abgesehen natürlich von dem leckeren Hummer und der körperlichen Ertüchtigung. Gehen wir mal nach oben und schauen nach, ob Jesus die Zelte schon aufgebaut hat.«

Cooper meinte achselzuckend, dass aus seiner Sicht nichts dagegen spräche, und folgte dem Eisbären nach oben und nach draußen.

35

Sie hatten ein Feuer gemacht, aber nicht um sich zu wärmen – dafür gab es in der tropischen Hitze keinen Grund –, sondern um Kaffee zu kochen. Die Geräuschkulisse des Dschungels hatte Cooper noch vor dem Morgengrauen aufgeweckt.

Auf einem der »Strahlen«, die sie am vorigen Abend entlanggegangen waren, hatte er am nördlichen Rand des Dorfes ein Flüsschen entdeckt. Dann hatte er am Morgen nach dem Aufwachen den Aluminiumtopf gesucht, in dem Madrid etwas Trockennahrung zubereitet hatte, und war zum Fluss gegangen, um Wasser zu holen. Er setzte das Feuer wieder in Gang, indem er mit dem Fuß in der Restglut scharrte, brachte das Wasser zum Kochen, holte einen Kaffeefilter und Kaffeepulver aus seinem Rucksack und füllte die Tassen, die Madrid ihnen eingepackt hatte, mit individuell gefiltertem Kaffee.

Sobald die Dschungelluft vom Kaffeeduft erfüllt wurde, wachten Borrego und Madrid auf.

Essen und Trinken, dachte Cooper, *bei diesen Typen dreht sich alles ums Essen und Trinken.*

Nachdem sie drei weit genug voneinander entfernte Büsche gefunden und sich erleichtert hatten, versammelte sich das Entdecker-Trio um das Feuer und widmete sich dem Kaffee.

»Ist Ihnen aufgefallen, dass an manchen Skeletten noch einzelne Stofffetzen hängen?«, sagte Cooper.

»Ja«, knurrte Borrego.

»Ihr Grabräuber hat Recht gehabt. Alle, die hier gelebt haben, sind tot. Aber er hat gesagt, es könnte auch schon tausend Jahre her sein, dass der Fluch sie erwischt hat, falls es wirklich der Fluch war. Ich bin mir aber ziemlich sicher, dass das nicht sein kann.«

»Die Artefakte jedenfalls sind nicht so alt.«

Cooper nickte und beschloss, nicht näher darauf einzugehen, dass Borrego das bereits gewusst und trotzdem nie ein Sterbenswörtchen darüber verloren hatte.

»Richtig«, sagte er. »Höchstens hundertfünfzig Jahre. Das hat jedenfalls die Archäologin gesagt, bei der ich mich erkundigt habe. Aber die Stofffetzen deuten darauf hin, dass die Dorfbewohner hier noch längst nicht so lange tot sind.«

»Sie meinen, weil die Sachen sehr viel schneller verwittert wären«, sagte Borrego und nippte an seiner Kaffeetasse.

»Ich bin zwar kriminaltechnisch nicht auf dem allerneuesten Stand, aber im Regenwald-Klima dürften sich solche Stoffe auf keinen Fall länger als fünfundzwanzig Jahre halten.«

Borrego nickte.

»Jedenfalls niemals hundert«, sagte er. »Und auch nicht fünfzig.«

»Das heißt also: Alle Dorfbewohner sind schnell und mehr oder weniger zur gleichen Zeit gestorben ... und zwar vor nicht einmal fünfzig Jahren.«

Borrego nickte noch einmal und nahm noch einen Schluck Kaffee. Genau wie Madrid.

»Vielleicht ist es das, was die Ausknipser unbedingt geheim halten wollen«, sagte Cooper.

»Könnte aber auch eine andere Ursache haben«, meinte Borrego. »Zum Beispiel irgendeinen Stammeskrieg.«

»Könnte sein.«

»Oder ein Bürgerkrieg innerhalb eines Stammes – zwei

Gruppierungen, die sich bis auf den Tod bekämpft haben. Verdammt noch mal«, sagte Borrego, »vielleicht haben sie alle auf ihren durchgeknallten Anführer gehört und irgendeine Eingeborenen-Limonade getrunken, die mit Arsen versetzt war. Aber in Anbetracht der Fakten, die Sie veranlasst haben, per Güterzug in mein Büro zu schneien, würde ich sagen, Ihre Theorie ist die wahrscheinlichste.«

Cooper kippte den restlichen Kaffee aus seinem Becher ins Feuer und stand auf.

»Ich seh' mich mal noch ein bisschen genauer um«, sagte er.

Borrego, der neben dem Feuer saß, hob den Kopf. Trotz Coopers ebenfalls recht stattlicher Größe musste er den Kopf nicht allzu weit in den Nacken legen. Zwei Meter fünf sind ganz schön viel, dachte Cooper, sogar im Sitzen.

»Längere Strahlen?«, sagte Borrego.

»Längere Strahlen.«

»Ich muss mir nur noch schnell die Schuhe zubinden«, sagte Borrego, »dann komme ich mit.«

Madrid warf einen Blick auf Cooper und dann auf seinen Chef, der bereits mit dem Doppelknoten an seinem ersten Wanderstiefel beschäftigt war.

»Wie wär's, wenn ich hierbleibe und noch ein bisschen Kaffee koche?«, sagte der ermattete Velociraptor.

In schweigsamer Harmonie, ohne ein Wort zu sagen, so arbeiteten Borrego und Cooper sich durch die über 250 Quadratkilometer große Kraterfläche. Sie fanden weitere Hinweise auf die Zivilisation, die hier einst existiert hatte – Töpfe, Werkzeuge, gelegentlich auch ein kleines, verwitterndes Häuschen –, aber nicht viel mehr. Gegen halb vier gelangte Cooper erneut zu dem Flüsschen. An dieser Stelle war die Strömung ein wenig stärker, wie eine Art Miniatur-Stromschnelle von vielleicht einem Meter Breite. Er ging ein Stück flussaufwärts und erkannte, dass das Wasser deshalb so schnell floss, weil es gerade erst über den Kraterrand herabgestürzt war. Ihm war gar nicht klar gewesen, dass er schon so dicht am Rand des Regenwaldes angekommen war.

Cooper winkte Borrego zu, und der Eisbär machte sich auf den Weg in seine Richtung. Dann fing Cooper an, bergauf zu steigen und durfte schon nach wenigen Schritten die ersten frischen Wasserblasen begrüßen. Er dachte daran, wie sie am Vortag vor dem Abstieg festgestellt hatten, dass der Krater die Form einer liegenden Acht besaß, und das bedeutete, dass er sich jetzt gerade auf dem Weg zu dem höher gelegenen, kleineren Plateau der Acht befand. Er folgte dem Flusslauf, der nun flacher und langsamer wurde, und auch das Gehen war längst nicht mehr so beschwerlich. Von Zeit zu Zeit hörte er Borrego hinter sich, wenn ein Zweig knackte oder der mächtige Körper des Hünen die Blätter einer Tropenpflanze streifte.

Als er es entdeckte, wurde es bereits wieder dunkel.

Viel gab es sowieso nicht zu sehen. Er stieß mit der Stiefelspitze dagegen und spürte, dass das, wogegen er gestoßen war, sich bewegen ließ. Ein schneller Blick nach unten zeigte ihm, dass es sich um ein Stück einer Pressspanplatte handelte. Es war verkohlt, nass und so gut wie verrottet und wirkte trotzdem genauso fehl am Platz wie ein Mann wie er auf den Westindischen Inseln: gelblich weiß und weich inmitten eines Waldes aus harten, dunklen Bäumen. Cooper hob es auf und konnte nichts Ungewöhnliches daran entdecken: Es war nicht lackiert, besaß weder Schrauben noch eine charakteristische Form und schien auch sonst nicht mehr zu sein als das, was es dem äußeren Anschein nach war, nämlich ein Stück gepresstes Sägemehl, das sich in der Feuchtigkeit des Waldes langsam auflöste.

Erst hundert Meter weiter nahm er den Geruch wahr.

Es war nicht direkt ein unnatürlicher Duft, aber er war ihm während seines bisherigen, dreitägigen Aufenthaltes dort noch nicht begegnet. Es roch nach einem gelöschten Brand, nach verkohltem, nassem Holz.

Borrego holte ihn ein. Cooper zeigte ihm das Pressspanstück.

»Riechen Sie das?«, sagte er, als Borrego ihm das Holzstück zurückgab.

Borrego nickte bestätigend.

Schweigend fingen sie an, in gegenläufigen Halbkreisen das umgebende Waldstück abzusuchen. Cooper hielt den Blick konzentriert auf das Blattwerk und die Erde unter seinen Füßen gerichtet. Doch abgesehen von dem Pressspanstück war von dem, was hier verbrannt worden war, nichts übrig geblieben als längst mit der Bodenerde vermischte Holzkohle.

Was immer hier verbrannt worden war, es musste außergewöhnlich groß gewesen sein – die Spuren des Brandes, die mittlerweile zum größten Teil von frischen Blättern bedeckt waren, reichten mindestens sechzig Meter in die eine und an die hundert Meter weit in die andere Richtung. Dort, wo es gebrannt hatte, wuchsen auch weniger Bäume als in der Umgebung, und sie waren sehr viel kleiner als die anderen, die den Kraterboden bestanden.

Er erwachte aus seinen Tagträumereien und sah Borrego ein Stück weiter vorne in den Wald hineinstarren. Der Eisbär spürte Coopers Blick und sagte: »Sehen Sie das da?«

Cooper folgte seinem Blick und entdeckte die Steine im Flussbett.

Allerdings waren das keine richtigen Steine. Es waren Betonbrocken. Träge umfloss das Wasser die einzelnen Klumpen, die zwar noch die eine oder andere gerade oder scharfe Kante aufwiesen, zum großen Teil jedoch bereits zu rundlichen, steinartigen Stücken geschmirgelt worden waren. Sie stellten sich gemeinsam auf die Trümmer und entdeckten einzelne Vertiefungen in der Erde. Das waren vermutlich die Stellen, wo der Beton ausgegraben worden war. Man hatte die sichtbaren Teile des Fundaments abgebrochen, in kleine Stücke gehauen und ins Wasser geworfen.

»Ich hab' den Eindruck«, meldete sich Borregos tiefe Stimme in Coopers Rücken, »als hätte sich da jemand sehr viel Mühe gegeben, um jeden Hinweis auf das, was hier mal gestanden hat, zu beseitigen.«

»Wobei man sagen muss«, meinte Cooper, »dass er seine Sache nicht besonders gut gemacht hat.«

»Zumindest nicht, wenn man in einem Wald unterhalb eines Vulkankraters steht, wo Stadtmenschen wie wir vielleicht einmal in hundert Jahren überhaupt hinkommen.«

»Das stimmt«, meinte Cooper. »Vom Flugzeug aus würde man überhaupt nichts erkennen.«

»Die Windverhältnisse hier sind auch überhaupt nicht günstig. Irgendwie hängt es mit der Luftfeuchtigkeit und den Winden zusammen, aber jedenfalls kann man den Großteil dieses Gebirgszugs gar nicht überfliegen, nicht mal mit dem Hubschrauber.«

»Ich schätze mal, ein kluger Kopf hätte schon im Landrover die Frage gestellt«, erwiderte Cooper, »wieso wir eigentlich nicht mit dem Hubschrauber hergekommen sind. Die wäre also damit beantwortet.«

Borrego schüttelte den Kopf.

»Wäre sowieso schwierig gewesen, einen Heli zu mieten, ohne die Rebellen aufzuscheuchen«, sagte er.

Cooper sagte: »Mist.«

Borrego nickte, dann schüttelte er den Kopf. Cooper wusste genau, was er damit sagen wollte: *Was für eine Schande – dass so viele Menschen hier sterben mussten.*

»Irgendjemand hat irgendetwas verschüttet«, sagte Cooper.

»Dabei ein ganzes Dorf ausgelöscht und sich anschließend aus dem Staub gemacht.«

»So sehe ich das auch.«

»Und dann hat der Betreffende beschlossen ...«

Cooper unterbrach sich.

»Ach du Scheiße«, sagte er dann.

Es wurde dunkel. Er knipste die Taschenlampe an. Das Licht schwirrte über die Betonbrocken und wurde dabei in Millionen winzigen Lichtpunkten von der Wasseroberfläche reflektiert.

»Was ist denn?«, wollte Borrego wissen. »Haben Sie was gehört?«

»Nein«, erwiderte Cooper. Er hatte seine ursprüngliche Theorie bislang verschwiegen – die Theorie, von wem die Ausknipser beauftragt worden waren, zu welcher Organisation sie gehörten und dass sie aufgrund eben dieser Zugehörigkeit beschlossen hatten, ihn nicht auszuknipsen. Der Gedanke, dass irgendeine Behörde in den guten alten Vereinigten Staaten von A. – seine Hauptverdächtigen, was die Frage nach der Identität der Ausknipser anging – etwas mit diesem Chemieunfall oder was sonst die Ursache für den Tod eines ganzen Indiodorfes gewesen sein mochte, zu tun hatte, erschien ihm gar nicht so weit hergeholt. Das Reich des Bösen geht mit den hiesigen Einheimischen auch nicht anders um als mit denen an anderen Stellen des Erdballs, dachte er.

Trotzdem gab es keinen Grund, seine Theorie mit Borrego zu teilen. Was würde er schon damit anfangen? Auf Uncle Sam wütend werden? Oder, was wahrscheinlicher war: Im *Auftrag* von Uncle Sam umgebracht werden.

Cooper setzte seinen Weg flussaufwärts fort. Borrego knipste seine Taschenlampe ebenfalls an und kam ihm hinterher, in dem Rhythmus, den sie schon den ganzen Tag beibehalten hatten. Es gefiel Cooper, dass Borrego ihn nicht weiter bedrängte. Mit Hilfe der Taschenlampen untersuchten sie die Umgebung der rechteckigen Brandstelle. Dabei gingen sie ebenfalls, wie schon unten im Dorf, strahlenförmig vor. Coopers Zorn wurde von Strahl zu Strahl größer. Eigentlich sogar von Minute zu Minute.

Nachdem sie fast ein Dutzend Strahlen abgearbeitet hatten, sagte Borrego schließlich. »Wollen Sie mir vielleicht verraten, wonach wir eigentlich suchen?«

»Nach irgendeinem Hinweis, der mir verraten kann, wer hier gewesen ist«, antwortete Cooper.

Oder bestätigen ... Schließlich weiß ich ja schon, wer es war.

Cooper überquerte den Flusslauf und stellte fest, dass der Wald kurz danach zu Ende war – wie eine Steilwand ragte in knapp hundert Metern Entfernung der felsige Kraterrand empor. Sie näherten sich der Wand, und Cooper entdeckte sie fast auf den ersten Blick.

Eine Höhle.

»Wir hätten mal lieber gleich hier suchen sollen«, sagte Borrego, und Cooper hätte fast, aber eben nur fast, seine finstere Miene abgesetzt.

Er ignorierte die schreckliche Angst vor wilden Tieren, die sich in seinem Magen zusammenballte, und stürmte in den Höhleneingang, der sich ein Stück weiter unten zu einem Raum von der Größe eines Squash-Courts öffnete. Die Dorfbewohner mussten von der Existenz dieser unterirdischen Höhlen gewusst haben und hatten sie bestimmt für ihre Zwecke genutzt. So, wie Indios und andere kluge Menschen es eben machen, dachte er: Sie nutzen alles das, was die Natur ihnen schenkt. Ganz im Gegensatz zu *den* Leuten, die diese Fabrik betrieben hatten. Die folgten eher einer Philosophie der verbrannten Erde, und das im wahrsten Sinn des Wortes.

Noch mehr Indizien, die seine Theorie über die Identität der Ausknipser stützten.

So wie im oberirdischen Teil der ehemaligen, am Flussufer

gelegenen Fabrik – vielleicht war es ja auch ein Gefangenenlager gewesen oder ein Kino oder sonst irgendein Scheiß – war auch in der Höhle nicht allzu viel zu sehen. Auch hier war alles verbrannt worden. Die schwärzliche, feuchte, stinkende Erde, die den Höhlenboden bedeckte, glich genau den Asche- und Kohleresten, auf denen er auch schon oben herumgetreten war. Cooper und Borrego konnten nur in der Mitte der Höhle aufrecht stehen. Jetzt suchten sie mit ihren Taschenlampen das Innere ab, ob vielleicht noch etwas anderes als Steine, Moos, Erde und Wasserpfützen zu entdecken war.

»Vielleicht haben sie ja auch die Indios bestohlen«, sagte der Eisbär, der irgendwo hinter Cooper stand. »Vielleicht haben sie hier drin ihre Beute aufbewahrt.«

»Vielleicht«, erwiderte Cooper lustlos.

»Aber was es auch gewesen ist, ich glaube kaum, dass es sich hier drin lange gehalten hätte.«

»Wie meinen Sie das?«, erwiderte Cooper und schaute sich um.

»Im Augenblick haben wir ja Trockenzeit. Aber ich würde schätzen, dass diese Höhle das halbe Jahr über unter Wasser steht. Dann ist das hier ein Teich.«

Cooper, dessen Geist durch zu viele Tage mit zu wenig Essen, zu hoher Luftfeuchtigkeit und zu großer körperlicher Belastung etwas träge geworden war, brauchte über dreißig Sekunden, bis er die Kupplung in seinem Kopf einrasten hörte. Er versuchte, einen Teil der Müdigkeit abzuschütteln und seine Gedanken zu sammeln, dann war ihm endlich klar, was sein Gehirn ihm seit geraumer Zeit mitteilen wollte:

Unter Wasser.

An der hinteren Höhlenwand war der Boden fünf bis sieben Zentimeter tiefer als da, wo er jetzt gerade stand. Dort befanden sich die Pfützen. Mit behutsamen Schritten, um nicht unnötig viel Schlamm aufzuwühlen, trat er vor die hintere Wand und leuchtete mit der Taschenlampe ins Wasser, während er sich Stück für Stück an der Wand entlangschob.

Die Pfützen erinnerten ihn entfernt an die schwärzlichen Gezeitenbecken im Meer. Er stocherte mit dem Fuß darin herum und versuchte, durch die Stahlkappe seines Stiefels hindurch etwas zu spüren. Die Pfützen waren unterschiedlich tief, manche fünf, andere fünfzehn Zentimeter.

Wenn man etwas verbrennt und dieses Etwas teilweise unter Wasser liegt, dann könnte es doch sein, dass man nicht alles ...

Er hörte das leise Kratzen zuerst. Cooper und Borrego blickten einander einen kurzen Augenblick lang in die Augen, dann zog Cooper seinen Stiefel aus der Pfütze, kniete sich nieder und steckte die Hand in den Schlick, um nachzusehen, was er da eigentlich angestoßen hatte. Er holte ein kurzes, fauliges Holzstück heraus.

Als er es ins Licht hielt, konnte er sehen, dass es an die zwanzig Zentimeter lang, am einen Ende vielleicht fünf bis sieben Zentimeter breit und am anderen, spitz zulaufenden Ende dünner als sein kleiner Finger war. Die Ränder waren schartig, schwärzlich und faulig, und als Cooper das Holzstück im Schein der Taschenlampe umdrehte, brach ein Teil davon ab und fiel einfach zurück ins Wasser. Aber auf der Rückseite gab es tatsächlich etwas zu sehen.

Die Rückseite des Brettes, die die ganze Zeit über im Matsch – oder in den Algen oder was man eben sonst in einer Schlammpfütze in einer Regenwaldhöhle findet – gelegen hatte, war blass. Das entsprach wahrscheinlich in etwa der ursprünglichen, natürlichen Färbung des Holzes, bevor es ein Opfer der Flammen und des Fäulnisprozesses geworden war.

Auf dieser blassen Seite waren klar und deutlich zwei ganze und ein halber Buchstabe in schwarzer Schrift zu erkennen. Die drei Buchstaben lauteten nach Coopers Einschätzung *ICR*. Unterhalb dieser Buchstaben waren die abgerundeten Spitzen einer unvollständigen Zahlenfolge zu sehen. Cooper nahm an, dass es sich um eine Seriennummer oder eine andere Kennung handelte, aber diese Zeichen würden sich wohl nicht mehr entziffern lassen.

Cooper blickte Borrego an und zeigte mit dem Holzstück auf ihn.

»Können Sie damit was anfangen?«, fragte er. »Das hat vielleicht mal zu einer Kiste gehört, und Sie sind immerhin der größte Speditions-Magnat hier in der Höhle.«

»›ICR‹ meinen Sie? Sagt mir so auch nichts.«

Cooper steckte das faulige Holz in seine Tasche, trat und tastete sich durch die restlichen Pfützen, entdeckte noch mehr Bretter, Splitter und Klumpen aus Holz, die allesamt dem in seiner Tasche ähnelten, allerdings keinerlei Beschriftung mehr aufwiesen.

Dann richtete er sich auf und fixierte die mächtige, gebückt dastehende Gestalt Ernesto Borregos.

»Könnte aber sein, dass es irgendwo irgendjemanden gibt, der was damit anfangen kann«, sagte er dann.

Borrego nickte. »Sonst hätten wir den ganzen weiten Weg nur wegen eines Holzstücks gemacht.«

Cooper musste fast schon wieder lächeln.

Dann ließ sich erneut Borregos rumpelnder Bass vernehmen.

»Haben Sie jetzt genug?«, sagte er.

»Von dem hier? Für den Rest meines Lebens.«

Borrego drehte sich um, richtete den Strahl der Taschenlampe auf den Höhlenausgang und ging voraus.

»Gut«, sagte der Eisbär dann. »Ich bin vielleicht tot, aber ich habe immer noch ein Geschäft zu führen.«

36

Laramie hatte im Anschluss an achtundvierzig durchwachte Stunden noch nicht einmal zwei volle Stunden geschlafen, da wurde sie von einem durchdringenden und unbarmherzigen Klopfen aus dem Land der Träume gerissen.

»Ich *komme* ja.«

Sie schob die Füße aus dem Bett, stellte sie auf den Boden, schnappte sich eine Jeans und zog sie an. Das übergroße Lakers-T-Shirt, das sie im Bett immer trug – noch so ein Detail, das Ebbers seinen Lakaien aufgetragen zu haben schien –, behielt sie an. Bei einem Blick durch den Spion erkannte sie Wally Knowles, putzmunter wie immer. Er hatte sogar die Geistesgegenwart besessen, seinen Hut aufzusetzen, bevor er zu ihr heruntergekommen war. Sie warf einen Blick auf ihre Armbanduhr: 3.43 Uhr. Dann hängte sie die Türkette aus und machte die Tür auf.

»Es könnte sein, dass wir unseren Mann gefunden haben«, sagte Knowles.

Laramie war schlagartig wach. Das musste bedeuten, dass sie mit ihrer selbst gebastelten Computeranlage einen Treffer gelandet hatten, dass sie auf ein Foto von Benny Achar gestoßen waren, das älter war als seine falsche Identität.

Als Laramie sich bei Knowles erkundigte, ob das tatsächlich der Fall sei, deutete der Schriftsteller mit einer Kopfbewegung zur Seite und machte sich wieder auf den Weg in sein Zimmer.

»Zeigen ist besser als erzählen«, sagte er.

Sie hatten während der letzten Tage eine imposante Computerausstattung zusammengetragen, die Knowles persönlich in seinem Zimmer aufgebaut und angeschlossen hatte.

Selbst Laramie, die normalerweise alles, was mit Computern zusammenhing, dem für die Arbeitsplätze in Langley zuständigen Techniker überließ, war schwer beeindruckt. Das Zentrum des Systems bildeten zwei waffenstahlgraue Power-Macintosh-Türme, bestückt mit zwei riesigen Flachbildschirmen, einem Laserdrucker und einem Kasten, auf dessen Vorderseite grüne und gelbe Leuchtdioden blinkten. Das war vermutlich das Kabel-Modem. Sie betrat hinter Knowles den Raum und sah, dass Cole gerade telefonierte, und zwar, ganz entsprechend der Anweisung, über das Festnetztelefon und nicht mit seinem Handy. Auf einem der Bildschirme war ein total überfülltes Rettungsboot zu erkennen. Es schien auf dem Meer zu schwimmen, war aber gerade dabei anzulegen – ein paar Bootsinsassen streckten bereits die Hände nach einem Anleger aus, der andeutungsweise am rechten Bildrand zu erkennen war.

Cole telefonierte weiter und begrüßte Laramie mit einem lässigen Heben seiner freien Hand, während Knowles sich vor den Bildschirm setzte und Laramie zu sich winkte. Er machte sich an der Maus zu schaffen, und das Bild fuhr zurück. Es war eine digitale Aufnahme, was Laramie an den einzelnen, quadratischen Bildpunkten auf dem Bildschirm erkannte.

»Wir haben Glück gehabt«, meinte Knowles, »wenn man bedenkt, wie wenige der aus den letzten zwanzig Jahren verfügbaren Bilder tatsächlich digitalisiert und in den Archiven des Konsortiums gespeichert worden sind. Aber dass die meisten erfassten Bilder aus Presse- und Fernsehveröffentlichungen stammen, hat sich als hilfreich erwiesen.«

Jetzt setzte sich das Bild in Bewegung. Das Rettungsboot – fast schon ein kleiner Frachtkahn, dachte sie – schaukelte auf den Wellen auf und ab. Es gab keinen Ton, aber Laramie konnte sehen, dass die Wasseroberfläche ziemlich aufgewühlt war, als würde ein Hubschrauber darüberschweben. Dort befand sich wahrscheinlich die Kamera, die das Ganze aufzeichnete. Die an Bord des Rettungsbootes zusammengepferchten Männer wirkten sehr aufgeregt, die meisten deuteten auf den rechten Bildrand, wo schon bald, wie Laramie wusste, der Anleger auftauchen würde.

»Das ist ein Boot mit kubanischen Flüchtlingen«, sagte Knowles jetzt. »Die Aufnahmen stammen aus dem Hubschrauber eines lokalen Nachrichtensenders und sind bei der Ankunft des Bootes irgendwo südlich von Miami entstanden.«

Da erschien das Kürzel des Senders oberhalb des Wortes *Nachrichten-Datei* in der linken unteren Bildschirmecke.

»Das sind Archivaufnahmen des Fernsehsenders aus dem Dezember 1994. Wir spielen das ganze Video ab, aber das hier ist die entscheidende Stelle, jetzt, wenn der Kameramann sich näher heranzoomt. Ich gehe davon aus, dass die USA auch damals schon das Prinzip ›nasse Füße, trockene Füße‹ angewandt haben. Wenn ein kubanischer Flüchtling es bei uns an Land schafft, dann ist er asylberechtigt, wenn er aber unterwegs auf dem Meer aufgegriffen wird, dann muss die Küstenwache ihn zurückschicken oder in ein Drittland abschieben. Diese Typen hier haben es geschafft – am Ende des Videos klettern sie alle auf den Anleger und verschwinden aus dem Bild. Da.«

Knowles deutete auf den Bildschirm, während der Bildausschnitt größer wurde und sechs oder sieben Flüchtlingsgesichter etwas deutlicher zu erkennen waren. Ein, zwei Sekunden später war ein heller Kreis auf dem Bildschirm zu sehen. Laramie kannte das aus irgendwelchen Reality-Fernsehsendungen mit Polizeiverfolgungsjagden. Dieser helle Kreis wanderte zu einem der Männer, und dann wurde der Film angehalten.

Auch wenn die alte Aufnahme ein relativ grobkörniges Bild lieferte, konnte Laramie das Gesicht ohne Probleme erkennen.

»Das ist er«, sagte sie.

Knowles nickte. »Die Suchmaschine hat ihn vor ungefähr zwei Stunden gefunden. Ich habe das System so eingestellt, dass es jeden Treffer mit einem akustischen Signal meldet. Dann bin ich aufgewacht und habe sofort, nachdem ich mir das Video angeschaut hatte, Cole geholt.«

Laramie hörte, wie Cole sein Telefonat beendete – es klang irgendwie nach »Danke, du hast was gut bei mir« –, dann legte er auf und kam zu ihr.

»Falls das im Dezember 1994 war«, sagte sie, »dann wäre Achar nur ein, zwei Monate später zum ersten Mal in Florida registriert worden.«

»Genau.« Knowles lehnte sich zurück und sah aus, als würde er vor Selbstgefälligkeit gleich aus allen Nähten platzen.

»Dann war er also Kubaner«, sagte sie. Und nach einem kleinen Augenblick: »Oder zumindest ist er von da gekommen.«

»Genau«, wiederholte Knowles.

Cole stand schweigend hinter ihnen.

»Castros letzter, verzweifelter Versuch, die Kapitalistenschweine im Norden auszuschalten«, sagte Laramie. »Das kommt mir angesichts des Umfangs dieser Verschwörung, vorsichtig ausgedrückt, sehr unwahrscheinlich vor. So was ist ihm doch längst schon egal. Und er hätte auch gar nicht die notwendigen Mittel dafür.«

»Da sind wir einer Meinung«, erwiderte Knowles. »Aber trotzdem könnte der Kerl Kubaner gewesen sein.«

Laramie meinte: »Vielleicht. Es könnte aber auch sein, dass irgendjemand dieses Rettungsboot zu Wasser gelassen oder diese Leute da reingesetzt hat, damit es so aussieht, als wären es Kubaner.«

Knowles nickte. »Könnte sein. Aber das ist natürlich nicht der einzige Hinweis, den wir durch dieses Bild bekommen.«

Laramie hatte das Gefühl, als hätte er die ganze Besprechung bereits komplett durchgespielt, noch bevor er sie geholt hatte, und fing an, sich darüber zu ärgern, dass er ihr nicht sofort Bescheid gesagt hatte. Obwohl, vielleicht hatten sie ja erst noch ein paar vertiefende Nachforschungen anstellen wollen – damit sie ihr die ganze Geschichte »zeigen statt erzählen« konnten.

»Die anderen Leute auf dem Boot«, sagte sie, nachdem ihr Gehirn auf Touren gekommen war.

»Genau.«

»Wenn wir in die entgegengesetzte Richtung aktiv werden«, sagte sie, »und uns die Gesichter der Leute auf dem Boot vornehmen, dann entdecken wir vielleicht noch andere Schläfer.«

Cole nickte.

»Schon dabei«, sagte er. »Ich hab mich mal in ein paar Datenbanken umgesehen, zu denen Ihr persönlicher Betreuer Zugang hat. Dabei haben wir etliche Übereinstimmungen mit Fotos in den verschiedenen Datenbanken, die Wally und ich an die Suchmaschine angeschlossen haben, entdeckt. Zwei von Achars Kumpels an Bord dieses Rettungsbootes sind wegen bewaffneten Raubüberfalls in Tateinheit mit Totschlag im Jahr 1997 in Dade County ins Gefängnis gewandert. Zwei andere haben während der elf Jahre seit ihrer Ankunft immer wieder mal kürzere Haftstrafen wegen Drogenbesitzes und anderer Kleinigkeiten abgesessen. Wir probieren gerade noch ein paar andere Ansatzpunkte aus, aber im Augenblick sieht es danach aus, als hätte außer Achar keiner die Identität eines Toten angenommen. Bis jetzt wenigstens. Das Ganze ist wie ein Irrgarten. Wir müssen, ausgehend von den Bildern auf diesem Video, die Sozialversicherungsnummer jedes einzelnen Mannes ermitteln und danach überprüfen, ob diese Nummer vielleicht jemandem zugeordnet war, der bereits tot ist. Leider sind solche Dinge fast nie in elektronischer Form gespeichert, das hatten wir ja bereits besprochen, aber wir probieren es trotzdem.

Wenn es funktioniert, dann geht es sehr viel schneller als mit den anderen Suchmethoden.«

Laramie betrachtete sich das Bild auf dem Monitor und zählte: Zweiundzwanzig Männer hatten auf diesem Boot gesessen.

»Können wir uns auch noch andere Boote aus diesem Zeitraum anschauen?«

»Ja«, bestätigte Knowles. »Und die Suchmaschine arbeitet nach wie vor die noch nicht identifizierten Gesichter auf diesem Boot ab. Falls unsere Suche ergebnislos bleibt, dann hat das nichts anderes zu bedeuten, als dass unser Kumpel, Staatsfeind Nummer eins, seine Schläfer nicht alle mit demselben Boot ins Land geschickt hat. Vorausgesetzt, es gibt tatsächlich mehr als einen.«

Laramie nickte. »Wäre wahrscheinlich zu viel verlangt, gleich zehn davon auf demselben Boot und demselben Video zu haben.«

Knowles blickte Cole an, und der nickte, ganz so, als wollte er etwas bestätigen.

»Es ist schon spät«, fuhr Knowles fort, »aber wir sind noch wach. Wir haben gedacht, wir bringen Sie am besten gleich jetzt auf den neuesten Stand, legen uns danach wieder hin und machen morgen früh gegen neun oder zehn weiter.«

Eigentlich hatte Laramie für acht Uhr eine Vollversammlung geplant, an der Rothgeb und vielleicht, per Telefon, auch Cooper teilnehmen sollten. Jetzt hatte sie unter Umständen sogar einen konkreten Auftrag für Cooper, ein bisschen Schnüffelarbeit auf Kuba. Sie würde mit Eddie Rothgeb zusammen ein paar Ideen ausarbeiten, wie dieses »Amerikanisierungs-Institut« aussehen könnte, und Cooper anschließend auf die Suche schicken.

Vielleicht könnte ich ja sogar mitgehen.

Doch kaum hatte sie diesen letzten Satz gedacht, wurde

sie von einer unglaublichen Wut auf sich selbst gepackt. Sie versuchte, den Gedanken durch ein schnelles Kopfnicken in Knowles' Richtung wieder loszuwerden. Vergeblich.

»Bringen Sie mich auf den neuesten Stand«, sagte sie.

Cole setzte sich wieder auf seinen Platz neben dem Telefon und fing an.

»Ich habe jede Person, die in diesem Ermittlungsdossier irgendwie erwähnt wird, verhört, befragt oder sonst irgendwie belästigt«, sagte er. »Und außerdem noch ein paar andere, die darin gar nicht vorkommen. Falls es Sie interessiert: Ich glaube, ich habe bis jetzt zweiundfünfzig Befragungen durchgeführt, und nachher habe ich noch einmal vierzehn Termine. Abgesehen von der Tatsache, dass ich bei diesen Gesprächen in der Regel fast einschlafe, habe ich das Gefühl, als hätte ich etwas entdeckt, so eine Art Handlungsmuster, glaube ich. Ich weiß nur noch nicht genau, was es ist. In seinem Alltag gab es, soweit ich das erkennen kann, zwei Konstanten, zwei Ereignisse, die sich Woche für Woche wiederholt haben. Das könnten solche ›Brotkrümel‹ sein, die er uns bewusst hinterlassen hat. Ich bin mir nur noch nicht sicher, ob meine Theorie wirklich stichhaltig ist.«

Laramie überlegte kurz, war sich aber nicht im Klaren, wie das funktionieren sollte.

»Sie wollen damit sagen, dass er uns vielleicht eine Botschaft hinterlassen hat?«, sagte sie. »In der Kneipe, wo er sich immer donnerstags mit seinen Kumpels getroffen hat oder ...«

»Ja und nein«, erwiderte Cole. »Wahrscheinlich nicht im wörtlichen Sinn. Und nicht ganz so offensichtlich. Aber was ich gedacht habe ... vielleicht hat es irgendwie mit irgendwelchen Zahlen zu tun, die mit diesen Treffen im Zusammenhang stehen.«

Knowles schaltete sich ein: »Wie zum Beispiel am *vierten* Wochentag um *sieben.«*

»Richtig. Wenn ich mit meinen Befragungen heute fertig bin, weiß ich schon mehr, aber falls ich Recht habe – falls er uns irgendeine Zahlenkombination als Hinweis hinterlassen wollte –, dann war dieser Typ wirklich sehr, sehr gut. Ich habe zum Beispiel kein Anzeichen für ein eindeutiges ›Geständnis‹ – darüber hatten wir ja schon gesprochen – entdecken können, und das ist außergewöhnlich. Fast schon ein Widerspruch zur menschlichen Natur, wenn wir es mit einer zehn Jahre dauernden Tarnexistenz zu tun haben. Sogar Polizisten verraten sich normalerweise sehr leicht, wenn jemand schlau genug ist, um sie zu durchschauen. Ich kannte mal einen Typen, der als Undercover-Agent im Hafen gearbeitet hat, und wisst ihr, welchen Decknamen sie dem verpasst haben? ›Bobby Covert‹.«

»Wie in ›covert operations‹?«, warf Laramie ein.

»Genau so.«

»Und Sie wollen mir erzählen, dass das niemand gemerkt hat?«

»Genau. Der Typ hat einen ganzen Mafia-Ring in New Jersey hochgehen lassen und die ganze Zeit unter diesem Namen bei einer Spedition gearbeitet.«

»Sie haben vorhin von zwei Konstanten in seinem Alltag gesprochen«, sagte Laramie, die mit ihren Gedanken immer noch ein Stückchen hinterherhinkte.

»Ja, genau«, bestätigte Cole. »Das glaube ich zumindest. Aber sicher bin ich mir nicht.«

»Und da geht es um Zahlen?«

»Er hat zwei regelmäßige Termine pro Woche gehabt, die er nie versäumt hat, aber ich bin noch nicht dahintergekommen, welches verbindende Element … na ja, ich schätze, man würde es den kleinsten gemeinsamen Nenner nennen, diesen Treffen zugrunde liegt. Sie wissen schon, welchen Bestandteil dieser wöchentlichen Verabredungen wir überhaupt als Code benutzen könnten, also beispielsweise die Tageszeit.«

Laramie sagte: »Aber vielleicht sind ja die jeweiligen Uhrzeiten, falls Sie das meinen, identisch mit dem benötigten Code?«

»Ich weiß es nicht. Es gibt hundert verschiedene Möglichkeiten, angefangen bei der Adresse bis hin zu Uhrzeit, Tag, Datum und so weiter. Aber abgesehen von seinen dienstlichen Verpflichtungen, dem üblichen Kinderkram und den Verabredungen mit seiner Frau hatte er zwei regelmäßige Termine pro Woche. Allein, wenn man sich den Wochentag und die Uhrzeit vornimmt, erhält man mehrere Kombinationsmöglichkeiten, um jede Verabredung mit zwei- oder dreistelligen Zahlen darzustellen. Was halten Sie davon?«

»Zwei Kombinationen, bestehend aus jeweils zwei oder drei Zahlengruppen«, sagte Laramie. »Das könnten zum Beispiel GPS-Koordinaten sein. Längen- und Breitengrad, angegeben in Grad, Minuten und Sekunden, richtig? Drei Zahlengruppen. Wobei die dritte, die Sekunden, manchmal weggelassen werden.«

Cole setzte sich ein klein wenig aufrechter hin. Einen Augenblick lang meinte Laramie eine Andeutung jenes schlanken, durchtrainierten Polizisten durchschimmern zu sehen, der Cole vielleicht einmal gewesen war.

»Mein Gott«, sagte er. »Eigentlich wollte ich das Ganze noch mit mehr Fakten unterfüttern, bevor ich mit Ihnen darüber spreche. Schließlich ist es mehr als verrückt anzunehmen, dass zwei wöchentliche Verabredungen mit Freunden und Bekannten bereits ein Handlungsmuster darstellen, noch dazu ein Handlungsmuster, das einen Code enthält …«

»Machen Sie weiter«, sagte Laramie.

»Also gut. Abgesehen von seiner Arbeit, seiner Frau sowie irgendwelchen Trainings- und Turnierspielen oder Schulereignissen mit seinem Sohn sieht es so aus, als hätte Achar nur zwei regelmäßige Verabredungen pro Woche gehabt. Eine immer montags. Da hat er um Viertel nach vier Pause gemacht und sich im Circle Diner zwei Kaffee geholt. Einen davon hat er dann nach seiner Rückkehr ins UPS-Lager der Disponentin spendiert. Sie heißt Lois ...«

»Wie haben Sie das denn rausgekriegt?«, fragte Laramie verwundert. Nicht einmal Mary, die Profilerin, hatte das geschafft.

»Ich hab mich eine ganze Zeit lang mit ihr unterhalten.« Cole beließ es bei einem verschmitzten Lächeln. »Ich glaube übrigens nicht, dass zwischen den beiden was gelaufen ist, und auch nicht, dass sie ihn irgendwie überwachen sollte. Aber sie hat mir bestätigt, dass er sie immer montags und ausschließlich montags angefunkt und gesagt hat, dass er gleich Pause machen will, und dass er ihr jedes Mal einen Kaffee mitgebracht hat, bevor er wieder an die Arbeit gegangen ist. Extra viel Milch, ein Stück Zucker.«

»Okay«, sagte Laramie.

»Die zweite regelmäßige Verabredung war dienstagabends. Da hat er mit sieben Arbeitskollegen in einer Kneipe namens Latona Billard und Darts gespielt.«

»Genau sieben?«, fragte Laramie nach.

»Genau. Ich habe mit allen gesprochen und es mir von Janine Achar bestätigen lassen. Die Disponentin hat übrigens nicht zum Kreis der ›Arbeitskollegen‹ gehört, falls Sie sich das gefragt haben sollten. Jedenfalls hat er sich jeden Dienstag nach der Arbeit um halb sechs mit seinen Kumpels im Latona getroffen.«

Laramie fiel wieder ein, dass sie irgendetwas Diesbezügliches im Ermittlungsdossier gelesen hatte.

»Warum ich das Ganze eigentlich erstmal selber noch stärker absichern wollte«, sagte Cole, »abgesehen davon, dass der Ansatz vielleicht völlig ins Leere führt, ist die Tatsache, dass es so wahnsinnig viele Zahlen und Faktoren gibt, aus denen man einen Code zusammenbasteln könnte: den Wochentag, das Datum, die Uhrzeit, die Adresse des jeweiligen Treffpunktes – Café, Kneipe und so weiter – und sogar Orts- oder Straßennamen. Falls es überhaupt einen Code gibt. Vielleicht spielt dann ja sogar die Anzahl der jeweils Beteiligten eine Rolle. Interessant finde ich das mit den GPS-Koordinaten. Falls diese Koordinaten tatsächlich in drei Zahlengruppen ausgedrückt werden ...«

»In zwei oder in drei jeweils ein- bis zweistelligen Zahlen«, meinte Laramie. »Normalerweise. Kommt darauf an, wie genau die Angaben sind. Wenn Längen- und Breitengrad nur in Grad und Minuten angegeben werden, dann sind es jeweils zwei Zahlen für die Länge und zwei für die Breite. Wenn die Angaben genauer sein sollen, dann werden auch die ›Sekunden‹ dazugenommen.«

»Also gehen wir erstmal davon aus«, sagte Knowles.

Cole hatte angefangen zu nicken.

»Zwei bis drei Zahlen als das einfachste Muster, das sich aus diesen Verabredungen herleiten lässt, das könnte schon sein«, sagte er. »Zahlen lassen sich vor allem aus den Tagen und der Uhrzeit ableiten, vielleicht auch noch aus der Anzahl der beteiligten Personen. Zum Beispiel: Montag, der erste Tag der Woche. 4.15 Uhr am Nachmittag wäre die Zeit, zwei Personen treffen sich, einschließlich ihm selbst. Suchen Sie sich die Zahlen aus. Dienstag wäre der zweite Tag, Uhrzeit 5.30 Uhr nachmittags und entweder sieben oder acht Teilnehmer, je nach dem, ob man Achar wieder mitrechnet oder nicht.«

Knowles versetzte der Maus einen Schubs, und die beiden Bildschirme, die schon lange eingeschlafen waren, erwachten zu neuem Leben. Laramie sah, wie er über Google auf eine Seite gelangte, auf der man eine Koordinatensuche starten konnte, bat dann noch einmal um die Zahlen, die Cole bei seinem ersten Versuch genannt hatte, und trug auf dieser Grundlage je eine Längen- und einen Breitenangabe in Grad, Minuten und Sekunden ein. Laramie sah, dass Knowles die Zahlen lautlos mitsprach, um sie besser im Kopf zu behalten.

»Das würden wir also kriegen, wenn wir die Faktoren, die du vorgeschlagen hast, in deiner Reihenfolge übernehmen.«

Er drückte auf die ENTER-Taste. Langsam baute sich ein Kasten mit einer Landkarte auf. Das rote Fadenkreuz in der Kartenmitte lag irgendwo mitten im Indischen Ozean.

»Speichern Sie das auf jeden Fall, zur Sicherheit«, meinte Laramie, »aber ich kann wirklich nicht erkennen, was wir mit einer Stelle im Indischen Ozean anfangen sollten. Probieren Sie's noch mal.«

Knowles suchte sich einen Block und machte sich Notizen, während er eine weitere Zahlenkombination eingab. »Ich schreibe mir die ganzen Zahlen auf«, sagte er.

Da erschien schon der nächste Kartenausschnitt, dieses Mal ein Stück vor der grönländischen Küste. Knowles probierte verschiedene Kombinationen aus, eliminierte Möglichkeit um Möglichkeit, während unentwegt neue, unwahrscheinliche Standorte für etwas, was Ähnlichkeit mit einem Amerikanisierungs-Institut oder einer Schläfer-Ausbildungsstätte haben konnte, im Fadenkreuz auf dem Bildschirm auftauchten.

»Spielt keine Rolle«, meinte Knowles. »Entweder, es klappt, oder es klappt nicht. Stellen wir die Zahlen mal um.«

Cole sagte: »Du meinst, zuerst die Leute, dann den Wochentag und dann die Zeit?«

»Richtig.«

Cole diktierte: »Zwei, eins, vier-eins-fünf; acht, zwei, fünf-drei.«

Als Knowles die Zahlen eingegeben hatte und die nächsten Kartenausschnitte auch in die Weiten des Ozeans führten, fiel Laramie etwas ein.

»Vereinfachen«, sagte sie. »Lassen Sie die Sekunden weg. Das wären dann die Minutenangaben nach der vollen Stunde.«

Knowles tippte 21-4 als Längen- und 82-5 als Breitengrad ein.

Cole nuschelte irgendetwas von wegen *man müsste es mal mit den Adressen versuchen* und wollte gerade aufstehen, um seine Notizen zu holen, da fuhr das Fadenkreuz auf eine Gegend in der Karibik zu, ein kleines Stückchen südlich der westlichen Hälfte von Kuba.

Einen Augenblick lang sagte niemand ein Wort.

Dann meinte Cole: »Vielleicht haben Sie ihn ja da ins Boot gesetzt?«

»Sonntag«, sagte Laramie. »Nicht Montag.«

Cole blickte sie an.

»Der Sonntag ist der erste Tag der Woche«, sagte sie. »Der Montag ist der erste Tag der Arbeitswoche, aber – ich hatte während der Ausbildung Französisch, darum ist mir das jetzt gerade eingefallen –, wenn man Französisch lernt, was bringen sie einem dann ziemlich schnell bei? Dass bei den Franzosen der Montag der erste Wochentag ist. *Lundi, Mardi, Mercredi* ... aber auf *unseren* Kalendern steht als erster Wochentag der Sonntag. Und falls er wirklich in aller Form amerikanisiert worden ist, dann war das eines der ersten Dinge, die sie ihm beigebracht haben. Und er würde davon ausgehen, dass auch wir das so sehen, weil es ihm nämlich genauso beigebracht worden ist.«

Knowles hatte die Zahlen bereits eingetragen: 22-4, 83-5. Er drückte auf ENTER.

Genauso gemächlich wie bisher auch baute sich die Landkarte auf dem Bildschirm auf, und das rote Fadenkreuz landete dieses Mal über dem kubanischen Festland, rund hundertsechzig Kilometer von der Südwestspitze der Insel entfernt.

»Das gibt's doch nicht«, sagte Cole.

»Die Karte spricht eigentlich für sich selbst«, meinte Knowles.

Laramie blickte auf die Landkarte und das rote Fadenkreuz in der Mitte.

»San Cristóbal«, sagte sie und meinte damit die Stadt neben dem Fadenkreuz. Dann versetzte sie Cole einen Klaps auf die Schulter. »Gute Arbeit, Detective.«

»Das können Sie aber laut sagen«, meinte Knowles. »Wir sollten vielleicht noch die Gradsekunden nachtragen, also die Minuten nach vier beziehungsweise fünf Uhr nachmittags. Könnte doch sein, dass er uns sogar noch genauere Angaben hinterlassen hat.«

Plötzlich fiel Laramie an der Position dieses Fadenkreuzes etwas auf, doch sie beschloss, diesem Verdacht später nachzugehen. Sie würde genau nachsehen, was sich im Bereich dieses Fadenkreuzes befand – sobald sie mit dem Spezialisten Kontakt aufgenommen hatte, dem sie zwanzig Millionen bezahlt hatten.

Dann fiel ihr noch etwas ein, was ihr schon während des ganzen Gesprächs im Kopf herumgegangen war.

»Jetzt wissen wir auch, welche Rolle Lois, die Disponentin, gespielt hat«, sagte sie.

Knowles und Cole blickten sie fragend an.

»Ich würde schätzen«, sagte sie, »dass er sich mit ihr angefreundet hat, weil sie dafür sorgen konnte, dass er Woche für Woche genau den gleichen Dienstplan bekam.«

Knowles überlegte, dann nickte er.

»Könnte sein, dass Sie Recht haben«, meinte er dann.

Laramie stand auf.

»Ich schätze, es wird Zeit, dass ich mich bei unserem verdeckten Agenten melde«, sagte sie.

37

Cooper ahnte, dass es nicht ganz leicht werden würde, hinter die Bedeutung der Buchstaben »ICR« zu kommen, was immer sich dahinter verbergen mochte. Zunächst einmal war der dritte Buchstabe durch die gezackte Abbruchkante nur zum Teil leserlich. Der Firmenname – falls es das überhaupt gewesen war, hätte also zum Beispiel ebenso gut *ICRentals* wie *ICRT* oder auch einfach nur *ICR* lauten können.

Mehr aus Faulheit als aus einem anderen Grund beschloss Cooper, den einfachsten Weg einzuschlagen. Er musste also eine Firma beziehungsweise eine Privatperson mit einem dreiteiligen Namen suchen, die jetzt oder früher einmal Eigentum in Guatemala oder Mittelamerika besaß beziehungsweise besessen hatte. Auch wenn ihm allein durch den Geruch der Erde klar war, dass ICR, egal ob Person oder Firma, höchstwahrscheinlich jede Verbindung zu der Anlage abstreiten würde, die hier, im oberen Teil des wie eine liegende Acht geformten Vulkankraters, zu dem sie ihre kleine Wanderung geführt hatte, erbaut, betrieben und wieder verbrannt worden war. ICR würde vermutlich nicht einmal zugeben, überhaupt in Guatemala gewesen zu sein, sodass eine Suche, die sich auf eine tatsächliche Präsenz in der Region stützte, wahrscheinlich von vornherein Zeitverschwendung wäre.

Ihm standen sechs Datenbanken unterschiedlicher Geheimhaltungsstufen zur Verfügung. Außerdem kannte er zahlreiche Techniken, wie man auch mit normalen Suchmaschinen eine Menge Dreck aufwühlen konnte. An diesem Morgen nutzte er die Restaurantterrasse als Einsatzzentrale. Die Dämmerung war fast schon angebrochen, und er hatte Glück, dass es nicht, wie eigentlich meist vor Sonnenaufgang, wie aus Kübeln schüttete. Bald schon würde Ronnie auftauchen, seine Melonen aufschneiden und wahrscheinlich versuchen, ihm ein Gespräch aufzudrängen ... ihn fragen, wo er gewesen war, ihm von irgendeinem Mist erzählen, den irgendein Gast angestellt hatte, von einer verrückten Bestellung oder so.

Darauf entgegnete Cooper normalerweise: *Das hast du davon, dass du der Laufbursche bist. Da musst du eben laufen*, oder etwas in der Art.

Aber so lange er noch seine Ruhe hatte, machte Cooper sich an die Arbeit – ohne auf irgendetwas zu stoßen. Er fing mit Google und ein paar anderen, unzuverlässigeren, normalen Suchmaschinen an, arbeitete sich erst durch die spanischsprachige Abteilung, trennte die Buchstaben, probierte ein spanisches Wort mit I aus, dann zwei Wörter, die mit I und C begannen und so weiter. Er versuchte es auch mit den anderen Methoden, die er während seiner vielen Mußestunden immer weiter verfeinert hatte, stieß aber nur auf ein paar Personen wie beispielsweise Inez Charon Rodriguez, die, wie er erfuhr, in Argentinien lebte und deren Hobbys Wassersport und Reiten waren. Aber ansonsten war absolut nichts zu finden, was in irgendeiner Weise für ihn hätte relevant sein können. Er versuchte es mit immer mehr und immer unterschiedlicheren Variationen, kombinierte spanische Standard-Begriffe, überlegte sich, wie eine spanischsprachige Firma sich wohl nennen würde, aber wieder war das Ergebnis gleich null.

Dann wechselte er ins Englische und hatte nach vierzig Minuten auch nicht mehr entdeckt als ein paar obskure Gestalten, die aber nicht das Geringste mit irgendwelchen Unternehmen oder staatlichen Behörden zu tun zu haben schienen.

Er probierte noch ein paar der langsameren, aber gelegentlich gründlicheren staatlichen Datenbanken aus, die er bei solchen Fragen gerne benutzte, gelangte aber schnell zu dem Schluss, dass er seine Zeit verschwendete. Es gab einfach keine öffentlich bekannte Organisation, die offensichtliche Verbindungen nach Mittelamerika pflegte und gleichzeitig die Initialen ICR verwendete, zumindest keine, die sich irgendwie mit einem Chemieunfall oder der Herstellung von Materialien, die einen solchen hätten verursachen können, in Zusammenhang bringen ließe.

Nicht, dass er damit gerechnet hätte, irgendetwas Substanzielles zu entdecken.

Er klappte sein PowerBook zu und versetzte es damit automatisch in den Ruhezustand, legte den linken Fuß auf das rechte Knie, verschränkte die Hände hinter dem Kopf und ließ sich gegen die Lehne des Plastikliegestuhls sinken, die – das wusste er genau – brechen würde, wenn er sie zu sehr belastete.

Zuvor schon hatte er das Holzstück mit den Buchstaben ICR neben das PowerBook auf den weißen Plastiktisch gelegt. Cooper streckte seinen nackten Fuß aus und versetzte dem Holzstück einen Stoß, sodass es sich auf dem Tisch um die eigene Achse drehte.

Er konnte jede Menge Leute anrufen, allen voran die lange Liste der korrupten Seelen, die er auf frischer Tat ertappt hatte und immer wieder gerne erpresste oder sonstwie unter Druck setzte, wenn die Umstände es erforderlich machten. Er würde später bei einigen dieser Seelen vorfühlen. Vielleicht ließ sich ja dort etwas über die Buchstaben auf dem Holzstück in Erfahrung bringen. Aber eigentlich wusste er jetzt schon, dass er damit nur der Pflicht Genüge tat. Er hatte ein ganz bestimmtes, wohlvertrautes Gefühl, das ihm sagte, dass er nicht mehr entdecken würde, dass der ganze Rest nichts weiter war als Zeit- und Energieverschwendung.

Ganz besonders, wenn die Ausknipser und damit auch diejenigen, die die Chemiefabrik abgefackelt hatten, tatsächlich, wie er vermutete, »vom Staat« oder »von Washington« oder zumindest von irgendjemandem in den Vereinigten Staaten beauftragt worden waren.

»Mist«, sagte er.

Vielleicht setze ich mich einfach an den Strand und warte so lange ab, bis die Ausknipser sich bis zu mir durchgefragt haben ...

Da hörte er ein Geräusch und wusste, dass jemand in seinem Rücken angefangen hatte, Melonen aufzuschneiden. Ohne sich umzudrehen wusste er auch, dass das nicht Ronnie war – der Laufbursche hätte sich niemals ohne eine bissige Bemerkung oder eine verkaterte Begrüßungsfloskel an die Arbeit gemacht. Cooper lauschte, den Blick immer noch auf den Strand und nicht auf den Melonenschlitzer gerichtet, und hörte jetzt auch das leise Gurgeln und Blubbern einer Kaffeemaschine. Schließlich hatte er das Gefühl, als ob sich eine gewisse Ruhe – oder vielleicht besser eine Art fließende Transformation – über die Terrasse und die umgebende Gartenanlage gelegt hätte.

Und genau deshalb wusste er, wer da die Melonen aufschnitt.

Der Mann mit dem Messer warf einen großen, schlanken Schatten auf die Wand des nächstgelegenen Bungalows. Seine Schnitte verrieten eine erfahrene, wenn auch etwas eingerostete Hand, und es dauerte alles ein klein wenig länger als damals, als er noch tagtäglich diese Arbeit gemacht hatte. Und so begegnete Cooper, als er sich umdrehte, dem Blick des Besitzers des Conch Bay Beach Clubs, der ihn mit einem kaum wahrnehmbaren Nicken begrüßte und dabei ungerührt fortfuhr, die Melone in Stücke und Würfel zu zerlegen. Der braungebrannte, durchtrainierte, fröhlich wirkende Kerl hieß Chris Woolsey, war vielleicht fünf Jahre jünger als Cooper und sah nicht nur sehr viel gesünder aus, sondern *war* auch sehr viel gesünder als der Dauergast in Bungalow Nummer neun.

Woolsey war in letzter Zeit nicht so häufig in Conch Bay gewesen – es gab da noch ein paar andere Anlagen zu managen –, aber wenn er da war, dann war für jeden Gecko, jede Pflanze und jeden Menschen hier eindeutig zu erkennen, dass dieser Mann seinen Platz im Leben gefunden hatte.

Und dieser Platz war, genau wie für Cooper, hier.

»Was hast du denn mit Ronnie gemacht, verdammt noch mal?«, sagte Cooper.

»Auch der größte Depp hat mal Urlaub, Guv.«

»Wo hast du gesteckt?«

»Größtenteils auf den Caymans«, meinte Woolsey. »Dann noch ein bisschen auf Aruba.«

Cooper nickte. Er wusste, wovon Woolsey redete, und wusste auch genau, wo auf diesen Inseln der Beach-Club-Besitzer gewesen war.

Gelegentlich gestand Cooper sich ein, dass er Woolsey um sein grundsätzlich freundliches Auftreten beneidete, das kein bisschen aufgesetzt, sondern durch und durch ehrlich wirkte. Er war im Verlauf der zwei Jahrzehnte ihrer Bekanntschaft sogar eher noch überschwänglicher geworden. Cooper beneidete Woolsey darum, konnte aber nicht recht begreifen, wie jemand einfach immer gute Laune haben konnte. Auch, wenn er durchaus in der Lage war zu verstehen, dass jemand, der nicht um ein Haar den Foltertod gestorben wäre, der sich in den Jahren danach nicht in ein spirituelles Vakuum zurückgezogen und sich kopfüber in das Nichts gestürzt hatte, vielleicht tatsächlich so sein konnte.

»Du weißt, dass die Lagune so langsam wie eine Kloake aussieht, oder?«, sagte Cooper. »Kürzlich hab ich da unten auf dem Grund eine gottverdammte Bierdose liegen sehen.«

Woolsey nickte.

»Hab mir schon überlegt, die Gästezahl zu begrenzen«, sagte er. »Vielleicht sollte ich die Preise erhöhen. So oder so, jedenfalls müssen es weniger werden.«

»Aber erst mal sollten wir Ronnie mit dem Netz rausschicken, damit er mal sauber macht. Natürlich erst, wenn er von seinem kleinen Ausflug zurück ist.«

»Ist noch nicht ganz klar, ob er überhaupt wiederkommt, mein Freund.«

Cooper schaute ihn an.

»Schlechtes Gewissen?«, sagte Woolsey nach einer kleinen Weile.

»Wieso soll ich ein schlechtes Gewissen haben?«

»Weil du dich in letzter Zeit noch arschlochmäßiger benommen hast als sonst.«

»Mein Gott«, erwiderte Cooper. »Du auch?«

»Normalerweise ist das ja verdammt komisch, mein Freund«, sagte Woolsey. »Fast schon eine Art Touristenattraktion, so einen verbitterten, zornigen, alten Arsch wie dich ganz hinten im letzten Bungalow zu haben. Aber zwischen Zorn und Traurigkeit – oder sagen wir lieber: Depression – besteht ein gewaltiger Unterschied.«

Cooper wandte sich ab und schaute aufs Wasser hinaus.

»Schau mal«, fuhr Woolsey fort. »Wenn jemand pissig ist, dann legst du dich mit ihm an, lachst ihn vielleicht sogar aus, stimmt's? Du kriegst ein paar pampige Sprüche zu hören, aber was soll's. Aber wenn einer deprimiert ist, das ist was anderes – das überträgt sich, und zwar nicht bloß auf dich selbst, sondern auf die ganze Umgebung. Auf Ronnie jedenfalls hat es total abgefärbt.«

Cooper senkte den Blick. »Er hat gekündigt?«

»Das wird er«, sagte Woolsey, »wenn du nicht aufhörst, ihn in die Depression zu treiben. Verdammt noch mal, Guv – wir haben Glück, dass überhaupt noch jemand hierherkommt. Das ist ja hier eine Atmosphäre wie auf einer Beerdigung, wo irgendwo in der Ecke ein alter, trauriger Köter liegt und vor sich hin schnarcht.«

Cooper sagte nichts. Woolsey hatte mittlerweile das Obst

aufgeschnitten und legte ein paar Würfel von jeder Sorte auf eine ganze Reihe von Tellern. Als er damit fertig war, wischte er sich die Hände an dem Handtuch ab, das im Bund seiner Surfer-Shorts steckte, drehte sich um, griff nach der Kaffeekanne und schenkte zwei weiße Becher so randvoll, dass kein Tropfen Milch mehr hineingepasst hätte. Dann nahm er die beiden Becher, kam damit zu Cooper und drückte ihm einen in die Hand.

Er setzte sich auf einen Stuhl, und so saßen die beiden nebeneinander, den Blick auf das noch sehr schmale Sonnenband gerichtet, das langsam breiter wurde und sich schließlich über den Horizont hinwegschob. Cooper nippte an seinem Becher, Woolsey nippte an seinem Becher, und sie sagten kein Wort. Cooper schenkte seinem PowerBook ebenso wenig Beachtung wie dem Holzstück. Er nippte einfach nur und schaute hinaus aufs Wasser und auf die Sonne.

Als sie mit der ersten Runde fertig waren, brachte Woolsey die Kanne herüber und schenkte ihnen einen zweiten Becher ein, den sie ebenfalls schweigend leerten.

Dann, als die ersten Schritte, die ersten verräterischen Flipflops auf dem Schotterweg zu hören waren, stand Woolsey auf.

»Zeit für unser weltberühmtes, kontinentales Frühstück«, sagte er.

Er blieb noch einen Moment lang stehen, starrte auf Cooper hinab, so lange, bis die Gäste nur noch wenige Schritte entfernt waren. Als sie fast schon in Hörweite waren, sagte er: »Ich gehe davon aus, dass wir uns verstehen.«

Cooper ließ den Blick gesenkt und zeigte auch sonst keine erkennbare Reaktion, aber er bildete sich nicht ein, dass er einen so alten und guten Freund wie Woolsey einfach mit Missachtung strafen konnte. Er hatte vollstes Verständnis für Woolsey – was aber nicht bedeutete, dass er zu irgendwelchen Zugeständnissen bereit gewesen wäre, mit Sicherheit nicht. Trotzdem wusste Woolsey genauso gut wie er selbst, dass ihr kleines Tête-à-Tête ihm unter die Haut gegangen war. Sie verstanden einander, so viel war klar. Während der nunmehr fast zwanzig Jahre, in denen sie sich kannten, hatten sie sich eigentlich fast immer verstanden.

Als die fröhlichen Stimmen mit dem dazugehörigen Ehepaar auf der Terrasse eintrafen und die Einsamkeit seines morgendlichen Paradieses störten, stand Cooper auf, klemmte sich das PowerBook unter den Arm, steckte das Holzstück in die Tasche seiner Badehose und ging zum Strand. Er wollte, wie er das normalerweise tat, auf dem Weg zum Bungalow Nummer neun noch den Blick auf das Meer genießen.

38

»Es wird Zeit, dass du was tust für dein Geld.«

Cooper vernahm Laramies Stimme in der Ohrmuschel seines Satellitentelefons und schaute auf seine Armbanduhr. Zehn vor zwölf. Er hatte keine Ahnung, wie lange er geschlafen hatte ... zehn Minuten? Zwanzig? Auf jeden Fall nicht lange genug. Das einzig Gute war, dass die Biere, die er ins Eisfach gelegt hatte, wohl mittlerweile kalt waren, sodass er jedenfalls keine pisswarme Brühe zu trinken brauchte.

Sein erster Gedanke war, Laramie zu bitten, sich an seiner statt mit der Buchstabenkombination »ICR« zu beschäftigen – zuzugeben, dass er als Ermittler eine Fehlbesetzung war, dass es besser war, wenn er weiterhin seine Runden schwamm, lauwarmes Bier trank, seine geliebten Spätvormittagsschläfchen hielt und es dabei beließ. Wenn Laramie einmal Witterung aufgenommen hatte, dann konnte sie praktisch jedes Rätsel lösen, das wusste er, auch das, wie man ihn am besten auf die Palme brachte. Julie Laramie, dachte er, die Frau, die er einst als menschlichen Lügendetektor bezeichnet hatte. Vielleicht sollte ich meinen Fall einfach ihr überlassen.

Aber da Cooper keinen einzigen dieser Gedanken laut aussprach, fuhr Laramie einfach fort.

»Wir müssen nach Kuba rüber«, sagte sie. »Je früher, je besser.«

»Wir?«

»Du und ich. Oder, falls dir das lieber ist, der verdeckt operierende Agent und seine Einsatzleiterin aus der ›Konter-Terrorzellen-Zelle‹.«

Cooper, der entspannt in seiner Hängematte zwischen zwei Palmen am hinteren Ende des Strandes lag, überlegte kurz. Von da, wo er lag, konnte er das Restaurant nicht sehen, und also konnte auch niemand aus dem Restaurant ihn sehen. So oder so war es die beste Zeit des Tages. Die Sonne stand hoch und brannte auf ihn herunter, der Himmel war klar, und die meisten Gäste waren vom Strand entweder ins Restaurant oder in ihre Bungalows geflüchtet, um Mittag zu essen oder sich dafür fertig zu machen. Ganz am anderen Ende des Strandes spielten ein paar Kinder im Wasser, aber ansonsten war niemand zu sehen.

»Was immer du auf Fidels Grund und Boden zu erledigen hast«, sagte er, »wenn du mich dazu brauchst, dann kann es nichts Gutes sein, und falls es wirklich etwas Unerfreuliches sein sollte, dann hast du kein Recht mitzukommen. Nicht einmal als Einsatzleiterin im Auftrag deines Schweine-Reiches.«

Wahrscheinlich waren auf der Haut an Laramies Hals ungefähr jetzt die ersten rosaroten Flecken zu sehen.

»Das habe allein ich zu entscheiden«, sagte sie nur.

Cooper blieb stumm und ließ sich durch die ausbleibende Reaktion nicht beeindrucken.

»Wie kommt man da normalerweise hin?«, sagte Laramie. »Ich weiß ja, dass du schon öfter mal da warst.«

»Nach Kuba?«, erwiderte Cooper. »Eigentlich genauso, wie man auch sonst überall hinkommt.«

Aus seinem Hörer drang ein Laut, der wie ein Seufzen klang.

»Mir ist schon klar, dass Kuba sich über jeden Tourismus-Dollar freut, den es trotz US-Embargo kriegen kann«, sagte Laramie. »Ich rede ja auch nicht von einer Vergnügungsreise. Wir müssen uns unbemerkt an Land schleichen. Wahrscheinlich mit falschen Papieren. Und am liebsten ...«

»Für jemanden mit deinen Beziehungen ist das überhaupt kein Problem. Für jemanden mit meinen Beziehungen auch nicht. Du lässt dich von einem Militärtransport nach Guantanamo Bay schaffen, und dann mogelst du dich einfach rein. So macht es jedenfalls die CIA. Alle wissen Bescheid, auch Fidel, und eigentlich interessiert das mittlerweile kein Schwein mehr. Immer wieder mal stecken die Kubaner einen Amerikaner für ein, zwei Tage ins Gefängnis ...«

»Ich will aber nicht meine ›Beziehungen‹ spielen lassen«, sagte Laramie. »Und ich will auch nicht, dass du deine spielen lässt. Wir führen eine Untersuchung durch, die es offiziell überhaupt nicht gibt. Ich glaube, die Leute, für die ich arbeite, hätten weniger Probleme damit, wenn wir die kubanischen Behörden auf uns aufmerksam machen würden, als wenn ich mit der CIA oder irgendwelchen militärischen Dienststellen zusammenarbeiten würde. Jedenfalls ist das doch einer der Hauptgründe, warum wir dich mit ins Team geholt haben – damit du uns Informationen beschaffst. Auf unkonventionelle Art und Weise, wenn nötig.«

»*Einer* der Gründe«, sagte Cooper. Es klang fast wie eine Frage, aber nur fast.

Als Cooper sich nach längerem Schweigen eingestehen

musste, dass Laramie nicht angebissen hatte, sagte er: »Mit dem Boot. Ich würde das Boot nehmen.«

»Deins?«

»Zum Teufel, nein. Es kann immer passieren, dass Fidels Revolutions-Marine sich das Ding unter den Nagel reißt, wenn sie einem auf die Schliche kommt. Ist zwar nicht besonders wahrscheinlich, aber auch nicht ausgeschlossen.«

»Wie würdest du dann vorgehen?«

»Wenn du unentdeckt bleiben willst, zumindest so gut wie möglich, dann kommst du übers Wasser. Am besten mit einem ziemlich schnellen Boot, das du aber zur Not auch zurücklassen kannst. Was meinst du denn genau mit ›je früher, desto besser‹?«

»So schnell wie möglich.«

»Und wo genau wollen wir hin? Kuba ist ziemlich groß.«

Es dauerte einen Augenblick, bis Laramie eine Antwort gab. »An die westliche Spitze. Südküste, San Cristóbal«, sagte sie.

Cooper schaute auf seine Armbanduhr. Er musste ein paar Leute anrufen, und sie mussten ein paar Flüge buchen – es würde also auf jeden Fall Nachmittag werden.

»Falls sich in den letzten paar Jahren nichts Entscheidendes verändert hat, dann müsste es um 15.00 Uhr einen Nonstopflug von Fort Myers nach Cancún geben«, sagte er. »Mit American Airlines. Sieh zu, dass du den kriegst. Ich hole dich dann bei der Gepäckausgabe ab. Und an deiner Stelle«, fügte er noch hinzu, »würde ich mir am Flughafen eine Packung Dramamine besorgen. Aber nimm die Tablette erst nach der Landung – dann dauert es immer noch eine Stunde, bis wir auf See sind.«

Cooper wusste, dass sie mindestens sechs Stunden auf See sein würden, vielleicht auch länger, je nachdem, welchen Kübel sein Freund Abe Worel ihm für die Fahrt in das Land von Fidel, Che und gutem Baseball besorgen konnte. Er wusste auch, dass

Laramie wahrscheinlich eine Viertelstunde nach dem Ablegen anfangen würde, sich die Seele aus dem Leib zu kotzen, ganz egal, wie viele Dramamine sie vorher geschluckt hatte. Aber wenigstens milderte das Medikament die Symptome.

Nach einer kurzen Pause sagte Laramie: »Soll das heißen, dass wir heute Abend noch auf Kuba sind?«

»Ist dir das früh genug?«, erwiderte er. »Ruf mich an, falls du den Flug verpasst. Ansonsten treffen wir uns bei der Gepäckausgabe.«

Cooper legte auf.

Da er während der wie üblich verspäteten beiden Flüge von Tortola nach Cancún sowieso nichts zu tun hatte, nahm Cooper Laramies Ermittlungsdossier mit und las sich den größten Teil noch einmal durch. Allerdings konnte er sich nicht besonders gut konzentrieren. Jedes Mal, wenn er auf eine langweilige Passage stieß – und das war eigentlich immer –, wurde er von Visionen heimgesucht, die sich um die diversen Sackgassen in seinem eigenen Fall drehten, um den dreifachen Mord und die Frage, wie er am besten seinen eigenen Arsch retten konnte, oder um die krächzenden Hilferufe der goldenen Priesterin, den toten Cap'n Roy am Rand seines Swimmingpools, Po Keelers Leiche, die unter einer Plane versteckt auf der »Müllkippe« gelegen hatte. All diese Bilder sausten in seinem aufgeweichten Hirn umher, immer wieder unterbrochen von einzelnen Gedankensplittern: Belize City, der Auftragskiller, die Kutter der US-Küstenwache, der Eisbär und dieses Holzstück, das er auf dem Boden dieser gottverdammten Höhle in …

Guatemala.

Er hatte das Wort genau in dem Augenblick gelesen, als er es auch gedacht hatte. Also konzentrierte er sich auf seine Lektüre und merkte, dass er auf den letzten zehn, fünfzehn Seiten kein einziges Wort bewusst wahrgenommen hatte. Er war in einem Abschnitt hängen geblieben, der sich mit dem »Filo« befasste und von irgendeiner Mitarbeiterin des Instituts für Infektionskrankheiten verfasst worden war. Darin wurde darauf hingewiesen, dass Anfang der Achtzigerjahre in Guatemala anscheinend ein hämorrhagisches Fieber aufgetreten war, das sehr ähnliche Symptome hervorgerufen hatte wie der »Marburg-2«-Virus, den Benjamin Achar auf die Bevölkerung Zentral-Floridas losgelassen hatte.

Da Cooper erst vor wenigen Tagen den sterblichen Überresten eines ganzen Indiodorfes begegnet war, dessen Bewohner alle schnell und ungefähr zur selben Zeit gestorben sein mussten – und zwar genau dort, wo laut seinem Bericht dieses hämorrhagische Fieber ausgebrochen sein sollte –, musste er auch die unwahrscheinliche Möglichkeit ins Auge fassen, dass zwischen den beiden Fällen eine Verbindung bestand. Es fiel ihm zwar schwer, das zu glauben, aber je mehr er darüber nachdachte, desto plausibler erschien ihm ein solches Szenario.

Falls dieser »isoliert lebende Urvölkerstamm«, den er und Borrego entdeckt hatten und der vor weniger als fünfzig Jahren ums Leben gekommen sein musste, *nicht* einem Marburg-2-Filovirus zum Opfer gefallen war, dann musste es zumindest etwas *Ähnliches* gewesen sein. In diesem Fall gab es aber nur den einen möglichen Schluss, dass dieses Etwas, ob nun absichtlich oder nicht, aus der niedergebrannten Anlage entwichen war, die im oberen Teil des Kraters gestanden hatte. Vielleicht war es ja gar keine Chemiefabrik gewesen, sondern eine Produktionsstätte für *biologische* Waffen.

Bei jeder weiteren denkbaren Verbindung wuchs seine Besorgnis schlagartig an.

Es erschien ihm naheliegend, dass seine Entdeckung für die Einsatzleiterin der »Konter-Terrorzellen-Zelle«, in deren Diensten er momentan stand, von größtem Interesse war, aber er fragte sich auch, ob Laramies Fall oder die Beziehungen der

»Leute, für die sie arbeitete« ihm möglicherweise dabei behilflich sein konnten, einen Weg aus seiner eigenen, anscheinend endlosen Aneinanderreihung von Sackgassen zu finden.

Cooper blätterte bis zum letzten Abschnitt, an den er sich erinnern konnte, zurück und las noch einmal. Bei Achars »Filo« handelte es sich um einen über die Atemluft übertragbaren Filovirus, ein Pathogen, das ein hämorrhagisches, hoch ansteckendes Fieber auslöste, welches für Mensch und Tier gleichermaßen gefährlich und in beide Richtungen übertragbar war. Dem Bericht zufolge besaß der »Filo« einige synthetische Komponenten, was bedeutete, dass er biotechnologisch hergestellt worden war. Die Verfasserin des CDC-Berichts erwähnte zahlreiche Laboratorien, feindlich gesinnte Regime und sogar eine streng geheime US-Institution in Utah, wo man sich »während der vergangenen Jahrzehnte« mit der Herstellung von Filoviren beschäftigt hatte, stellte aber fest, dass es bei keinem dieser Labors irgendwelche Hinweise auf einen solch revolutionären technologischen Durchbruch gebe, wie der »Marburg-2« ihn darstellte.

»Bei unseren Bemühungen, den Ursprung des organischen Anteils des Pathogens zu bestimmen«, hieß es in dem Bericht weiter, »haben wir zwei unterschiedliche Wege beschritten. Zunächst einmal haben wir Zugang zu den neuesten Erkenntnissen der CIA über den Bestand und den Zustand aller Einrichtungen, die bekanntermaßen mit der Erforschung verbotener biologischer Waffen zu tun haben, erhalten. So haben wir drei aktive Anlagen ausfindig gemacht, die sich irgendwann in der Vergangenheit einmal mit der näheren Erforschung und Entwicklung von Filoviren befasst haben: eine in Malaysia, die von der islamischen Terrororganisation Jemaah Islamia betrieben und finanziert wird, eine zweite in Algerien, vermutlich in Händen der Al Kaida, und eine dritte auf dem Gelände eines im Privatbesitz befindlichen Pharmaherstellers in der

Ukraine. Auf Drängen der Sonderkommission hat das Pentagon [GESTRICHEN] ...«

Cooper blieb nichts anderes übrig, als die geschwärzten Passagen zu überspringen, und setzte seine Lektüre weiter unten fort. Er fragte sich, ob Laramie die Streichungen vorgenommen hatte oder ob sie den Bericht schon in dieser Form erhalten hatte.

»Der zweite Ansatzpunkt für unsere Suche nach dem ursprünglichen Virenstamm geht von der Voraussetzung aus, dass der organische Teil des Filo in der freien Natur vorkommt«, hieß es jetzt in dem Bericht, und das war die Stelle, wo auch Guatemala und die Epidemie erwähnt wurden, auf die das CDC seine Ermittlungen konzentriert hatte.

Er erfuhr, dass das Tagebuch einer Pflegerin aus dem Jahr 1983 einen Krankheitsausbruch in einer Krankenstation im »ländlichen Guatemala« dokumentierte. Eine präzisere Beschreibung suchte Cooper jedoch vergebens. Bevor der Pflegerin selbst die Kraft ausgegangen war, hatte sie die Krankheitssymptome geschildert, von denen das gesamte Klinikpersonal betroffen gewesen war. Wie dieses Tagebuch in die Hände des CDC gelangt war, wurde nur vage geschildert. Die Symptome des hämorrhagischen Fiebers, las Cooper weiter – die unkontrollierbar hohen Fieberschübe, der Kollaps sämtlicher innerer Organe, die Blutungen aus sämtlichen Körperöffnungen, der schnelle Tod –, waren überall, wo das Pathogen zugeschlagen hatte, ähnlich gewesen. Aber die spezifischen Charakteristika des Ausbruchs in LaBelle waren mit den Symptomen, die die Krankenpflegerin aus der Klinik in Guatemala geschildert hatte, besonders eng verwandt: Die Inkubations- und Infektionsphasen, der aggressive Verlauf der Symptome und andere wichtige Kennzeichen aus dem Tagebuch der Pflegerin entsprachen fast bis ins kleinste Detail dem Verlaufsmuster des LaBelle-Fiebers.

In dem Tagebuch wurde ein einheimisches Mädchen im Teenageralter erwähnt, das einen »indianischen Dialekt« sprach. Es sei mit grippeähnlichen Symptomen in die Klinik gekommen und dort behandelt worden. Anschließend sei es wieder entlassen worden, und zwar noch bevor das Personal die ersten Symptome gezeigt habe.

Cooper blätterte noch einmal zurück und suchte nach einer Bestätigung für das Datum: 1983.

Obwohl der Eisbär und er eigentlich eher Amateure auf dem Gebiet der Kriminaltechnik waren, hatten sie den Todeszeitpunkt der Dorfbewohner irgendwo in diesem zeitlichen Rahmen angesiedelt. Noch so eine beunruhigende Parallele ... schließlich war es doch durchaus denkbar, dass das Filo-infizierte Mädchen mit dem »indianischen Dialekt« in genau der Woche, dem Monat, dem Jahr in der Krankenstation aufgetaucht war, als das Indiodorf von einer vergleichbaren Epidemie heimgesucht worden war.

Cooper durchsuchte sämtliche Fotokopien in seinem Ordner nach einem Hinweis auf den Verbleib und das Schicksal des Mädchens, fand aber nichts.

Mein Gott! Eine Überlebende?

Er klappte den Ordner zu und steckte ihn in seine Reisetasche. Der CDC-Bericht hatte ihm die Entscheidung abgenommen: Er würde sich bei Laramie, dem Lügendetektor, auf jeden Fall nach »ICR« erkundigen und würde ihr außerdem empfehlen, in ihrer Funktion als Einsatzleiterin der »Konter-Terrorzellen-Zelle« die Verbindung, die er soeben hergestellt hatte, in ihr Selbstmordattentäter-Schläfer-Szenario zu integrieren.

Das einzige Problem bestand in der Frage, auf welche Ursache beziehungsweise auf *welchen Verursacher* das alles hinzudeuten schien – bedauerlicherweise auf niemand anderen, dachte er, als auf diese gottverdammten Ausknipser, die durch dieses beschissene, niedergebrannte Labor eine direkte Verbindung zwischen dem biotechnologisch hergestellten Filovirus und den ermordeten Dorfbewohnern hergestellt hatten. Die Ausknipser, die, da hatte er mittlerweile keine Zweifel mehr, sich in Washington oder Langley oder sonst irgendwo herumtrieben, wo sich mächtige Regierungsarschlöcher in Zeiten wie diesen eben so herumtrieben.

Das bedeutete aber, dass er, sobald er Laramie mit ins Spiel brachte, gleichzeitig ihr Todesurteil unterzeichnete, genauso wie Po Keeler und Cap'n Roy durch ihre naive Gier ihr eigenes Todesurteil unterzeichnet hatten.

»Mist«, sagte er und merkte erst hinterher, dass die fünfzehn anderen Passagiere in dem kleinen Flugzeug mitgehört hatten.

Er klappte das Ermittlungsdossier zu und schaute zum Fenster hinaus. Das Flugzeug sank unter die Wolkendecke, und ein paar tausend Fuß darunter wurde die Halbinsel Yucatan sichtbar.

39

Sie waren bereits ganze neunzig Minuten auf See, als die Sonne im Ozean versank. Cooper trieb sie mit den achtzig Pferdestärken aus dem Motor des Katamarans und zwölf Knoten vorwärts, und die Wasseroberfläche der Karibik war so ruhig, wie sie nur sein konnte – träge hob und senkte sich das Meer, aber ohne vom Wind gepeitscht zu werden und ohne jede Schaumkrone. Das bedeutete unter anderem, dass Laramie noch nicht angefangen hatte, den Inhalt ihres Magens hervorzuwürgen, der nach Coopers Einschätzung sowieso nur sehr spärlich gefüllt war, wenn man sich vor Augen führte, dass Laramie normalerweise Dinge wie kleine Salatteller mit einem Extraschälchen fettarmem Dressing verspeiste.

Das Boot war eine neun Meter lange Endeavorcat. Cooper hatte Abe Worel, einen auf Virgin Gorda stationierten Charter-Kapitän, gebeten, ihm das Boot über einen Bootsverleih in Cancún zu beschaffen, an dem Worel beteiligt war. Er hatte ihm außerdem empfohlen, eine zusätzliche Vollkaskoversicherung abzuschließen und alles andere ihm zu überlassen. Worel hatte ihm gesagt, wo das Boot zu finden war und dass es ab 16.00 Uhr für ihn bereitlag. Um sechs hatten Cooper und Laramie vom Anleger des Bootsverleihs abgelegt.

Während die Sonne eilig hinter dem Horizont verschwand, legte Laramie Cooper die Theorie ihres Teams dar, dass Achar sie mit Hilfe seiner kodierten GPS-Daten zu einer Art »Amerikanisierungslager« hatte lotsen wollen. Außerdem ließ sie Cooper an dem vorsichtigen Verdacht teilhaben, der sie beim Blick auf die kubanische Landkarte befallen hatte: dass nämlich das, was sie möglicherweise entdecken würden, unter dem Erdboden zu finden war.

Cooper sagte: »Dann fahren wir jetzt also dahin, immer vorausgesetzt, dass die Daten stimmen, und was dann? Erkundigen wir uns einfach nach dem Leiter der Einrichtung?«

»Vielleicht«, erwiderte Laramie.

»Wieso schnappst du dir nicht einfach ein paar Satellitenaufnahmen und zückst dein Vergrößerungsglas? Und wenn du dein Ziel isoliert hast, dann können die Leute, für die du arbeitest, ja irgendjemanden dahinschicken, der dem Spuk ein Ende macht. Wie zum Beispiel, ich weiß auch nicht, die US-Marines.«

»Das mit den Satellitenaufnahmen habe ich doch schon längst gemacht, und du wirst langsam alt«, erwiderte Laramie. »Das hier ist überhaupt nicht der Spuk, dem wir ein Ende machen müssen. Wenn wir es wirklich mit einem Amerikanisierungslager zu tun haben, dann folgt daraus, dass es von demjenigen betrieben wird, der auch die Schläfer geschickt hat, aber es ändert nichts an der Tatsache, dass er oder sie die Schläfer bereits in Position gebracht hat beziehungsweise haben. Diesen Schläfern, denen müssen wir ›ein Ende machen‹, nicht dem Ausbildungsgelände. Und wer weiß, vielleicht stoßen wir ja auf etwas ganz anderes. Es könnte doch sein – auch wenn es erst mal sehr unwahrscheinlich klingt –, dass Fidel Castro hinter dem Ganzen steckt und dass er dort, wo die GPS-Koordinaten uns hinführen sollen, die Liste mit den Schläfern aufbewahrt.«

»Oder wir finden gar nichts.«

»Stimmt.«

»Und warum kommst du dann mit?«, wollte Cooper wissen. Er warf einen prüfenden Blick auf den fluoreszierenden Kompass und drehte das Ruder ein klein wenig nach Steuerbord, um den Kurs des Katamarans um wenige Grad zu korrigieren.

Laramie blieb eine ganze Weile stumm und regungslos sitzen, den Kopf an ihr Kissen gelehnt. Vielleicht sagt sie ja deshalb nichts, dachte er, weil sie eigentlich – internationale Terrorkrise hin oder her – nur mitgekommen ist, um mit ihrem Ex gen Süden zu düsen.

Ex? Schnell versuchte Cooper, diesen Gedanken wieder zurückzunehmen, aber das war etwas, wobei er sich in Laramies Gegenwart – und nur in ihrer – ständig und vergeblich ertappte. Ansonsten war er mit seinen Gedanken eigentlich immer sehr zufrieden. Im Augenblick jedoch merkte er, wie die Wut in ihm hochkochte und er sich selbst die Frage stellte: *Wie können vier Monate auf den Inseln eigentlich schon als Beziehung gelten?*

Na ja, und dann war es eben so weit: Man bezeichnete sich als den »Ex«. Nur ein weiteres Steinchen einer langen Kette von Gedanken, Wörtern und anderen ärgerlichen Dingen, die ich am liebsten niemals gedacht, gesagt oder getan hätte. Laramie war immer noch der Lügendetektor, der sie gewesen war, ein gottverdammtes Wahrheitsserum, das man nicht einmal zu trinken brauchte, um seine Wirkung zu spüren.

»Ich komme mit, weil ich es mit eigenen Augen sehen will«, sagte Laramie und unterbrach damit seine Gedanken.

Das kaufte Cooper ihr nicht ab.

»Auch, wenn du gar nicht weißt, was es ist?«, sagte er.

»Das, wonach wir suchen?«

»Genau. Falls wir überhaupt etwas finden. Und das willst du unbedingt mit eigenen Augen sehen?«

»Ich komme mit«, sagte sie, »weil ich keine Ahnung habe, was ich hier eigentlich mache.«

Cooper versuchte vergeblich, diesen Satz zu verstehen, doch er musste sie nicht nach einer Erklärung fragen. Laramie gab sie von sich aus.

»Jemand, für den ich früher mal gearbeitet habe und der im Augenblick irgendwo anders arbeitet, hat mich für das, was ich momentan mache, rekrutiert. Dabei ist es noch nicht einmal viereinhalb Jahre her, dass ich nächtelang durchgeackert habe, um mich auf meine Abschlussprüfungen in Politikwissenschaften vorzubereiten ...«

»Zusammen mit einem Wahnsinnsprofessor, wenn ich dich richtig verstanden habe«, warf Cooper ein.

»... und jetzt stehe ich hier, keine fünf Jahre danach, und leite eine ›Konter-Terrorzellen-Zelle‹, die, falls mein neuer Chef oder sonst irgendjemand in seiner Position nicht noch weitere unqualifizierte Personen wie mich selbst angeheuert hat, um genau dasselbe zu tun ... sieh mal, falls die Theorie stimmt und tatsächlich zehn, zwölf oder zwanzig weitere Schläfer irgendwo da draußen unterwegs sind, dann hält diese Zelle, die sie mir da anvertraut haben, im Augenblick das Leben von Tausenden, ja, vielleicht sogar von Zehn- oder Hunderttausenden US-Amerikanern in den Händen. Ganz allein. Das bereitet mir ziemliche Schwierigkeiten. Es ergibt einfach keinen Sinn. Oder vielleicht doch, allerdings auf ziemlich verdrehte Art und Weise. Ich habe während eines Projektkurses an der Uni eine Seminararbeit geschrieben, und die Leute, für die ich arbeite, wenden eine Strategie an, die mehr oder weniger eins zu eins dem entspricht, was ich in dieser Arbeit empfohlen habe. Genau dieses Vorgehen erschien mir als das Richtige im Kampf gegen die terroristische Bedrohung der Gegenwart. Aber wen interessiert das? Bestimmt hat sich jemand anders genau die gleichen Gedanken gemacht. Wahrscheinlich sind sie sowieso bloß zufällig über meine Arbeit gestolpert und haben sie eben zu den anderen Sachen in den Safe geschmissen, nachdem sie gewisse Ähnlichkeiten erkannt hatten. Und, na ja, ich meine, im Rätsellösen bin ich ziemlich gut, das kann man wahrscheinlich schon sagen. Aber das da ist wirklich ein verdammt anspruchsvolles Rätsel. Dafür bin ich nicht einmal ansatzweise qualifiziert.«

»Dass du mir ja nicht mit der Schulter zuckst, Ms. Atlas«, sagte Cooper.

Laramie wandte sich um, vermutlich, so dachte er, um ihm einen giftigen Blick zuzuwerfen, aber als ihre Augen sich begegneten, konnte er trotz der heraufziehenden Dunkelheit eine gewisse Milde darin erkennen. Sie wandte sich wieder ab und richtete den Blick, wie schon während des Großteils ihres Gesprächs, auf den langsam unsichtbar werdenden Horizont. Sie kämpft gegen die Übelkeit an, dachte er. Das geht nicht mehr lange gut. Mit dem Verschwinden des Horizonts würde auch ihr Gleichgewichtssinn die Orientierung verlieren.

Laramie sprach weiter.

»Ich dachte, wenn ich mal was anderes sehe als das Ermittlungsdossier«, sagte sie, »wenn ich etwas Konkretes vor der Nase habe, dass ich dann vielleicht ein bisschen mehr Klarheit bekomme, wenigstens ein *bisschen.* Vielleicht nicht gleich eine Erklärung dafür, wieso ich für diesen Job ausgesucht worden bin und wieso niemand anders – oder Tausende andere, vermutlich einschließlich der US-Marines – für die Suche nach Benjamin Achars wahrer Identität und nach der Identität und dem Aufenthaltsort seiner Schläfer-Kumpels geeignet sein soll. Aber ich dachte, dass ich vielleicht etwas zu sehen bekomme, womit ich die vier oder fünf Teile dieses Tausender-Puzzles, die wir bislang gefunden haben, wenigstens irgendwie einordnen kann. Ach, Gott«, sagte sie dann und winkte ab, »was soll's. Wir haben ja sowieso praktisch nichts in der Hand bis auf diese GPS-Daten, also wollte ich vielleicht einfach nur wissen, ob wir da überhaupt etwas entdeckt haben.«

Cooper schaute sie an. Er konnte es in der Dunkelheit zwar nicht sehen, musste aber plötzlich an das winzige Muttermal knapp über ihrem rechten Ohr denken, das ihm aufgefallen war, als sie sich zum zweiten Mal geliebt hatten. Angesichts der schweren Schussverletzungen, die sie beide kurz zuvor erlitten hatten, war es ein ziemlich unbeholfener Akt gewesen, aber trotzdem hatten sie einander genau dort berührt, wo sie berührt werden wollten.

Noch so ein Gedanke, den ich unbedingt loswerden muss.

»Aber natürlich hast du dir gedacht«, sagte er, »dass du selbst dann, wenn es überhaupt nichts zu entdecken gibt, diese kleine Spritztour nach Havanna dazu nutzen kannst, um dich ausführlich mit deinem Geheimdienstmitarbeiter zu unterhalten. Vielleicht sogar, um dir ein klein wenig Entspannung zu gönnen, bevor du in die Strategiezentrale zu dem guten, alten Professor Eddie zurückkehrst.«

»Hör auf damit«, entgegnete sie. »Es mag dich vielleicht überraschen, aber ich habe keinerlei Interesse an Entspannung. Ist dir eigentlich gar nicht klar, was hier auf dem Spiel steht? Was ist denn bloß los mit dir?«

Cooper musste beinahe grinsen. Endlich hatte er sie aus der Reserve gelockt.

»Ich zermartere mir das Hirn, wer diese Arschlöcher sein könnten, und du reißt hier dumme Sprüche?«, sagte sie. »Nein, ich korrigiere: Du flirtest mit mir.«

»Ich?«

»Hör auf.«

Sie starrte ihn wieder an, warf ihm womöglich sogar böse Blicke zu, aber Cooper konnte sie in der Düsternis wirklich kaum erkennen. Er arretierte das Ruder, stand auf, ging vorsichtig nach vorne, tastete nach dem Bordkühlschrank, den er vor der Abfahrt noch eingeladen hatte, und holte ein Budweiser Longneck für sich und die Flasche Chardonnay für sie hervor. Auch, wenn der Wein während der Fahrt über den dunklen Ozean nicht lange in ihrem Landratten-Magen bleiben würde – aber trotzdem, dachte er, Laramie braucht jetzt unbedingt etwas zu trinken.

Er kam wieder zurück an ihren gemeinsamen Platz am Ruder, machte die Flasche auf, schenkte einen Pappbecher voll und reichte ihn ihr, öffnete sein Bud und versuchte dann, mit ihrem Pappbecher anzustoßen.

»Beruhig dich wieder, Miss Lügendetektor«, sagte er.

Nach einer Weile erwiderte Laramie: »Ach, ja?«

»Ja.« Er ließ sich hinter das Steuer gleiten und stellte dabei fest, dass er etwas empfand, was er auch damals empfunden hatte, als er Conch Bay Wochen, manchmal sogar einen Monat lang den Rücken gekehrt, die Taucherbrille aufgesetzt und in Korallenriffen herumgestochert hatte. Vertrautes Territorium, das seine kalte Seele wärmte wie fünfundvierzigprozentiger Bourbon die Kehle.

»Weißt du, was wir entdecken werden?«, sagte er.

»Nein«, erwiderte sie.

»Wir werden das entdecken, was wir entdecken werden«, sagte er.

Laramie sagte eine ganze Weile lang nichts. Er nahm an, dass sie an ihrem Wein nippte.

»Das klingt aber sehr zen-mäßig«, sagte sie schließlich aus der Dunkelheit.

»Immer locker bleiben, *Moonn«,* sagte Cooper und nahm noch einen tiefen Schluck aus seiner Bierflasche.

Zwei Stunden später hatte Cooper sein viertes Budweiser in der Hand und stellte verwundert fest, dass Laramie noch immer nicht der Seekrankheit anheimgefallen war. Im Verlauf der vergangenen zwei Stunden, die sie in relativer Schweigsamkeit verbracht hatten, hatte Cooper sich die ganze Angelegenheit immer wieder durch den Kopf gehen lassen und von allen Seiten beleuchtet und schließlich endgültig entschieden, dass er keine Wahl hatte. Er musste ihr erzählen, was er entdeckt hatte. Wie hatte sie gesagt? Es stand zu viel auf dem Spiel.

Er musste nur besser aufpassen als bei Cap'n Roy, dass die Ausknipser sich von Laramie fernhielten.

Und außerdem war da noch sein Egoismus. Er wollte sich eigentlich nicht als braven Soldaten sehen, der gehorsam gute Taten vollbringt, im Dienst und zum Schutz der Bürger Amerikas. Diese Bürger gehörten einer Nation an, die ihn nach Strich und Faden und kreuz und quer verarscht hatte, und zwar mehr als einmal und ohne erkennbare Gewissensbisse. Und wenn seine Theorie in Bezug auf die Identität der Ausknipser zutraf, dann hatte jemand, der für die Regierung dieser Nation arbeitete und über erhebliche Macht verfügte, nicht nur die Ermordung von Cap'n Roy und einiger anderer relativ unschuldiger Seelen veranlasst, sondern auch – ob nun absichtlich oder durch vollkommene Gleichgültigkeit – den Tod einer ganzen Indio-Zivilisation in Mittelamerika verursacht.

Vielleicht konnte er, indem er Laramie, den menschlichen Lügendetektor, aktivierte, erreichen, dass sie sich gegen die Leute, für die sie arbeitete, auflehnte und dadurch auch seiner Sache dienlich war – und der Rache, nach der die Stimmen in seinem Kopf immer wieder verlangten.

Die Leute, für die Laramie arbeitete, dachte er, müssen etwas oder vielleicht sogar alles über diese gottverdammte Bio-Waffenfabrik wissen, über die Leute, die sie abgefackelt haben, und den obersten Ausknipser, den ich hiermit an die erste Stelle *meiner* Todesliste setze.

Und jetzt, wo sie den Fehler begangen haben, den menschlichen Lügendetektor zu engagieren, kann ich das vielleicht zu meinem Vorteil nutzen und die eine oder andere Information abstauben.

Cooper wandte den Blick in den Schatten, wo Laramie saß, und versuchte zu erkennen, ob sie eingeschlafen war. Er konnte nichts sehen, und so sagte er: »Hast du eigentlich das Dramamine genommen?«

Bislang hatte sie sich diesem Ratschlag stets verweigert.

»Hab ich«, drang ihre Stimme aus der Dunkelheit.

»Wir müssen immer noch ein paar Stunden totschlagen«, sagte Cooper.

Als Laramie nicht reagierte, wurde Cooper klar, wonach sich das gerade angehört hatte ... was er damit hätte andeuten können. Er genoss den Augenblick knisternder Spannung, ob eingebildet oder echt, dann erklärte er, was er damit gemeint hatte.

»Was ich damit sagen will ... es gibt da eine Geschichte, die dich wahrscheinlich ziemlich interessieren dürfte.«

»Eine Geschichte«, erwiderte Laramie, nachdem auch sie eine angemessene Zeit hatte verstreichen lassen. »Wovon handelt sie?«

Cooper knurrte. »Unter anderem von einer dreißig Zentimeter großen Priesterin, einem ermordeten Regierungschef und einem Typen, der sich ›der Eisbär‹ nennt.«

Für einen Augenblick war nur das Rauschen der Wellen und der sanften Brise zu hören.

»Hört sich ja nach einer Wahnsinnsgeschichte an«, sagte Laramie.

»Du machst dir keine Vorstellung«, erwiderte Cooper und fing an, die Zeit totzuschlagen und seine Geschichte zu erzählen. Dabei achtete er sorgfältig darauf, deutlich zu machen, wo seines Erachtens die Verbindung zu den Vernichtungsplänen der Selbstmord-Schläfer lag, die sie ihrerseits zu vernichten hoffte.

40

Die kubanische Revolutionsmarine, das wusste Cooper, hatte nicht besonders viel Übung im Schutz der eigenen Küste, einmal abgesehen von etlichen skrupellosen Angriffen auf kubanische Bürger, die versuchten, vor dem Regime zu flüchten. Castros Revolutionsarmee war ebenfalls miserabel ausgerüstet, da sie, seitdem der Geldfluss durch den COMECON – den durch die Sowjetunion finanzierten Rat für gegenseitige Wirtschaftshilfe der kommunistischen Staaten – Anfang der Neunzigerjahre versiegt war, quasi ohne Etat auskommen musste. Die Fuerzas Armadas Revolucionarias, abgekürzt FAR, hatten zwar gelegentlich eine Cessna abgeschossen und es auch geschafft, Fidel am Leben zu halten, aber kostspielige Instrumente der modernen Kriegsführung wie zum Beispiel eine effektive Radar-Küstenüberwachung existierten für die República de Cuba nur im Traum.

San Cristóbal gehörte zur Provinz Pinar del Rio im Süden der Insel, knapp zweihundert Kilometer von der westlichen Inselspitze entfernt. Sie kamen auf der ruhigen See gut voran und gelangten gegen 2.30 Uhr an einen Strand, an dem Cooper schon einmal gelandet war. Er hatte die ganze Fahrt über ausschließlich mit dem Kompass navigiert und dachte, als er seine Taschenlampe einschaltete und den Strahl auf den Strand richtete, dass selbst der alte kubanische Fischer aus Hemingways berühmtem Roman den Weg nach San Cristóbal nicht sicherer gefunden hätte. Sobald sie in seichtes Fahrwasser kamen, stellte er den Motor ab und ließ das Boot ausgleiten. Ein paar Sekunden später gab der Doppelrumpf ein dumpfes Kratzgeräusch von sich. Cooper sicherte den Außenborder und schwang sich über den Bootsrand ins Wasser. Die Reefs hatte er im Boot gelassen, und als er den Grund berührte, spürte er den feinen Sand zwischen seinen Zehen hindurchquellen. Er zog das Boot auf den Strand und sagte zu Laramie, dass sie jetzt aussteigen könne.

Sie luden ihre beiden Mongoose-Räder sowie zwei große Rucksäcke voller Ausrüstungsgegenstände und Proviant aus. Dann schob Cooper den Katamaran zurück ins Wasser und manövrierte ihn bis ans östliche Ende der Bucht, wo er ihn hinter einen Haufen Treibholz zog. Laramie sah, wie Cooper in einem Dickicht verschwand, ein paar Zweige abbrach und wieder hervortrat, um die Zweige über das Boot zu legen. Dann kam er wieder zu ihr, schleppte die Fahrräder und die Rucksäcke ein Stück den Strand hinauf, versteckte sie ebenfalls hinter einem Haufen Treibholz und kehrte zu Laramie zurück, die die ganze Zeit über ruhig im Sand gesessen hatte, um die letzten Nachwirkungen der Seefahrt abzuschütteln.

»Wir sind gut in der Zeit«, sagte er nach einem Blick auf seine Armbanduhr. »In drei Stunden geht die Sonne auf. Wir könnten also, so lange wir noch hier in unserem privaten

Beach Club sind, schnell noch ein bisschen schlafen. Die Straße kommt zwar gleich hinter diesen Bäumen da, aber es wäre sinnlos, wenn wir in der Dunkelheit zu unserer kleinen *Tour de Cuba* aufbrechen würden.«

Cooper machte sich hinter dem Treibholzhaufen zu schaffen. Als er fertig war, streckte er den Kopf über einen der kopfüber daliegenden Baumstümpfe und stellte fest, dass Laramie sich keinen Millimeter von der Stelle gerührt hatte. Ohne ein Wort zu sagen, kam er hinter den Baumstämmen hervor, schlenderte zum Strand, streckte Laramie die Hand entgegen und, nachdem sie sie ergriffen hatte, zog sie auf die Füße.

Dann drehte er sich um und ließ ihre Hand wieder los. In diesem Augenblick spiegelte sich das fahle Mondlicht in ihren Augen, und er glaubte, die Andeutung einer unerbittlichen Härte in ihrem Blick zu entdecken. Vielleicht war es ja nur der Einfallswinkel des Lichtes gewesen. Aber wenn nicht und dieser Blick wirklich echt gewesen war, dann hatte Cooper diesen Blick schon einmal gesehen.

Laramie krabbelte aus ihrem Schlafsack und suchte den Rucksack mit ihren Sachen. Erst nachdem sie zwei Abteile durchsucht hatte, stieß sie auf die Seitentasche, in der er ihre Toilettenartikel verstaut hatte. Sie holte die Zahnpastatube und ihre Zahnbürste hervor und ging damit über den Strand nach Osten, auf die Stelle zu, an der Cooper das Boot versteckt hatte. Sie trug immer noch die Khakihose und das Sweatshirt, die sie für die Überfahrt angezogen hatte, schlug sich vorsichtig in die Büsche, ließ die Hose herunter und erleichterte sich.

Dann schlenderte sie Zähne putzend den Strand wieder zurück. Dabei dachte sie noch einmal an Coopers Entdeckungen, die sie, einschließlich der sich daraus ergebenden, denkbaren Konsequenzen, schon während der Überfahrt ausführlich hin- und hergewälzt hatte. Also bürstete sie ihre Zähne, den Blick beziehungsweise, so stockdunkel wie es war, die Ohren auf das Karibische Meer hinaus gerichtet, und ließ ihre Gedanken weiterschweifen. Dachte an die Dinge, die auch in der größten Dunkelheit der Westindischen Inseln, wenn der mondlose Himmel vor Anbruch der Dämmerung schwarz unter der morgendlichen Wolkendecke verschwand und Laramie kaum die Hand vor Augen sehen konnte, noch gegenwärtig waren. Doch sie konnte die Wellen hören, die unaufhörlich an den Strand schwappten und sich wieder zurückzogen, und dann war da noch ein anderes Geräusch, in weiter Ferne. Es erinnerte irgendwie an eine sanft geschlagene Glocke. Vielleicht, so dachte sie, ist das ja nichts weiter als ein Stück Metall, das irgendwo im Wind weht – vielleicht an irgendeinem verfallenen Anleger irgendwo an der Küste, zwei, drei Kilometer von hier entfernt.

Soweit sie es beurteilen konnte, lag Cooper immer noch in seinem Schlafsack.

Als klar war, dass ihre Augen sich nie ganz an die Dunkelheit gewöhnen würden, machte sie sie zu und überließ sich den Geräuschen des Wassers, der Passatwinde und des klingelnden Metalls. Es war, fand sie, gar kein so großer Unterschied zu dem Rauschen der Züge, denen sie zu Hause in San Fernando immer zugesehen hatte. Damals hatte sie sich manchmal auf einen Felsen geschlichen und die Augen geschlossen, während die Güterzüge, begleitet von einem heißen Luftzug, an ihr vorbeigerumpelt waren.

Wahrscheinlich hätte sie mit den Gedanken, die ihr hier am Strand jetzt in den Sinn kamen, rechnen müssen. Vermutlich hatte sie sie selbst ausgelöst, indem sie diese Reise überhaupt mitgemacht hatte. Sie spielte noch ein paar andere Szenarien durch, bis sie schließlich von all den Spekulationen darüber, was sich möglicherweise noch entwickeln konnte, die Nase gestrichen voll hatte.

»Verdammte Scheiße noch mal«, sagte sie und schlug die Augen auf.

Sie stand auf und streifte die Khaki-Shorts ab. Barfuß war sie bereits, also kam als Nächstes das Höschen an die Reihe. Dann zog sie sich das T-Shirt über den Kopf und schleuderte es hinter sich auf den Sand. So stand sie da, nur von Dunkelheit und Wind umgeben, bis sie ins Wasser ging, dann ins Wasser lief und dabei spürte, wie sich bei jedem Schritt der Sand zwischen ihren Zehen hindurchquetschte. Als das Wasser ihr bis an die Hüfte reichte, stieß sie sich ab und tauchte in die warme Hülle des Karibischen Meeres ein.

Sie paddelte im seichten Wasser umher, stützte sich meist auf die Knie oder ließ sich auf dem Rücken treiben. Es war wie ein heißes Bad in der kühlen Nacht. Sie mochte fünfzehn Minuten, vielleicht auch eine halbe Stunde lang geschwommen sein, hatte ganz bewusst nicht auf die Zeit geachtet, doch dann, nach einer Weile, richtete sie sich auf, lehnte sich gegen den Sog des abfließenden Wassers, ging den sanft ansteigenden Strand hinauf und ließ das Meer hinter sich. Sie fuhr sich mit den Fingern durch die Haare, um das Wasser herauszuschütteln, machte aber ansonsten keine Anstalten, sich abzutrocknen. Das erledigte der warme Wind bereits für sie.

Sie ließ ihren zerknüllten Kleiderhaufen einfach links liegen, bog hinter dem Treibholzhaufen um die Ecke und lokalisierte ihren leeren Schlafsack, indem sie sich einfach plump auf alle viere sinken ließ und herumtastete. Nachdem sie den weichen Stoff entdeckt hatte, wandte sie sich nach links und kroch weiter, bis sie gegen Coopers unförmige, in den Tiefen seines Schlafsacks versteckte Masse stieß. Sie suchte nach dem Reißverschluss, zog den Schlafsack so weit auf, dass sie genügend Platz hatte, schlüpfte neben ihn und zog den Reißverschluss wieder zu.

Schon an der Art und Weise, wie sie sich berührten, wusste sie, dass er nicht geschlafen hatte.

Dann schaffte sie es tatsächlich, in der Enge des Schlafsacks die Arme um seine Brust zu schlingen. Sie drehte ihn auf den Rücken, legte sich auf ihn und bedeckte seine Lippen mit einem langen, schweren, salzigen Kuss.

41

Mit den Mountainbikes brauchten sie zweieinhalb Stunden bis nach San Cristóbal. Die Sonne ging auf, brannte vom Himmel und heizte die Straße unter ihren Reifen auf. Während er in die Pedale trat, dachte Cooper, dass das Fahrrad wirklich das beste Verkehrsmittel war, wenn man Kuba, das *wahre* Kuba, sehen wollte. Wer sich in einem der Überbleibsel der alten Touristen-Zufluchtsorte oder im hektischen Treiben von Havanna aufhielt, der begegnete überall der Propaganda, der Illusion, dass es mit der Wirtschaft des kommunistischen Landes und der Gesundheitsversorgung seiner Bürger stetig immer nur bergauf ging. Wer aber seinen Hintern auf einen Fahrradsattel schwang und die Landstraße entlangfuhr, der wusste, was wirklich hier los war. Die herzlichen, aber unterversorgten Menschen, die hier lebten und die verzweifelt nach ein paar zusätzlichen Dollars aus den Händen verirrter Touristen lechzten, hatten sich längst schon mit der katastrophalen wirtschaftlichen Situation ihres Landes abgefunden und kamen trotzdem immer noch irgendwie klar.

Sie verkörperten die Lebenshaltung der Karibik, dachte er: Regierungen, Eroberer, Wirbelstürme, Reichtum und Armut kamen und gingen, aber die Sonne brannte immer heiß vom Himmel, und der Sand und das Meer und die Erde waren immer da. *Immer locker bleiben, Moonn* – auch, wenn sie es in Fidels Heimat vielleicht ein wenig anders formulierten.

Er deutete auf das Verkehrszeichen, an dem sie gerade vorbeifuhren. Teils selbst gebastelte Werbetafel, teils Plakatwand, so hieß das hölzerne und etwas zurückgesetzt aufgestellte Schild sie mit kursiver Schrift in San Cristóbal willkommen. An manchen Stellen war es bereits von Palmenblättern und allen möglichen Gräsern überwuchert. Cooper war schon einmal hier gewesen. Und damals wie heute hatte er eigentlich fest damit gerechnet, irgendwo ein Symbol der Vergangenheit zu sehen, ein kommunistisches Propagandaschild vielleicht, das verkündete, wofür die Stadt einst weltberühmt geworden war: für Luftaufnahmen aus den Jahren 1962/63, als ein US-amerikanisches Spionageflugzeug hier eine der größten von Kuba und der UDSSR gemeinsam errichteten Raketenstellungen zur Stationierung sowjetischer Interkontinental-Atomraketen fotografiert hatte. Letztendlich war das der Auslöser für die Kubakrise gewesen.

Aber an diesem Morgen, genau wie bei Coopers letztem Besuch, gab es keinerlei erkennbaren Hinweis darauf, dass so etwas hier jemals stattgefunden hätte. In der Stadt ging es vollkommen normal und unauffällig zu – einfach ein geschäftiges Städtchen am Kreuzungspunkt einiger Landstraßen, wo das praktisch in jedem Städtchen südlich von Texas übliche, bäuerliche Treiben herrschte.

Sie fuhren auf einen Schotterweg, stellten die Räder auf die Seitenständer und schauten einander zum ersten Mal, seitdem sie sich aus Coopers Schlafsack herausgewunden hatten, wieder direkt in die Augen. Laramie reichte Cooper ihr tragbares GPS-Gerät.

»Das hier ist die Position, die wir mit Achars Zahlen ermittelt haben«, sagte sie und deutete auf den farbigen Bildschirm. »Und wir sind jetzt hier.«

Cooper erkannte, dass sie noch gut sechs Kilometer von der

Stelle entfernt waren, die Benjamin Achar ihnen möglicherweise hatte zeigen wollen. Ihr Ziel lag diesseits der Stadt, aber wenn die auf dem GPS-Gerät angezeigte Richtung stimmte, dann mussten sie sich noch ein, zwei Nebenstraßen suchen, um dahin zu gelangen.

Cooper gab ihr das Gerät wieder.

»Sollen wir unsere Legende noch mal durchgehen oder hast du die Geschichte noch parat?«, sagte er.

Sie waren ein frisch verheiratetes Künstlerehepaar, das sich auf einer ausgedehnten Hochzeitsreise um die Welt befand. Cooper hatte ihre falschen Ausweispapiere dabei. Sie hatten diese Identitäten schon einmal benutzt, während ihres gemeinsamen und letztendlich abgebrochenen Trips von Urlaubsressort zu Urlaubsressort.

Laramie schüttelte den Kopf. »Alles klar.«

Cooper setzte seinen Rucksack auf und schwang sich auf das Mongoose.

»Ich schätze mal, falls es hier irgendetwas Interessantes zu sehen gibt«, sagte er, »dann gibt es bestimmt auch jemanden, der unwillkommene Besucher abwimmeln soll.«

»Besucher wie uns«, sagte Laramie.

»Richtig. Was ich damit sagen will«, fuhr er fort. »Falls es zum Äußersten kommen sollte, dann fange ich an zu schießen und du fängst an wegzulaufen.«

In Laramies Mundwinkel war so etwas wie ein leises Zucken zu sehen, aber Cooper hätte nicht gewagt, es ein Lächeln zu nennen.

»Du bist der Agent im Einsatz«, sagte sie.

Cooper zerquetschte mit seiner Schuhsohle ein paar Schottersteine und führte sie wieder auf die Straße zurück.

Sie folgten den Richtungsangaben des GPS-Senders und gelangten auf ein schmales, asphaltiertes Straßenband, das durch einen dichten Baumbestand führte. Kurze Zeit später entdeckte Cooper ein Metallgittertor am rechten Straßenrand. Das Tor versperrte die Zufahrt zu einem ehemaligen Feld- oder Schotterweg, der aber längst schon von der Natur zurückerobert worden war. Er hatte mit so etwas gerechnet und Laramie wohl auch: Die übliche karibische Mischung aus einheimischen und eingeschleppten Pflanzen – bestehend aus Nadelbäumen, Palmen und vorwiegend Gräsern – hatte die Überreste der Streitereien zwischen John F. Kennedy und Nikita Chruschtschow einfach überwuchert und unter sich begraben.

Am Tor war mit Hilfe zweier Drahtstücke ein vergilbendes Schild angebracht worden, das die Hoffnungen eventueller Besucher mit einer Warnung aus verblassten roten Buchstaben dämpfen sollte.

PROHIBIDO EL PASO – PROPRIEDAD DE LA F.A.R.

Cooper schob sein Mongoose in einen flachen Straßengraben, klappte den Seitenständer aus und näherte sich dem Tor, um einen Blick ins Innere zu riskieren. Da nahm er eine leichte Bewegung zwischen den Bäumen wahr.

Er kauerte sich neben das Tor, und Laramie tat es ihm gleich. Von hier aus konnte Cooper gerade noch eine zwar weit entfernte, aber eindeutig sichtbare, bewaffnete Gestalt erkennen. Der Wachposten stand auf einem Hügel rund achthundert Meter hinter dem Tor und war hinter all den Tannen- und Palmenwipfeln kaum zu sehen. Auf der Cooper zugewandten Seite der Hügelspitze thronte eine zerfallene Hütte. Sieht auch nicht anders aus als die zahllosen Obststände, an denen wir auf der Fahrt hierher vorbeigekommen sind, dachte Cooper. Nur, dass hier eben ein Wachposten stationiert ist.

Jetzt verschwand der Wächter hinter der Hütte, um gleich danach auf der anderen Seite wieder zu erscheinen. Er trug einen Kampfanzug und hatte ein Gewehr über der Schulter. Außerdem machte er irgendwelche Handbewegungen, die Cooper aufgrund der großen Entfernung aber nicht genau erkennen konnte, bis ihm irgendwann klar wurde, dass der Kerl eine Zigarette rauchte. Cooper beobachtete ihn ein paar Minuten lang und war sich relativ schnell sicher, dass der Wachsoldat genauso aussah wie ein Wachsoldat aussieht, der nicht damit rechnet, dass irgendwelche Passanten in das von ihm bewachte Gelände eindringen könnten.

»Also haben wir Gesellschaft«, sagte Laramie. »Ganz wie erwartet.«

Sie beugte sich nach vorne, um besser sehen zu können, und er spürte ihre rechte Brust an seiner linken Schulter. Es ärgerte ihn, dass er so genau wahrnahm, mit welchem Körperteil sie ihn berührte, doch dann schüttelte er das immer stärker werdende und unangenehm vertraute Gefühl der Hilflosigkeit ab und versuchte stattdessen, sich so gut wie möglich auf ihre aktuelle Situation zu konzentrieren.

»Genau.«

»Hat vielleicht gar nichts zu bedeuten«, sagte sie. »Könnte doch sein, dass Castro das Gelände hier seit vierundvierzig Jahren bewachen lässt, ohne dass es einen erkennbaren Grund dafür gibt, zumindest keinen, der über die Bewachung eines verlassenen Militärstützpunktes hinausgeht.«

Er erwiderte nichts.

»Könnte aber auch sein, dass es hier etwas gibt, was bewacht werden muss«, sagte Laramie.

Cooper verließ seinen Beobachtungsposten am Tor und zog sich hinter ein paar Nadelbäume zurück, damit der Wachposten sie nicht sehen konnte.

»Lust auf eine kleine Wanderung?«, sagte er.

»Du gehst vor.«

Nachdem sie zweihundert Meter weit in den Wald vorgedrungen waren, standen sie vor dem mit rostigem Stacheldraht gekrönten Maschendrahtzaun, der das Gelände umschloss. Daran waren in jeweils fünfzig Metern Abstand Schilder befestigt, die ähnlich aussahen wie das am Tor und auf denen abwechselnd **PROHIBIDO EL PASO** und **PROPRIEDAD DE LA F.A.R.** zu lesen war. Cooper probierte, ob der Zaun sich in der Mitte zwischen zwei Zaunpfählen anheben ließ, und tatsächlich konnten sie sich bequem darunter hindurchschieben.

»Gratuliere«, sagte er, nachdem er hinter Laramie hergekrochen und auf die Füße gekommen war. »Hiermit bist du widerrechtlich in verbotenes Gelände eingedrungen.«

»Grenzen zu respektieren, war noch nie meine Stärke.«

Nachdem sie fast dreieinhalb Stunden lang durch das Gelände gestreift waren, fiel Cooper in ein Loch.

Er spürte, wie sein Köchel umknickte, und noch bevor er sein Körpergewicht auf den anderen Fuß verlagern konnte, jagte ein stechender Schmerz durch sein Bein. Er fluchte, kniete sich hin und sah sich um: Anscheinend war er in eine knapp zwei Meter tiefe Grube gefallen, die mit abgefallenen Blättern getarnt gewesen war.

»Ist bei dir da unten alles klar, Agent?«

Laramie lächelte ihn an, und Cooper wollte gerade mit einer bissigen Bemerkung reagieren, als er sah, dass sie auf eine Stelle hinter ihm zeigte.

»Ich glaube, du hast soeben den Eingang entdeckt«, sagte sie.

Cooper drehte sich um und stellte fest, dass er keineswegs in eine Grube gefallen war. Vielmehr handelte es sich um eine Art ausgetrockneten Kanal. Er war von Gräsern und verkrüppelten Nadelbäumen überwuchert, und Cooper war an seinem flachen Ende hineingefallen. Von da an wurde er stetig tiefer, sodass der Kanalboden nach etwa einer Schulbuslänge schon über drei Meter unter der Erdoberfläche lag. An der tiefsten Stelle entdeckte Cooper, was Laramie gemeint hatte: ein paar rechteckige Pressspanplatten, etwa 1,20 Meter mal 2,40 Meter groß, die vor eine Art Durchgang genagelt worden waren. Cooper zählte insgesamt vier Holzplatten, die allerdings von fauligen, braungrünen Flecken übersät sowie mit Moos und Pilzen bedeckt waren, sodass sie keinerlei Schutz mehr boten.

Während Cooper noch murrend den Kanal entlanghumpelte, stand Laramie bereits unten und zerrte an den Pressspanplatten. Er half mit, schob die Finger unter das mürbe Holz und zog daran. Ein Stück brach ab und zerfiel in lauter kleine Einzelteile. Er wiederholte das Ganze und bekam dieses Mal sogar ein größeres Stück zu fassen. Innerhalb weniger Minuten war das Loch so groß, dass sie hindurchgehen konnten.

Cooper holte seine Maglite-Taschenlampe aus dem Rucksack und leuchtete in den Raum hinter der Pressspan-Barriere. Es war ein kurzer Tunnel. Der Weg wurde an mehreren Stellen von einer Art Hühnerdraht versperrt. Hinter den Drahtabsperrungen waren die breiten Flügel eines riesigen, stillgelegten Ventilators zu sehen. Das Gehäuse des Ventilators machte einen deutlich stabileren Eindruck als der Tunnel selbst. Die Zwischenräume zwischen den einzelnen Ventilatorflügeln waren breit, so breit, dass sie hindurchkrabbeln konnten.

Der Hühnerdraht bot keinen nennenswerten Widerstand, da die Verankerungen schon längst völlig verrostet waren. Als Cooper vor dem Ventilator stand, setzte er seinen Rucksack ab, ließ sich auf alle viere nieder und kroch unter einem Flügel hindurch. Dabei schob er den Rucksack vor sich her über den Tunnelboden. Es war ein Gefühl, als würde er in den Bauch eines Unterseebootes kriechen, an der Schraube vorbei direkt in den Maschinenraum.

Vom Strahl der Taschenlampe geleitet kroch Laramie hinter ihm her.

Im Tunnel konnten sie wieder aufrecht stehen. Dann kamen

sie zu einer Gabelung, und Cooper entschied sich spontan für eine Richtung. Er versuchte, sich den Weg zu merken, damit sie möglichst schnell wieder nach draußen flüchten konnten, und hörte, wie Laramie hinter ihm hergeschlurft kam. Sie gingen über Schotter, Schlamm und gelegentlich auch durch eine Pfütze. Überall herrschte der gleiche, modrig stechende Geruch. Die Wände bestanden aus einer dünnen Betonschicht. Cooper leuchtete sie an, klopfte an ein paar Stellen dagegen und stellte fest, dass das Material genauso leicht zerbröselte wie zuvor die Pressspanplatten. Wie groß mochte wohl das Risiko eines Einsturzes sein?

Dann bogen sie um eine Ecke, und Cooper nahm einen blauen Schimmer wahr.

Es war nicht gerade das, was man ein Licht am Ende des Tunnels nennen würde, denn als er seine Taschenlampe ausschaltete und wartete, bis seine Augen sich an die Dunkelheit gewöhnt hatten, war nichts mehr zu sehen. Dann knipste er die Lampe wieder an, und schon war auch der blaue Schimmer wieder zu erkennen, fast so blau wie der Himmel an einem klaren Tag.

»Dann siehst du es also auch«, sagte Laramie.

»Ich sehe es auch.«

Nach zwanzig Schritten war der himmelblaue Schein schon kräftiger geworden, und als Cooper den Strahl der Taschenlampe nach oben wandern ließ, erkannten sie hinter einer Art Jalousie eine Deckenverkleidung – das Ende des Tunnels und gleichzeitig der Ursprung dieses himmelblauen Schimmerlichts.

Er ließ den Strahl der Taschenlampe noch ein wenig umherwandern, probierte unterschiedliche Winkel aus, aber es war immer das Gleiche: Die Fläche hinter der Jalousie gab zwar selber kein Licht ab, doch sobald er die Deckenverkleidung irgendwie anstrahlte, tauchte dieser blaue Schimmer auf.

Schwach zwar und irgendwie gedämpft, aber eindeutig himmelblau. Geräusche waren hinter den Lamellen keine zu vernehmen.

Cooper hielt die Taschenlampe so, dass sie sich gegenseitig anschauen konnten.

»Dann lass uns doch mal reinschauen«, sagte Laramie.

Sie kauerten sich an den unteren Rand der Jalousie und lauschten. Es war nichts zu hören.

Cooper streckte die Hand aus und schob eine der Lamellen ein wenig zur Seite. Dann leuchtete er mit der Taschenlampe durch den so entstandenen Schlitz, und sie stützten sich praktisch gleichzeitig auf die Ellbogen, um hindurchsehen zu können.

Und so blickten sie gänzlich unerwartet auf ein seltsam deplaziert wirkendes, US-amerikanisches Einkaufszentrum.

42

Ihnen direkt gegenüber befand sich ein lebensgroßes und in leuchtenden Farben lackiertes 7-Eleven-Schild. Darunter lag das dazugehörige Geschäft und daneben, zu beiden Seiten einer Straße, eine ganze Reihe weiterer Läden. Die Straße hatte sogar eine Linksabbiegerspur und eine Ampelanlage.

Das blaue Schimmern hatte seinen Ausgangspunkt in den blauen Höhlenwänden oberhalb der Gebäude und der Straße. Sie stellten den Himmel dar und waren daher himmelblau gestrichen worden. Jedes Geschäft entlang der Straße verfügte über ein reichhaltiges Warenangebot. Eigentlich sah das Ganze aus wie aus dem Bilderbuch, abgesehen von der Tatsache, dass es vollkommen ausgestorben wirkte. Es gab keinen Strom, und weit und breit war kein Mensch zu sehen.

Nach einem vielleicht fünf Minuten dauernden, schweigenden Staunen hatte Laramie sich wieder im Griff. Sie drehte sich um und schaute Cooper an.

»Wie Disneyland«, sagte sie, »bloß andersrum.«

Cooper überlegte, was sie damit gemeint hatte. »Ein Erlebnispark«, sagte er dann, »mit all den Sachen, die es nur *außerhalb* von Disneyland gibt, in Anaheim selbst.«

»Oder in Orlando«, meinte sie.

»Oder überall.«

Dann starrten sie noch eine Weile länger auf den merkwürdigen Anblick hinter den Lamellen.

»Ich fasse es nicht«, sagte Cooper.

»Ich auch nicht.«

Laramie dachte über die Bedeutung ihrer Entdeckung nach. Auch wenn die Einrichtung offensichtlich nicht mehr in Betrieb war, die Akribie, mit der die Erbauer auch auf die kleinsten Details geachtet hatten, war absolut überwältigend, oder besser, so dachte sie, *bestürzend.* Ein Anführer einer revolutionären Zelle, einer Nation oder einer Terrorgruppe, der seinen ganzen, unbändigen Hass über den Großen Satan ausschütten wollte, der ließ doch garantiert keinen unterirdischen Erlebnispark nach dem Vorbild amerikanischer Vorstädte errichten, um nur einen *einzigen* Tiefschlaf-Agenten auszubilden.

»Wohl eher eine ganze Armee«, sagte sie.

Erst, als Cooper sich umdrehte und sie anschaute, wurde ihr klar, dass sie gerade laut gedacht hatte.

»Wie bitte?«

»Ich versuche nur, das Ganze hier zu begreifen«, sagte sie.

»Wie ich das sehe, bedeutet es, dass deine ›Konter-Terrorzellen-Zelle‹ noch eine Menge Arbeit vor sich hat«, sagte Cooper.

»Es ist auch deine Zelle, Agent.«

»Da hast du wahrscheinlich Recht.«

Laramie sah, wie Cooper den Taschenlampenstrahl über den Rahmen der Jalousie gleiten ließ. Ihr Spezialist für verdeckte Einsätze und einstiger Begleiter beim Insel-Hopping untersuchte die Befestigung der Jalousie. Er drehte sich um, wühlte in seinem Rucksack, brachte ein normales Schweizer Taschenmesser zum Vorschein und schraubte mit Hilfe des Schraubenziehers die Halterungen ab. Er schaffte es, die Jalousie komplett zu lösen, ohne dass sie auf die rund sechs Meter tiefer gelegene Straße stürzte. Dann drehte er sie mit Laramies Hilfe zur Seite und zog sie in den Tunnel. Sie ließen das Ding ein bisschen zu früh fallen, und Laramie zuckte zusammen, als beim Aufprall auf dem Betonfußboden des Tunnels erst ein lautes Kratzen und dann ein metallisches Scheppern ertönte.

Doch danach blieb alles still.

Laramie steckte den Kopf über den Rand und sah eine Wandleiter, die an der inneren Betonwand befestigt war und auf den Boden hinabführte. Die Sprossen waren genauso blau wie die Wand. Sie kletterte hinunter.

Nachdem sie zehn Minuten lang wortlos durch die verschiedenen Geschäfte gestreift waren, trafen sie sich auf dem Parkplatz vor dem 7-Eleven.

»Das hier war wahrscheinlich gar nicht so schrecklich teuer«, sagte Laramie. »Ich kann mir bloß nicht vorstellen, dass in den letzten zehn, fünfzehn Jahren kein Mensch etwas davon erfahren hat. Vielleicht steckt ja doch Fidel hinter der ganzen Geschichte.«

»Vielleicht«, meinte Cooper.

Mit einem Mal fragte er sich, ob seine mit Bargeld erkaufte Beteiligung an Castros Texas-Hold'Em-Poker-Einladungsturnier vielleicht doch keine so gute Idee gewesen war. Dadurch wurde ihm wieder klar, wieso Castro diese Turniere überhaupt veranstaltete ... und wieso er, abgesehen von seinen Schimpftiraden und wütenden Ausfällen gegen die Kapitalistenschweine hundertfünfzig Kilometer nördlich, auch alles andere machte, was er eben so machte:

Wegen des Profits.

»Er hat es vermietet«, sagte Cooper.

Laramie, die gerade den Himmel betrachtet hatte, senkte den Blick und schaute Cooper an.

»Du meinst Fidel?«

»Das ist sein typischer Modus Operandi«, sagte Cooper. »Er schlägt aus allem, was er hat, Kapital. Dazu gehören auch die unterirdischen Raketentransportwege von San Cristóbal. Als Gegenleistung nimmt er zwar auch Sachleistungen an – Erdöl zum Beispiel –, aber im Grunde genommen ist dieser Typ bereit, alles zu verkaufen oder zu vermieten, wenn er sich dafür ein paar US-Dollar in die Tasche stecken kann: Soldaten, Gefangene, Boote, Grundstücke, einfach alles. Die Kriegskasse braucht ständig Nachschub, schließlich muss er ja die Revolution am Leben erhalten.«

Laramie überlegte.

»Also, wenn du Recht hast«, sagte sie, »dann müssten wir rauskriegen, wer der Mieter war. Höchstwahrscheinlich einer von Castros Revolutionsfreunden – oder zumindest jemand, der direkten Kontakt zu diesen Freunden hat.«

»Beziehungsweise vor zehn, fünfzehn Jahren hatte«, ergänzte Cooper.

Sie blieben beide eine Zeit lang stumm. Laramie ließ sich ein paar Namen durch den Kopf gehen, suchte in ihrem Gedächtnis nach Fotos aus der internationalen Presse, die bei einem der vielen von Castro veranstalteten Gipfeltreffen der Arbeiter-, der sozialistischen oder der antikapitalistischen Bewegung entstanden und auf denen seine Gäste beziehungsweise Gastgeber abgebildet waren. Dann fiel ihr Eddie Rothgeb ein. Genau deshalb hatte sie ihn mit ins Boot geholt: Er war in der Lage, die Liste der Amerikahasser auf zehn, vielleicht sogar auf fünf Hauptverdächtige zu reduzieren, die als Staatsfeind Nummer eins und Hauptmieter von Fidels Vorstadt-Erlebnispark infrage kamen.

Cooper ließ den Strahl der Taschenlampe die Straße entlangwandern, am Einkaufszentrum vorbei und bis zur nächsten Ampel in etwa hundert Metern Entfernung, wo die Straße eine Kurve machte.

»Lass uns mal ein Stück gehen«, sagte er.

Laramie erwachte aus ihrem Castro-und-Genossen-Tagtraum. Ihr war klar, dass sie nicht länger dort unten bleiben durften als unbedingt nötig, aber sie musste das alles unbedingt mit eigenen Augen sehen.

Sie kramte in ihrem Rucksack nach der Digitalkamera, die ihr Betreuer ihr noch besorgt hatte, bevor sie in Florida ins Flugzeug gestiegen war.

»Ich spiele die Touristin«, sagte sie. »Du gehst voraus.«

Sie gingen die Straße entlang.

Cooper war zu schnell und konnte nicht mehr rechtzeitig in den Wald abbiegen.

Sie fuhren auf der Nebenstraße, die vom Tor weg und zurück zur Hauptstraße führte, kamen um eine Kurve und mussten alle Hebel in Bewegung setzen, um nicht seitlich in den FAR-Jeep zu krachen, der quer über der Straße stand.

Der ihre Weiterfahrt blockierte.

Noch bevor sein Fahrrad zum Stillstand gekommen war, hatte Cooper die Hand an der Browning, doch der junge Mann in Kampfmontur, der hinter dem Steuer des Jeeps saß, richtete seine AK-47 genau auf Coopers Brust.

»Nein, nein, nein, nein, nein«, sagte der Mann.

Fluchend rutschte Laramie hinter Cooper über die staubige Straße, riss den Lenker herum und stürzte zu Boden, hauptsächlich, weil sie einen Zusammenprall mit Coopers Hinterrad vermeiden wollte. Langsam stand sie auf, unverletzt, und der Lauf der Maschinenpistole in den Händen des Kubaners wurde auf einen Punkt irgendwo in der Mitte zwischen ihr und Cooper gerichtet. Der Mann rauchte eine Zigarette, die weiß in seinem Mundwinkel baumelte und von der ein langes Aschestück herunterhing. Über den Bäumen direkt hinter ihm hing die untergehende Sonne, sodass sein Gesicht nur schemenhaft zu erkennen war.

Jedenfalls sah der Kerl ganz danach aus, als hätte er ein paar James-Dean- oder John-Wayne-Filme zu viel gesehen.

Cooper nahm an, dass es sich um den Wachposten handelte, der vor der Baracke auf der Hügelspitze auf- und abgegangen war. Die Zigarette, die Art und Weise, wie er die Waffe in der Hand hielt ... der Abstand war zwar sehr groß gewesen, aber falls er richtiglag und das hier der einzige Militärpolizist in der näheren Umgebung war, dann hatten sie vermutlich ziemlich gute Chancen, sich den Weg freizuschießen.

Ob sie es bis zurück zu ihrem Boot schaffen würden, das stand auf einem anderen Blatt.

»Amerikaner, eh? Beide«, sagte der Soldat. Sein Akzent war unüberhörbar, aber sein Englisch war gut – geübt, dachte Cooper. Fast schon förmlich.

»Ja!« Jetzt bedauerte er, dass er so schnell nach seiner Waffe hatte greifen wollen – *Fehlende Übung macht sich auf unterschiedliche Art bemerkbar, und diese Art kostet mich jetzt vielleicht das Leben.* »Wir sind auf Hochzeitsreise. Fahrradtour.«

»Ja, ja«, erwiderte der Soldat. »Aber hier Militärbasis. *Prohibido el paso.*«

Die Hauptstraße lag rund anderthalb Kilometer entfernt und war am Ende der kurvenreichen Nebenstraße noch nicht einmal zu sehen. Wenn sie also nicht zu Fuß in den Wald flüchten wollten, dann blieb ihnen nichts anderes übrig, als sich irgendwie herauszureden.

»Tatsächlich? Das haben wir gar nicht gemerkt. Stimmt's, Liebling?«

»Ja«, sagte Laramie. »Entschuldigung, Sir.«

»Hat Ihnen gefallen, was Sie gesehen haben? Komisch, ja?«

Cooper und Laramie vermieden es, sich anzuschauen.

»Ich brauche Ihre Reisepässe. Sie sind festgenommen.«

Cooper fiel auf, dass der Soldat zwar einen scharfen Ton angeschlagen hatte, jedoch keine Anstalten machte, ihnen die Pässe abzunehmen.

»Kein Problem«, erwiderte Cooper und blieb regungslos stehen.

»Wie Sie sind hierhergekommen?«

Cooper fiel kein Grund ein, warum er hätte lügen sollen, und sagte: »Mit dem Boot.«

»Und das Boot liegt jetzt wo?«, wollte der Soldat wissen.

Cooper zeigte in die Richtung des Strandes, wo sie an Land gegangen waren. Mal sehen, wie weit er mit einer gewissen Ehrlichkeit kam. »Mit dem Fahrrad ein paar Stunden in diese Richtung. Ich weiß nicht genau, wie die Stadt heißt.«

Laramie sagte: »Können wir Ihnen vielleicht Geld geben, als Entschädigung für Ihre Bemühungen?«

Cooper hob die Augenbrauen – ziemlich dreist, aber vielleicht funktionierte es ja. Der Soldat drehte ihr den Kopf zu, ließ den Blick dann aber wieder zu Cooper zurückgleiten.

»Es ist schon fast dunkel«, sagte er. »Wann Sie wollen zurückfahren?«

Cooper verengte die Augen zu Schlitzen, als er merkte, welche Richtung dieses Gespräch zu nehmen schien.

»Heute Abend«, gab er zur Antwort.

»Sind Sie vom CIA?«

»Nein, wir sind einfach nur frisch verheiratet«, sagte Laramie, »und ...«

»Ja«, unterbrach sie Cooper. »Alle beide.«

Sie schaute ihn an, als hätte er den Verstand verloren. Der Soldat nickte.

»Wohin fahren Sie mit Ihrem Boot?«, wollte er dann wissen.

»Nach Südwesten«, entgegnete Cooper. »Mexiko.«

Der Soldat nickte erneut. In diesem Augenblick verlor die Sonne ein wenig von ihrer Kraft, weil eine Wolke oder eine Baumspitze so viele Strahlen verdeckte, dass Cooper das Gesicht des Soldaten ein bisschen besser sehen konnte.

Zumindest so gut, dass er ein paar Dinge erkannte. Zunächst einmal, wie jung dieser Typ war – höchstens fünfundzwanzig. Darüber hinaus auch den verschlagenen Blick des Soldaten. Da war kein großer Unterschied zu dem Blick, den Po Keeler während ihres Gesprächs über die sinnlose Plexiglas-Trennscheibe hinweg aufgesetzt hatte.

Cooper grinste und ließ es auf einen Versuch ankommen.

»Wir können dich bis Cancún mitnehmen«, sagte er. »Meine Frau hier kann dann den Rest arrangieren. Vorausgesetzt natürlich, dass du tatsächlich irgendwo nördlich der Florida Keys landen willst.«

Laramie schaute ihn an – vermutlich fragte sie sich gerade, wie das wohl funktionieren sollte. Aber er wusste, dass »die Leute, für die sie arbeitete« da eine Möglichkeit finden würden.

Der Typ wandte sich nun wieder Laramie zu. »Einschließlich einer Entschädigung für meine Bemühungen«, sagte er.

Laramie bedachte Cooper mit einem erneuten Blick, der sich nur mit einem einzigen Wort beschreiben ließ: unbezahlbar.

»Sicher«, sagte sie. »Einschließlich.«

Der Soldat stellte sein Gewehr auf den Beifahrersitz, zog noch ein letztes Mal an seiner Zigarette und warf den Stummel anschließend auf die Straße.

»Einsteigen, Yankees«, sagte er.

43

In Knowles' Zimmer im Flamingo Inn war es zehn Minuten nach Mitternacht. Rothgeb machte die Tür auf, um Laramie und ihren Betreuer hereinzulassen. Dabei stellte Laramie fest, dass Wally Knowles' Computeranlage sich mittlerweile auf jede verfügbare Fläche im gesamten Raum ausgebreitet hatte. Und an den wenigen Stellen, die noch nicht von irgendwelchen Geräten in Beschlag genommen worden waren, lagen, fein säuberlich gestapelt, Zeitungen und ausgedruckte Blätter.

Laramie, voll und ganz auf ihre Aufgabe konzentriert, zog die Tür ins Schloss, begrüßte die Anwesenden und begann sofort mit ihrem Bericht über den Erlebnispark von San Cristóbal. Sie weihte sie in die aktuelle Arbeitshypothese ein, dass Castro das Ganze an irgendjemanden vermietet hatte, und bat sie, eine Liste zu erstellen. Diese Liste sollte alle Verbündeten Castros enthalten, die als Mieter des Erlebnisparks infrage kamen. Von dem desertierten FAR-Soldaten, dem ihr Betreuer eine Mitfluggelegenheit in einem Militärtransporter von Cancún nach Washington besorgt hatte, wo man ihn noch einige Zeit festhalten und ihm anschließend Asyl gewähren würde, hatten sie und Cooper nur wenig Neues über die Anlage erfahren, abgesehen von den Dienstplänen der Wachsoldaten und der Tatsache, dass sie schon lange stillgelegt war.

Anschließend brauchte Laramie fast eine Stunde, um ihre Zelle über die Erkenntnisse ihres Agenten zu informieren, die auf einen Zusammenhang zwischen dem gentechnologisch hergestellten M-2-Filo, einer bis auf die Grundfesten abgebrannten industriellen Produktionsstätte in Guatemala sowie dem Tod eines ganzen Indiodorfes hindeuteten, der sowohl räumlich als auch zeitlich mit der hämorrhagischen Fieberepidemie zusammenfiel, die das CDC in einer Klinik »in einer ländlichen

Gegend von Guatemala« festgestellt hatte. Sie berichtete auch von der Buchstabenkombination »ICR«, die Cooper auf einem Holzstück in der Nähe der Anlage entdeckt hatte.

»Falls es da tatsächlich einen Zusammenhang gibt«, sagte sie, »dann müssen wir ihn finden.«

Sobald sie ihren Vortrag beendet hatte, schauten Knowles, Cole und Rothgeb einander an und kamen so zu einer stummen Übereinkunft.

Dann meldete sich Rothgeb als frisch ernannter Sprecher der Zelle zu Wort.

»Gib uns Zeit bis morgen früh, neun Uhr«, sagte er.

Laramie rechnete nach. »Achteinhalb Stunden? Das ist aber nicht besonders viel ...«

»Wir haben uns mittlerweile zu einer Art gut geölter Maschine entwickelt«, sagte Professor Eddie. »Und während du deinen Karibik-Urlaub genossen hast, haben wir hier keineswegs nur rumgesessen und Däumchen gedreht. Wir haben ein paar nennenswerte Fortschritte erzielt, aber wahrscheinlich ist es besser, wenn wir dir einen vollständigen Bericht liefern. Acht Stunden müssten eigentlich bei weitem ausreichen, um die wichtigsten Kandidaten, die als Hauptmieter dieses Erlebnisparks infrage kommen, herauszufiltern.«

Knowles nickte. Cole auch.

Das hätte sie sich eigentlich denken können, dass Rothgeb in ihrem bunt zusammengewürfelten Haufen die Rolle des Sprechers übernehmen würde. Sie hing für einen Augenblick ihren Gedanken nach und fragte sich, ob er sich wohl als der wichtigtuerische Professor für Diplomatie und Außenpolitik gegeben hatte, der er tatsächlich war – Gruppensprecher von eigenen Gnaden –, konnte aber bei Knowles keinerlei feindselige Stimmung und bei Cole keine Anspannung feststellen. Komischerweise, dachte sie, scheint aus diesem kontaktgestörten Haufen tatsächlich eine gut geölte Maschine geworden zu sein.

Sie sagte, dass neun Uhr morgens absolut in Ordnung sei und ließ die Maschine ihre Arbeit machen.

Sie trafen sich in Laramies Zimmer. Diese beobachtete die Ankunft ihres Teams und registrierte, dass die einzelnen Mitglieder sich ungefähr denselben Sitzplatz suchten wie an dem Morgen, als Laramie ihren Einführungsvortrag gehalten hatte. Knowles hatte sich auf die Bettkante gesetzt. Cole, der heute eine Sonnenbrille trug, hatte sich für den Stuhl in der Nähe der Verbindungstür zur Nachbarsuite entschieden, die wie üblich von ihrem Betreuer in Beschlag genommen worden war. Laramie saß wieder auf demselben Stuhl am einzigen Tisch des Zimmers, nur, dass dieses Mal Professor Rothgeb an ihrer Seite saß. Cooper war über das seltsame Gerät, das ihr Betreuer schon für ihren ersten Bericht an Ebbers aktiviert hatte und das sie mittlerweile nur noch das »Spinnentelefon« nannte, zugeschaltet und hörte mit.

Sie stellte Cooper als »unser Agent im Außeneinsatz, dessen Identität der Geheimhaltung unterliegt« vor.

Rothgeb legte sofort los. Laramie kam sich vor wie im Seminar »Außenpolitik 101«, nur mit einem etwas bitteren Beigeschmack.

»Bei der Suche nach einem möglichen Kandidaten für die Rolle des Hauptmieters von Castros Erlebnispark in San Cristóbal haben wir folgende Voraussetzungen, Indizien und Variablen berücksichtigt. Erstens: die persönliche Beziehung. Ob Staatsoberhaupt oder privater Finanzier des Terrors, die betreffende Person muss auf jeden Fall vor zehn bis fünfzehn Jahren eine persönliche Beziehung zu Castro gehabt haben. Wir wissen zwar, dass Castro von jedem Geld nehmen würde, der bereit ist, ihn zu bezahlen, aber bei dieser Sache hier hat er ganz eindeutig seine Finger mit im Spiel gehabt, und das heißt, dass ideologische Dinge eine wesentliche Rolle gespielt haben müssen. Damit wären wir auch schon beim zweiten Punkt auf unserer Liste: die Ideologie. Nur mit einem politischen Linksaußen hätte Castro in solchem Umfang kooperiert. Drittens, und das ist offensichtlich: Diese Person steht Amerika extrem feindselig gegenüber. Viertens: Die nötigen Mittel. Einen Erlebnispark von der Größe eines Stadions zu errichten, kostet vielleicht nicht Milliarden, aber ein paar Millionen werden es schon gewesen sein. Außerdem muss unser Mann in der Lage sein, seine Schläfer zu rekrutieren, auszubilden, vielleicht zu betreuen und auf jeden Fall zu bezahlen. Die Angehörigen von Selbstmordattentätern werden von der Gruppe, in deren Auftrag sie dieses größtmögliche Opfer bringen, in aller Regel sehr großzügig entlohnt.«

Rothgeb deutete auf das Telefon.

»Der fünfte Punkt ist die Verfügbarkeit des Filo. Wir haben zwar im Augenblick noch keinen eindeutigen Zusammenhang zwischen der Anlage, die unser Agent in Guatemala entdeckt hat, und den zur Herstellung dieses Virus benötigten Forschungs- und Entwicklungskapazitäten entdeckt, aber die zahlreichen Indizien, die in diese Richtung weisen, lassen sich nicht einfach ausblenden. Zusammenfassend lässt sich also sagen: Jeder gegenwärtige oder ehemalige Mitstreiter Castros, der Amerika feindselig gegenübersteht, über genügend Mittel verfügt, um diese Schläfer zu positionieren, und der aus Mittelamerika oder, noch spezifischer, aus Guatemala stammt oder aber enge Verbindungen dahin pflegt, bekommt einen Spitzenplatz auf unserer Liste. Es gibt sicherlich noch ein paar weitere Faktoren zu berücksichtigen, aber wir können nur das in unsere Überlegungen mit einbeziehen, was wir wissen, und das sind im Wesentlichen die soeben genannten Elemente.«

Trotz des ernsten Themas konnte Laramie nur mit Mühe ein Lächeln unterdrücken. Rothgebs übertrieben förmliche Art zu reden, war ihr nur allzu vertraut. Sie hatte zu viele Vorlesungen – und anderes – von ihm gehört, als dass sie ihn auch nur annähernd so ernst nehmen konnte wie er sich selbst.

»Die US-Regierung führt eine Liste, die ursprünglich einmal mit ›Rangliste der Mächtigen‹ überschrieben war, damals, als Manuel Noriega und Muammar al-Gaddafi die bedeutendsten Feinde unseres Staates waren. Mittlerweile scheint sie etwas präziser bezeichnet zu werden. Ich glaube, sie heißt jetzt ›Die meistgesuchten Terroristen‹. Da es sich um eine inoffizielle Liste handelt, wird sie nicht gerade öffentlich verbreitet, aber sie existiert und wird von zahlreichen staatlichen Institutionen gepflegt und regelmäßig aktualisiert, orientiert an den antiamerikanischen Aktivitäten der Protagonisten und anderen Faktoren. Wir haben ein Exemplar davon hier. Sicherlich muss unser Mann nicht notwendigerweise auf dieser Liste auftauchen, aber falls doch, dann wäre das eindeutig ein weiteres Indiz.«

Knowles reichte Kopien der Liste herum. Zahlreiche Überschriften und Absätze waren geschwärzt. Viele Namen darauf waren nahöstlichen Ursprungs, und Laramie entdeckte auf einen Blick gleich mehrere Personen, die nur aufgrund ihrer oppositionellen Haltung zu bestimmten politischen Entscheidungen der US-Regierung auf dieser Liste gelandet waren und eigentlich gar nicht in diesen Zusammenhang gehörten.

»Um noch einmal auf Fidel zu sprechen zu kommen«, sagte Rothgeb. »Der Mann hat praktisch mit jedem Feind des Staates, *unseres* Staates, mehr oder weniger regelmäßige Gipfeltreffen abgehalten, manchmal in jährlichen, ein andermal in monatlichen Abständen, und das in manchen Fällen schon seit dreißig Jahren. Wenn wir uns also auf die Suche nach loyalen, antiamerikanischen, antiimperialistischen Alliierten Castros begeben wollen, dann haben wir es mit einer langen Liste von Personen zu tun. Angesichts der anderen Faktoren wird sie selbstverständlich deutlich kürzer – und wir müssen aufpassen. Hinter dieser ganzen Schläfer-Operation könnte schließlich auch ein unbekannter und noch nicht erfasster Multimillionär stecken, und wenn das der Fall ist, dann machen wir einen Fehler. Trotzdem stehen wir zu unserer Wahl, in erster Linie aufgrund der geographischen Nähe des ›Filo-Labors‹ zu dessen Heimat – und hauptsächlich aufgrund seines persönlichen Hintergrundes. Wir glauben, dass es sich bei dem Staatsfeind Nummer eins um Raul Márquez handelt. Oder um jemanden, der eng mit seinem Regime verbunden ist.«

Laramie wandte sich Márquez' Eintrag auf der Liste der meistgesuchten Terroristen zu. Sie wusste, wer er war, und wusste, dass er seine Amerikafeindlichkeit nicht nur einmal, sondern immer wieder laut und deutlich zum Ausdruck gebracht hatte. Was die ihm zur Verfügung stehenden Mittel anging, da hatte sie gewisse Zweifel, aber er war mit Sicherheit ein Spezi von Castro ...

»Er war lange Zeit Gewerkschaftsführer in El Salvador«, sagte Rothgeb. »Er hatte eine einflussreiche Stellung inne und hat fünfzehn Jahre lang eine enge Freundschaft mit Castro gepflegt. Als er das erste Mal bei einer Präsidentschaftswahl angetreten ist, hat er eine herbe Niederlage kassiert, aber davon hat er sich nicht aufhalten lassen. Außerdem hat er eine zentrale Rolle bei der Organisation der Gewerkschaften und sozialistisch angehauchter Bewegungen überall in Mittel- und Südamerika gespielt, sodass man sicherlich sagen könnte, dass er einer der Anführer einer aus einer ganzen Reihe sozialistischer Staaten bestehenden Koalition ist, deren Angehörige allesamt eine große Abneigung gegen die USA und ihren ›Imperialismus‹ hegen. Du bist mit seiner Rhetorik vertraut ... er und Hugo Chávez sind im Augenblick die Staatsoberhäupter, die das antiamerikanische Fähnlein von Fidel übernommen haben. Zumindest den Teil, den sich bin-Laden nicht unter den Nagel gerissen hat.«

Knowles saß auf dem Bett und rückte seine Sonnenbrille zurecht, bevor er das Wort ergriff. Das war anscheinend abgesprochen, denn Rothgeb ließ sich gleichzeitig an seine Stuhllehne sinken.

»Wir könnten auch Chávez und ein paar andere mit schlüssigen Argumenten in den Kreis der Verdächtigen aufnehmen«, sagte er, »aber wir haben sie aus verschiedenen Gründen auch wieder gestrichen. Chávez zum Beispiel ist dringend auf das wirtschaftliche Wohlergehen der Vereinigten Staaten angewiesen – so kaufen wir unter anderem den Großteil seines Öls, und die Erlöse aus dem Erdölhandel halten ihn an der Macht. Er liegt auch nicht im Clinch mit den Bürgern, sondern mit der Regierung der USA. Aber es gibt noch einen ganz speziellen Grund, weshalb wir Márquez für den Richtigen halten. Er stammt von den Ureinwohnern Mittelamerikas ab, den Maya. Es heißt, dass er jedem, der es hören will, bereitwillig erzählt – allerdings nur im privaten Rahmen –, woher sein Hass auf alles Amerikanische rührt. Die Berichte, die wir darüber bekommen haben, sind alle ziemlich stimmig.«

Knowles, der Geschichtenerzähler, lebte spürbar auf.

»Als Ronald Reagan US-Präsident war«, sagte er, »da haben die USA im Rahmen ihrer ›Strategie der Eindämmung‹ gegen sowjetisch beeinflusste, sozialistische Bewegungen die rechtslastige Regierung von El Salvador sehr großzügig unterstützt. In der Zeit, als Márquez ein Teenager gewesen sein muss, waren so genannte ›Todesschwadronen‹ im Einsatz – die salvadorianische Regierung, die mehr oder weniger von unseren Geldspritzen finanziert wurde, hat Einheiten von Vergewaltigern und Plünderern ausgesandt, um dörfliche Siedlungen zu zerstören, wo sich mutmaßlich linke Rebellen aufhielten, die wiederum angeblich von den Sowjets finanziert wurden. Allerdings hatte diese Maßnahme eine innenpolitische Dimension, die zunächst niemand wahrgenommen hat: Diesen ›Todesschwadronen‹ ging es allem Anschein nach in erster Linie um die Ermordung von Ureinwohnern, um Völkermord, und weniger um die Beseitigung irgendwelcher Rebellen.«

Das hatte Laramie schon gewusst. »Dann sagt er also«, warf sie ein, »dass er einen Angriff dieser von den USA finanzierten ›Todesschwadronen‹ überlebt hat?«

»Ganz genau«, meinte Knowles. »Anscheinend als Einziger aus seinem Dorf.«

Laramie nickte. »Also, wenn das stimmt«, sagte sie, »dann hat er mit angesehen, wie sein gesamtes Heimatdorf – seine Familienangehörigen, Freunde, einfach alle – abgeschlachtet worden sind und macht die USA für diesen Genozid verantwortlich.«

Rothgeb beugte sich wieder nach vorne.

»Ja«, sagte er. »Wobei solche völkermord-ähnlichen, gegen Ureinwohnersiedlungen gerichteten Aktionen mit Sicherheit nicht nur auf El Salvador beschränkt waren, sondern überall auf dem amerikanischen Kontinent stattgefunden haben. Wir halten es für sehr wahrscheinlich, dass er aufgrund seiner persönlichen Erfahrungen noch andere gewinnen konnte, die ebenfalls einen Angriff auf eine Ureinwohnerzivilisation überlebt haben. Selbst wenn er sich bei seiner Auswahl nur auf regionale Genozide *der* Regime konzentriert hätte, die US-amerikanische Finanzhilfen erhalten haben, wäre die Auswahl ziemlich groß gewesen.«

Knowles hielt die geöffneten Handflächen nach oben – »Wer weiß?« – und übernahm erneut den Staffelstab.

»Hat er die biologische Kampfstofffabrik in Guatemala entdeckt? Hat ein Wissenschaftler, der dort gearbeitet hat, etwas von dem künstlich hergestellten Filo-Serum gestohlen und zu Márquez gebracht? Auf der Basis unserer bisherigen Erkenntnisse sind eine Menge schlüssiger Szenarien denkbar. Wir könnten wirklich ziemlich viele offene Fragen beantworten.«

»Er ist dein Mann«, sagte Rothgeb.

Jetzt meldete sich Cole zu Wort.

»Eine andere Schlussfolgerung ist eigentlich kaum möglich«, sagte er.

Laramie dachte darüber nach, was ihre »Zelle« ihr da soeben präsentiert hatte. Eine gut geölte Maschine, in der Tat ... selbst ihr, die wie eine Süchtige jede außenpolitische Entwicklung verfolgte, fiel es schwer, auch nur eine Schwachstelle in dieser Theorie zu entdecken.

»Ich brauche erst mal ein, zwei Minuten, um das alles zu verdauen«, sagte sie. »Und außerdem müssen wir so viele Informationen wie möglich über ihn sammeln. Können ...«

Sie wollte gerade ihren Betreuer herbitten, doch da lehnte der Mann bereits in der Tür.

»... wir alles bekommen, was die CIA und ihre Brüder im Geiste über ihn und sein Regime zusammengetragen haben?«, erkundigte sie sich.

»Ist schon in Arbeit«, sagte ihr Betreuer und zog sich wieder zurück.

Laramie wollte unbedingt dafür sorgen, dass sie ihn behalten durfte.

Knowles sagte: »Was die Buchstabenkombination ICR und die Anlage in Guatemala angeht, da hatten Eddie und ich eine Idee.« Bei Knowles' Worten wandte Laramie sich zu Rothgeb und dachte *Eddie?* »Im Verlauf der Recherchen für eines meiner Bücher bin ich über die Geschichte eines hochrangigen Geheimdienstattachés der Defense Intelligence Agency gestolpert, der wegen Hochverrats zu zweimal lebenslänglich verurteilt worden ist. Allerdings nicht, weil er als Doppelagent für China oder Russland oder sonst irgendeine Nation spioniert hat – vielmehr hat er in die eigene Tasche gewirtschaftet und als eine Art freiberuflicher Lieferant alle möglichen US-Geheimdienstinformationen verscherbelt.«

Laramie kam der Fall irgendwie bekannt vor, auch wenn sie sich nicht sofort an den Namen des Geheimdienstattachés erinnern konnte.

»Geschnappt wurde er, als das Pentagon und das FBI ihm gemeinsam eine Falle gestellt haben«, fuhr Knowles fort. »Dabei ging es um den Verkauf gewisser Listen. Im Allgemeinen hat er seine Schätze nicht exklusiv weiterverkauft, sondern in manchen Fällen sogar an sechs oder sieben verschiedene Nationen. Den größten Schaden hat er mit dem Verkauf einer Liste angerichtet, auf der die wahre Identität Hunderter Undercoveragenten verzeichnet war. Aber das Dokument, das meines Erachtens im Zusammenhang mit Ihrer ›ICR‹-Frage interessant sein könnte, war ein handgeschriebenes Verzeichnis streng geheimer Pentagon-Akten. Nicht die eigentlichen Akten, aber ihre Titel und der Ort, an dem sie aufbewahrt wurden.«

Jetzt schaltete sich Rothgeb ein.

»Als Wally diesen Fall erwähnt hat«, sagte der Professor, »da habe ich mich an einen Staatsanwalt aus dem Justizministerium erinnert, mit dem ich früher mal in einem Gremium gesessen habe. Der hat mir damals erzählt, dass er an den Ermittlungen in diesem Fall beteiligt war. Mit freundlicher Unterstützung unseres Freundes von nebenan ...« Rothgeb wies mit dem Daumen in Richtung ihres Betreuers, »... habe ich ihn gegen drei Uhr heute Morgen erreicht und mir die notwendigen Genehmigungen beschafft, um das Dokument, das Wally erwähnt hat, einsehen zu können. Jedenfalls, das hier ist es. Zumindest eine Seite davon.«

Rothgeb drehte das Blatt Papier um, das die ganze Zeit über unter seinem Ellbogen gelegen hatte, und schob es Laramie zu.

Auf dem Blatt – es schien sich um ein Fax zu handeln – war eine Liste mit Aktennamen zu sehen, fein säuberlich handschriftlich notiert und in alphabetischer Ordnung, angefangen bei einigen letzten *Hs,* gefolgt von rund zwanzig Einträgen mit *I.* Hinter den meisten Aktennamen war eine Folge von Datumsangaben notiert, und der letzte Eintrag in jeder Zeile diente, laut Rothgeb, der Bezeichnung des genauen Aufbewahrungsortes im Pentagon.

In der neunten Zeile von oben war eine Akte mit dem Namen *ICRS, PROJEKT* verzeichnet. Das war wohl, dachte Laramie, die alphabetisch korrekte Katalogisierung für etwas mit dem Namen »Projekt ICRS.«

Als Coopers Bariton durch den Telefonlautsprecher dröhnte, schraken alle zusammen. Niemand hatte mehr daran gedacht, dass er auch noch zuhörte.

»Laut vorlesen«, sagte er, und seine verschlüsselte Stimme klang verzerrt, »wäre wirklich hilfreich.«

Laramie erläuterte ihm, was Rothgeb ihr soeben gegeben hatte.

Als Cooper nichts weiter von sich hören ließ, meinte Rothgeb: »›ICRS‹ kann eigentlich so gut wie alles bedeuten, aber wir haben ein kleines Brainstorming veranstaltet, und wenn man sich die ganze Idee der Erforschung und Entwicklung des ersten auf dem Luftweg übertragbaren Filovirus vor Augen führt – gewissermaßen also eines Filovirus mit Flügeln –, dann liegt man vielleicht gar nicht so weit daneben, wenn man ›ICRS‹ mit ›Icarus‹ übersetzt. Die Legende von Ikarus ist dir ja sicher ein Begriff, und wenn dieses Forschungslabor tatsächlich vom Pentagon finanziert worden ist, dann ist die Ironie, die in dieser Bezeichnung liegt, fast schon mit Händen zu greifen: Unser Militär ist zu hoch geflogen und der Sonne viel zu nah gekommen. Aber so oder so bezeichnet dieses Dokument den Aufbewahrungsort einer Akte im Pentagon – zumindest den Ort, an dem sie zu der Zeit verwahrt wurde, als dieser Attaché Staatsgeheimnisse verscherbelt hat – und die Übereinstimmung mit den drei Buchstaben, die unser

Außenagent in der Nähe dieses Labors in Guatemala entdeckt hat, ist doch ziemlich groß.«

»Ist vielleicht nicht ganz einfach, die Akte aufzutreiben«, sagte Knowles, »aber eigentlich sieht es ganz danach aus, als hätten wir damit etwas wirklich Substanzielles in der Hand.«

Laramie hob den Blick.

»Und, sind wir jetzt fertig?«, wollte sie wissen.

Knowles und Rothgeb blieben endlich einmal stumm – jedoch wandten beide ihre Blicke Cole zu. Dieser hatte in der Zwischenzeit eine Wiederbelebung erfahren ... das war jedenfalls die einzige richtige Beschreibung, dachte Laramie, als der Polizist auf seinem Stuhl neben der Tür mit einem kaum wahrnehmbarem Zucken seines Kiefers zum Leben erwachte und sagte: »Wir haben sechs mutmaßliche Schläfer enttarnt.«

Laramie starrte ihn an.

»Mein Gott«, sagte sie nach einer Weile. *»Wenn* ihr jemanden zappeln lasst, dann aber richtig, stimmt's? Habt ihr das etwa schon gestern Abend gewusst und mich trotzdem so lange hingehalten?«

»Ja«, meinte Cole.

»Gute Neuigkeiten, hmm?«, sagte Knowles.

»Großartige Neuigkeiten ... denke ich«, erwiderte Laramie. »Sie haben ›mutmaßlich‹ gesagt, dass Sie sechs ›mutmaßliche‹ Schläfer enttarnt haben. Was bedeutet denn ›mutmaßlich‹?«

»Das bedeutet«, sagte Cole jetzt, »dass wir sechs Fälle von Identitätsdiebstahl ermittelt haben. In jedem dieser Fälle ist der ursprüngliche Inhaber der Identität im jungen Alter vor ungefähr dreißig Jahren verstorben. In jedem dieser Fälle ist die Identität vor ungefähr zehn Jahren wieder aufgelebt. Das lässt sich anhand von Dokumenten belegen. Genau wie bei Achar.«

»Außerdem haben wir von allen sechs Kandidaten Bilder«, sagte Knowles, der seine Begeisterung offensichtlich nicht länger zügeln konnte. »In manchen Fällen Fotos, in anderen Videos, die jeweils in oder kurz vor der Zeit aufgenommen wurden, als die Personen in ihre neue Identität geschlüpft sind. Diese Bilder wurden alle an den damals üblichen Landungsstellen für kubanische Flüchtlinge aufgenommen.«

Rothgeb sagte: »Diese Fluchtrouten sind mittlerweile so gut wie stillgelegt, hauptsächlich aufgrund der sehr viel aggressiveren US-Einwanderungspolitik, aber vor zehn Jahren war das noch anders.«

»Aber sei es, wie es will«, sagte Cole. »›Mutmaßlich‹ sind sie, weil wir noch nicht bei ihnen an die Tür geklopft und nach dem Filovirus-Serum gesucht haben. Es könnte immer noch sein, dass gar keine Verbindung zu unserem Fall besteht, aber das halten wir für unwahrscheinlich. Es gibt einfach zu viele Übereinstimmungen mit unseren Suchkriterien.«

Großer Gott, dachte Laramie, *vielleicht stellt sich ja raus, dass wir* doch *für diesen Auftrag qualifiziert sind.*

Im gleichen Atemzug erkannte sie, dass ihr Auftrag in einer entscheidenden Hinsicht damit so gut wie erfüllt war. Sie hatten jetzt genügend Informationen gesammelt, um das Ganze in andere Hände abzugeben: Sie würde die einzelnen Ergebnisse noch einmal genau unter die Lupe nehmen müssen, aber jetzt war die Zeit gekommen, ihre gesammelten Delikatessen Lou Ebbers vorzusetzen.

Die Zeit, um die Erkenntnisse ihrer »Zelle« ihrem »Führungsoffizier« zu präsentieren – vorausgesetzt, ihr Betreuer hatte ihm nicht sowieso schon längst alles lang und breit erzählt. Aber so oder so hatte Laramie das Gefühl, als hätte Lou Ebbers – beziehungsweise die Leute, für die er arbeitete – demnächst ein paar sehr schwere Entscheidungen zu fällen.

Sie holte tief Luft und stieß sie langsam wieder aus, richtete all ihre Konzentration auf das Hier und Jetzt.

»Zeigen Sie mir doch mal, was Sie über diese sechs alles haben«, sagte sie. »Ich gehe davon aus, dass Sie Ihre sensationellen Erkenntnisse irgendwo gesammelt haben.«

Cole streckte die Hand aus, nahm einen Aktenordner vom Bett und ließ ihn wie ein Frisbee über den Tisch zischen, sodass es vor Laramie landete.

»Einschließlich aller sensationellen Erkenntnisse«, sagte er.

44

Das Spinnentelefon war wieder in Betrieb.

Laramies Betreuer hatte das sonderbare Gerät auf ihr Nachttischchen gelegt. Wie schon beim letzten Mal leuchtete auch jetzt das rote Lämpchen.

Laramie saß alleine mit ihrem Betreuer im Zimmer.

»Und, wie ist der Stand?«, drang Lou Ebbers' knarrende und stark verzerrte Stimme durch das Spinnentelefon.

Nach wie vor wusste Laramie die sachliche Art ihres neuen Chefs zu würdigen: *Mach deine Arbeit, beantworte meine Fragen.* Gut so. Genauso wollte sie es haben.

»Der Stand ist«, sagte Laramie, »dass wir einen entscheidenden Punkt erreicht haben.«

Da sie ihn schon zuvor über Castros Erlebnispark informiert hatte, begann sie jetzt mit den sechs enttarnten, mutmaßlichen Schläfern. Anschließend gab sie ihm eine Zusammenfassung von Rothgebs Vorlesung, wobei sie sich ein bisschen vorkam wie die Assistentin ihres ehemaligen Professors. Sie teilte Ebbers sämtliche Kriterien, Faktoren und Voraussetzungen mit, die ihr Team in die – wie sie es später genannt hatten – »Staatsfeind-Gleichung« miteinbezogen hatte, auch Coopers Entdeckung der Fabrikanlage und des Geisterdorfes in Guatemala.

Schließlich konfrontierte sie ihn mit der Schlussfolgerung ihrer »Konterzelle«, dass der salvadorianische Präsident und beständige Stachel im öffentlichen Erscheinungsbild der USA der Mann war, nach dem sie gesucht hatten. Sie vergaß auch nicht, Raul Márquez' persönlichen Hintergrund zu erwähnen, obwohl sie eigentlich davon ausging, dass Ebbers darüber Bescheid wusste. Trotzdem wollte Laramie in ihrer Rolle als »Staatsanwältin« unmissverständlich darauf hinweisen, dass Márquez einem Genozid entkommen war und dass dies ein ausreichendes Motiv darstellte. Schon vorher hatte sie Ebbers die entsprechenden Indizien präsentiert, die in erster Linie auf Márquez' enger Beziehung zu Castro basierten. Dadurch hatte er sich die notwendige Mithilfe Castros zum Betrieb dieses Amerikanisierungslagers und beim Einschleusen der Flüchtlinge gesichert. Dazu kam noch, dass Márquez potenziell Zugriff auf den Filo gehabt hatte. Das Motiv aber war der krönende Abschluss ihres Plädoyers: Márquez hatte auch jenseits seiner berühmten Kampfrhetorik einen handfesten Grund für all diese Handlungen, und dadurch, dass er persönlich einen Angriff einer Todesschwadron überlebt hatte, besaß er das bestmögliche Argument, um Opfer vergleichbarer, regionaler Genozide überall in Mittel- und Südamerika anzuwerben.

»Unter dem Strich, Lou«, sagte sie, nachdem sie ihren Informationsvortrag abgeschlossen hatte, »ist und bleibt es eine auf Vermutungen basierende Theorie, allerdings auf sehr qualifizierten und von Tatsachen untermauerten Vermutungen. Wenn man eins und eins zusammenzählt, dann gibt es keinen anderen, dann ist er unser Mann.«

Ebbers ließ sich kurz Zeit, um das Ganze zu verarbeiten.

»Diese sechs mutmaßlichen Schläfer«, sagte er dann. »Ob es nun sechs von zehn oder sechs von fünfzig sind, wissen wir immer noch nicht, stimmt's? Einziger Anhaltspunkt ist die enorme Größe dieser Erlebnispark-Ausbildungsstätte?«

»Das ist richtig«, bestätigte Laramie.

»Und wir haben auch keine Ahnung in Bezug auf den Zeitpunkt.«

»Sie meinen, wann die anderen Schläfer aktiviert werden sollen?«

»Ja.«

»Nichts«, erwiderte sie. »Noch nicht.«

Ein kurzes, elektronisches Klicken drang aus dem Lautsprecher.

Dann meldete Ebbers sich wieder zu Wort.

»Wie üblich haben Sie Recht, Miss Laramie. Wir haben tatsächlich einen entscheidenden Punkt erreicht.«

Schon bevor sie Ebbers angerufen hatte, hatte Laramie sich auf das vorbereitet, was nun vermutlich kommen würde. Seit ihrem ersten »Bewerbungsgespräch« hatte sie sich an Ebbers' Arbeitsstil gewöhnt, und so ging sie auch jetzt davon aus, dass er sie fragen würde, welche Strategie *sie* denn vorschlagen würde.

»Ich habe durchaus meine eigenen Vorstellungen«, sagte Ebbers nun und bestätigte damit ihren Verdacht, »aber ich möchte, dass Sie mir sagen, wie wir Ihrer Meinung nach vorgehen sollten – welche Möglichkeiten wir angesichts dessen, was wir wissen, haben. Mit anderen Worten: Was würden Sie unternehmen, Miss Laramie, wenn Márquez tatsächlich unser Mann wäre?«

Sie war zwar darauf vorbereitet, aber das bedeutete noch lange nicht, dass es ihr Spaß machte, einige der Möglichkeiten, die sie ihm in Kürze darlegen würde, auszusprechen. Sie zählte in Gedanken ein paar *Mississippis* und wollte gerade mit Gegenstrategie Nummer eins beginnen, da meldete sich Ebbers noch einmal zu Wort.

»Wenn Sie Ihre Vorschläge machen, können Sie im Übrigen davon ausgehen«, sagte er, »dass der Präsident oder eine andere Entscheidung fällende Instanz von vergleichbarem Einfluss diese Frage gestellt hat. Dass ich lediglich das Sprachrohr dieses Entscheiders bin und dass der Entscheider unmittelbar im Anschluss an eine gefällte Entscheidung tätig werden kann.«

Laramie zögerte. Die Formulierung »oder eine andere Entscheidung fällende Instanz von vergleichbarem Einfluss« kam ihr irgendwie merkwürdig vor. Schließlich hatte Ebbers vom US-Präsidenten und Oberkommandierenden als entscheidender Instanz gesprochen. Und dessen Einfluss müsste doch normalerweise unvergleichlich sein.

Es sei denn, man betrachtete den Kongress und die übrigen parlamentarischen Gremien als »vergleichbar«. Aber es war die Art und Weise, wie er es gesagt hatte, die sie stutzig machte ... sie wusste, dass Ebbers nie ein Wort dem Zufall überließ, also musste er ihr gerade so etwas wie einen Hinweis gegeben haben. Und in der Hausarbeit für ihr unabhängiges Studienprojekt hatte Laramie empfohlen, die »autonomen« Konterterror-Zellen in vollem Umfang *außerhalb* des parlamentarischen Schutzschildes operieren zu lassen. Sie konnte kaum glauben, dass Ebbers' Organisation ihre Empfehlungen so buchstabengetreu in die Tat umgesetzt hatte ...

Doch jetzt ließ es sich nicht mehr länger hinauszögern, also fing Laramie an.

»Die Alternativen liegen ja auf der Hand«, sagte sie, »aber um sie in die Tat umzusetzen ...«

»Zur Sache, Miss Laramie.«

»Gut«, erwiderte sie. »Option eins: Wir lassen es drauf ankommen und nehmen die sechs Tiefschlaf-Agenten unverzüglich fest. Wir nehmen ihnen die Reagenzgläser mit dem Pathogen ab und beseitigen so die dadurch gegebene Bedrohung. Gibt es noch zehn weitere? Fünf? Zwanzig? Selbst wenn das der Fall sein sollte, haben wir die drohende Gefahr für die Bevölkerung unseres Landes vermutlich um einen signifikanten Prozentsatz gesenkt.«

»Die nächste.«

»Option Nummer zwei, die auch zeitgleich mit Option Nummer eins denkbar wäre: Márquez und seinem Regime den Krieg zu erklären. Unverzüglich. Das betone ich deshalb, weil Márquez – sollten wir nicht unverzüglich und außerdem auch mit sofortigem Erfolg tätig werden – womöglich die Notbremse ziehen und seine Schläfer schneller als geplant aktivieren könnte.«

In der Leitung war nur dumpfes Pfeifen und Klicken zu hören, während Ebbers eine Minute lang schwieg. Laramie konnte sich gut vorstellen, dass er sich jetzt gerade genau dieselben Gedanken machte, die sie sich gemacht hatte, bevor sie diese Option auf die Liste gesetzt hatte. Als er das Wort ergriff, sah sich der menschliche Lügendetektor einmal mehr in seinem Verdacht bestätigt.

»Ein Krieg lässt sich aber nicht mit sofortigem Erfolg führen«, sagte er. »Höchstens in Form eines Atomkriegs.«

»Ich habe die atomare Option in meine Überlegungen miteinbezogen, allerdings unter großen Bedenken«, sagte Laramie.

Ebbers reagierte sofort.

»Sie glauben also nicht, dass die Bedrohung durch die praktisch unkontrollierte Verbreitung einer modernen Form der Grippeepidemie von 1918 – und damit die realistische Bedrohung mehrerer hunderttausend US-amerikanischer Menschenleben – die potenziellen Schäden, die der angreifenden Nation durch einen nuklearen Gegenschlag entstehen würden, rechtfertigt?«

»Falls es sich tatsächlich um eine ›angreifende Nation‹ handelt«, entgegnete Laramie, »und nicht einfach nur um eine Person, die zufälligerweise an der Spitze einer Nation steht.«

Laramie zählte erneut bis *zwei-Mississippi,* in erster Linie um sich selbst zu beruhigen.

»Aber das ist ohnehin eine Entscheidung, die ich nicht treffen kann«, sagte sie.

»Wer denn dann?«

Laramie spürte, wie die Hitze ihren Hals entlang bis hinauf zu ihren Wangenknochen schoss.

»Sir, wollen Sie wirklich ernsthaft wissen, ob ich einen Atomschlag empfehlen würde?«

Sie zählte jede Sekunde des sich anschließenden, stummen Rauschens. Sie wollte sich eigentlich nicht rundheraus weigern, eine Frage ihres Vorgesetzten zu beantworten, aber während der insgesamt dreiundneunzig Sekunden dauernden, relativen Stille sah sie sich in ihrer Zögerlichkeit noch einmal bestätigt. *Zu schade. Ich bin zwar bekannt dafür, dass ich gelegentlich mal ungefragt meine Meinung äußere, aber schließlich sind der Präsident und die Mitglieder des Senats und des Repräsentantenhauses aus gutem Grund in ihre Ämter gewählt worden – und nicht ich. Das hier ist bloß ein besonders extremes Beispiel: Ich kann das schlicht und einfach nicht entscheiden, nicht einmal hypothetisch. Aber wenn ich mir überlege, was er vorhin gesagt hat, dann bin ich mir gar nicht mehr so sicher, ob Ebbers oder irgendjemand, für den er arbeitet, das entscheiden kann ...*

»Wie lautet die nächste Option?«, sagte Ebbers.

»Ich muss Ihnen bestimmt nicht sagen«, erwiderte Laramie sofort und mit großer Erleichterung, »dass die nächste Möglichkeit zwar weniger einschneidend, aber sowohl nach nationalem wie nach internationalem Recht illegal wäre. Trotzdem müssen wir sie, vor allem angesichts der mit Option Nummer zwei verbundenen Komplikationen, ernsthaft in Erwägung ziehen. Option Nummer drei wäre Márquez' Ermordung. Dabei gehe ich von der Arbeitshypothese aus, dass die Schläfer, wenn das Oberhaupt beseitigt wird, bevor der Befehl zum Losschlagen erteilt wurde, sich unverrichteter Dinge zurückziehen und sich in der Gesellschaft assimilieren werden. Das entspricht den Theorien über das Verhalten der vielen mutmaßlichen sowjetischen Tiefschläfer nach dem Fall des eisernen Vorhangs. Und außer Achar scheint nach unseren Erkenntnissen noch kein weiterer mutmaßlicher Schläfer aktiviert worden zu sein.«

»Verstanden«, meinte Ebbers. »Gibt es noch andere Optionen?«

Laramie wagte wieder zu atmen. »Abgesehen von der Suche nach weiteren Schläfern, die wir meines Erachtens auf jeden Fall fortsetzen sollten, nein«, sagte Laramie.

»Dann entscheide ich mich für Option Nummer drei«, erwiderte Ebbers, »und zwar zeitgleich mit einer Variante von Option eins sowie Ihren fortgesetzten Versuchen, weitere Schläfer zu identifizieren. Die Variante lautet folgendermaßen: Die sechs mutmaßlichen Schläfer werden nicht sofort festgenommen, sondern beschattet, bis wir wissen, was sie vorhaben.«

Laramie wurde klar, dass Ebbers soeben einen Mordanschlag auf den gewählten Führer eines souveränen Staates angeordnet – oder zumindest sich dafür *entschieden* – hatte. Diese Anordnung – oder Entscheidung oder was zum Teufel es eben sonst gewesen sein mochte – war fast ausschließlich auf der Grundlage ihrer persönlichen Analyse, ihres Urteils und … ihres *Vorschlags* zustande gekommen war. Hätte er *tatsächlich* auch die Atomkriegsvariante anordnen können? Und wenn ja, wer hatte hier sonst noch seine Finger im Spiel? Und wer *nicht?*

O Gott.

Sie zermarterte sich das Hirn und ging den Rest des Plans durch – sie würde ihren Betreuer bitten, die logistischen Details zu klären, ging aber grundsätzlich davon aus, dass sie genügend Privatdetektive und Polizeibeamte zur Verfügung hatten, um die sechs Schläfer überwachen zu können. Und außerdem würden sie die Suche nach anderen fortsetzen. Gut.

Trotzdem zögerte sie.

Hatte Ebbers denn überhaupt die Kompetenz, einen Mord anzuordnen? Überhaupt irgend*etwas* von alledem anzuordnen? Selbst für den unwahrscheinlichen Fall, dass er tatsächlich neuerdings den Führer eines anderen Staates ermorden lassen konnte ... aber hatte er wirklich gesagt, dass sie und ihre Zelle das erledigen sollten? Und, noch wichtiger: Falls er das tatsächlich meinte, konnte sie da wirklich mitmachen?

Ich glaube kaum, dass »Exekution« ein Teil des Anforderungsprofils war, als ich mich auf diesen Auftrag eingelassen habe. Aber vielleicht ja doch. Vielleicht habe ich einfach nicht richtig aufgepasst. Vielleicht habe ich es von Anfang an gewusst und wollte bloß nicht darüber nachdenken. Hätten wir im Rückblick Osama bin-Laden nicht auch lieber gleich beseitigt, wenn wir die Möglichkeit dazu gehabt hätten?

Aber selbstverständlich, dachte sie. *Glaube ich wenigstens.*

Ebbers' folgende Worte waren eine Antwort auf alle ihre Fragen, wenn auch keine einfache.

»Sagen Sie Cooper, er soll Márquez einen Besuch abstatten«, meinte er. »Ich kümmere mich dann gemeinsam mit Ihnen um den Rest.«

O Gott.

»Ich interpretiere Ihr Schweigen als eine Art Schock«, sagte Ebbers. »Damit Sie den besser verdauen können, bekommen Sie jetzt von mir noch ein paar zusätzliche Informationen. Falls Sie es noch nicht wissen: Ihr verdeckt operierender Agent hat so einen Auftrag schon einmal durchgeführt, in einem anderen Land in Mittelamerika. Das ist schon lange her, aber er hat es gemacht, und zwar gut gemacht. Obwohl er anschließend gefangen genommen wurde und obwohl seither eine Menge Zeit vergangen ist, könnte man sagen, dass solche Aufträge eine seiner Spezialitäten darstellen.«

Wieder einmal hatte Laramie dieses Gefühl, als würde sie im Meer versinken, ein Gefühl, das sie schon bei ihren ersten Gesprächen mit Ebbers empfunden hatte. Jetzt sah es nicht mehr nur danach aus, als hätte Ebbers sie zum Teil oder sogar ausschließlich wegen ihrer Beziehung zu Cooper ausgesucht, sondern als hätte er von Anfang an vorgehabt, ein Attentat anzuordnen, das Cooper ausführen sollte. Und Coopers große Mittelamerikaerfahrung schien ihr mit einem Mal auch alles andere als zufällig zu sein.

Alles, was von mir erwartet wurde, war die Identifizierung der Zielperson.

Einmal Analytikerin, immer Analytikerin.

Sie dachte an Cooper, und das brachte Laramie zum letzten Punkt, den sie mit Ebbers besprechen wollte.

»Da wir gerade von unserem Agenten sprechen«, sagte sie. »Mein Team möchte gerne Ihre Hilfe in Anspruch nehmen, um ein Geheimdokument aufzutreiben, das, wie wir glauben, im Pentagon verwahrt wird. Wie bereits vorhin erwähnt, haben wir Grund zu der Annahme, dass die Entdeckungen, die Cooper in Guatemala gemacht hat, auf eine Verbindung zwischen der ebendort niedergebrannten Fabrikanlage und dem Marburg-2-Virus, den Achar verbreitet hat und der sich nach unserer Überzeugung natürlich auch im Besitz der anderen Schläfer befindet, hindeuten.«

Ebbers unterbrach sie rüde.

»Und wie kommen Sie auf das Pentagon?«

Laramie wählte die folgenden Worte sorgsam und sparsam.

»Das Kürzel ›Projekt ›ICRS‹ ist möglicherweise ein Verweis auf das ›Projekt Icarus‹, und das ist wiederum die Bezeichnung einer Akte im Pentagon. Cooper hat die Buchstabenkombination ›ICR‹ auf einem verkohlten, von einer Kiste stammenden Holzstück am Standort dieser niedergebrannten Fabrikanlage in Guatemala entdeckt.«

Nach einer kurzen Pause sagte Ebbers: »Nicht gerade ein eindeutiger Hinweis.«

Auch er wählt seine Worte mit Bedacht, dachte Laramie. Sie hatte keinen Zweifel, dass ihr Betreuer ihm bereits davon berichtet hatte, aber ihnen war beiden klar, welche Unwägbarkeiten mit dieser potenziellen Verbindung verknüpft waren. Trotzdem ... falls Ebbers vorhatte, diesen Aspekt *aufgrund* der damit verbundenen Unwägbarkeiten unter den Tisch fallen zu lassen, würde Laramie auf keinen Fall lockerlassen.

»Wir kennen den Standort der Akte«, fuhr sie fort. »Zumindest ihren ehemaligen Standort. Falls es da eine Verbindung gibt, Sir, dann müssen wir darüber Bescheid wissen. Zumindest Sie und ich.«

Diesen letzten Satz hatte sie von Anfang an geplant: Er sollte ihm zeigen, wie sie mit ihren Ermittlungen fortfahren konnten, ohne ein zusätzliches Risiko einzugehen. Falls notwendig, dann brauchten nur sie selbst, ihr Betreuer und Ebbers davon zu erfahren.

Falls ihm das nicht sowieso schon klar war.

Laramie dachte an den CIA-Abgesandten, der ihr bei ihrem ersten Treffen mit der Sonderkommission aufgefallen war, an den Mann, den sie schon beim ersten Blick für einen Spion aus Langley gehalten hatte. Er hatte sich damals erkundigt, wie das CDC an die Dokumente über die Filo-Epidemie in der Krankenstation in Guatemala gelangt war.

Der CIA-Agent hat über diese Verbindung Bescheid gewusst, und Ebbers vielleicht auch.

Vielleicht war sie ja die Einzige, die nichts *davon gewusst hatte. Verdammt noch mal, hatte denn die ganze Einrichtung dieser Sonderkommission und ihre anschließende Umwandlung in eine »Zelle« nur den einen Zweck gehabt, die Herkunft des Krankheitserregers zu bestätigen? Oder sollten die Schläfer möglichst geräuschlos beseitigt werden, damit der Ursprung des Filo für immer ein Geheimnis blieb?*

»Es wird nicht so ganz leicht sein, da ranzukommen«, erklang jetzt Ebbers' Stimme aus dem Spinnentelefon. »Immer unter der Voraussetzung, dass die Akte überhaupt noch existiert.«

Laramie war klar, dass Ebbers sich soeben eine Hintertür geöffnet hatte.

Er wollte ihr sagen, dass er sich die ganze Sache anschauen würde, aber dass sie erst einmal abwarten musste. Und selbst, wenn er die Akte ausfindig machen und lesen würde, konnte er immer noch behaupten, dass seine Suche erfolglos geblieben war.

Aber sie wusste, dass das das Äußerste war, was sie erreichen konnte.

»Ich habe den genauen Standort hier«, sagte sie, faltete die Seite mit den alphabetisch aufgelisteten Pentagon-Akten auf und las ihm die Angaben vor.

»Das war's?«, hörte sie Ebbers' elektronisch verzerrte Stimme sagen.

Laramie nickte dem Lautsprecher zu.

»Ja«, sagte sie. »Das war's.«

»Also dann«, sagte er, und während das rote Lämpchen langsam erlosch, hörte sie, dass die Leitung tot war.

45

Nachdem er per Satellitentelefon die Konferenz im Flamingo Inn mitverfolgt hatte, griff Cooper sich ein Handtuch von einem Zimmerservice-Wagen des Naples Beach Hotel und machte sich barfuß auf den Weg zum Strand. Er hatte sich entschlossen, in seiner bevorzugten Vier-Sterne-Bude in Naples zu logieren, während Laramie und ihre Drei Deppen, wie er sie mittlerweile nannte, im Flamingo Inn ihr eigenes Süppchen kochten. Eigentlich ging er fest davon aus, dass die Entdeckung dieses Miet-Erlebnisparks dafür sorgen würde, dass irgendwo anders die Kacke zu dampfen anfing, und so hatte er sich – ganz der hingebungsvolle Mitarbeiter, der er war, und weil er im Grunde genommen keine Alternative sah – entschlossen, auf dem Festland zu bleiben, während die Kacke langsam auf Betriebstemperatur kam.

Er beschloss, seine Knochen heute etwas zu schonen und nur die Hälfte seiner sonst üblichen 22 Kilometer zu laufen. Nach einer guten Stunde war er fertig. Nicht schlecht für einen Conch-Fritter-Süchtigen, dachte er.

Aber als er schließlich wieder zu seinem Handtuch und seinem Satellitentelefon zurücktrottete, war er nur noch ein keuchender, schwitzender Zellhaufen, der kaum noch Luft bekam. Jede Sekunde weniger als acht Minuten pro Kilometer schien ihm mittlerweile nichts als Schmerzen zu bescheren. Früher hatte er in derselben Zeit *zwei* Kilometer geschafft.

So ist es eben.

Er vertrieb die Erschöpfung mit ein paar zusätzlichen Schritten, und als er zu seinen Sachen kam, sah er, womit er gerechnet hatte: eine Nachricht. Nachdem er sich versichert hatte, dass der Anruf aus dem Flamingo Inn gekommen war, rief Cooper Laramie zurück.

»Wo hast du gesteckt?«, sagte sie, noch bevor er einen Laut von sich gegeben hatte.

Cooper überlegte.

»Da, wo's mir passt.«

Laramie wartete ein, zwei Augenblicke ab. Danach klang ihre Stimme ein klein wenig weniger angespannt, glaubte Cooper zumindest.

»Wir müssen uns treffen«, sagte sie.

Das war keine allzu große Überraschung. Er blickte auf seine Armbanduhr ... 12.45 Uhr.

»Wie wär's denn mit einem späten Mittagessen in Paddy Murphy's Irish Pub?«, sagte er. »Netter kleiner Laden gleich hier in der Innenstadt.«

Er rechnete eigentlich mit einer Ablehnung und ging davon aus, dass er sich bald schon auf dem Weg in nordöstliche Richtung, nach LaBelle, wiederfinden würde, aber Laramie hatte eine Überraschung parat.

»Hört sich gut an«, sagte sie. »Wir sehen uns um vier.«

Cooper legte auf und warf das Telefon zurück in sein Handtuchnest.

Cooper hatte eine ziemlich konkrete Vorstellung davon, was Laramie ihm mitteilen würde, wenn sie sich zu ihrem verspäteten Mittagessen oder verfrühten Abendessen oder was immer es auch sein mochte an einen Tisch setzen würden. Nach allem, was er bei dieser Unterredung im Flamingo Inn gehört hatte, konnte er sogar mit praktisch hundertprozentiger Gewissheit voraussagen, was kommen würde. Es war nur eine Frage der Zeit gewesen – Zeit, die Laramie gebraucht hatte, um mit »den Leuten, für die sie arbeitete« Kontakt aufzunehmen und bis diese ihre Entscheidung gefällt und sich wieder zurückgemeldet hatten.

Die Entscheidung der »Zelle«, wie an dieser Stelle weiter zu verfahren war, war nicht weiter schwierig abzuschätzen gewesen – schon gar nicht, dachte er, wenn man jemanden wie mich zur Verfügung hat. Und das war bei Geheimdiensten ja immer der Fall. Hatte Laramies Team Recht, was die Nummer eins ihrer Liste der Verdächtigen betraf? Cooper ging im Prinzip davon aus. Aber das war die einzige echte Variable in dieser Gleichung, abgesehen von der Entscheidung des Entscheiders, aber die Entscheidungsträger in der US-Außenpolitik, das hatte Cooper schon vor langer Zeit erfahren, waren berechenbar. Sie waren felsenfest davon überzeugt, dass sie sich einfach alles ungestraft erlauben konnten, und er konnte sich gut vorstellen, dass die Leute, für die Laramie arbeitete, da keine Ausnahme bildeten.

Wenn er sich klarmachte, wo Márquez lebte, dann blickte Cooper dem Auftrag, den Laramie ihm erteilen würde, nicht gerade freudig entgegen. Falls er ihrer Bitte – *ihrem Befehl* – nachkam und seine Pflicht als Zwanzig-Millionen-Dollar-Rambo erfüllte, dann sah seine unmittelbare Zukunft wohl aus wie die eines alternden Vietnam-Veteranen, der soeben erfahren hatte, dass man einen neuen Krieg gegen das kommunistische Regime in Hanoi angezettelt hatte ... aber dieses Mal möchten wir Ihnen die erfreuliche Mitteilung machen, dass die Army beschlossen hat, Männer von Mitte fünfzig in den Kampf zu schicken!

Cooper streifte sein Tanktop ab – auf der Vorderseite stand *Immer locker,* auf der Rückseite *Segel straff* – und ging zum Meer. Als er bis zu den Hüften im Wasser stand, blieb er stehen, stützte die Hände in die Seiten und ließ den Blick über das relativ paradiesische Naples mit seinem weißen Sandstrand gleiten.

Der Strand war fast vollkommen leer. Das war an einem ganz normalen Vormittag mitten in der Woche wohl nicht anders zu erwarten. Keine Boote in Sicht, keine Drachen im Wind, keine

Angler, die entspannt am Wasser saßen und die Ruten in den Sand gesteckt hatten.

Die Vorstellung, sich der eigenen Vergangenheit zu stellen, hat was für sich, dachte er. Wenn man Glück hat, dann spürt man vielleicht sogar so was wie eine Art reiner Versöhnung – etwas, das besser ist als jeder Maker's Mark, jeder Painkiller, ja, selbst besser als der beste Mary Jane der ganzen Welt. Das hatte Cooper geahnt, vielleicht sogar gewusst, als er an jenem lächerlichen Kontrollpunkt in Guatemala in die Augen des Rebellen-Soldaten geschaut hatte.

Er hatte gespürt, wie er sich nach der Konfrontation gesehnt, wie er sich gewünscht hatte, in den Abgrund seiner eigenen Vergangenheit blicken zu können. Wie er sich gewünscht hatte, dorthin zurückkehren zu können und eine Möglichkeit zu finden, sich mit der Hölle, mit der er so vertraut war und die er niemals vergessen würde, halbwegs auszusöhnen. *Und dabei vielleicht sogar eine Möglichkeit zu finden, mit mir selbst klarzukommen … und zwar ohne all die atemberaubende Mengen an Medikamenten, Schnaps und Gras, die ich regelmäßig konsumiere, um die hässlichen Visionen meiner Vergangenheit und meiner Gegenwart zu verscheuchen.*

Natürlich hatte er das kommen sehen.

Verdammt noch mal … vielleicht musste er sich ja sogar eingestehen, dass der Job, den sie ihm demnächst anvertrauen würden – in Verbindung mit der garantierten Gegenwart der nervtötenden und gleichzeitig nervtötend entzückenden Julie Laramie –, der eigentliche Grund für seine Zusage gewesen war. *Das und der Fall, den ich anscheinend als Privatdetektiv der Toten angenommen habe … wobei diese Priesterinnenstatue erst meine zweite Klientin überhaupt ist.*

Du hast gewusst, dass sie dich wieder zurückschicken würden. Deshalb hast du ihnen ja auch dieses überaus anständige Angebot über zwanzig Millionen gemacht.

Er ließ sich in die seichten Wellen gleiten. Nachdem er sich auf den Grund hinabgeschlängelt hatte, schoss er wie ein Delphin mal in diese, mal in jene Richtung, jagte in durchaus ansprechendem Tempo wenige Zentimeter über dem sandigen, muschelbelegten Meeresboden entlang. Er hielt die Augen im klaren Wasser offen und beobachtete die Umgebung. Er tauchte etliche Dutzend Meter parallel zum Strand und holte nur dann Luft, wenn seine Lungenflügel kurz vor dem Platzen waren. Dann sprang er jedes Mal in die Sonne, durchbrach die Wasseroberfläche in einem glitzernden Reigen aus Sonnenstrahlen und Schaum.

Bloß weil ich gewusst habe, dass sie mich zurückschicken, heißt das noch lange nicht, dass ich mich darauf freue.

Dann ließ er sich zurück in die salzige Stille gleiten.

46

Laramie reichte ihm das Fax mit dem zweiseitigen, an vielen Stellen geschwärzten Memorandum, das die Überschrift **PROJEKT ICRS** trug. Er sah, dass der Verteiler insgesamt sieben Personen umfasste und dass das Memorandum von einer so genannten **FORSCHUNGSGRUPPE** angefertigt worden war. Cooper nahm einen Schluck von seinem zweiten Bass Ale. Das Essen war zwar schon bestellt, aber noch nicht gekommen, und nach seinem Elf-Kilometer-Lauf spürte selbst er, der quasi im Ruhestand befindliche Spezialist für Geheimaufträge mit einer Leber wie Hemingway, die Wirkung des Bieres.

Er las sich den anderthalb Seiten langen Text durch. Darin war von einer – geschwärzten – Geldsumme die Rede, die für »unkonventionelle Konter-Bioterror-Forschungsarbeiten unter besonderer Berücksichtigung hoch infektiöser, viraler

Pathogene« zur Verfügung gestellt werden sollte, wobei sich unter den Pathogenen, die der »Impfstoff-Forschung« dienen sollten, auch Erreger eines viralen, hämmorrhagischen Fiebers, »so genannte Filoviren-Stämme«, befanden. Die Forschungsarbeiten, so wurde noch einmal betont, sollten »zum Zweck der Entwicklung geeigneter Impfstoffe oder Immunisierungsmaßnahmen im Rahmen der strategischen Landesverteidigung durchgeführt werden«. Das Memo, das ausdrücklich im Namen der gesamten »Forschungsgruppe« verfasst worden war, führte weiter aus, dass die Gruppe »hiermit die Errichtung der geplanten Forschungseinrichtung namens ›Projekt Icarus‹, in welcher diese Forschungen durchgeführt werden sollen, genehmigt.« Das Memo war vom »03. August 1979« datiert. Der Standort und andere Einzelheiten wurden darin entweder nicht erwähnt oder waren geschwärzt worden.

Obwohl der Text ziemlich eindeutig war, las Cooper ihn ein zweites Mal durch, bevor er das Memo mit der beschriebenen Seite nach unten auf die helle Plastiktischplatte legte. Der Inhalt der grobkörnigen Worte auf diesen beiden Blättern erhärtete seine Theorie bezüglich der Herkunft der Ausknipser so sehr, dass sie praktisch unwiderlegbar wurde. Er fühlte sich nicht besonders wohl in seiner Haut.

»Interessantes Memo«, sagte er.

»Ja. Ach, und übrigens: Allein dadurch, dass ich dir dieses Dokument mal kurz beim Essen über den Tisch geschoben habe, habe ich gegen sechs oder sieben Gesetze verstoßen. Aber da eklatante Verstöße gegen sämtliche Geheimhaltungsvorschriften mittlerweile anscheinend eine meiner Spezialitäten geworden sind, sollten wir uns lieber den wirklich wichtigen Gründen für dieses Treffen zuwenden.«

Sie schnappte sich ein Stück Sellerie von der Gemüseplatte, die die Kellnerin ihnen zusammen mit den Getränken gebracht hatte, und biss hinein. Dann redete sie weiter, während Cooper erneut von seinem schlechten Gewissen gezwickt wurde: Jetzt, wo er den menschlichen Lügendetektor von der Leine gelassen hatte, wurden ihm die Ausknipser möglicherweise auf dem Silbertablett serviert ... aber wie gut würde er Laramie vor ihrer Rachsucht schützen können?

»Das Memo spricht ja ganz offensichtlich für sich selbst«, sagte sie. »Es ist keine Kunst mehr, die Verbindung zwischen einem illegalen, von den USA finanzierten Labor für biologische Kampfstoffe, einer Filovirus-Epidemie, der ein ganzes Dorf in der Nähe dieses Labors zum Opfer gefallen ist, einer Überlebenden, die es bis zur Klinik einer lokalen Missionsstation geschafft hat, sowie dem späteren Auftreten eines ähnlichen oder identischen Stammes eines gentechnisch veränderten Filovirus zu ziehen, der auf dem Gebiet der Vereinigten Staaten als Massenvernichtungswaffe eingesetzt werden soll.«

Cooper nickte. »Das ist keine Kunst mehr.«

»Was zu diesem Memo noch zu sagen ist«, fuhr sie fort, »und was daraus nicht hervorgeht, ist Folgendes: Während ich auf dem Weg in dein kleines Königreich am Strand hier war, haben die Herren Knowles, Cole und Rothgeb festgestellt, dass jeder Mann, der in diesem Memo namentlich erwähnt wird, tot ist.«

Cooper hob die Augenbrauen.

»Sie wurden allesamt ermordet«, sagte Laramie. »Jeweils einzeln und in allen Fällen bis auf einen durch eine Art Hinrichtung, indem ihnen nämlich der Kopf vom Rumpf getrennt wurde.«

»Sie sind alle tot?«

»Jeder, der auf diesen Seiten namentlich erwähnt wird«, sagte sie.

Die Ausknipser waren ganz schön beschäftigt, dachte er.

Doch als er sich das Ganze durch den Kopf gehen ließ und dabei an seinem Bier nippte, da dachte er, dass es einfach nicht zusammenpasste. Das musste nicht bedeuten, dass es nicht so gewesen war, aber es passte einfach nicht zusammen. Die Namen auf dem Verteiler müssen *alle* auch auf Onkel Sams Gehaltsliste gestanden haben, dachte er. Aber wenn er nicht von Anfang an auf dem Holzweg gewesen war, dann hatte er es nur seinem Status als Lohnsklave der CIA zu verdanken, dass er noch am Leben war. Bis jetzt. Es ergab einfach keinen Sinn, dass die Ausknipser schon vor einiger Zeit die Mitglieder eines Memo-Verteilers kaltgemacht hatten, noch bevor sie sich entschließen konnten, ihn selbst umzulegen – und vor allem kam es ihm sehr unwahrscheinlich vor, dass Ausknipser, die der US-amerikanischen Regierung unterstanden, ihre Opfer mittels Enthauptung exekutierten. Das war, wie er ja schon mit Riley an Cap'n Roys Swimmingpool besprochen hatte, nicht gerade eine der bevorzugten Waffenarten von Profikillern, die auf Geheiß von offiziellen Vertretern der USA ihre Arbeit machten.

Als er zum Beispiel das letzte Mal unter seinem Kopfkissen in Conch Bay nachgesehen hatte, da hatte da auch keine Machete gelegen.

Cooper wollte zunächst einmal davon ausgehen, dass die Enthauptungen nicht von den Ausknipsern durchgeführt worden waren. Trotzdem lag es absolut im Bereich des Möglichen, dass irgendjemand über die näheren Einzelheiten Bescheid wusste – was auch für den Fall galt, dass die Ausknipser diese Taten begangen hatten.

»Dazu fällt mir, genau wie dir vermutlich, ein«, meinte Cooper, »dass serienweise Enthauptungen von Mitarbeitern des Pentagons in jedem Fall ausführliche Ermittlungen nach sich ziehen würden.«

»Ja«, sagte sie. »Daran habe ich auch schon gedacht.«

»Und außerdem fällt mir dazu ein«, fuhr er fort, »ebenfalls wie dir, nehme ich an, dass das eine gute Erklärung dafür sein könnte, wie die Leute, für die du arbeitest, so kurzfristig ein Exemplar dieses Memos auftreiben konnten.«

Laramie nicke geistesabwesend. »Nachdem der Attaché, der diese Listen überallhin verkauft hat, aufgeflogen ist, ist die Akte jedenfalls höchstwahrscheinlich woanders aufbewahrt worden. Du hast Recht – es spricht viel dafür, dass irgendjemand, der im Zusammenhang mit den Ermittlungen in einem mehrfachen Mord damit in Berührung gekommen ist, den genauen Standort gekannt hat.«

Erneut musste Laramie an den CIA-Vertreter bei der Zusammenkunft der Sonderkommission denken.

»So, wie ich das mit meinem skeptischen Blick sehe«, sagte Cooper, »würde daraus folgen, dass die Leute, für die du arbeitest, dieses Memo gekannt haben. Und wenn sie dieses Memo gekannt haben, dann wissen sie wahrscheinlich auch, was in diesem Memo genehmigt wird und was sich im Jahr 1983 – oder wann immer ein Leck in dem Labor ein ganzes Indiodorf dahingerafft hat – ereignet hat.«

»Und daraus folgt auch«, sagte Laramie, »dass eben diese Leute zumindest eine Ahnung davon gehabt haben müssen – vorausgesetzt, wir liegen richtig –, dass der Filo, mit dem diese Schläfer uns alle umbringen wollen, in einem Pentagon-Labor entwickelt worden ist.«

Cooper lächelte Laramie mit zusammengekniffenen Lippen an und dachte: *Daraus folgt ebenfalls, dass ich bald schon erfahren werde, wer der potenziell entlarvenden Ladung mit Kunstgegenständen einen Maulkorb verpasst hat, indem er Cap'n Roy, Po Keeler und ein paar andere, mehr oder weniger unschuldige Seelen in die ewigen Jagdgründe geschickt hat. Und da vieles dafür spricht, dass es sich um dieselbe Person beziehungsweise Gruppe handelt, die diesen Indiostamm auf dem Gewissen hat, werde ich schon bald die Möglichkeit haben, als Detektiv der Toten ein kleines bisschen Vergeltung für meine al-*

les in allem zweite Klientin zu üben: die dreißig Zentimeter große Statue der Priesterin und die ermordeten Bewohner des Indiodorfes, aus dem sie stammt.

»Wie schaffst du es bloß, so eine Scheiße abzuziehen?«

Cooper überlegte ein paar Augenblicke, kam aber nicht dahinter, welchen Teil des Gesprächs er verpasst haben könnte. Was hatte Laramie zu dieser Frage veranlasst?

»Welche Scheiße meinst du denn?«

»Da führst du also dein ganz normales Leben«, sagte Laramie, »lebst einfach so in den Tag hinein, wie du es am liebsten hast, und entdeckst dabei das entscheidende Indiz dafür, dass die staatlichen Stellen der USA die vielleicht größte Bedrohung, der dieses Land jemals ausgesetzt gewesen ist, selbst zu verantworten haben.«

»Ach so«, meinte er. »Das.«

Dann kam das Essen – Thunfisch mit Salat für Laramie und für Cooper ein Cheeseburger mit Speck. Da sein zweites Bass Ale leer war, bestellte er sich ein drittes Glas. Laramie winkte ab, als der Kellner ihr einen Cocktail von der Karte empfehlen wollte, und hielt sich an ihr Glas mit Eiswasser, das schon zum dritten oder vierten Mal nachgefüllt worden war, obwohl Laramie dazwischen nur jeweils höchstens einen Millimeter getrunken hatte.

Cooper riss einen großen Bissen aus seinem Cheeseburger. Als sein Bier gebracht wurde, legte Laramie ihre Gabel auf den Tisch, stützte die Ellbogen auf den Tisch und das Kinn auf die gefalteten Hände.

»Reden wir über das Hier und Jetzt«, sagte sie dann.

Jetzt geht's los, dachte Cooper.

»Glaubst du, dass er es ist?«

»Ob ich glaube, dass wer was ist?«, sagte Cooper.

»Márquez.«

Cooper nickte.

»Es spricht alles dafür«, sagte er. »Aber genau weiß man es nie.«

»Ich kann einfach nicht glauben«, sagte sie, »dass wir hier auf dem Bürgersteig vor einem belebten irischen Pub sitzen und Mittag essen und dabei das besprechen wollen, was ich mit dir besprechen will.«

Er ließ ihr ihr eigenes Tempo und biss noch einmal in seinen Cheeseburger.

»Wir wollen, dass du da reingehst und ihn ›eliminierst‹«, sagte sie nach einer Weile und ein klein wenig leiser als bisher.

Cooper kaute auf seiner Mundvoll Speck, Käse, Rindfleisch, Brötchen und Barbecue-Soße herum und trank anschließend einen Schluck Bier, um das Ganze hinunterzuspülen.

»Márquez meine ich natürlich«, sagte Laramie.

Cooper nickte kurz, blieb aber nach wie vor stumm.

»Ich nehme an, das ist keine allzu große Überraschung für dich«, sagte sie.

»Nein«, erwiderte er. »Ist es nicht.«

Laramie erzählte ihm, welche Optionen sie den Leuten, für die sie arbeitete, präsentiert hatte und welche Entscheidungen gefällt worden waren.

Cooper nickte erneut, ungefähr genauso kurz wie zuvor.

»Mehr oder weniger die einzig möglichen Optionen«, sagte er.

Laramie räusperte sich.

»Man hat mir gesagt, ich soll dir sagen, was passiert, wenn du geschnapp ...«

Cooper hob die Hand, und Laramie unterbrach sich mitten im Wort.

»Niemand kennt mich, niemand hat von mir gehört, niemand hat irgendwas mit mir zu tun. Verdammt, der ist doch nicht mal Amerikaner, dieser Cooper«, sagte er und ließ ein weiteres freudloses Grinsen sehen. »Das Übliche.«

Sie schwiegen. Niemand aß etwas.

»Und, heißt das, dass du es machst?«

Cooper sah die roten Flecken Laramies Hals entlang und auf ihre Wangen zukriechen. Er entschied, ihre Verlegenheit so zu interpretieren, dass sie es nicht schaffte, zwei Dinge miteinander zu vereinen: Zum einen wollte sie sich sein Einverständnis, das gute, alte »Zu Befehl, Madam«, abholen, und zum Zweiten wollte sie die Angst oder die Anteilnahme ausdrücken, die sie bei dem Gedanken empfand, dass er drauf und dran war, nach Mittelamerika zu reisen und mit neunundneunzigprozentiger Wahrscheinlichkeit nicht wiederzukommen. Also ging sie das Ganze geschäftsmäßig sachlich an, während ihre Haut ihm die emotionale Seite offenbarte.

»Ich gehe davon aus, dass die Leute, für die du arbeitest, mir umfassende Informationen über unseren Freund mit der ... ähm ... möglicherweise kurzen Lebenserwartung beschaffen können«, sagte er.

Laramie steckte die Hand unter den Tisch und legte sie an die Schultertasche, die sie mitgebracht hatte.

»Einen Großteil davon habe ich bereits dabei«, sagte sie. »Aber trotzdem ja. Wir besorgen dir alles, was wir können. Und natürlich auch jede notwendige direkte Unterstützung.«

»Ein Flugzeug«, sagte er. »Absolut neutral, ohne Verbindung zu irgendwelchen staatlichen Behörden. *Et cetera.*«

Laramie nickte und dachte an das Gespräch, das sie kurz vor ihrer Abreise noch mit ihrem Betreuer geführt hatte.

»Es gibt da jemanden, der solche Sachen für uns regelt«, sagte sie. »Und es wird keinerlei Verbindung und keine Dokumente geben, die sich irgendwie zurückverfolgen lassen.«

»Berühmte letzte Worte«, sagte Cooper und hielt das Memo in die Höhe.

Laramie schüttelte den Kopf. Für Cooper sah es so aus, als wollte sie ein lästiges Insekt verscheuchen.

»Dann machst du's also«, sagte sie.

Ohne sie anzuschauen biss Cooper noch einmal von seinem Burger ab. Dann trank er sein Bierglas so gut wie leer, beäugte anschließend Laramies Wasser, griff danach und trank davon.

»Ich habe noch nicht gesagt, dass ich einverstanden bin«, sagte er.

»Ich weiß, dass du das nicht *gesagt* ...«

»Natürlich halten die Drei Deppen ihre Theorie für richtig, aber ich möchte dir eine Frage stellen: Bist du dir absolut sicher, dass er unser Mann ist? Ist er definitiv, unumstößlich, ohne jeden Zweifel und eindeutig der Hauptverantwortliche für diese Filobomben?«

Laramie blieb eine Minute lang regungslos und schweigend sitzen. Dann sagte sie: »Die Drei Deppen, hmm?«

»Deine Zelle.«

»Was du nicht sagst. Hör zu«, fuhr sie dann fort. »Ich würde nicht jeden Zweifel ausschließen. Aber ich würde sagen, die Wahrscheinlichkeit ist so groß, dass wir das kalkulierte Risiko eingehen und diesen Schritt tatsächlich wagen sollten.«

Cooper nickte. »Nicht, dass das irgendeine Rolle spielt, aber bei diesem Schritt, den du wagen willst, und bei diesem kalkulierten Risiko geht es um mehr als nur ein Menschenleben.«

»Du meinst dich selbst? Abgesehen von ihm? Selbstverständlich weiß ich ...«

»Ja, mich auch, aber das meine ich gar nicht. Ich meine damit auch andere, auf die ich im Verlauf der Aktion treffen könnte.«

»Das ist uns bewusst.«

»Dir und dem Obermufti, meinst du«, sagte Cooper.

»Ober...« Laramie schüttelte den Kopf »Also gut, okay. *Mir. Mir* ist es bewusst. Aber ihm auch. Dem Obermufti genauso wie den Drei Deppen. Ich glaube, ich muss nicht extra betonen, dass ich alles andere als glücklich darüber bin, dass ...«

»Ist doch sowieso egal«, unterbrach sie Cooper und hob die Hand. »Ist doch nur Konversation.«

»Wie meinst du das?«, wollte Laramie wissen.

Er ließ sich Zeit, biss noch einmal von seinem Burger ab und trank noch einen Schluck Bier.

»Da niemand von euch in der Lage ist, so etwas auszuführen«, sagte er, »habt ihr selbstverständlich auch nicht darüber zu entscheiden.«

»Na ja, sicher, wenn du es bist, der den Abzug drückt ...«

»Vielleicht solltest du ein bisschen leiser sprechen, Laramie. Wir sind hier schließlich in einem belebten irischen Pub. Aber ganz abgesehen von der Lautstärke ... was ich dir sagen will ist Folgendes: Ich mache es nur, wenn ich wirklich mit Sicherheit weiß, dass er der Richtige ist.«

Laramies Wangen wurden schlagartig rot.

Cooper fuhr fort: »Du kannst den Leuten, für die du arbeitest – natürlich nur, falls du überhaupt weißt, wer sie sind –, gerne ausrichten, dass ich nur unter dieser Bedingung für diese Mission zur Verfügung stehe. Selbstverständlich könnt ihr euch gerne nach jemandem umsehen, der eure Befehle mit ein klein wenig mehr Enthusiasmus befolgt ...«

»Aber genauso funktioniert so was eben, begreifst du das denn nicht?«, fiel Laramie ihm ins Wort. »Wir *können* uns nicht noch sicherer sein, dass er der Richtige ist. So läuft es nun mal – du schaust dir die Informationen an, analysierst sie, wägst die Wahrscheinlichkeiten ab und fällst deine gottverdammte Entscheidung, ob sie dir nun passt oder nicht. Hunderttausende amerikanische Bürger schweben möglicherweise in tödlicher Gefahr, Mr. Zwanzig-Millionen-Dollar-Mann. Da kannst du doch nicht einfach hergehen und Lous Entscheidungen anzweif ...«

Cooper unterbrach sie, nicht ohne ihren Versprecher zu registrieren.

»Du kannst dir deine Wahlkampfrede sparen. Aus dir würde eine tolle CIA-Meisterspionin werden. Wie unser alter Freund Peter M. Gates und unser anderer alter Freund Lou Ebbers. Zum Teufel«, sagte er und beobachtete genau, ob sie irgendeine Reaktion zeigte, konnte jedoch nichts erkennen. »Wenn ich der Präsident wäre, ich würde deinen süßen kleinen Hintern innerhalb einer einzigen karibischen Minute auf den Direktorenstuhl des nationalen Geheimdienstkomitees setzen. Aber in den Niederungen, in denen ich mich hier bewege, als einfacher Soldat, der dazu auserkoren ist, den Präsidenten eines ganzen, wenn auch unangenehmen Landes kaltzumachen, sage ich, dass ich hingehen werde, um aus allererster Quelle höchstpersönlich zu erfahren, ob wir auf das richtige Pferd gesetzt haben. Wenn ich davon überzeugt bin, dass er der ›Macher‹ ist, dann führe ich meinen Auftrag sehr gerne aus. Wenn nicht, dann nicht. Dementsprechend könnt ihr, also du, der Mufti und die Deppen, die ganze Sache in den Wind schießen, oder aber ihr schickt mich zum Teufel. Ist ganz allein eure Entscheidung.«

Ohne ein Wort zu sagen und ohne eine Miene zu verziehen, saß Laramie da. Cooper kam es vor wie zehn Minuten. Er beschloss, abzuwarten und einfach weiterzuessen. Also bestellte er noch ein Bier und machte sich über seinen Teller her.

Als sie schließlich das Wort ergriff, sagte Laramie: »Du machst das nicht für uns, stimmt's?«

»Ah«, sagte Cooper, nachdem er den letzten Bissen Rindfleisch hinuntergeschluckt hatte. »Die Rückkehr des Lügendetektors.«

»Für dich geht es überhaupt nicht um die bedrohten Bürger unseres Landes«, sagte sie.

Cooper schüttelte betont lässig den Kopf. »Nein.«

»Es geht um dich. Du machst das nur, weil es dich selbst dahin zurückzieht. Oder«, sagte sie dann, »zumindest so etwas in der Art. Deinetwegen jedenfalls.«

»Aber selbstverständlich«, sagte er, und es klang, als wäre er kurz vor dem Einschlafen. Was dank der Biere, dem Strandlauf und dem Gespräch über außenpolitische Entscheidungsfindungsprozesse auch tatsächlich der Fall war.

Laramie blickte ihm direkt in die Augen. Sie hielt seinem starren Blick stand, und Cooper sah, wie die roten Flecken bis über ihren Kieferknochen krochen, bevor sie die nächsten Worte sprach. Da war ihm klar, dass er etwas Gutes zu hören bekommen würde. Aber mit dem, was sie ihm gleich darauf um die Ohren schlug, hatte er nicht gerechnet.

»Als ich hierhergefahren bin«, sagte sie, »da war ich fest entschlossen, dir als kommandierende Offizierin dieser Einheit den Befehl zu erteilen, mich in dein Hotelzimmer zu bringen und mit mir anzustellen, was immer du willst. Und weißt du, warum? Weil ich nicht weiß, ob du es schaffst, da reinzukommen, ob du es schaffst, wieder rauszukommen, ob du überhaupt irgendetwas schaffst, wenn du diesen Auftrag annimmst. Aber jetzt hast du mich auf deine unnachahmliche Art und Weise so wütend gemacht und frustriert, dass mir das alles fast, wenn auch noch nicht ganz, scheißegal geword ...«

»Und das liegt daran, dass ich eine gewisse Skepsis gegenüber den Absichten des Staates zeige, der überhaupt erst dafür gesorgt hat, dass dieser Filo in Márquez' Hände gelangt ist?«

Laramie hielt den Mund. Ihr Hals war immer noch rot angelaufen, aber sie wurde ein wenig ruhiger, während sie seine Bemerkung überdachte. Cooper leerte sein Glas und winkte nach der Rechnung.

Laramie beugte sich über den Tisch, bis ihre Nase fast an seine stieß.

»Mag durchaus sein, dass das so war«, sagte sie. »Und mag durchaus sein, dass Ollie North oder einer seiner Kumpels den massenmörderischen Wahnsinnigen, die Márquez' Freunde und seine Familie umgebracht haben, als er noch ein zwölfjähriger Junge war, ein paar Scheine in die Hand gedrückt haben. Mag durchaus sein, dass wir auch eine Menge amerikanische Ureinwohner eigenhändig umgebracht und sogar Atomwaffen angewendet haben. Ich will diese Tatsachen überhaupt nicht in Zweifel ziehen.«

Cooper hielt ihrem harten, durchdringenden Blick stand, merkte aber, wie er wieder einmal zusammenzubrechen drohte. Laramie, der Lügendetektor, sorgte dafür, dass ihm seine eigene Grobheit peinlich war, auch wenn ihm diese Grobheit, isoliert betrachtet, eigentlich immer vollkommen logisch erschien.

»Nichtsdestotrotz, Mr. Zwanzig-Millionen-Dollar-Geheimagent«, sagte Laramie. »Dieses mutmaßliche Opfer unserer fehlgeschlagenen Außenpolitik hat, so wie es aussieht, mehr im Sinn als ein einfaches ›Auge um Auge‹. Also raus mit der Sprache, wie viel Sympathie willst du dem Teufel entgegenbringen?«

Cooper legte vier Zwanziger auf den Tisch, schnappte sich das Memo und zeigte Laramie zum dritten Mal sein freudloses Lächeln.

»Ich sag' dir Bescheid, wenn meine Grenze erreicht ist.«

Langsam stand Laramie auf, hob ihre Tasche hoch und ließ sie auf den Tisch fallen.

»Da hast du die Informationen über deine Zielperson. Der Mann, von dem ich dir erzählt habe, setzt sich mit dir in Verbindung, um die logistischen Fragen mit dir zu klären, also sieh zu, dass du unter deiner Nummer im Hotel erreichbar bist. Ich melde mich ebenfalls, unter anderem deshalb, weil wir noch festlegen müssen, wie wir während deiner Reise in Kontakt bleiben.«

Cooper deutete von seinem Platz am Tisch aus eine Art militärischen Gruß für seine kommandierende Offizierin an.

Laramie erwiderte ihn mit einem weiteren unfrohen Lächeln.

»Hals- und Beinbruch«, sagte sie.

Dann ging sie auf die andere Straßenseite zu ihrem Auto und machte sich auf den Weg zurück ins Flamingo Inn.

47

Trotz einer gewissen Unfallträchtigkeit erfreute sich die von zwei Turboprops angetriebene MU-2B unter Drogenschmugglern nach wie vor großer Beliebtheit. Mit ihrem großvolumigen Frachtraum und den relativ schnellen und leisen Turbinen war sie auch vierzig Jahre nachdem sie in Amerika gebaut worden war, noch wunderbar für regionale Drogentransporte geeignet. Außerdem wurde dieser Flugzeugtyp bevorzugt von der US-Katastrophenschutz-Organisation FEMA, dem Roten Kreuz und zahlreichen anderen internationalen Hilfsorganisationen benutzt, sodass eine mit Cannabis vollgepackte MU-2B von den mehr oder weniger omnipräsenten Drogenfahndern der US-Küstenwache in ihren AWACS- und P-3-Orion-Flugzeugen relativ oft übersehen wurde, vorausgesetzt, man wählte seine Flugroute mit Bedacht.

Insofern war die private und mit Bargeld gecharterte MU-2B, die gerade in einer Höhe von 3600 Metern durch den erstaunlich feuchten, mondlosen Nachthimmel östlich von San Salvador dröhnte, absolut nichts Ungewöhnliches – eben nur eine weitere, im Grunde genommen illegale, aber vom Staat ignorierte Ladung frisch geerntetes Marihuana, das zur Weiterverarbeitung in eine gleichermaßen ignorierte Anlage irgendwo an der nördlichen Landesgrenze transportiert wurde.

Cooper verließ die MU-2B durch die hintere Frachtklappe.

Seine Kleidung und Ausrüstung war fast identisch mit der vom letzten Mal. Der Wind peitschte ihm hart und unerbittlich ins Gesicht, und er dachte, dass der einzige wirkliche Unterschied zwischen diesem Absprung und dem letzten darin bestand, dass er dieses Mal alleine war ... und dass er in den neunzehn Jahren seit jenem ersten Sprung, der ebenfalls einen diplomatischen Besuch bei einem mittelamerikanischen Staatsoberhaupt eingeleitet hatte, ein ganzes Jahrhundert älter geworden war.

Keine Minute später war er gelandet – brutal gelandet.

Er rauschte auf ein paar dicht beisammen stehende Bäume zu, die er in der Dunkelheit nicht rechtzeitig erkannt hatte. Vielleicht lag es aber auch daran, dass seine Augen schlicht und einfach miserabel waren, während jeder Fallschirmjäger, der auch nur halbwegs diese Bezeichnung verdient hätte, ohne Weiteres in der Lage gewesen wäre, eine Bruchlandung mit einem einfachen Blick nach unten zu verhindern. Jedenfalls sah er die hohen Wipfel eine Sekunde zu spät und rauschte noch während seines versuchten Ausweichmanövers mitten hinein. Dadurch war er kurz verunsichert, wollte von Steuern auf Landen umstellen, zögerte und krachte aufgrund dieses Zögerns frontal gegen den ersten verfügbaren Baumstamm, der ihn als stummer, unsichtbarer Rammbock praktisch gleichmäßig einmal von Kopf bis Fuß erschütterte. Das gedämpfte Knirschen in seiner Beckengegend spürte er mehr, als er es hörte. Eine Hüfte? Aber wenn das Geräusch von einem gebrochenen Knochen gestammt wäre, dann hätte er deutlich größere Schmerzen haben müssen.

Völlig außer Atem versuchte er, seine Riemen zu fassen zu bekommen und brachte es dabei fertig, eine seiner Fallschirmleinen auszuklinken. Im freien Fall sackte er fünf Meter weit nach unten, nur um gleich darauf ruckartig gestoppt zu werden und mitten in der Luft zu baumeln. Nachdem er wieder zu Atem gekommen war, stellte er fest, dass er mit erheblicher Schlagseite vielleicht sechs Meter über dem Waldboden schwebte und nur durch eine einzige Leine mit dem verhedderten Fallschirm verbunden war.

»Gottverdammte Scheiße noch mal«, sagte er.

Falls das hier wirklich mein Eröffnungsakt gewesen ist, dachte er mit finsterem Ernst, dann sollte ich mich am besten auf der Stelle erschießen oder aber zusehen, dass ich schnellstmöglich zum nächsten Flughafen komme und mich dort in irgendeinem Frachtraum verkriechen, um auf der Stelle von hier zu verschwinden.

Als seine Augen sich an die Dunkelheit gewöhnt hatten, konnte er die Landefläche zu seinen Füßen ein bisschen besser erkennen. Der Boden machte keinen allzu schmerzhaften Eindruck – überwiegend niedrige Sträucher, vielleicht mit, vielleicht auch ohne Dornen, aber mit Sicherheit weniger lebensgefährlich als ein Bürgersteig oder ein Baumstamm. Er schwang noch eine Minute lang hin und her, versuchte seinen Körper so auszurichten, dass er auf den Füßen landen konnte, dann klinkte er den Karabinerhaken aus. Mit Wucht prallte er auf die Sträucher, torkelte in einer Art Korkenzieherbewegung weiter, wurde von Zweigen, Dornen, Blättern und Blumen wie von einem Trampolin abgefedert und fand sich schließlich, als all das hinter ihm lag, unversehrt auf dem Rücken liegend wieder.

Falls er ungefähr an der Stelle gelandet war, wo er hatte landen wollen, dann befand sich die Straße etwa anderthalb Kilometer westlich. Auf den Satellitenaufnahmen, die Laramies Betreuer ihm beschafft hatte, hatte die Straße wie ein Waldweg ausgesehen, auf dem schwere Lastwagen geschlagene Stämme durch den Wald transportieren konnten, der aber für andere Fahrzeuge nicht geeignet war.

Cooper zog den Reißverschluss an einer der Taschen seines

Fallschirmspringeranzuges auf. Laramies Betreuer hatte ihm ein tragbares GPS-Gerät mitgegeben, ähnlich wie das, das sie in Kuba benutzt hatten, und auch sein Satellitentelefon befand sich in dieser Tasche. Er griff hinein und spürte ein Pieksen. Dann richtete er den Strahl seiner Maglite hinein und ihm wurde klar, was da vorhin geknirscht hatte: Bei seinem Zusammenprall mit dem Baum waren sein GPS-Gerät und das Satellitentelefon zertrümmert worden.

»Gute Arbeit, du Teufelskerl«, murmelte er.

Jetzt blieben ihm nur noch ein raffinierter, fluoreszierender Handgelenkskompass, den ihm ebenfalls Laramies Betreuer besorgt hatte, sowie seine eigene, alte Armbanduhr, die am anderen Handgelenk saß und anscheinend immer noch funktionierte.

Er ließ sich vom Kompass die Richtung anzeigen und machte sich auf den Weg durch den Wald. Sechsundzwanzig Minuten später stieß er auf eine Fahrspur ... das war vermutlich der Waldweg. Er orientierte sich nach Norden und fiel trotz der Schwärze der Nacht in einen leichten Trab. Es ging hauptsächlich bergab, und das war gut so, denn der Weg war stärker von Pflanzen überwuchert, als er angenommen hatte. Den größten Teil der Strecke musste er im Storchenschritt zurücklegen, nur gelegentlich unterbrochen von kurzen Abschnitten, in denen die Fahrspur unbewachsen war. Er schätzte, dass er etwas langsamer vorankam als bei seinen Strandläufen. Zwar konnte er die zurückgelegte Strecke nur noch mit Hilfe seiner Uhr messen, aber er hatte genügend Läufe auf unterschiedlich beschaffenen Böden hinter sich, um sein Tempo halbwegs einschätzen zu können. Er würde eine Stunde lang laufen. Das waren acht Kilometer, wenn alles gut ging.

Am Ende seines einstündigen Dauerlaufs suchte er sich eine Lücke im Baumbestand und zog sich wieder ein Stück in den Wald zurück. Trotz seiner Strandläufe in Naples und in Conch

Bay war er jetzt schon ziemlich außer Puste. Dabei hatte er erst die Hälfte geschafft.

Nicht gut.

Er hatte sich die Satellitenaufnahmen gründlich angesehen und wusste, dass er jetzt noch gut sechs Kilometer von seinem Ziel entfernt war. Allerdings führten diese sechs Kilometer durch heimtückisches Gelände, nämlich einen steilen Hang hinauf und durch dichten Dschungel. Das war ja vermutlich genau der Sinn der Sache: Die Residenz von Präsident Raul Márquez verfügte, neben verschiedenen anderen Ausstattungsmerkmalen, über einen Sicherheitsstreifen aus fußballfeldgroßen Rasenflächen, umschlossen von einer zweieinhalb Meter hohen Steinmauer. Diese Mauer reichte bis an den Gebirgszug heran, über den Cooper soeben zu klettern versuchte und der mit keinem Fahrzeug der Welt zu überwinden war. Zu Fuß schon, aber es würde nicht einfach werden.

Darüber hätte man als Strandpenner auch mal vorher nachdenken können.

Von einer »Quelle«, die nach Coopers Einschätzung bestenfalls zweifelhaft sein konnte, hatte Laramies Betreuer Márquez' Wochenplan besorgen lassen. Dieser Zeitplan zirkulierte offensichtlich in den verschiedenen Abteilungen der salvadorianischen Regierung. Demnach hatte Präsident Márquez angeblich vor fünf Stunden einen chilenischen Diplomaten zum Abendessen bei sich gehabt. Am nächsten Morgen früh um zehn wollte er eine Kabinettssitzung abhalten, anschließend eine Pressekonferenz. Die Kabinettssitzung und die Pressekonferenz sollten siebzig Kilometer von seiner Residenz entfernt stattfinden. Falls Cooper ihn also noch im Schutz der Dunkelheit erledigen wollte, dann hatte er bis zum Morgengrauen Zeit. Anderenfalls würde er es sich im Dschungel irgendwo in der Nähe des Anwesens gemütlich machen und warten, bis Márquez seine Regierungsangelegenheiten und seine anderen Termine erledigt hatte.

Er brauchte drei Stunden, um über den Berg zu kommen.

Wie erwartet, wurde die das Gelände umschließende Mauer von einer bewaffneten Militäreinheit bewacht. Die Mauer, in Funktion und äußerer Erscheinung einer durchschnittlichen Gefängnismauer durchaus vergleichbar, wurde von endlosen Stacheldrahtrollen gekrönt. Außerdem hatte sie etwa alle zweihundert Meter einen Wachturm. Die Türme waren mit jeweils einem Mann besetzt. Die Männer trugen braune Kampfmontur und eine Maschinenpistole, dem äußeren Anschein nach vom Typ AK-47. Alles keine große Überraschung. Die Mauer selbst war, genau wie die gesamte dahinter befindliche Rasenfläche, hell erleuchtet wie ein Baseballstadion.

So leise wie möglich kam Cooper das letzte Stück des Hügels herunter, rutschte auf einem mit Moos bewachsenen Felsblock aus und wäre beinahe mit dem Kopf voran gegen ein externes Postenhäuschen gekracht, das auf der Bergseite nicht beleuchtet war. Aber auch, nachdem er das Gleichgewicht wiedergefunden hatte, wäre er um ein Haar an der geöffneten Tür des Häuschens vorbeispaziert. Erst im letzten Moment erkannte er, dass im Inneren des Häuschens Licht brannte und zwei Wachposten saßen.

Er zog sich ein paar Meter weit in den Wald zurück und suchte sich einen Platz, von wo er die Männer beobachten konnte. Sie spielten Karten und nippten an Tassen, in denen vermutlich Kaffee war. Genau wie die Männer auf den Türmen waren auch diese beiden mit je einer AK-47 ausgerüstet, außerdem trug jeder eine Pistole und ein klobiges Walkie-Talkie am Gürtel.

Cooper hatte sich im Vorfeld gründlich über die ganze Anlage und den Sicherheitsstreifen informiert und sich anschließend diverse Szenarien zurechtgelegt, aber diese Witzfiguren, die dort rumhockten, vermutlich Kaffee mit Schuss tranken und um Cent-Beträge Karten spielten, würden ihm das Leben möglicherweise ein klein wenig erleichtern. Ein bisschen Aufmunterung konnte er jedenfalls gut gebrauchen – vielleicht war ja der Flug und die leichte Luftkrankheit daran Schuld, jedenfalls hatte er das Gefühl, als hätte irgendjemand die Hälfte des Sauerstoffs aus seiner Umgebungsluft abgezogen. Er hatte schon Angst, in Ohnmacht zu fallen.

Das Entscheidende war, dass er über die Mauer kam. Aber nicht hier, nicht an einer Stelle, wo ihm praktisch nichts anderes übrig blieb, als vor aller Augen auf dieses riesige Spielfeld zu marschieren. Auf der gegenüberliegenden Seite der Mauer, sehr viel dichter am Haupteingang der Residenz, war die Grasnarbe deutlich schmaler, vor allem neben der Einfahrt zu der sechsteiligen Garage. Dort, hinter einem nur wenige Meter breiten Rasenstück, waren sorgfältig angelegte Blumenbeete zu erkennen, die den Würdenträgern, die hier zu Besuch kamen, deutlich machen sollten, wie makellos das Heim des Präsidenten Raul Márquez war.

Der letzte Wachturm, den er im Osten, zu seiner Rechten, wo die Schutzmauer einen Bogen um das Hauptgebäude der Residenz machte, erkennen konnte, stand nahe genug an der gärtnerisch anspruchsvoll gestalteten Garageneinfahrt. *Wenn ich es bis auf diesen Turm schaffe,* dachte er, *dann müsste ich mich eigentlich auch in die Büsche schlagen können, ohne dass mich jemand sieht.*

Das hörte sich besser an als sein ursprünglicher Plan A, der unter anderem den Einsatz der Schaufel in seinem Rucksack beinhaltet hatte, um sich möglichst dicht bei der Garageneinfahrt unter der Mauer hindurchzugraben. Die Tunnelstrategie ist zwar die sicherere Variante, dachte er, aber es könnte gut sein, dass ich an Sauerstoffmangel sterbe, noch bevor ich bis zu den Knien in der Erde stehe.

Also los, Großer.

Dreimal kontrollierte er den korrekten Sitz des Schalldämpfers, den er auf die Mündung seiner MP5 aufgeschraubt hatte, und näherte sich der Baracke so weit, wie es die Dunkelheit gestattete. Wahrscheinlich hätte er einfach seinen Kopf durch die Tür strecken und persönlich nachsehen sollen, ob diese pokernden Idioten ihn sehen konnten. Doch dann widerstand er diesem Impuls und gab im Abstand von einer Sekunde zwei Schüsse ab. Unmittelbar danach huschte er in die Hütte und versuchte, die Leichen der Wachposten aufzufangen, noch bevor sie zusammen mit ihren Stühlen, Waffen, Funkgeräten und Thermosflaschen zu Boden krachten.

Erst als er den leblosen Körper des zweiten Wachmanns im Arm hielt, wurde ihm klar, dass er gerade ein wenig übereifrig vorgegangen war. Schließlich hatte er Laramie mitgeteilt, dass er Präsident Márquez erst dann ins Jenseits befördern wollte, wenn er zweifelsfrei festgestellt hatte, dass Márquez tatsächlich der König der Schläfer war. Aber ohne Skrupel oder Hemmungen so und so viele Angehörige von Márquez' Wachmannschaft zu liquidieren, das schien ihm keine größeren Probleme zu bereiten.

Was soll's, sagte er sich und versuchte, sich selbst mit einem eher wenig überzeugenden Argument zu überzeugen: *Das sind Soldaten. Sie werden dafür bezahlt, dass sie ihren Präsidenten beschützen. Sie haben versagt.*

Er versuchte, nicht an die Familien zu denken, die diese Typen womöglich hinterließen, und setzte einen der beiden wieder auf seinen Stuhl. Dabei bemühte er sich, ihn so zu positionieren, dass das Blut, das aus dem Loch in der Stirn des Mannes strömte, von der Tür her möglichst nicht zu sehen war. Die zweite Leiche legte er auf den Boden. Dann, nachdem er sich Stück für Stück seiner gesamten Werkzeuge und Ausrüstungsgegenstände entledigt hatte, befreite er den Wachposten aus seinem Che-Guevara-Kampfanzug und schlüpfte selbst hinein. Er knöpfte Hose und Jacke zu und stellte fest, dass die Uniform des Wachpostens sich beschämend eng an seinen Körper schmiegte – *liegt bestimmt bloß an dem Fallschirmspringeroverall, den ich noch daruntertrage.*

Er schnappte sich die Maschinenpistole, die Pistole und das Walkie-Talkie des Postens, suchte seine Ausrüstungsgegenstände zusammen, befestigte sie an der Uniform und machte sich dann unverzüglich auf den Weg durch den Dschungel, immer am Rand der Mauer entlang. Er bewältigte die halbkreisförmige, achthundert Meter lange Strecke bis zum letzten Wachturm, ohne mit einem zweiten Postenhäuschen zusammenzustoßen.

Der nächste Teil würde schwieriger werden, das wusste er.

Er blieb ein paar Minuten lang im Wald nahe dem Turm stehen und überlegte, ob sein Plan überhaupt durchführbar war. Der Wachposten drehte auf der kreisförmigen Plattform langsam seine Runden, mit wachen Augen unter schweren Lidern. Die Mauer direkt unterhalb des Turmes machte den Eindruck, als ließe sie sich problemlos überklettern. Die Steine waren groß und wurden von Mörtel oder irgendeinem anderen Material zusammengehalten, das viele Löcher aufwies und daher zahlreiche Griffe und Tritte bot. Dann war da noch das Loch im Stacheldraht: Die Architekten des Sicherheitsbereiches hatten keine Notwendigkeit gesehen, die Mauer auch dort, wo die Türme standen, mit Stacheldraht zu versehen, und hatten diese Stellen daher ausgespart.

Er nahm sich so viel Zeit, wie sein Plan ihm gestattete, und beobachtete die Wachen in sämtlichen Türmen, bis ihm die Abläufe klar waren. Jeder Posten folgte einem gleich bleibenden Muster, wenn auch in unterschiedlichen Zeitabständen: Erst traten sie an die Brüstung, die dem Haus zugewandt war, und starrten eine Weile in diese Richtung, dann zurück auf die gegenüberliegende Seite und eine Weile in den Wald. Und wieder von vorne.

Er machte sein schallgedämpftes Sturmgewehr bereit, wartete, bis die Männer auf den beiden nächstgelegenen Türmen gemeinsam den richtigen Punkt ihres Beobachtungszyklus erreicht hatten und erledigte den Wachposten auf dem nächstgelegenen Turm mit einem einzigen Schuss. Wie erhofft stürzte der Kerl stumm und unauffällig zu Boden. Jeder dumpfe Aufprall, jedes Klappern der AK-47 ging vollkommen im unaufhörlichen Chorgesang der Grillen, Frösche und wer weiß welcher Dschungelgeschöpfe noch unter.

Cooper versicherte sich noch einmal, dass die Wachen auf den anderen Türmen nicht bereits wieder den Rückweg angetreten hatten. Als er sah, dass die Luft rein war, stürmte er aus seinem Versteck den Hügel hinunter, kletterte, unterstützt vom Schwung seines Bergab-Sprints, auf die Mauer und schwang sich über das Geländer, um ins Innere des Turms zu gelangen. Dann merkte er, dass er die Mütze, die er dem Wachposten aus der Hütte abgenommen hatte, verloren hatte, schnappte sich schnell die Mütze des Turmwächters und setzte sie auf.

Er schwang sich die AK-47 des Wachpostens aus der Hütte auf die Schulter, stand auf und fing an, seine Runden zu drehen, genauso, wie er es zuvor beobachtet hatte.

Während er ein wenig gekrümmt vor sich hinschlurfte, um sein Gesicht zu verstecken, dachte er, dass seine Sonnenbräune in diesem Fall wirklich sehr praktisch war – *mit der braunen Kampfmontur und der sonnengegerbten Haut sehe ich eindeutig salvadorianisch aus.*

Jetzt begegnete sein Blick den Wachposten der anderen Türme, die ihre Rundgänge ebenfalls fortgesetzt hatten. Nervös biss er sich auf die Lippen und rechnete jeden Augenblick damit, dass irgendetwas Unvorhergesehenes geschehen könnte, aber keiner seiner neu gewonnenen Genossen ließ ein Winken, ein Schulterzucken oder sonst eine Panik auslösende Geste erkennen.

Dann wurde ihm etwas klar. Wenn er wollte, dass sein schwachsinniger Plan überhaupt funktionierte, dann musste er die Leiche des Wachpostens aufrecht an das Geländer lehnen, in der Hoffnung, dass es eine Weile dauerte, bevor die anderen merkten, dass er tot war. *Vielleicht bin ich ja immer noch der mordlüsterne Wahnsinnige, der nur durch seine eigene, mörderische Brutalität der Folter entkommen ist. Vielleicht habe ich mich nur deshalb für diesen Weg entschieden, weil ich dabei so viele Wachposten wie irgend möglich umbringen kann.*

Er musste länger warten, als ihm lieb war, aber nach ungefähr neun Minuten waren die Runden der übrigen Posten wieder fast synchron, und sie schienen alle gleichzeitig in die Berge zu starren. Er stellte die Leiche senkrecht und stützte sie ab, kraxelte die Innenleiter des Turmes hinunter und schlenderte so gelassen und ruhig, wie es ihm nur möglich war, über das fünfzehn Meter breite Rasenstück.

Dann ließ er sich mit einer Rolle in die Bananenpalmenbeete fallen und krabbelte behände aus dem Lichtkegel der Scheinwerfer.

Noch immer keine Schreie, keine Schüsse, keine Sirenen.

Das war der Punkt, an dem er sich gemäß der Absprachen, die er vor dem Beginn seiner Mission mit Laramie und ihrem Betreuer getroffen hatte, über sein Satellitentelefon melden sollte. *Habe den Sicherheitsstreifen hinter mir,* hätte er zu Laramie vielleicht gesagt. *Sehe mir jetzt mal die Video-Überwachung für den Außenbereich des Hauses an. Muss aber so schnell wie möglich rein. Melde mich erst wieder, wenn ich drin bin.*

Aufgrund der Plastiksplitter in seiner Tasche, die einst sein Satellitentelefon gewesen waren, würde dieses Gespräch bedauerlicherweise nicht stattfinden. Er ging davon aus, dass auch der GPS-Sender, der eigentlich seine genaue Position übermitteln sollte, ohne Batterie und ohne Platine nicht funktionierte und in dem Moment seinen Geist aufgegeben hatte, als er in den Baum gekracht war.

Das Funkgerät, das er dem Posten in der Hütte abgenommen hatte, ließ unvermittelt ein *knacks-krrr* hören, sodass er beinahe aus seinen Springerstiefeln gekippt wäre, doch es folgte keine Stimme. Er drehte sich um und betrachtete das riesige, vor ihm aufragende Herrenhaus, das auf unheilvolle Weise der spanischen Festung ähnelte, die es einst gewesen war.

Das gefiel Cooper überhaupt nicht.

Er hatte gelesen, dass das Fort gegen Ende des 17. Jahrhunderts für den spanischen Lehensherrn dieses Gebiets gebaut worden war. Vielleicht ... aber für Coopers Geschmack hatte es doch sehr viel Ähnlichkeit mit der Festung aus dem 17. Jahrhundert, in der diese skrupellosen, schnauzbärtigen Drecksäcke ihn vor nunmehr fast zwanzig Jahren in einer unterirdischen Zelle gefangen gehalten hatten.

Er wusste, dass auch dieses Haus hier über ein unterirdisches Labyrinth aus Kerkerzellen und artverwandten Einrichtungen verfügte. Schließlich konnte kein spanischer Lehensherr, der etwas auf sich hielt – und faktisch die Funktion eines königlichen Gouverneurs ausübte –, ohne die motivierende Kraft einer privaten Kammer des Schreckens seine Herrschaft über die Wilden vernünftig ausüben.

Cooper konnte die Tunnelgänge unter seinen Füßen beinahe spüren ... die Geister der verfluchten, in diesen Gängen gefolterten und getöteten Mayas oder wer die Cousins der goldenen Priesterinnenstatue auch gewesen sein mochten, riefen nach ihm, zwei Meter unterhalb dieser endlos langen, smaragdgrünen Wiese.

O ja, Cooper, kreischten die Freunde der goldenen Priesterin, *schön, dass du wieder da bist, alter Freund. Hat viel zu lang gedauert. Aber hier unten findest du keine Erlösung, hier findest du nur Schmerz. Genug Schmerz und Leid für eine ganze Ewigkeit. Komm und teile unser Elend, du müder, besoffener Narr!*

Er schüttelte die Gedanken an die redenden Geister ab und schaute auf seine Armbanduhr. Es war fast schon Viertel vor fünf. Wenn er Márquez im Schlaf und noch vor Sonnenaufgang überraschen wollte, dann blieb ihm im besten Fall noch eine Stunde, um ins Haus zu kommen.

Wenn nicht weniger.

»Also gut, Insel-Mann«, sagte er in krächzendem Flüsterton. »Jetzt kommt der schwierige Teil.«

Seine Stimme hörte sich seltsam fremd an.

48

Detective Cole öffnete Laramie die Tür, ließ sie in Knowles' Zimmer im Flamingo Inn eintreten und machte hinter ihr wieder zu. Sie hatte schon wieder einen Styroporbecher mit schlechtem, schwarzem Kaffee in der Hand und war, was ihre Koffeinsucht anging, restlos verwirrt. Was einst eine auf zwei Tassen am Morgen beschränkte Angewohnheit gewesen war, schien sich zu einem unstillbaren, rund um die Uhr anhaltenden Bedürfnis ohne jede erkennbare Wirkung ausgewachsen zu haben.

Sie hatten sie gerufen, weil einer der Schläfer aktiv geworden war, doch Laramie stellte zunächst eine andere Frage.

»Was ist mit unserem verdeckten Agenten?«, sagte sie. »Was Neues?«

»Nichts«, erwiderte Knowles, der vor einer Monitorbatterie thronte, die sich wieder einmal vervielfacht hatte – allein die Bildschirme nahmen nun eine ganze Zimmerwand ein. »Das Peilsendersignal können wir, glaube ich, getrost vergessen. Ob das auch für ihn gilt, kann und will ich nicht beurteilen.«

Cole trat neben Laramie, sodass sie zusammen mit Rothgeb und ihrem Betreuer im lockeren Halbkreis hinter Knowles und der stetig sich ausbreitenden Computeranlage standen. Sieben Monitore waren neu hinzugekommen. Auf dem größten war eine äußerst detaillierte, aber vollkommen statische Landkarte von El Salvador zu erkennen. Vor einigen Stunden, als Laramie zum letzten Mal hier im Zimmer gewesen war, war der Blick auf den El-Salvador-Bildschirm dank etlicher blinkender, konzentrischer Kreise, die sich in gleichmäßigen Wellen von ihrem Zentrum wegbewegten, als hätte jemand einen Stein in einen Teich geworfen, noch recht unterhaltsam gewesen. Diese Grafik hatte Coopers genauen Aufenthaltsort während des Anflugs auf den Ausstiegspunkt angezeigt – das Funksignal seines GPS-Senders.

Neunzehn Sekunden, nachdem der Pilot »Fracht abgesetzt« gemeldet hatte, war das Funksignal zusammen mit der Bildschirmgrafik spurlos verschwunden.

Die anderen Monitore zeigten digitale, aber relativ schlechte Bildsignale, die von sechs verschiedenen Handykameras, wie sie die »eingebetteten Journalisten« während des Irakkrieges verwendet und berühmt gemacht hatten, aufgezeichnet wurden.

Auf fünf dieser Bilder war die Vorderfront eines Hauses oder einer Wohnung zu erkennen. Auf vier Bildern war es noch dunkel, auf dem fünften fing es gerade an zu dämmern. Der sechste Bildschirm zeigte etwas, was wie ein ruhiger Abschnitt aus *Amerikas verrücktesten Polizeivideos* aussah. Die Kamera war durch die Windschutzscheibe eines Wagens auf ein anderes Auto gerichtet, das allem Anschein nach verfolgt wurde. Auf diesem Bild war die Sonne bereits aufgegangen.

Laramie wusste, dass diese Bilder aus Scarsdale, New York,

stammten. Die anderen wurden in den mittleren und pazifischen Zeitzonen aufgenommen und, genau wie die aus Scarsdale, live übertragen. Zu diesem Zweck hatten Cole und Laramies Betreuer diverse Privatdetektive ausgesucht. Die Detektive waren jeweils in Zweier-Teams vor den Häusern der sechs Schläfer postiert. Als sie das letzte Mal auf den sechsten Bildschirm geschaut hatte, war dort noch die Vorderfront eines einstöckigen Ranch-Hauses zu sehen gewesen, eingeklemmt zwischen zwei anderen, nahezu identischen Häusern. Abgesehen von einem zuckenden blauen Lichtschein, der vermutlich vom Fernseher des Mannes stammte, hatte es keinerlei nennenswerte Aktivität gegeben.

Knowles zwang sich, nicht mehr auf den Bildschirm mit der Landkarte von El Salvador zu starren.

»Falls unser Agent noch lebt«, sagte er, »dann könnte es gut sein, dass er mittlerweile im Inneren der Residenz angelangt ist. Wir haben das alles ja schon besprochen. Wenn es bei uns sieben ist, dann ist es dort sechs. Nach dem Sonnenstandskalender müsste es also noch eine knappe halbe Stunde lang dunkel sein.«

»Gut«, sagte Laramie.

Nachdem Coopers Signal eineinhalb Stunden lang überfällig gewesen war, hatte sie das Zimmer verlassen. Seither hatte sie nichts anderes gemacht als herumgesessen und vor sich hingebrütet.

Irgendetwas an dieser ganzen Sache störte sie – der ganze Plan, den Ebbers angeordnet hatte, angefangen bei dem Attentat, über die Art und Weise, wie sie die sechs mutmaßlichen Schläfer beobachteten, bis hin zu den Maßnahmen, die ergriffen werden würden, sobald sich einer der Schläfer irgendwie verdächtig benahm. Bis jetzt konnte sie noch nicht recht sagen, was es genau war, aber nachdem sie frustriert in ihrem Zimmer herumgesessen und sich alle möglichen Gedanken gemacht hatte, hatte sie irgendwann angefangen, die Zusammenhänge zu begreifen. Jetzt schien es, als hätte einer der Schläfer etwas vor und vielleicht nichts Gutes, und das bedeutete, dass einer der Teile des Planes, mit denen sie mittlerweile massive Schwierigkeiten hatte, in die Tat umgesetzt werden musste.

Sie blinzelte sich zurück in die Gegenwart und deutete mit dem Kinn auf Knowles.

»Machen wir hiermit weiter«, sagte sie. »Was gibt es dazu zu sagen?«

Sie sah, dass das verfolgte Auto auch ein Geländewagen war, genau wie bei Achar. Die ultimative Form der Assimilation.

»Kommt sofort«, sagte Knowles. Er drehte sich mitsamt seinem Stuhl und fing an, auf einer seiner Mäuse herumzuklicken. Der Filmausschnitt auf dem Bildschirm verkleinerte sich ein wenig. »Wie Sie wahrscheinlich schon gesehen haben, hat unser Freund in Scarsdale sich auf den Weg gemacht. Ist gegen fünf vor sieben losgefahren. Falls Sie ein bisschen die Orientierung verloren haben, was uns allen schon mehr als einmal passiert ist: Heute ist Sonnabend, er fährt also nicht zur Arbeit. Das macht er sowieso immer erst um halb acht.«

Rothgeb schaltete sich ein. »Nach allem, was der Privatdetektiv uns über die nähere Umgebung erzählt hat, haben wir eine ziemlich konkrete Vorstellung davon, wo er hin will.«

»Müsste eigentlich jeden Moment zu sehen sein«, ergänzte Knowles.

Laramie sah, dass Knowles sich wieder an der Maus zu schaffen machte. Mit dem Cursor zeichnete er kleine Kreise in die obere rechte Ecke des Videobildes, wo sich mittlerweile ein unscharfer, orangefarbener Fleck herausgebildet hatte. Jetzt sah der Fleck langsam aus wie ein Schild ... und dann wurde das Schild lesbar.

»Er fährt in ein Home Depot«, sagte sie.

Der Wagen – er sah aus wie ein Ford Explorer, aber Laramie

war sich nicht hundertprozentig sicher – bog auf den gigantischen Parkplatz ein. Im Bildhintergrund war ein wenig unscharf das rechteckige Gebäude des Baumarktes zu erkennen.

»Um sieben Uhr«, sagte Rothgeb.

»Um die Zeit machen sie in Scarsdale auf«, sagte Knowles. »Das haben wir überprüft.«

Der Explorer fuhr in eine Parkbucht auf der Gebäudeseite mit der Gartenabteilung. Laramie sah das kurze Aufflackern der Rückfahrleuchten, das signalisierte, dass der Fahrer die Parkstellung eingestellt hatte. Dann ging die Tür auf und der »mutmaßliche Schläfer Nummer sechs« stieg in T-Shirt und Jeans aus dem Wagen und machte sich auf den Weg in den Laden.

Nach zwanzig Minuten waren Schläfer und Explorer bereits wieder unterwegs. Der Geländewagen war schwer bepackt. Laramie hatte fünfundzwanzig Säcke gezählt, vermutlich gefüllt mit Kunstdünger. Vielleicht waren auch ein paar Säcke mit Rasensamen oder Pflanzenerde dabei, um den eigentlichen Zweck seines Einkaufs zu verschleiern.

Er hielt erst zu Hause wieder an. Obwohl sie seine Ankunft aus größerer Entfernung beobachten mussten, konnten sie deutlich erkennen, wie er den Explorer in seine Garage lenkte und das Tor zufahren ließ. Sieben Minuten später ging es wieder auf, und er kam herausgefahren. Dieses Mal steuerte er eine Tankstelle an – eine Citgo –, wo sie ihm dabei zusahen, wie er etliche rote Kanister mit Benzin befüllte. Der Privatdetektiv hielt bei jedem Stopp ein wenig mehr Abstand, wahrscheinlich, um nicht bemerkt zu werden.

»Das ist alles«, sagte Cole, »was man für eine Kunstdüngerbombe mit einer ähnlichen Wirkung wie Achars benötigt.«

»Richtig«, bestätigte Knowles. »Jetzt müssen nur noch abwarten, aber ich frage mich schon, ob die anderen auch aktiv werden, wenn bei ihnen die Sonne aufgeht.«

»Das sieht jedenfalls nicht gut aus«, sagte Rothgeb.

»Nein«, meinte Knowles. »Und falls es doch mehr als sechs von der Sorte gibt, dann sieht es ziemlich schnell noch sehr viel schlechter aus.«

Laramie dachte noch ein bisschen über all die Dinge nach, über die sie schon in ihrem Zimmer nachgegrübelt hatte.

Dann sagte sie »So oder so, wir müssen jetzt unseren Hinweis loswerden«.

Was ihr an dem Plan, den Ebbers durch ihren Betreuer übermittelt hatte, am meisten missfiel, war die Anweisung, wie sie die Schläfer »verpfeifen« sollten, falls irgendetwas wie das, was sie gerade von Schläfer Nummer sechs zu sehen bekamen, geschehen sollte. Anstatt das FBI oder die lokalen Behörden anzuweisen, die Schläfer zu stellen, sollten sie bei der örtlichen FBI-Niederlassung und im Sheriff-Büro oder der Polizeiwache vor Ort telefonisch einen anonymen Tipp abgeben. In diesen Tipps sollten viele Einzelheiten enthalten sein, sie sollten aber auf jeden Fall anonym bleiben.

Cole hatte als Erster seine Bedenken gegen ein solches Vorgehen geäußert, und Laramie war seiner Meinung gewesen. Man konnte ja nicht einmal sicher sein, dass auf einen solchen Tipp überhaupt reagiert wurde, und falls die FBI-Agenten und die Ortspolizisten tatsächlich etwas unternahmen, dann wusste man immer noch nicht genau, was. Würde der Schläfer vielleicht in Panik geraten und seine Bombe zünden?

Was man aber mit *Sicherheit* wusste, dachte Laramie, war, dass weder sie noch ihr Betreuer noch Ebbers irgendjemanden losschickte, um die Schläfer festzunehmen. So langsam bekam die ganze Sache einen bitteren Beigeschmack, und der gefiel ihr überhaupt nicht.

Auf dem Bildschirm stieg Schläfer Nummer sechs – kaum zu erkennen aufgrund des großen Abstandes, den der Überwacher einhielt – gerade wieder in seinen Explorer und fuhr nach

Hause zurück. Dort verkroch er sich in seiner Garage und kam nicht wieder zum Vorschein.

»In einer Minute«, sagte Knowles, »bekommen wir eine Textmeldung von dem Beschatter. Darin steht wahrscheinlich genau das, was wir gerade gesehen haben.«

Laramie warf ihrem Betreuer einen Blick zu.

»Rufen Sie an«, sagte sie.

Er nickte und zog sich in das Nebenzimmer zurück.

»Wenn ich es richtig verstehe«, sagte Laramie dann zu den anderen, »dann haben wir nur diese sechs. Ihr habt während der vergangenen vier Stunden keinen mehr entdeckt, oder?«

Cole schüttelte den Kopf.

»Wir haben Glück gehabt, dass es überhaupt so viele sind«, sagte er. »Wenn man sich die Bilder anschaut, die Knowles ausgegraben hat, dann kann man eigentlich davon ausgehen, dass die meisten oder alle Schläfer, ob es nun sechs, sieben oder fünfzig sind, auf diesem Weg hierhergekommen sind. So hat Castro seine Gefängnisse geleert: Er hat die Insassen einfach per Flüchtlingsboot nach Florida geschickt. Aber auf gar keinen Fall gibt es von allen ein Foto, von Videoaufnahmen ganz zu schweigen. Ich schätze, wir sind mit unserem Latein am Ende.«

»Hoffen wir mal, dass es keine fünfzig sind«, sagte Rothgeb.

Laramie nickte. Sie hatte den Blick auf den großen Bildschirm mit der detaillierten topographischen Karte von El Salvador gerichtet. Keine Spur von Coopers Funksignal.

Sie traf ihre Entscheidung und betrat das Zimmer, in dem ihr Betreuer gerade telefonierte. Es gefiel ihr überhaupt nicht, wie die Dinge jetzt liefen, und daher war es Zeit, diesem ganzen Versteckspiel ein Ende zu bereiten.

Sie starrte ihren Betreuer an, bis dieser, das Telefon am Ohr, ihren Blick erwiderte.

»Ich muss mit Ebbers sprechen«, sagte sie.

»Das ist doch völliger Quatsch, und das wissen Sie auch«, sagte Laramie.

Aus dem Lautsprecher drang blechern Lou Ebbers' elektronisch verstümmeltes Kichern. Ihr Betreuer hatte wieder einmal das Spinnentelefon angeschlossen, und zwar in ihrem Zimmer. Sie hatte ihn gebeten, sie dieses Mal alleine zu lassen, und er war ihrer Bitte gefolgt.

»Zumindest weiß ich«, hörte sie Ebbers sagen, »dass Sie mich dieses Mal nicht fragen werden, ob das Ganze eine Übung ist.«

»Oh, ich habe keinerlei Zweifel daran, dass es echt ist«, sagte Laramie. »Viel zu echt. Deshalb rufe ich Sie ja an, oder besser: Ich fordere Sie heraus. Sie haben mich an der Nase herumgeführt, Lou. Verraten Sie mir doch mal, warum wir keine FBI-Teams losschicken und die Schläfer festnehmen lassen. Auf unseren direkten Befehl hin. Und unter unserer Aufsicht. Unter Ihrer! Das ergibt doch keinen Sinn!«

»Aha«, lautete seine Antwort.

»›Aha‹? Sir, bei allem gebührenden Respekt: Bitte verschonen Sie mich mit Ihren Ahas und erklären Sie mir, was da läuft. Ich habe gerade das Leben eines Mitglieds meines Teams aufs Spiel gesetzt, ja, ich würde sogar sagen, eines *Freundes.* Es könnte sogar sehr gut sein, dass ich ihn direkt in den Tod geschickt habe, wenn man einmal bedenkt, dass wir neunzehn Sekunden nach dem Beginn seines Einsatzes jeden Kontakt zu ihm verloren haben. Dazu kommt noch, dass die Schläfer, die wir identifiziert haben, aktiv werden. Zumindest einer davon. Die Kacke fängt so langsam an zu dampfen, und mir wird endlich klar, dass Sie mir nicht die Wahrheit gesagt haben – in keinem einzigen Punkt. Bitte beantworten Sie meine Frage.«

Es folgte verstärktes Kichern.

Nachdem das ungezwungene Kichern verebbt war, meinte Ebbers: »Miss Laramie, ich habe ›Aha‹ gesagt, weil mir plötzlich bewusst geworden ist, wie gut ich Sie kenne.«

»Glauben Sie?«

»Ja, das glaube ich. Und ich verrate Ihnen auch, wieso: Ich habe mir schon gedacht, dass Sie ziemlich schnell dahinterkommen würden. Das habe ich auch unserem gemeinsamen Freund, dem Betreuer, gesagt.«

Es folgte eine kurze Pause, doch Laramie blieb stumm.

»Nun zur Antwort auf Ihre Frage«, sagte Ebbers. »Erstens wollen wir nicht, dass das FBI von unserer Operation, unserer ›Zelle‹, Wind bekommt, da wir, wie besprochen, eine streng geheime Konterterror-Einheit bilden, die per Definition gegenüber allen staatlichen und nichtstaatlichen Organisationen geheim bleiben muss.«

»Aber die Polizeieinheiten, die die Häuser der Schläfer durchsuchen, könnten entscheidende Fehler machen, wenn sie nicht angemessen geführt werden«, entgegnete Laramie. »Unsere Tarnung ist doch ziemlich unwichtig, wenn man bedenkt, was alles auf dem Spiel steht. Außerdem ist es doch keineswegs sicher, dass das FBI oder die lokalen Polizeidienststellen bei einem anonymen Tipp überhaupt ...«

»Der zweite Teil der Antwort lautet, dass wir nicht die entsprechenden Befugnisse haben«, sagte Ebbers.

Sobald Laramie diese Worte verdaut hatte, begann sie langsam mit dem Kopf zu nicken. Stille Wut kochte in ihr hoch.

»Nur, damit ich Sie richtig verstehe«, sagte sie. »Sie sind nicht befugt, dem FBI ein paar Festnahmen zu befehlen, sodass es dafür keine andere Möglichkeit gibt als einen anonymen Anruf. Aber die Ermordung des Oberhauptes eines souveränen Staates, die können Sie anordnen?«

Ebbers schwieg, und Laramie setzte den Rest des Puzzles zusammen.

»Sie *können* gar keine Ermordung anordnen«, sagte sie und beantwortete damit ihre eigene Frage.

»Ob ich es kann oder nicht«, erklang nun Ebbers' Stimme,

»ich habe es jedenfalls getan. Glauben Sie denn nicht, dass es das richtige Vorgehen ist?«

»Sie haben das Attentat angeordnet. Das bedeutet nicht, dass die Leute, für die Sie *arbeiten,* das getan haben. Und es kann ja durchaus sein, dass *ich* dieses Vorgehen für richtig halte, aber das muss noch lange nicht für die Leute gelten, für die Sie arbeiten. Und wenn Sie denen nicht Bescheid gesag …«

»Ziehen Sie keine voreiligen Schlüsse.«

Laramie holte tief Luft.

»Ich versichere Ihnen«, sagte Ebbers, »dass die Leute, für die ich arbeite, meine Entscheidung gekannt haben. Und sie haben sie autorisiert.«

Laramie erwiderte. »Aber ein solches Vorgehen ist illegal. Niemals würde doch ein Vertreter der Regierung unseres Landes bei so etwas …«

Sie unterbrach sich mitten im Satz, als ihr endlich klar wurde, worauf Ebbers hinauswollte.

Ein bisschen zu spät, dachte sie. Und dann wählte sie ihre Worte mit Bedacht: »Dann wollen Sie damit also sagen, schon die ganze Zeit, dass Sie … und ich … dass wir beide überhaupt nicht im Auftrag der Regierung …«

»Manche Dinge bleiben besser ungesagt«, sagte Ebbers und schaffte es sogar über die verschlüsselte Telefonleitung, ihr ins Wort zu fallen. »Und, wie gesagt, ich war mir absolut sicher, dass Sie zu gegebener Zeit von selbst dahinterkommen würden. Aber jetzt, wo wir miteinander im Reinen sind, möchte ich meine Frage noch einmal wiederholen: Sind auch Sie der Meinung, dass wir die richtige Maßnahme ergriffen haben?«

Laramie zählte stumm ihre *Mississippis.* Sie brauchte dieses Mal nicht nur die üblichen drei, sondern war bereits bei acht angelangt, bevor sie sämtliche möglichen Anschlussfragen – *Für wen, zum Teufel, arbeiten wir denn dann?* – durchdacht und sich mit den damit zusammenhängenden Problemen – ob sie eine solche Frage überhaupt stellen durfte und was die Antworten zu bedeuten haben könnten – beschäftigt hatte. Vorausgesetzt, Ebbers würde ihr überhaupt eine Antwort geben. Als sie schließlich alle diese Fragen durchgegangen war – als sie schließlich bei *acht-Mississippi* angelangt war –, da beschloss Laramie, dass es das Vernünftigste war, einfach den Mund zu halten. Sie hatte bestimmt mehr davon, wenn sie ihr Wissen für später aufbewahrte. Dann konnte sie es verwenden und Nachforschungen anstellen, wie sie wollte, konnte ihre eigenen Interessen wahren, und zwar mit Sicherheit besser als jetzt, unter dem Druck der gegenwärtigen Krise.

Sie würde ihre Fragen später stellen, falls und wirklich nur *falls* sie trotz des Verlustes ihres verdeckt operierenden Agenten eine Möglichkeit fanden, ungezählte Schläfer-Terroristen daran zu hindern, ganze Wolken eines Filovirus freizusetzen, der sich über die Atemluft verbreitete und selbst dann Tausende amerikanische Bürger das Leben kosten würde, wenn massive Quarantänemaßnahmen ergriffen würden. Was im Übrigen *unverzüglich* zu geschehen hatte.

Und das alles sollen wir schaffen, dachte sie, und *gleichzeitig dafür sorgen, dass unsere Beteiligung an der ganzen Sache ein Staatsgeheimnis bleibt?*

Beziehungsweise ein Nicht-Staatsgeheimnis.

Sie beschloss, Ebbers eine Antwort zu geben.

»Bis jetzt, ja«, sagte sie. »Ich glaube, dass wir die richtigen Maßnahmen ergriffen haben. Aber wir müssen unsere Strategie auf der Stelle ändern. Wir haben keine weiteren Schläfer identifiziert ... es könnte also genauso gut noch zehn, zwanzig oder sogar fünfzig von der Sorte geben.«

»Und Sie glauben, Sie haben Ihren Agenten draußen verloren?«

»Da bin ich mir nicht sicher«, sagte sie. »Noch nicht. Aber selbst wenn er es schafft, dann lassen die Aktivitäten des Schläfers in Scarsdale vermuten, dass noch mehr Attentäter aktiviert worden sind. Wir haben nach wie vor keine Ahnung, wie und in welcher Form das geschehen ist. Wir haben ganz generell keine Ahnung, was da eigentlich vor sich geht. Unsere kleine Privatparty ist zu Ende, Lou. Diese ganze Angelegenheit liegt nicht mehr in der Hand unserer ›Zelle‹, und das ist die größte Untertreibung aller Zeiten. Wir müssen eine Vielzahl von Organisationen und Institutionen dazu veranlassen, sämtliche Quarantänemaßnahmen, die sie im Zusammenhang mit der Vogelgrippe hinter verschlossenen Türen durchgespielt haben, unverzüglich aktiv durchzuführen. Wir müssen die sechs Schläfer, die wir unter Beobachtung haben, festnehmen und befragen. Wir müssen die Medien informieren, damit Mutti und Vati in Tulsa wissen, wem sie melden sollen, dass da jemand in ihrer Straße wohnt, der massenhaft Kunstdünger in seiner Garage aufgestapelt hat. Wir haben keine Zeit mehr für diese autonomen, abgeschotteten Spionage-Spielereien, für die Sie mich angeheuert haben.«

»Also dann, Miss Laramie«, erwiderte Ebbers. »Ich habe Sie verstanden, und wir liegen durchaus auf einer Wellenlänge.« Trotz der elektronischen Verstümmelung nahm sie seinen versöhnlichen Tonfall wahr. »Aber trotzdem, wir haben noch einen kurzen Moment Zeit. Wir wissen noch nicht genau, welche Fortschritte Ihr Agent dort draußen macht, wenn überhaupt, und wir sind uns auch noch nicht sicher, ob noch andere Schläfer aktiviert worden sind. Falls heute noch andere zu einem Baumarkt in ihrer Nähe fahren, dann bin ich Ihrer Meinung. Dann gibt es keine Alternative. Dann ist die Zeit gekommen, wo der Katastrophenschutz, das Institut für Infektionskrankheiten, das Heimatschutz-Ministerium, das FBI, die CIA, die Medien und alle Bewohner des Landes ihre Fenster und Türen verrammeln und sich vor dem großen Sturm in Sicherheit bringen müssen.«

Laramie merkte, wie die Hitze an ihrem Hals langsam den Rückzug antrat.

Aber ich werde ganz bestimmt nicht das Risiko eingehen und ein, zwei Tage oder noch länger abwarten, wenn wir durch Quarantänemaßnahmen und die altbewährte, sowjetische Strategie der Nachbarschaftsspionage unter Umständen verhindern können, dass aus Tausenden Todesopfern Hunderttausende oder gar noch mehr werden ...

»In der Zwischenzeit«, sagte Ebbers, »lassen Sie Ihren Scarsdale-Schläfer festnehmen, fahren hin und verhören ihn. Vielleicht zeigt Ihr Charme bei ihm ja eine ebenso nutzbringende Wirkung wie bei Janine Achar.«

Schlagartig wurde Laramie bewusst, dass sie das, was Ebbers ihr gerade aufgetragen hatte, schon längst hätte tun sollen. Achar hatte seine Bombe gezündet, bevor irgendjemand die Gelegenheit gehabt hatte, mit ihm zu sprechen, und so hatte Laramie sich nur noch mit seiner Witwe unterhalten können. Aber jetzt hatten sie die Chance, einen von Achars Genossen zu verhören, solange dieser noch gesund und munter war.

»Keine Ahnung, wieso ich das nicht schon längst ...«

»Sobald der Nächste von denen eine Baumschule oder einen Baumarkt ansteuert, schlagen wir zu und nehmen sie alle hopps«, sagte Ebbers. »Und dann löse ich sofort Großalarm aus. Die Leiter der aufgelösten Sonderkommission bekommen sämtliche neuen Informationen, die durch einen ›Sonderermittler‹ in unsere Hände geraten sind, und ich nehme an, dass die Kommission dann unverzüglich alle die Maßnahmen einleitet, die Sie vorgeschlagen haben.«

»Genau«, sagte Laramie. »Großalarm.«

Für einen kurzen Augenblick war nur das Rauschen der Leitung zu hören.

Dann sagte Ebbers' elektronisch verzerrte Stimme: »Also dann«, und das rote Lämpchen des Spinnentelefons kam flackernd zum Erlöschen. Die Leitung war tot.

49

Cooper hatte wohl einen Großteil, aber vermutlich nicht alle Überwachungskameras auf seiner Seite des Hauses entdeckt. Dazu kam noch eine Fußpatrouille, bestehend aus zwei Mann, die durch das Außengelände spazierten, sowie ein paar Geheimdiensttypen, die neben zwei schwarzen Chevrolet Suburbans an der Vorderfront herumhingen.

Das Haus hatte einige Schwachstellen, die weitgehend in seiner historischen Bauart begründet lagen. Dazu gehörten auch die Bleiglasfenster, die beibehalten worden waren, um das authentische *Hacienda*-Erscheinungsbild des Gebäudes zu erhalten. Trotzdem ... Cooper hatte Fotos von Márquez' Weinkeller gesehen und ging außerdem, in Anbetracht der panischen Reaktion seines siebten Sinns, fest davon aus, dass sich unter dem Boden zu seinen Füßen ein Labyrinth aus Gängen und Räumen befand, das ursprünglich als Gefängnis und Folterkammer gedient hatte. Also bestätigte er noch einmal die Entscheidung, die er schon beim Betrachten der durch Laramies Betreuer beschafften Bilder gefällt hatte: Der sicherste Weg ins Innere des Hauses war der unterirdische.

Von außen waren keinerlei Stromleitungen, Fernsehkabel oder andere Versorgungseinrichtungen zu erkennen. Er suchte und fand die Klimaanlage, die neben ein paar tropischen Grünpflanzen in einem Beet mit Rindenmulch vergraben war. Ganz wie er vermutet hatte waren in diesem Technologie-Park nicht nur diverse Wärmetauscher gepflanzt worden, sondern auch verschiedene Verbrauchsmessgeräte. Inmitten all der Gas-, Wasser- und Stromzähler entdeckte er einen größeren Kasten, den er zunächst nicht zuordnen konnte. Nach einer Weile kam er dahinter, dass es sich um einen Kabelverteiler handelte, der wahrscheinlich eine ganze Kleinstadt mit Fernsehbildern hätte versorgen können. Er hatte das Schloss aufgebrochen und hinter der Türklappe kleine Schilder mit spanischer Beschriftung entdeckt. Sie bezeichneten die unterschiedlichen Leitungen und Verteilerknoten für insgesamt dreiundvierzig Fernsehgeräte.

Salvadorianische Steuergelder im harten Einsatz, dachte er.

Seine Theorie wurde bestätigt, als er eine rechteckige Abdeckplatte entdeckte. Sie lag versteckt unter der Rindenschicht hinter den verschiedenen Zählerkästen und Behältern. Mit Hilfe des Messers, das er für eventuelle handgreifliche Begegnungen mit dem Sicherheitspersonal mitgebracht hatte, löste er den schweren Metalldeckel aus seiner Halterung und brachte darunter ein breites Band aus Kabelsträngen und Rohrleitungen zum Vorschein, die von einem übergroßen Kabelbinder zusammengehalten wurden.

Alle diese Versorgungsleitungen schlängelten sich mehr oder weniger geordnet auf das Haus zu, und zwar am Rand eines Tunnels, der irgendwie an einen Bergwerksschacht erinnerte.

Cooper erkannte sofort, was dieser Tunnel ursprünglich einmal gewesen war und was die alten Geister ihm aus den Wänden zuflüsterten. Flecken würden zwar keine mehr zu sehen sein, aber er war sich sehr sicher, dass in diesen Tunnelgängen schon viel Blut geflossen war. Wenn er lange genug hindurchging ohne zu blinzeln, dann würde er anfangen, die roten Spritzer zu sehen, selbst, wenn sie nur in seiner Einbildung existierten.

Er zog seine Maglite hervor und untersuchte den Rand des Einstiegs auf Sensoren oder andere Alarmvorrichtungen. Am eigentlichen Rand war nichts zu erkennen, aber unten auf dem Boden des Tunnels, nahe der Stelle, an der er landen würde, meinte er einen Bewegungsmelder zu erkennen.

Er war gerade dabei zu überlegen, ob er dem Ding eine Kugel verpassen sollte, als plötzlich eine quäkende, zweistimmige Alarmsirene in die Stille platzte. Das ohrenbetäubende Kreischen stürmte von allen Seiten auf ihn ein, so laut, als sei es ein fester Bestandteil der Atemluft.

Mit einem dumpfen *tschak* erwachten nun an der Außenfront des Gebäudes Scheinwerfer zum Leben, die genauso hell waren wie die, die den smaragdgrünen Rasen beleuchteten, und tauchten Cooper in ein plötzliches, gleißend helles Licht. Jetzt legte sich das schrille, durchdringende Kreischen einer weiteren Sirene über das zweistimmige Plärren der ersten, und das Ganze erreichte eine gewaltige Lautstärke, sodass Cooper jeden Augenblick damit rechnete, dass ihm das Trommelfell platzte.

Eigentlich glaubte er nicht, dass er mit seinem Blick in den Wartungsschacht den Alarm ausgelöst hatte, aber das spielte jetzt auch keine Rolle mehr. Er hatte sowieso keine große Wahl. Also jagte er ein paar Kugeln in den Bewegungsmelder auf dem Tunnelboden, griff nach der Schachtabdeckung, sprang in das Loch, zog die Abdeckung wieder in die vorgesehenen Halterungen und duckte sich.

Bestimmt haben sie einen der toten Wachposten gefunden, dachte er, während die Dunkelheit des unterirdischen Ganges ihn umschloss. *Da hast du dir ja einen verdammt großartigen Plan zurechtgelegt.*

Er schaltete die Taschenlampe ein und sah sich unvermittelt einer antiken Tür gegenüber, nur anderthalb Meter von ihm entfernt. Die Schlange der Versorgungsleitungen verschwand durch ein kleines, viereckiges Loch, das aus der Tür ausgesägt worden war. Die Tür selbst bestand aus Holz und Eisen. Sie besaß einen ringförmigen Griff, der aussah wie ein Türklopfer, sowie ein Vorhängeschloss und eine Kette, beide neueren Datums. Die Kette schmiegte sich eng um einen in die Wand eingelassenen Pfosten.

»Wird wohl ein bisschen wehtun«, sagte er, nahm seine MP-5 in die Hand, richtete sie auf die alten, rostigen Angeln und hielt den Abzug so lange gedrückt, bis die automatische Waffe eine Salve von zehn, fünfzehn Kugeln ausgespuckt hatte. Er versuchte, die beiden Türangeln mit Schüssen zu umkreisen, wurde jedoch durch das Mündungsfeuer geblendet und von Querschlägern an Schulter und Oberschenkel getroffen. So kam es, dass er, noch bevor er alle geplanten Schüsse abgegeben hatte, die Waffe fallen ließ, sich auf den Boden kauerte und die Arme schützend vor den Kopf legte. Als das kreischende Echo der Querschläger in seinem Kopf endlich aufgehört hatte, untersuchte er im Schein der Taschenlampe die Tür, schob das Gewehr auf den Rücken, senkte den Kopf und warf sich mit voller Wucht gegen die Tür.

Das alte Ding bot nur wenig Widerstand, brach aus den Angeln, und Cooper flog im hohen Bogen in das sich dahinter befindende Nichts. Zu spät erkannte er, was er da soeben gemacht hatte, und fing an, die Tür wieder hinzustellen, sodass sie ungefähr wieder so aussah wie vor seiner Verwüstungsattacke. *Jetzt wissen sie also, auf welchem Weg ich reingekommen bin – zumindest wenn sie schlau genug sind, die Abdeckung aufzumachen und die zerschossene Tür sehen.*

Vielleicht sind sie ja nicht schlau genug.

Andererseits, vielleicht ja doch ... immerhin ist er ihr Präsident.

Das war der Augenblick, als die Klaustrophobie ihn überfiel.

Gerade eben hatte er noch völlig rational über seinen Plan nachgedacht, doch schon im nächsten Augenblick konnte er nicht mehr atmen, nicht mehr stehen, nicht mehr denken. Er sank zunächst auf das eine, dann auf das andere Knie. Er kam sich vor, als laste die Kellerdecke mit ihrem gesamten Gewicht auf seiner Brust, als würden seine Lungen langsam kollabieren, sodass er mit jedem Atemzug ein kleines bisschen weniger Sauerstoff aufnehmen konnte, bis seine Lungenflügel ihren Dienst versagten und er, wie ein Asthmatiker, keinen einzigen Kubikzentimeter Luft mehr einsaugen konnte. Er streckte die Arme aus, drückte die Hände gegen die Wand, versuchte seinen Verstand davon zu überzeugen, dass er genügend Platz, genügend Luft hatte, aber er spürte nur, wie die Wände näher kamen und ihn erdrücken wollten. Plötzlich brach Schweiß aus seinen Poren, ein lauwarmer, salziger Wassersprenger, den die Hitze zum Leben erweckt hatte.

Er wollte *Scheiße!* schreien, aber er konnte nicht. Er wollte sich selbst sagen hören: *Das stimmt doch alles gar nicht! Du verlierst gottverdammt noch mal den Verstand!* Aber er konnte nicht.

Steh auf und verschwinde, kam es aus einer weniger traumatisierten Ecke seines Gehirns, *solange du noch kannst. Du musst dir ein Versteck suchen. Deine Vergangenheit oder die Geister dieses Tunnels oder alle beide rauben dir den Verstand. Such dir lieber ein Örtchen, wo ein Eindringling, der sich in Embryonalstellung zusammengerollt an eine Mauer drückt, nicht entdeckt werden kann, und zwar möglichst bald.*

Er fing an, auf Knien zu kriechen, stellte sich dann erst auf das eine, dann auf das andere Bein, schob sich immer tiefer in den schrumpfenden Tunnel, Zeitlupenschritt um Zeitlupenschritt, unfähig zu atmen und mit vom Schweiß verschleiertem Blick. Er hatte das Gefühl, als stecke er bis zum Hals in Melasse, aber er kämpfte sich weiter, und nach zwanzig Schritten stand er vor der nächsten Tür. Sie war geschlossen, hatte aber kein Vorhängeschloss. Er mühte sich ab, spürte, wie die Kraft aus seinen Armen schwand, und bekam sie schließlich doch auf. Dahinter befand sich eine Tunnelgabelung. Er versuchte sich klarzumachen, welcher Gang ihn am weitesten vom Haus wegführen würde, und schlug diese Richtung ein.

Cooper irrte kreuz und quer durch die Gänge, ohne Orientierung, ohne etwas wahrzunehmen, und so kehrte er zurück in die Hölle seiner Vergangenheit, versank im Nebel der immer ungestümer auf ihn einstürmenden Phobien und posttraumatischen Stressattacken. Er wusste nicht, wie lange es gedauert hatte, er wusste nur, dass er sich irgendwo in den Tiefen des Labyrinths befand, bevor er sich beinahe automatisch für ein Versteck entschied. Sein geschwächter Geist war nicht mehr länger in der Lage, sich gegen die triefenden Schweißporen, die resignierenden Lungen und die kreischenden Kopfschmerzen zur Wehr zu setzen, versagte den Dienst, und er fiel als schweißüberströmter, keuchender Kartoffelsack zu Boden. Er zog die Beine dicht an den Körper, umschlang sie und blieb liegen, versuchte, sich irgendwie warm zu halten, und wurde doch von einem Schüttelfrost erfasst, wie er ihn regelmäßig im Verlauf seiner ständig wiederkehrenden Alpträume erlebte.

Er verlor das Bewusstsein, ohne auch nur einen Hauch von Erlösung zu empfinden.

50

Die drei Weisen – wie Laramie ihr Team in Anlehnung an Coopers deutlich respektloseren Spitznamen nannte – beschlossen, einen Kopfgeldjäger zu engagieren, der den Schläfer überwältigen und zu einer heruntergekommenen Ranch in

Yonkers bringen sollte. Dort hatte Detective Cole seine Kindheit verbracht, und er erzählte, dass er das Gebäude nach dem Tod seiner Mutter vor acht Jahren geerbt hatte. Das alte Haus, an dem überall die Farbe abblätterte, lag vierzig Autominuten vom Haus des Schläfers entfernt, und soweit Laramie es mitbekommen hatte, hatten der Kopfgeldjäger, seine Mitarbeiter sowie ihre Beute die Fahrt in einem gemieteten Kleinbus ohne Zwischenfälle hinter sich gebracht.

Cole beteuerte, dass außer dem Briefträger wirklich nie jemand in die Nähe des alten Hauses kam. Er behauptete auch, dass er gerade dabei war, es zu renovieren, doch als Laramie, nachdem sie das Taxi in bar bezahlt hatte, die Eingangstreppe emporstieg, konnte sie keinerlei Anzeichen für irgendwelche Renovierungsarbeiten entdecken. Den Schläfer, der sich im Augenblick Anthony Dalessandro nannte, hatten sie in den Keller gebracht. Im Flur wurde Laramie von einem stiernackigen Mitarbeiter des Kopfgeldjägers begrüßt. Offensichtlich war die ganze Truppe auch nach der Festnahme noch in voller Montur, und so begrüßte er sie mit festem Händedruck und in einem blauen Anorak, wie ihn auch FBI-Agenten bei Festnahmeaktionen in der Öffentlichkeit trugen. Der einzige Unterschied bestand in der Beschriftung des Anoraks – auf seinem war in Ermangelung einer überzeugenderen Legitimation KAUTIONSAGENT zu lesen.

Der »Kautionsagent« begleitete Laramie die knarrende Kellertreppe hinunter. Der Kellerboden war mit Kieselsteinen belegt und machte stellenweise einen ziemlich feuchten Eindruck. Die Wände schienen lediglich aus einsturzgefährdeten und mit Wasserflecken übersäten Steinhaufen zu bestehen.

Dalessandro saß auf einem Stuhl im hinteren Teil des Kellerraumes. Seine Hände waren hinter der Stuhllehne mit Kabelbindern zusammengebunden, während die Knöchel separat an je eines der vorderen Stuhlbeine gefesselt waren. Ein rechteckiges Stück schwarzes Klebeband war quer über seinen Mund gespannt und ein gelbes Seil doppelt um seinen Brustkorb geschlungen worden. Er war bewusstlos.

Ein Mann – eine schlankere und langhaarigere Version ihres Begleiters und auch nicht größer als Laramie mit ihren eins zweiundsechzig – kam auf sie zu und schüttelte ihr die Hand, ohne sich vorzustellen oder sie nach ihrem Namen zu fragen. Laramie wusste, dass es sich um den Chef der Kopfgeldjäger handelte. Als er ihre Hand losließ, stellte sie fest, dass sie dieses Mal nicht das Gefühl hatte, ihre Finger würden gleich zu Staub zerfallen. Das war nach dem Händedruck des Typen, der sie die Treppe heruntergeführt hatte, anders gewesen.

»Tag«, sagte der Kopfgeldjäger. Seine Stimme hörte sich beinahe sanft an. »Angesichts der Besonderheit dieses Auftrags gehen wir davon aus, dass Sie während Ihrer ›Unterredung‹ mit der Zielperson auf keinen Fall gestört werden möchten. Daher, Madam, empfehle ich, dass wir das Klebeband von seinem Mund entfernen, damit er mit Ihnen sprechen kann, ihn aber ansonsten so lassen, wie er ist. Gefesselt. Wir halten uns so lange oben in Bereitschaft.«

»Hört sich gut an«, erwiderte Laramie. Dann dachte sie, dass der Schläfer möglicherweise nicht besonders gesprächig sein würde, solange er an den Stuhl gefesselt war. Aber andererseits ging sie sowieso nicht davon aus, dass sie ihm allzu viel Wissenswertes entlocken konnte. Und nur um nichts Neues zu erfahren, würde sie nicht ihr Leben aufs Spiel setzen. Also beschloss sie, auf Nummer sicher zu gehen, besonders, da sie keinen Aufpasser bei sich haben würde. Diesbezüglich hatte der Kopfgeldjäger vollkommen Recht. Weder er noch einer seiner Mitarbeiter durften dieses Gespräch mithören.

»Falls es Ihnen lieber ist, können wir auch draußen im Wagen warten«, sagte er. »Aber mir ist eigentlich immer wohler, wenn ich ein bisschen in der Nähe blieben kann, in Jagddistanz, sozusagen.«

Laramie nickte. Sie brauchte keine nähere Erklärung.

»Einverstanden«, sagte sie.

Der Kopfgeldjäger trat hinter sie, schnappte sich den Plastik-Klapptisch, den er dort abgestellt hatte, und stellte ihn vor den Schläfer. Dann machte er den gleichen Weg noch einmal und brachte einen zweiten Stuhl zum Vorschein, sodass Laramie sich ebenfalls setzen und Dalessandro von der gegenüberliegenden Tischkante aus ins Visier nehmen konnte.

Dann nickte er lächelnd.

»Rufen Sie einfach ›Hilfe‹, oder machen Sie irgendwie Lärm«, sagte er. »Wir kommen sofort runter.«

»Aus der Jagddistanz«, sagte Laramie.

»Genau, Madam.«

»Danke.«

»Oh«, sagte der Kopfgeldjäger nun. »Fast hätte ich's vergessen.«

Noch ein letztes Mal ging er zu seinem Vorratslager an der Wand, nahm einen schweren Eimer, trat neben Dalessandro, hob den Eimer hoch und schüttete dem komatösen Schläfer eine komplette Ladung Flüssigkeit über den Kopf. Aus der sich anschließenden Reaktion schloss Laramie, dass es sich um eiskaltes Wasser handeln musste.

Dalessandro war schlagartig wach, die Augen weit aufgerissen. Fieberhaft saugte er Luft durch die Nasenlöcher, schickte panische Blicke durch den düsteren Keller, suchte nach einem Hinweis darauf, wo und weshalb er da war. Der Kopfgeldjäger war Dalessandro beim Luftholen behilflich, indem er ihm mit einer schnellen Bewegung das Klebebandrechteck von den Lippen riss. Laramie hatte den Eindruck, als hätte es höllisch weggetan.

Dalessandro holte ein paar Mal tief Luft.

»Bitte schön«, sagte der Kopfgeldjäger zu Laramie. Er ging die Treppe hinauf und machte die Kellertür hinter sich zu.

Laramie wartete stehend ab, bis der Schläfer sich halbwegs beruhigt hatte. Als sie sah, dass er begriffen hatte, dass nur eine relativ unbedrohlich wirkende Frau vor ihm stand, kam sie an den Tisch, ließ die Akte, die sie mitgebracht hatte, darauf plumpsen, setzte sich und zog den Stuhl schön dicht an den Tisch.

»Hallo, Tony«, sagte sie.

Dalessandro blies ein paar Wassertropfen von seiner Nasenspitze und nahm die Gelegenheit wahr, den Blick noch einmal durch den Keller schweifen zu lassen. Nach einer Weile richtete er seine dunklen Augen auf Laramie und blickte sie einige Minuten lang verwirrt an.

»Wer, zum Teufel, sind Sie?«, sagte er.

Er sprach ohne nennenswerten Akzent, vielleicht mit einem winzigen Schuss Ostküste, wie es seiner angenommenen Identität entsprach, aber ansonsten ziemlich neutral, wie ein Nachrichtensprecher.

»Oder auch, dichter am Thema«, sagte Laramie. »Wer sind Sie?«

»Was reden Sie denn da? Was ist denn hier los? Eben sitze ich noch auf meinem Sofa und trinke ein Bier, und dann kommen plötzlich diese Schlägertypen reingestürmt und schmeißen mich auf den Boden, und ich wache hier in diesem gottverdammten Keller wieder auf.«

»Einen Teil meiner Frage kann ich für Sie beantworten«, sagte Laramie. »Wir wissen zumindest ganz sicher, dass Sie *nicht* Anthony Dalessandro sind. Es sei denn, Sie wären im Alter von sechs Jahren an Leukämie gestorben, aber anschließend bei bester Gesundheit wieder zum Leben erweckt worden.«

Vielleicht war in seinem Blick gerade so etwas wie ein erster Funke von etwas aufgeblitzt, was nicht Verwirrung oder Wut war … aber falls ja, dann hielt dieser Funke ungefähr genauso lange an, wie ein Funke eben anhält.

»Ich heiße Tony Dalessandro«, sagte er, »und ich habe immer noch keine Ahnung, was Sie da eigentlich reden.«

»Sie sind ziemlich gut«, erwiderte Laramie. »Wissen Sie, was sie einem bei der CIA als Allererstes beibringen? ›Niemals von deiner Geschichte abrücken.‹ Selbst, wenn sie dich auf frischer Tat ertappt haben, besteht immer noch die Möglichkeit, dass sie Zweifel bekommen, ob du wirklich getan hast, was sie dir vorwerfen, solange du deine Schuld nicht eingestehst. Sie wissen doch, was die Central Intelligence Agency ist, oder? Ich bin mir sicher, dass man Ihnen das während Ihrer Ausbildung unter dem Hügel bei San Cristóbal ausführlich beigebracht hat.«

Ein kurzes, zorniges Aufflammen, das Laramie in etwa mit *Wie, zum Teufel, kannst du das wissen, ich bring' dich um* interpretierte, aber auch dieser Blick, ob eingebildet oder nicht, war genauso schnell verschwunden, wie er gekommen war.

Laramie wusste, dass Dalessandro, beziehungsweise der Mann, der sich so nannte, sechsunddreißig Jahre alt und Single war. Er wohnte zur Miete in einem Häuschen mit drei Zimmern und zwei Badezimmern, war als Vorarbeiter bei einem großen Wohnungsbauunternehmen beschäftigt, bis über beide Ohren verschuldet und mit einem verdammt attraktiven Äußeren gesegnet. Die Wirkung dieses Äußeren hatte er, seitdem sie ihn unter Beobachtung hatten, fast tagtäglich bei einer anderen Frau ausprobiert. Da lag ganz offensichtlich auch die Ursache für seinen stetig wachsenden Schuldenberg. Seine zahlreichen Kreditkartenauszüge machten deutlich, dass Tony sehr viel Geld für Abendessen, Wochenendausflüge, Sportveranstaltungen, Privatvorstellungen in unzähligen Strip-Lokalen sowie praktisch jede andere bis zum heutigen Tag erfundene Form des Vorspiels ausgegeben hatte.

Nicht ganz vergleichbar mit Benjamin Achar, dachte Laramie. Aber in gewisser Weise vielleicht doch: Beide schienen das Leben, das sie leben wollten, in vollen Zügen zu genießen. Das Problem aus Laramies Sicht bestand darin, dass es nichts zu geben schien, mit dem man ihn bedrohen konnte. Er hatte, im Gegensatz zu Achar, keine Familie, und er hatte den Kunstdünger bereits gekauft. Offensichtlich war er also fest entschlossen, seinen Auftrag zu erfüllen. Wie bringt man so jemanden dazu, Geheimnisse preiszugeben, die Márquez, Fidel oder sonst irgendjemand aus der Riege der Staatsfeinde ihm möglicherweise anvertraut hatten?

Sie entschied sich für die einzige Strategie, die sie in der Jet-Blue-Maschine auf dem Flug von Fort Myers nach New York entwickelt hatte.

»Ich dachte, ich schenke mir den Teil, wo wir um den heißen Brei herumreden«, sagte sie. »Wir haben Sie beobachtet, Tony. Sie und Ihre Kollegen. Wir haben den Kunstdünger und das Dieselöl, die Sie heute Vormittag gekauft haben, beschlagnahmt. Wir haben Ihr Haus durchsucht und die Reagenzgläser mit dem Filovirus entdeckt und ebenfalls beschlagnahmt. Wir wissen, wo Sie ausgebildet wurden. Wie wissen, wer Sie geschickt hat, wann und wie. Aber wollen Sie wissen, warum ich so direkt zum Punkt komme?«

Er betrachtete sie mit mäßigem Interesse. Sie hatte sich einen Teil seiner Aufmerksamkeit gesichert ... aber ob sie das auch einen Schritt weiterbringen würde, konnte niemand sagen.

»Ich habe den Austausch von Höflichkeiten in Ihrem ureigensten Interesse übersprungen. Die Organisation, die Sie gefangen genommen hat, ist nicht die Central Intelligence Agency. Das ist für Ihre Situation durchaus von Bedeutung, da die CIA genau wie jede andere amerikanische Regierungsorganisation sich regelmäßig mit irgendwelchen kleinlichen internationalen Gesetzen herumschlagen muss. Mit Dingen wie Bürgerrechten und Gerichtsverfahren. Zumindest im Normalfall.«

Sie zuckte mit den Schultern.

»Die Leute, für die ich arbeite – die Leute, die Sie hierhergebracht haben –, müssen sich um all das nicht weiter kümmern. Dazu kommt noch, Tony, dass Sie in Wirklichkeit gar nicht existieren. Daher würde ich sagen, die einfachste Lösung für diese ganze Filovirus-Verschwörung ist, zumindest was Ihren Part anlangt, ziemlich einfach. Nach unserem Gespräch werden Sie einfach vom Erdboden verschluckt. Ich glaube, da, wo Sie herkommen, nennt man das ›verschwinden‹ ... Sie werden einfach ›verschwinden‹. Kein Prozess, keine Strafe. Eine Kugel. Zwei, falls nötig.«

Sie stand auf wie jemand, der alles gesagt hatte, was zu sagen war.

»Sollten Sie Interesse haben«, fuhr sie fort, »dann kann ich Ihnen eine Alternative dazu anbieten. Ansonsten sterben Sie in einer Stunde als anonymer Versager. Gute Nacht.«

Sie lächelte ihn freundlich an und wandte sich zum Gehen.

Als sie die wackelige, alte Treppe schon halb erklommen hatte, hörte sie eine Art verschleimtes Knurren, das möglicherweise ein Räuspern aus Anthony Dalessandros Kehle gewesen war. Andererseits konnte das Geräusch genauso gut auch aus einer der Rohrleitungen an der Wand gekommen sein, also ging sie weiter bis zur Tür. Erst, als sie sie geöffnet hatte, sagte Dalessandro: »Einen Augenblick noch, Lady.«

Der Kopfgeldjäger und ein anderer, ebenfalls sehr breitschultriger Helfer saßen am Küchentisch und verzehrten den Inhalt etlicher Pizzaschachteln sowie Cola Light aus der Dose.

»Dauert noch ein paar Minütchen«, sagte sie, machte die Tür wieder zu und stieg die Treppe wieder hinab.

»Sie haben den Falschen erwischt. Ich habe nicht das Geringste mit dem allem zu tun, wovon Sie da reden.«

Nach Laramies Erfahrung war der Satz »Sie haben den Falschen erwischt« praktisch gleichbedeutend mit einem Geständnis. Sie beschloss jedoch mitzuspielen und ihm die Geschichte zu lassen, mit der er glaubte, sie überzeugen zu können.

»Da gibt es noch was«, sagte Dalessandro mit erstickter Stimme. Er räusperte sich erneut, und es klang genauso wie zuvor, als sie die Treppe hinaufgestiegen war. »Da gibt es noch was, was man bei der CIA angeblich beigebracht bekommt. Habe ich gehört oder zumindest bei *CSI* und *Law & Order* im Fernsehen gesehen. Dass man den Bullen erzählen soll, was die hören wollen, wenn sie einen geschnappt haben. Wenn man das macht, dann lassen sie einen in Ruhe. Handeln irgendeinen Deal aus. Oder lassen einen laufen. Also, was will Ihre Organisation denn hören? Sagen Sie's mir, und dann verrate ich's Ihnen, und Sie können mich gehen lassen, und ich kann in Ruhe meinen Rasen düngen.«

So lässig, wie er mit dieser Situation umging, sah Laramie sich in der Vermutung bestätigt, die sie schon vor ihrer Ankunft gehabt hatte: Dass er ihr nämlich nicht viel sagen würde, aber vielleicht trotzdem ähnliche Tendenzen offenbarte wie Achar. Könnte doch sein, dachte sie, dass ihm sein »Tiefschläfer«-Leben gefällt, und falls er aus irgendeinem Grund glaubt, dass er es auf die eine oder andere Weise zurückbekommen kann, etwa im Rahmen eines Zeugenschutzprogramms oder etwas Vergleichbarem, dann gibt er uns vielleicht wenigstens *irgendwas.*

»Du bist ein schlaues Kerlchen, Tony«, sagte sie dann. »Ich habe bei den Leuten, für die ich arbeite, einen gewissen Einfluss und damit will ich Folgendes sagen: Wenn ich ein gutes Wort für dich einlege, dann bleibt dir die sofortige Exekution erspart. Also dann, sag mir, was ich hören will – auch wenn es nicht das Geringste mit dieser ganzen Selbstmordattentatsgeschichte zu tun haben sollte. Vielleicht hast du ja was davon.«

Abwartend rutschte er auf seinem Stuhl hin und her.

»Ich habe ja meine Zweifel, ob du uns überhaupt behilflich sein kannst, Tony. Ich glaube, du bist einfach so eine isolierte Arbeitsbiene, die nichts anderes zu tun hat, als sich zu assimilieren, bis sie den Befehl bekommt, ihre sinnlose Existenz zu beenden und sich in die Luft zu jagen.«

... aber ich wette, deine Kameraden aus San Cristóbal haben alle ihre Anweisungen genauestens befolgt und darüber würde ich gerne ein bisschen mehr erfahren ...

»Aber was soll's«, fuhr sie fort. »Wenn du mir erzählst, wie du erfahren hast, dass du die Zutaten für deine Geländewagenbombe einkaufen sollst, dann überlege ich mir, ob ich ein gutes Wort für dich einlege. Wie war das Zeichen?«

Dalessandro knurrte, und vielleicht kicherte er auch oder räusperte sich wieder einmal. Laramie konnte es nicht genau sagen. Dann wandelte sich das Geräusch, wurde zu einem klar erkennbaren Kichern und schließlich zu einem gleichförmigen, gehässigen Lachen.

Dalessandro war durch und durch zufrieden mit sich und lachte ununterbrochen weiter, bis er sich langsam beruhigte und zu seinem schleimigen Räuspern zurückfand. Als es soweit war, senkte Dalessandro den Kopf und starrte sie an. Seine tief liegenden und von schweißnasser Haut umgebenen Augen blickten ausdruckslos, schwarz und längst schon tot aus ihren Höhlen.

Seine nächsten Worte hatten einen ursprünglichen, schweren und seltsam klingenden Akzent, den Laramie nicht einordnen und nur schwer verstehen konnte.

»Viel Glück, du Schlampe«, sagte er. »Viel Glück bei der Suche nach uns. Viel Glück dabei, uns aufzuhalten. Alle einhundertsiebzehn von uns.«

Laramie spürte einen eisigen Schauer ihren Rücken hinunterlaufen.

»Das hast du nicht gewusst, du Schlampe, was? Ganz genau – du hast keinen gottverdammten Schimmer – *keinen gottverdammten Schimmer*, was da auf euch zukommt. Die anderen findet ihr niemals. Ganz egal, was ich euch erzähle. Einen *Scheiß* werd' ich euch erzählen. Also bringen wir's hinter uns. Leg mich um, du Schlampe, na los! Nun mach schon!«

Er machte die Andeutung eines Versuchs, aufzuspringen und sie anzugreifen, doch es gelang ihm lediglich, seine Fesseln ein wenig zu dehnen und mitsamt dem Stuhl ein paar Zentimeter nach vorne zu hüpfen. Die Adern an seinem Hals waren zum Platzen gefüllt und die hervorquellenden Augen voll blindem Hass, sodass Laramie seinen sinnlosen kleinen Hüpfer als Ausdruck eines unstillbaren Zorns interpretierte – eines Zorns, der, wie sie annahm, terroristische Aktionen geradezu erzeugte.

Im selben Augenblick erkannte Laramie zwei Dinge. Erstens: Sie konnten diesen Typen auf jede nur erdenkliche Art und Weise foltern, er würde ihnen trotzdem niemals auch nur den Hauch seines Geheimnisses verraten. Und zweitens, auch wenn das eigentlich von vorneherein klar gewesen war: Jemand, der sich erst ausbilden lässt, anschließend über ein Jahrzehnt lang mit Hilfe einer falschen Identität untertaucht und schließlich eine Massentötung vorbereitet, muss zwangsläufig von einem solch unbändigen Hass angetrieben werden, dass er sich von keiner Drohung, keinem Gesetz, keiner Präventivstrategie aufhalten lässt.

Auch wenn Benjamin Achar durch Janine und Carter die Liebe gefunden hatte, für Laramie stand jetzt mit absoluter Sicherheit fest, dass es ihnen niemals gelingen würde, diese Armee von ihrem Vorhaben abzuhalten. Die Chancen, dass man der wahren Liebe begegnet, stehen sowieso nur eins zu einer Million, oder doch zumindest sehr viel schlechter als eins zu sechs, dachte sie.

Zum ersten Mal seit ihrem Treffen mit Lou Ebbers in der Kongressbibliothek kam ihr der Gedanke, dass sie vermutlich sterben würde. Dass sehr viele Menschen sterben würden. Wie immer Márquez' Schläfer-Armee es auch bewerkstelligt haben mochte, jetzt waren sie fest in ihrer US-amerikanischen Umgebung verwurzelt, und was immer sie in solch furchtbare Wut versetzt haben mochte – ein Genozid, die Todesschwadronen, was auch immer –, es war für diese Menschen so schmerzhaft gewesen, dass sie jetzt keinen anderen Wunsch mehr hatten, als sie alle zu vernichten.

Und wer, zum Teufel, soll sie daran hindern?

Ich?

Da vibrierte etwas an ihrer Hüfte ... das GPS-Gerät, das sie von ihrem Betreuer bekommen hatte. Es diente gleichzeitig auch als Handy, und ihr Team hatte ihre Nummer. Sie war deshalb so überrascht, weil es bis zu diesem Augenblick noch nie geklingelt hatte.

»Ja«, sagte sie.

»Laramie.«

Das war Rothgeb.

»Die anderen Schläfer sind aktiv geworden«, sagte er. »Nicht alle, aber zwei von fünf. Beide waren gerade bei einem Gartengeschäft oder einem Baumarkt und haben mehr oder weniger dieselbe Menge Kunstdünger gekauft wie dein Freund aus Scarsdale.«

»Mist«, sagte sie und unterdrückte das Bedürfnis, sich nach Cooper zu erkundigen.

Sie wusste, dass er ihr Bescheid gesagt hätte.

Laramie ließ ihren Betreuer ans Telefon holen und sagte,

nachdem er sich gemeldet hatte: »Rufen Sie sofort Ebbers an, auch wenn Sie ihm den neuesten Stand schon mitgeteilt haben.«

»Kein Problem«, erwiderte er.

»Sagen Sie ihm, dass es Zeit ist, Großalarm auszulösen. Sagen Sie ihm, es ist Zeit – um mit seinen Worten zu sprechen –, dass die Regierung, die Medien und alle Bewohner des Landes ihre Fenster und Türen verrammeln und sich vor dem großen Sturm in Sicherheit bringen.«

51

Als Cooper wieder zu sich kam, stellte er fest, dass sein Körper sich von der toxischen Überdosis an posttraumatischem Stress erholt hatte … oder was immer es gewesen ist, dachte er, das mich zu einem undefinierbaren, hyperventilierenden Klumpen hat werden lassen. *Aber das hat man wahrscheinlich davon, wenn man der schlimmsten Episode seiner eigenen Vergangenheit einen Besuch abstattet – man legt tatsächlich den Rückwärtsgang ein, und dein Körper will sich nur noch einigeln und abwarten, ob er vielleicht in irgendeinen Mutterleib zurückschlüpfen kann.*

Sein erster Gedanke nach dem Aufwachen war: *Jetzt bist du im Arsch.* Selbst wenn die Schutztruppe der Präsidenten-Residenz glaubte, dass der Eindringling in die Wälder geflohen war und sich nicht in die Eingeweide der Bestie vorgewagt hatte, sie würden das Gebäude mit Sicherheit rund um die Uhr scharf bewachen, zumindest während der nächsten Tage. Und solange es keine eindeutigen Hinweise darauf gab, dass er sich tatsächlich verzogen hatte, würden sie sich in erhöhter Alarmbereitschaft halten müssen.

Cooper wusste auch, dass die Wachmannschaft davon ausgehen musste, dass es sich bei diesem Eindringen um ein versuchtes Attentat auf Márquez gehandelt hatte, auch wenn der Versuch möglicherweise abgebrochen worden war. Das Entscheidende daran war, dass er sich keine allzu großen Hoffnungen auf eine Rückkehr nach Hause zu machen brauchte, von einer Liquidierung des Präsidenten ganz zu schweigen. Im Augenblick war die Tatsache, dass er seiner Gefangennahme und der anschließenden Folter entgangen war, schon Befriedigung genug. Wenigstens konnte er sich jetzt, wo sein ausgeflippter Körper sich wieder halbwegs beruhigt hatte, das Ganze in Ruhe durch den Kopf gehen lassen. *Könnte doch sein, dass es noch einen Plan C oder D gibt, mit dem du dich irgendwie in die Nähe dieses Typen durchschlagen kannst.*

Er setzte sich in dem nasskalten Tunnel auf.

Es machte ihm zwar unglaublich viel Spaß, Laramie mit irgendwelchen Spielchen so hoch wie möglich auf die Palme zu treiben, aber da war immer noch sein Auftrag, den auch er, als starrsinnigstes Mitglied ihres Teams, mittlerweile für ziemlich bedeutsam hielt.

Nachdem er Laramies Unterlagen aus dem Ermittlungsdossier studiert hatte, den Erlebnispark von San Cristóbal aus nächster Nähe betrachtet und dieses gottverdammte Pentagon-Memo gelesen hatte ... zum Teufel, schon vor seinem Absprung aus der MU-2B hatte Cooper den Schluss gezogen, dass die Bevölkerung der Vereinigten Staaten bis über beide Ohren in der Scheiße steckte. Waren die Ausknipser der US-Regierung, die schon Cap'n Roy und die anderen auf dem Gewissen hatten, letztendlich auch dafür verantwortlich, dass die Bevölkerung ihres eigenen Landes in der momentanen Situation vor lauter Scheiße nicht einmal mehr aus den Augen schauen konnte? Wahrscheinlich ... nein, hundertprozentig ja.

Aber das war jetzt unwichtig – die Filo-verseuchten Kunstdüngerbomben stellten eine viel zu große Bedrohung für viel zu viele mehr oder weniger Unschuldige dar. *Genau darauf hatte Laramie ja bei ihrem Wutausbruch in Paddy Murphy's belebtem irischem Pub hinausgewollt.*

Cooper hatte für seinen Geschmack schon viel zu oft auf den Darmausgang der US-amerikanischen Außenpolitik gestarrt, aber die Gefahr, die von den mutmaßlichen Produkten dieses Forschungslabors in Guatemala ausging, konnte er nicht einfach ignorieren. Wer immer ursprünglich dafür verantwortlich gewesen war und selbst, wenn diese Leute jetzt versuchten, ihre Verantwortlichkeit zu vertuschen ... aber falls der Filo, der aus diesem gottverdammten Labor entsprungen war, sich tatsächlich in Márquez' Händen befand und dieser ihn nun mit Hilfe einer ausgeklügelten Bombenverschwörung in alle Welt verteilen wollte, dann war klar, dass ihn irgendjemand daran hindern musste.

Und warum sollte nicht das uneheliche Stiefkind jenes Staates, dem Márquez diese Chance überhaupt zu verdanken hatte, genau der Richtige für diesen Job sein?

Hier hockst du also, du Gesandter des Großen Schöpfers der Waffen und des Hasses, ausgeschickt, um den Staatsfeind Nummer eins zu beseitigen ...

Und du hast kläglich versagt.

Aufs Peinlichste versagt, um genau zu sein: Mehr als den Mord an ein paar zwanzigjährigen Soldaten und eine Panikattacke hast du nicht zustande bekommen.

Cooper knipste seine Maglite an, entschied sich für eine Richtung und schlich vorsichtig den Tunnel entlang. Bald schon stellte sich ein gewisses Wohlgefühl ein, fast schon so etwas wie Gemütlichkeit, ein Gefühl, wie wenn man in eine alte Socke schlüpft, vertraut und heimelig, obwohl sie ein, zwei Löcher hat. Wie ein Häftling, der nach dem Freigang Trost bei seiner Rückkehr ins Gefängnis findet.

Allem Anschein nach gab es keine großen Unterschiede zwischen den Keller-Labyrinthen einzelner Festungen. Cooper fragte sich immer wieder, ob er vielleicht zufälligerweise eine Abzweigung in das Labyrinth seiner Gefangenschaft genommen hatte. Während er sich geduckt durch kurze Gänge und Räume bewegte, die zum Teil mit Gitterstäben, zum Teil mit zerfallenen Regalen ausgestattet waren, wurde ihm klar, dass diese Gänge nicht alle von spanischen Großgrundbesitzern erbaut worden sein konnten.

Ich bin zwar kein Historiker, dachte er, *aber manche dieser Tunnel sind älter.*

Vermutlich hatten die Konquistadoren das unterirdische Gängesystem entdeckt und die darüber befindlichen Bauten der Ureinwohner komplett abgerissen, um stattdessen luxuriöse Festungen zu errichten, in die sie sich zurückziehen konnten, während draußen das Plündern und Morden weiterging.

Für einen kurzen Moment dachte er an Ernesto Borrego und fragte sich, wie gründlich Márquez' Bauarbeiter den verzweigten Kaninchenbau, in dem er jetzt umherirrte, untersucht hatten. Vielleicht gab es hier ja noch andere, verschüttete Kammern voller altmodischer, goldener Antiquitäten, die der Eisbär sich womöglich gerne unter den Nagel reißen würde.

Falls ja, dann würde vielleicht auch dieser Schatz auf dem Weg zu seinem unbestimmten Ziel eine Welle der Gewalt nach sich ziehen.

Márquez' Palast lag, so schien es, am Ende eines riesigen Geflechts aus Gängen und Räumen. Nachdem Cooper es ein paar Stunden lang durchstreift hatte und sich sicher war, dass er nun wirklich so gut wie alles gesehen hatte, machte er eine seltsame Entdeckung.

Er hatte unterwegs ein paar Fehler gemacht, war ein paar Mal durch dieselben Tunnelgänge gekommen, aber die Tür, vor der er jetzt stand, war neu. Nicht nur neu insofern, als er ihr bislang noch nicht begegnet war, sondern neu im wortwörtlichen Sinn. Sie war erst vor kurzem eingebaut worden. Zwar waren die Bauart und die Materialien den schulterhohen Rundbögen nachempfunden, die überall hier unten zu finden waren, aber die Tür wies keinerlei Fäulnis- oder Rostspuren auf.

Plötzlich meinte er, ein Geräusch gehört zu haben und knipste seine Taschenlampe aus. Mehrere Minuten verstrichen in völliger Stille, und er fragte sich, ob er die Orientierung verloren hatte und ob dieser Abschnitt des Labyrinths vielleicht zu dicht am Haupthaus lag. *Gratulation ... vielleicht hast du ja Márquez' Weinkeller entdeckt, einschließlich des bewaffneten Postens direkt neben dem Bordeaux.*

Er ließ die Maglite aus, und bald schon hatten seine Augen sich an die Dunkelheit gewöhnt. Er nahm keine Spur von Restlicht aus dem Tunnel wahr, und hinter der Tür schien ebenfalls kein Licht zu brennen. Anscheinend war er auch weiterhin allein. Zufrieden knipste Cooper die Taschenlampe an, drehte so leise wie möglich am Türgriff und schob die Tür auf.

Als Erstes nahm er einen seltsam vertrauten, eindeutig säuerlichen Geruch wahr.

Er musste unwillkürlich an Eugene Little denken, den ehemaligen Kurpfuscher und Schönheitschirurgen, der nun als Gerichtsmediziner auf den U.S. Virgin Islands arbeitete. Little war immer von diesem Geruch umgeben, hauptsächlich, weil der ganze Arbeitsbereich des Gerichtsmediziners danach stank. Was bei Eugene Little und seinem Arbeitsplatz auch durchaus nachvollziehbar war ... aber nicht hier unten in diesem Tunnelsystem, dachte Cooper.

Das Bukett aus Essig und Kalk war unverwechselbar: Es war der Duft nach Formaldehyd.

Irgendwie rechnete er jeden Augenblick mit einer Überraschung – mit einem Schuss oder einem Faustschlag vielleicht –, aber auf den Anblick, der sich ihm bot, als er den Strahl der Taschenlampe durch den Raum gleiten ließ, war er beim besten Willen nicht vorbereitet.

Cooper hatte gerade einen Geist gesehen.

52

Sie lag auf dem Rücken, mehr oder weniger so, wie das schlafende Schneewittchen in Kinderbüchern abgebildet wird, in einem vergoldeten Sarg im Zentrum des Raumes. Cooper starrte sie an. Perfekt konserviert und keine drei Meter von ihm entfernt lag sie da, eine lebensechte Version der goldenen Priesterin in seinem Bungalow. Ihr Antlitz, bleich wie der Mond im Strahl der Maglite, war der einzige Hinweis darauf, dass sie nicht mehr am Leben war. Davon abgesehen sah sie aus, als hielte sie nur ein kleines Nickerchen.

Wenn sie nicht das unmittelbare Vorbild für die goldene Statue gewesen war – was Cooper praktisch für ausgeschlossen hielt –, dann sah sie ihr doch so ähnlich wie nur irgend möglich. Cooper musste davon ausgehen, dass das Schneewittchen hier zu jenem Stamm aus dem Regenwaldkrater in Guatemala gehört hatte, der durch das Leck des Pentagon-Labors dahingerafft worden war.

Aber selbst dafür erschien ihm die Ähnlichkeit zu verblüffend.

O ja, Cooper, ließ sich da ein sarkastisches, hohles Wispern vernehmen. Das war die Stimme der goldenen Priesterin. *Lass dich nicht täuschen ... du hast mich gefunden. Ich hab dich gerufen, und jetzt bist du gekommen. Bloß leider viel zu spät, du verfluchter alter Kerl. Zu schade, nicht wahr? Aber es spielt ja gar keine Rolle ... hat es auch nie gespielt. Du bist ja selbst derjenige, der dich hierher zurückgeholt hat ...*

Cooper schüttelte diesen letzten Lockruf des Wahnsinns ab und machte die Tür hinter sich zu. Er drehte sich um, wappnete sich gegen den Gestank und packte mit entschlossenem Griff seine Taschenlampe. Wird langsam Zeit, dachte er, dass ich dieses Mausoleum, in das ich da gestolpert bin, ein bisschen gründlicher unter die Lupe nehme – vielleicht kriege ich ja sogar raus, ob ich halluziniere oder womöglich in einen neuen Alptraum gestolpert bin.

Dann blickte er sich um.

Der Raum hatte nicht nur eine neue Tür bekommen, sondern war auch anderweitig renoviert worden. Als Cooper sich die Decke, die Ecken und die Wände betrachtete, hatte er für einen kurzen Moment das Gefühl, von einem Déjà-vu eingeholt zu werden, von der Erinnerung an etwas, das Schneewittchen und ihr goldenes Ebenbild hinterlassen hatten. Doch dann erwachte er aus seinem Tagtraum, und ihm wurde klar, wo er das alles schon einmal gesehen hatte. Dieser Raum entsprach fast bis ins kleinste Detail dem Hauptraum jener unterirdischen Krypta, die er und Borrego unterhalb des Dorfes im Regenwald entdeckt hatten. Der Hauptunterschied bestand in der Inneneinrichtung: Während die Krypta in Guatemala bereits von Borregos furchtlosen Grabräubern geplündert gewesen war, waren die goldenen Kunstgegenstände, die große Ähnlichkeit mit denen aus Cap'n Roys verlorenem Schatz besaßen, hier noch vollständig und in voller Pracht zu bewundern.

All diese Schätze hatte man aufbewahrt oder hierhergebracht oder feinsäuberlich wiederhergestellt – egal wie, dachte Cooper, aber es sind jedenfalls sehr viele. Wie eine Art Gedenkstätte für diese Frau.

Er ging einmal im Kreis durch den gesamten Raum und entdeckte zwischen den Wänden und dem erhöht stehenden Sarg etliche Sockel und Podeste. Auf einigen standen Kerzen, die allem Anschein nach erst kürzlich noch gebrannt hatten, auf anderen Statuen oder andere Gegenstände aus Gold. Entlang der Wände, die ähnlich wie die in der guatemaltekischen Krypta etliche Nischen aufwiesen, standen weitere Artefakte – überwiegend Statuen, die Schneewittchen in dieser oder jener Pose zeigten und die exakt so gearbeitet waren wie die goldene Statue in seinem Bungalow.

Er hatte gehört, wie die Statue ihn um Hilfe gebeten hatte – wie sie ihn erst nach Guatemala und dann hierhergelockt hatte, damit er sehen konnte, was er sehen sollte. Aber Cooper wusste, dass er in Wirklichkeit weder von der Statue noch von Schneewittchen gerufen worden war. Er wusste, dass er weder von einem Geist noch von einem Standbild noch von Julie Laramie und den Leuten, für die sie arbeitete, hierhergeholt worden war.

Er hatte sich selbst gerufen ... oder, so dachte er, es war der Geist deines eigenen, verschollenen, in Kriegsgefangenschaft geratenen Ichs. Dieser längst in Vergessenheit geratene, verlorene Teil deiner Seele, der in deinem Alltag durch Schmerzen und Betäubungsmittel ersetzt wird, der aber hier in diesen Verliesen und düsteren Fluren weiterlebt, in den Kammern unter den Palästen und Festungen sein Unwesen treibt – er hat dich gerufen und um Hilfe angefleht.

Also gut. Hier bin ich. Bin deinem Ruf gefolgt. Hat uns beiden ja richtig was gebracht, verdammte Scheiße. Jetzt sitzen wir also wieder genauso in der Falle wie am Anfang. Bist du nun zufrieden?

Er kam an einem Wandteppich vorbei und stieß dann auf eine in die Wand eingelassene Marmorplatte. Bei näherer Betrachtung stellte sich heraus, dass die Marmorplatte eine Art Gedenkstein mit einer langen Reihe eingravierter Namen war. Er fühlte sich ein wenig an das Vietnam Memorial in Washington erinnert, nur, dass dieser Marmor hier von einem etwas helleren Farbton war und die eingravierten Namen durchweg spanisch oder, nun ja, irgendwie *indianisch* klangen. Cooper dachte an die seltsame, fast vokallose Schreibweise vieler Maya-Völker und -Stätten. Er fuhr mit den Fingern über ein paar der Namen und setzte seine Besichtigung des Mausoleums fort.

Dann blieb er stehen und kehrte zu der Marmorplatte zurück.

Er zählte die Namen, und anschließend zählte er sie noch einmal. Beide Male kam er auf genau einhundertsiebzehn. Die Zahl sagte ihm nichts, ganz im Gegensatz zu dem Gefühl, das ihn beim Lesen dieser Namensliste beschlich.

Er drehte sich um und blickte zu Schneewittchen hinüber.

»Mein Gott«, sagte er.

Ihm war klar, dass die Personen, an die auf dieser marmornen Gedenktafel erinnert wurde, jede nur denkbare Aufgabe ausgeführt haben konnten. Und er wusste, dass es keinen einzigen eindeutigen Hinweis auf den Zusammenhang gab, der ihm gerade durch den Kopf ging. Aber manchmal hatte man eben einfach ein Gefühl, ein schlechtes Gefühl, und man wusste verdammt noch mal ganz genau, dass man sich nicht irrte.

Er dachte an das Ermittlungsdossier und an die Szenarien des Instituts für Infektionskrankheiten bezüglich der potenziellen Verbreitung der Filo-Epidemie. Er erinnerte sich auch, dass in einem der Berichte von zehn, zwölf oder zwanzig Selbstmordattentätern die Rede gewesen war und dass darüber spekuliert worden war, wie das hämorrhagische Fieber sich in einem solchen Fall wohl verbreiten würde.

Zehn, zwölf oder zwanzig, hatte es in dem Bericht geheißen. Zu blöd, dachte er: Es sind keine zwanzig, ja, sogar fünfzig sind noch zu wenig.

Wenn mein Gefühl in Bezug auf den Zweck dieser Gedenkstätte mich nicht täuscht, dann sind es genau einhundertundsiebzehn.

Er dachte darüber nach, dass fast alles, was er hier zu sehen bekam – eigentlich alles, was er im ganzen vergangenen Monat erlebt hatte –, sich einer vernünftigen Erklärung entzog. Er wusste, dass er nicht automatisch eine Antwort auf alle seine Fragen finden würde. Vielleicht sogar auf keine einzige, dachte er. Aber beim letzten Mal war er mit einem Himmelfahrtskommando beauftragt worden. Man hatte ihn losgeschickt, um nichts zu bewirken, als Bauer in einem politischen Schachspiel, das mit einem sinnlosen Patt geendet hatte. Und trotz des relativ erfolgreich ausgeführten Attentats war ihm nach all seinen Bemühungen nur der persönliche Ruin geblieben.

Vielleicht stellte sich ja dieses Mal heraus, dass die Reise tatsächlich den Aufwand lohnte.

Zwischen all den Splittern in der Tasche seines Fallschirmspringeroveralls entdeckte er einen Zettel und einen Stift. Er klemmte sich die Maglite unter die linke Achsel und schrieb alle einhundertsiebzehn Eintragungen gewissenhaft ab. Sorgfältig achtete er darauf, den Namen jeder Frau und jedes Mannes richtig zu buchstabieren.

Falls seine Instinkte ihn nicht in die Irre führten, dann konnten Laramie und ihre Drei Deppen wahrscheinlich irgendetwas mit dieser gottverdammten Liste anfangen – *das Problem ist bloß, wie ich das Ding hier rauskriegen soll.*

Da hörte er wieder ein Geräusch.

Dieses Mal kam es eindeutig aus dem Flur. Er schaltete die Maglite aus und ging hinter Schneewittchen in die Knie. Da war das Geräusch schon wieder. Es klang wie näher kommende Schritte und das Öffnen und Schließen einer Tür, ganz in der Nähe, nur etwas weiter oben. Erneut dachte er, dass dieser Bereich des unterirdischen Labyrinths sich nahe beim Haus befinden musste – zumindest in der Nähe eines *Teils* des Hauses.

Da wurde wieder eine Tür auf- und wieder zugemacht, und

die Schritte kamen näher. Sie waren nun direkt vor diesem Raum angekommen.

Cooper zog seine Pistole. Ihm war klar, dass sie hicr in der engen Krypta sinnvoller war als die MP-5. Er zog am Schultergurt des Sturmgewehrs, bis es auf seinem Rücken lag. So war es nicht im Weg und doch jederzeit griffbereit.

Da wurde von außen der Türgriff betätigt. Er hörte das metallische Klicken, und Eisen schrammte über Stein, als die Tür aufgestoßen wurde.

Jemand betrat den Raum.

53

Cooper hörte ein Streichholz aufflackern und behielt das Knie auf dem Boden, während ein orangerotes Glühen sich im Raum verbreitete. Er glitt um den Sarg herum, lauschte auf das Schlurfen der Schritte, damit er wusste, wo der Besucher sich gerade befand, und hielt sich weiterhin versteckt. Als der Raum im Kerzenlicht erstrahlte, hörte er, wie der Besucher zur Tür ging und diese ins Schloss zog. Ob er lediglich die Kerzen angezündet hatte und gleich wieder gegangen war? Doch ein weiteres Schlurfen von der anderen Seite des Sarges belehrte ihn eines Besseren.

Da es sich anhörte, als sei der Besucher beziehungsweise die Besucherin alleine, dachte Cooper, dass es wohl das Beste war nachzusehen, wer denn da gekommen war. Er nahm die FM Browning fest in die Hand, spürte das tröstlich kühle Metall und stand auf.

Raul Márquez sah sehr viel weniger schockiert aus, als Cooper erwartet hatte. Es machte eher den Eindruck, als sei er verärgert darüber, dass einer seiner Mitarbeiter hier eingedrungen war ... bis Cooper an seinem Blick sehen konnte, wie sich die Erkenntnis Stück für Stück Bahn brach. Seine Gesichtszüge verhärteten sich.

Angst schien jedoch in der Reaktion des Mannes nicht enthalten zu sein.

»Buenas noches, Señor Presidente«, sagte Cooper gleichmütig. »Es ist Nacht draußen, stimmt's? Ich habe ein bisschen die Orientierung verloren.«

Márquez' Gesicht wurde zusehends ausdrucksloser.

»Der Eindringling«, sagte er auf Englisch. Mehr nicht.

»Sí«, entgegnete Cooper.

Márquez richtete den Blick auf Schneewittchen. So, wie Márquez stand, ging Cooper davon aus, dass er den Leichnam schon betrachtet hatte, noch bevor der merkwürdige Strandpenner in Fallschirmspringerausrüstung hinter dem Sarg aufgetaucht war.

»Sie ist wunderschön, nicht wahr?«, sagte Márquez.

Wachsam warf Cooper einen Seitenblick auf die zwischen ihm und Márquez aufgebahrte, einbalsamierte Frau.

»Wie eine Statue«, sagte er.

Márquez wandte den Blick wieder Cooper zu.

»Sie sind gekommen, um mich zu ermorden«, sagte er.

Beim Betrachten der Fotos, die Laramies Betreuer ihm besorgt hatte, hatte Cooper eine gewisse Ähnlichkeit zwischen Márquez und den Statuen aus Borregos Antiquitätenschatz festgestellt. Diese Ähnlichkeit wurde jetzt, bei ihrer persönlichen Begegnung, bestätigt. Márquez sah eindeutig aus wie ein amerikanischer Ureinwohner. Angefangen bei der kräftigbraunen Haut über die hohen Wangenknochen bis hin zu den schwarzen Haaren. Er fügte sich eindeutig in die Reihe der Gesichter, die auf den Artefakten in diesem seltsamen Raum zu sehen waren – einschließlich Schneewittchens Antlitz.

»Mag sein«, erwiderte Cooper.

»Ich glaube, ich habe eher mit einer ... *militaristischen* Reaktion gerechnet«, meinte Márquez.

»Zum Beispiel?«

»Einem Luftangriff, vielleicht. Raketen, abgefeuert von einer unbemannten Drohne. Wer weiß.«

»Tja«, sagte Cooper. »Stattdessen müssen Sie jetzt mit mir vorliebnehmen.«

Márquez zuckte mit den Schultern.

»Ist eigentlich ganz richtig, dass es hier passiert«, sagte er dann.

»Dass ich Sie umbringe, meinen Sie?«

»Ja.«

Cooper wartete ab. Márquez schien irgendetwas sagen zu wollen, und Cooper sah keinen Anlass, weshalb er das Staatsoberhaupt daran hindern sollte.

»Meine Rache ist vollendet«, sagte Márquez. »Oder wird es zumindest in Kürze sein, zum großen Teil dank der selbstlosen Hingabe der Menschen, die hier in diesem Raum geehrt werden. Und jetzt sind Sie hier – was wohl bedeutet, dass Sie jetzt *Ihre* Rache nehmen wollen. Es ist ein ständiger Kreislauf der Gewalt. Ich habe diesen Kreislauf nicht begonnen, aber ich rechne schon lange damit, dass ich als Teil davon sterben werde. Ich bin erleichtert. Erleichtert, dass meine schmerzvolle Reise nunmehr beendet ist. Erleichtert, dass das Ende jetzt gekommen ist. Jetzt, wo meine Aufgabe erfüllt ist.«

»Dann haben Sie Ihren tief schlafenden Dschihad-Kämpfern also befohlen, sich selbst in tausend Stücke zu sprengen«, sagte Cooper.

»Ja. Sie wurden aktiviert.«

»Alle einhundertsiebzehn?«

Die Augen in Márquez' ansonsten verdrossenem Gesicht blitzten.

»Wenn Sie das sagen«, meinte er.

»Hängt natürlich auch davon ab, wann Sie diese Marmortafel angefertigt haben«, fuhr Cooper fort. »Aber wahrscheinlich sind nicht alle durchgekommen.«

»Nein«, meinte Márquez. »Wahrscheinlich nicht.«

»Aber wahrscheinlich auch mehr als sechs, würde ich wetten.«

»Ich wette, da haben Sie Recht.«

»Wie?«

»Was?«

»Die Leute, für die ich arbeite«, sagte Cooper und bekam fast eine Gänsehaut angesichts der Worte, die er da gerade ausgesprochen hatte, »würden vermutlich gerne erfahren, *wie* Sie sie aktiviert haben.«

Márquez kicherte freudlos.

»Wie könnte man eine Armee anders zum Kampf gegen den kapitalistischen Feind auffordern«, sagte er, »als durch die kapitalistischste aller Handlungen?«

»Tut mir leid«, entgegnete Cooper, »aber meine Kenntnisse in marxistischer Dogmatik sind ein bisschen eingerostet.«

»Sie sollten Nachhilfe nehmen«, meinte Márquez. »Kann von Zeit zu Zeit ganz nützlich sein. Die Antwort lautet: Mit Hilfe einer extrem kostspieligen Fernseh-Werbekampagne.«

Cooper ließ das soeben Gehörte sacken.

»In der ein oder zwei bestimmte Sätze vorkommen«, sagte er dann.

»So in der Art«, erwiderte Márquez. »Ja.«

»Möchten Sie mir vielleicht ein paar der gefälschten Identitäten Ihrer Schläfer-Armee verraten? Um Ihre Zeit im Fegefeuer ein bisschen zu verkürzen?«

Etwas, das fast ein Lächeln war, kräuselte Márquez' Lippen.

»Mein lieber Attentäter«, sagte er dann. »Sei so nett und leck mich am Arsch.«

Cooper nickte und deutete dann mit dem Kinn auf den Sarg.

»Wer ist sie?«, fragte er. »Das Schneewittchen hier.«

Márquez lächelte dünn – anscheinend fand er das nicht witzig.

»Meine Geliebte und Partnerin.«

»König und Königin der Selbstmord-Schläfer«, sagte Cooper. »Wie hübsch.«

Das schmallippige Lächeln blieb auf Márquez' Gesicht haften. Es war seine Reaktion auf Coopers klugscheißerische Bemerkung. Doch dann war es von einer Sekunde auf die andere verschwunden.

»Beinhaltet es nicht eine gewisse Ironie«, sagte Márquez, »dass ihr Blut zu Lebzeiten vielleicht einen Impfstoff enthalten hat?«

Cooper musste blinzeln.

»Gegen den ›Filo‹?«

»Ja. Sie hat ihn überlebt.«

»Mein Gott«, erwiderte Cooper. »Das Mädchen aus der Klinik?«

Márquez blickte ihn an und deutete ein Achselzucken an. Das sollte wohl bedeuten, dass er keine Ahnung hatte, was Cooper da redete, dass es ihm aber letztendlich auch egal war.

Cooper musste an die Geschichte aus Márquez' Kindheit denken, die Laramies Drei Deppen im Verlauf des ›Zellen‹-Kriegsrates im Flamingo Inn zum Besten gegeben hatten. Dann dachte er an das Dorf, das er zusammen mit Borrego in dem Regenwaldkrater entdeckt hatte.

»Schmerzensbraut und Schmerzensbräutigam«, sagte er. »Ihr seid beide aus demselben Nest gepurzelt, was, Raul? Sie stammt aus dem Dorf, das diesem kleinen Irrtum des Pentagons zum Opfer gefallen ist, und Sie selbst haben einen anderen vom Pentagon finanzierten Völkermord überlebt?«

Márquez blickte Cooper an, wie man wohl jemanden anblickt, der garantiert genauso wahnsinnig ist wie man selbst ... oder der unmöglich all diese Dinge wissen kann. Doch dann sagte er: »So könnte man es ausdrücken.«

»Die Ironie, von der Sie gerade gesprochen haben«, sagte Cooper. »Die Ironie besteht darin, dass sie einerseits den Schlüssel für das Überleben einer ›Filo‹-Infektion im Blut hatte, aber Ihnen damit gleichzeitig auch die Waffe geliefert hat?«

Márquez starrte ihn aus toten Augen an.

»Wie hat sie das gemacht? Nun los, kommen Sie schon. Wenn Sie am Ende dieses Kreislaufs, von dem Sie vorhin gesprochen haben, angekommen sind, dann haben Sie mit Sicherheit einen Blutzoll von etlichen Tausend amerikanischen Menschenleben kassiert. Warum lassen Sie's nicht einfach raus? Vielleicht verschafft Ihnen das ein paar Pluspunkte, wenn Sie dermaleinst vor dem Thron des Herrn stehen.«

»Wissen Sie was?«, sagte Márquez. »Sie sind wirklich ein seltsamer Attentäter.«

»Und das ist noch nicht mal die halbe Wahrheit, *Señor Presidente.*«

»Sie war Naturwissenschaftlerin. Hat an der Johns Hopkins University ihren Doktor gemacht ... Spezialgebiet Pathologie. Nach meinem ersten Wahlsieg ist sie mit einer Idee und noch ein paar anderen Dingen zu mir gekommen.«

»Ich wette, zu den anderen Dingen gehörte auch eine gehörige Portion Fleischeslust«, meinte Cooper.

»Ja, das auch«, erwiderte Márquez.

»Und darüber hinaus vielleicht noch ... ein, zwei Kisten mit allerhand wertvollem Inhalt?«

Márquez bedachte ihn erneut mit einem seiner toten Blicke.

»Die die Leute aus dem Labor zurückgelassen haben, nachdem sie versucht hatten, die Beweise zu verbrennen. Aber sie stammt ja von da oben, also hat sie genau gewusst, wo sie suchen muss. Und vielleicht hat sie dabei ein Vorratslager entdeckt, das die Idioten mit dem Napalm übersehen haben. Na, wie dicht bin ich an der Wahrheit?«

Márquez hatte offensichtlich beschlossen, kein Wort mehr zu sagen.

»Was ist mit ihr geschehen?«, erkundigte sich Cooper.

»Ich habe sie getötet«, erwiderte *El Presidente.*

»Wieso?«

»Weil es notwendig war.«

»Aus welchem Grund?«

Márquez blickte ihn an, dann zuckte er mit den Schultern. »Ich glaube, sonst hätte sie als Nächstes mich umgebracht. Die Frau hat eine unglaubliche Wut in sich gehabt.«

Cooper nickte. Diese Worte waren zumindest eine teilweise Bestätigung dafür, dass er das letzte Puzzleteil des Rätsels der Krypta gefunden hatte.

»Mit ›als Nächstes‹ meinen Sie, dass sie auch Sie geköpft hätte?«, hakte Cooper nach.

Márquez schaute ihn nur stumm an.

»Mich würde nur interessieren, wie sie an dieses Pentagon-Memo gekommen ist«, fuhr Cooper fort. »Aber vielleicht hat sie über die Universität Zugang zu solchen Unterlagen gehabt.«

So oder so, dachte er, hat das Mädchen aus dem Ureinwohnerdorf seine Rache gesucht und gefunden ... sowohl an den Leuten, die den Bau des Labors genehmigt hatten, als auch, in einem großen und noch nicht endgültig feststehenden Umfang, an den Bewohnern des Landes, das den Bau finanziert hatte.

Leider, leider hat ihre Machete ein paar Köpfe verschont, nämlich die der Ausknipser, der letzten Überlebenden des Rachefeldzuges, mit dem sie die Architekten des Filo-Labors hatte auslöschen wollen.

Auftritt: Cooper.

Er zwang sich, noch einmal an die Namen auf der Marmortafel zu denken. Sie mussten zwar rückwärts vorgehen und die momentane Identität der Schläfer ausgehend von ihren eigentlichen, ursprünglichen Namen ermitteln, aber trotzdem müssten Laramie, die Drei Deppen und der Obermufti mit seiner Liste eigentlich eine ganze Menge anfangen können.

Und abgesehen von der Tatsache, dass er den Auftrag hatte, diesen Kerl »zu eliminieren«, konnte er Raul Márquez, den König der Schläfer, im Augenblick noch ganz gut lebend gebrauchen.

Er streckte den Arm aus, hielt die Browning fest in der Hand und den Lauf direkt auf Márquez' Kopf gerichtet. Dessen Seufzer klang erleichtert, fast schon erfreut.

»Der Attentäter«, sagte Márquez und schloss die Augen, »tötet den Attentäter.«

Ja, genau, dachte Cooper. *Das kenne ich. Ich wollte auch schon oft genug sterben.*

»Noch nicht ganz«, sagte Cooper.

Márquez schlug die Augen auf.

»Ich dachte, Sie wollen mich umbringen«, sagte er.

»Wollte ich auch«, erwiderte Cooper. »Und will ich immer noch. Aber bedauerlicherweise müssen Sie sich noch ein klein wenig länger im Elend suhlen.«

Die Browning auf Márquez gerichtet, so trat Cooper um Schneewittchens Sarg herum und legte die Hand auf den Türgriff. Dabei achtete er sorgfältig darauf, immer genügend Abstand zwischen sich und Márquez zu lassen.

»Machen wir einen kleinen Spaziergang«, sagte er.

54

Bei ihrer Rückkehr ins Flamingo Inn war Lou Ebbers bereits am Telefon. Es war ein merkwürdiger Anruf.

Nicht unerwartet, aber dennoch merkwürdig.

Er berichtete, dass er Großalarm ausgelöst habe. Zwar ging er dabei auch nicht näher ins Detail als zuvor, aber trotzdem. Er sprach davon, dass die Vorbereitungen für die Notfall-Quarantänemaßnahmen eingeleitet worden seien, dass die Identität und der Aufenthaltsort der von Laramies Zelle entdeckten Schläfer dem FBI, der CIA und anderen zuständigen Institutionen mitgeteilt worden und dass unverzüglich Festnahmen vorgenommen worden seien. »Andere Zellen«, so hatte er es am Telefon formuliert, hätten ungefähr im selben Zeitraum wie ihr Team noch andere Schläfer identifiziert und die seien ebenfalls in Gewahrsam genommen worden, sodass man alles in allem fünfzehn Festnahmen zu verzeichnen habe. Er wies außerdem darauf hin, dass die Medien im Verlauf der letzten Stunde eine Menge Informationen bekommen hätten, doch das wusste Laramie bereits. Während ihres JetBlue-Rückflugs von New York nach Florida hatte sie auf dem Fernsehmonitor an ihrem Sitzplatz einen CNN-Bericht über eine »glaubwürdige Terror-Drohung« gesehen.

Bis hierhin war das alles nicht weiter überraschend gewesen. Diese Maßnahmen waren ja unter anderem der Grund für den Großalarm gewesen. Irgendwie hatte sie sogar damit gerechnet, dass es noch »andere Zellen« gab, die parallel zu ihrem Team an der Sache arbeiteten.

Was ihr jedoch merkwürdig vorkam, auch wenn es ebenfalls nicht völlig unerwartet war, das war die Warnung, die Ebbers im Anschluss an seinen Bericht äußerte.

»Nur zur Erinnerung, Miss Laramie«, sagte er durch das

Spinnentelefon. »Sie haben nichts von dem unternommen, was Sie unternommen haben. Keine einzige Information, die Sie oder Ihre Zelle gesammelt haben, indem Sie die Dinge unternommen haben, die Sie nicht unternommen haben, darf an irgendjemanden weitergegeben werden.«

Laramie hatte den Eindruck, als warte er auf irgendeine Bestätigung.

»Davon bin ich die ganze Zeit über ausgegangen«, erwiderte sie.

»Ich sage das nicht etwa wegen der Medienberichte über die ›glaubwürdige Bedrohung‹ der nationalen Sicherheit, sondern wegen all der Dinge, die Ihnen in diesen Medienberichten *nicht* begegnen werden.«

Laramie hatte eine ziemlich konkrete Vorstellung davon, was nun kommen würde.

»In den Medien wie auch gegenüber den Regierungskreisen, die nunmehr mit Ihren Erkenntnissen konfrontiert worden sind«, sagte er, »wird Guatemala mit keinem Wort erwähnt werden. Es wird keine Berichte über ein dort angesiedeltes Forschungslabor oder eine hämorrhagische Fieberepidemie in ebendiesem Gebiet geben, wie sie in einem vom Institut für Infektionskrankheiten entdeckten Tagebuch beschrieben wird. Sie werden nichts über Kuba, Fidel Castro oder einen unter einem Hügel in San Cristóbal versteckten, unterirdischen Amerikanisierungs-Erlebnispark hören. Und zu guter Letzt, Miss Laramie, auch nichts über Raul Márquez oder irgendwelche Aktivitäten im Zusammenhang mit seiner Ermordung.«

Schon als sie Ebbers gebeten hatte, ihr das Pentagon-Memo über das Forschungslabor namens »Projekt ICRS« zu beschaffen, war Laramie davon ausgegangen, dass diese Bestandteile des Rätsels bei einer offiziellen Untersuchung der Selbstmord-Schläfer-Geschichte ausgespart würden. Das bedeutete zwar nicht, dass sie das für richtig hielt, aber ihr war klar, dass sie zu der Frage, ob die Auslassungen auch weiterhin ausgelassen werden sollten oder nicht, nicht gehört werden würde. Sie wusste auch, dass sie diese Frage jetzt nicht sofort ansprechen musste.

»Danke, dass Sie mir Bescheid gesagt haben«, sagte sie und Ebbers sagte »Bitte« und legte auf.

Seit diesem Telefonat waren nun zwanzig Stunden vergangen. Ihr Betreuer hatte sie angewiesen, die Drei Weisen unverändert weiterarbeiten zu lassen. Und außerdem hatte die Kacke angefangen zu dampfen.

Die Krups-Kaffeemaschine in ihrem Zimmer zischte zum Zeichen, dass der Kaffee durchgelaufen war, und Laramie stand auf und goss ihre Flamingo-Inn-Styroportasse ein weiteres Mal voll. Auf dem Weg zur Kaffeemaschine kam sie an ihrem plärrenden Fernseher vorbei, der auch auf dem Rückweg noch genauso plärrte.

Laramie hatte die Einsatzzentrale verlassen, um frischen Kaffee zu machen, doch als sie jetzt in ihrem Zimmer stand, wurde ihr klar, dass sie noch keine einzige vollständige Nachrichtensendung gesehen hatte und dass jetzt wahrscheinlich eine gute Gelegenheit war, genau das zu tun.

Also setzte sie sich an den Tisch und schaute die Nachrichten.

Auf dem Fox News Channel lief das übliche Schriftband am unteren Bildschirmrand entlang und kündigte eine EILMELDUNG an, immer wieder unterbrochen von den Worten TERRORWARNUNG, ALARMSTUFE ROT. Diese Worte wechselten sich regelmäßig mit der neu gefundenen, aktuellen Bezeichnung der Krise ab: BIOTERRORBOMBEN: AMERIKA IM KREUZFEUER.

Ständig liefen neue, aktuelle Meldungen über den unteren Bildschirmrand, die sich hauptsächlich mit zwei Selbstmordanschlägen befassten, welche sich im Verlauf der vergangenen sechs Stunden ereignet hatten. Der erste Anschlag war gegen 17 Uhr in Illinois in einer Vorstadtsiedlung nahe des Lake Michigan geschehen, der zweite zwei Stunden später in Yakima, Washington, am Ufer des Columbia River. Auch die nach den Explosionen offiziell eingeleiteten Quarantänemaßnahmen wurden gemeldet.

Diese ersten beiden Anschläge waren von Schläfern begangen worden, von deren Existenz sie nichts gewusst hatten.

Auf dem Bildschirm diskutierte Brit Hume gerade mit einem Terror-Experten, den Laramie nicht kannte, über mutmaßliche »weitere Bombenanschläge«. Davon hatte der Minister für Heimatschutz dreißig Minuten nach der Explosion in einem Interview in Illinois gesprochen. Nachdem er seinen ersten Experten genügend ausgequetscht hatte, drehte der Nachrichtenpräsentator sich mitsamt seinem Stuhl herum und wandte sich der nächsten Autorität zu. Es handelte sich um einen Vertreter des Instituts für Infektionskrankheiten, mit dem er live per Satellit verbunden war. Während sie ein Gespräch begannen, das sich mit Möglichkeit einer massenhaften Filovirus-Infektion ebenso befasste wie mit konkreten Angaben zu den vom Institut für Infektionskrankheiten bereitgestellten Mengen an Tamiflu und anderen Grippemitteln und mit den unterschiedlichen Maßnahmen, die der einzelne Bürger unternehmen konnte, um sich vor einer Infektion zu schützen, trank Laramie ein paar Schlucke von ihrem bitteren Kaffee.

Die Quarantänemaßnahmen, das wusste sie, würden nur dann greifen, wenn nicht zu viele Filobomben gezündet wurden. Falls es mehr als nur einer Handvoll Selbstmordattentätern gelänge, lokal begrenzte Epidemien auszulösen, die Mensch und Tier befielen, dann wurden die Quarantänebarrieren durchbrochen, und die Opferzahlen schnellten in grässliche Dimensionen.

Der Schluss, den sie aus alledem zog, lautete, dass sie und ihre ›Konterzellen-Zelle‹ versagt hatten.

Kläglich versagt.

Sie hatten es nicht geschafft, die Schläfer aufzuhalten. Sie hatten es nicht geschafft, die Attentäter in Illinois und Yakima und wer weiß, wo sonst noch, ausfindig zu machen, und das trotz der Existenz noch weiterer »Zellen«. Ihr Team hatte Raul Márquez als Staatsfeind Nummer eins identifiziert oder zumindest sehr belastbare Vermutungen darüber angestellt, aber offensichtlich waren sie zu spät gekommen. Die Attentate waren bereits in vollem Gang, und der Aktivierungsbefehl ließ sich nicht mehr zurücknehmen.

Außerdem haben wir dadurch, dass wir Márquez so spät identifiziert haben, unseren »Agenten im operativen Einsatz« auf eine vergebliche Mission geschickt – welchen Sinn hatte es denn, den Anführer der feindlichen Armeen umzubringen, wenn dieser seine Truppen bereits in die Schlacht geschickt hatte?

Und das hieß doch nichts anderes, als dass sie persönlich Coopers Tod angeordnet hatte.

Brit Hume präsentierte immer noch BIOTERRORBOMBEN: AMERIKA IM KREUZFEUER, und es bestätigte sich, was Ebbers ihr am Telefon gesagt hatte: Mit keinem Wort wurden Márquez, Kuba, Guatemala, Castro oder der Ursprung des in den »Bioterrorbomben« eingesetzten, biotechnologisch hergestellten Filovirus erwähnt, nicht einmal andeutungsweise.

Laramie schenkte sich noch einen Kaffee ein, schnappte sich die Fernbedienung, schaltete den Fernseher aus und öffnete die Tür ihres Zimmers. Sie war entschlossen, in den Raum zurückzukehren, der mittlerweile vollständig von Wally Knowles' Computeranlage in Beschlag genommen worden war.

55

Cooper suchte in seinem Overall nach einem Erste-Hilfe-Set und entdeckte eine elastische Binde.

Er stürzte sich auf Márquez und drückte ihn auf den schmuddeligen Höhlenboden. Dabei musste er an seine Begegnung mit Jesus Madrid denken, den Velociraptor mit dem Manchester-United-Fitnessraum. Er hielt Márquez so fest, dass dieser sich nicht aus seinem Griff herauswinden konnte, wickelte dem Staatsführer die elastische Binde fest um den Mund und machte sie mit ein paar Streifen Klebeband fest, die zu der Binde gehörten. Dieses Klebeband benutzte er auch, um Márquez die Hände auf den Rücken zu fesseln.

Dann zog er ihn auf die Füße. Er holte seine Maschinenpistole vom Rücken nach vorne – die MP-5 machte wahrscheinlich mehr Eindruck als die Pistole – und steckte die Browning so ein, dass er sie mit seiner freien Hand jederzeit erreichen konnte.

»Nach Ihnen, *Señor Presidente.*«

Dann verpasste er Márquez einen kräftigen Arschtritt, um sein Anliegen zu unterstreichen.

»Jetzt gehen wir genau den Weg zurück, den Sie gekommen sind. Und keine Angst«, sagte er. »Mir ist vollkommen klar, dass es Ihnen scheißegal ist, ob Sie sterben müssen. Aber eins ist sicher: Ich kann Ihnen sehr schlimme Schmerzen zufügen, je nachdem, an welcher Stelle ich Ihnen eine Kugel verpasse. Und wie viele.«

Er wusste, dass das eine weitgehend leere Drohung war.

Márquez führte ihn um so viele Ecken, dass Cooper schon langsam schwindelig wurde. Er bemühte sich um den idealen Abstand, damit er, sobald ein Wachposten in Sicht kam, Márquez jederzeit packen konnte, aber gleichzeitig nicht Gefahr lief, dessen Ellbogen ans Kinn gerammt zu bekommen. Er stellte fest, dass er die Taschenlampe, wie schon beim Abschreiben der Namen von der Marmortafel, am besten unter die linke Achsel klemmte. Den Lichtkegel hielt er an Márquez vorbei nach vorne gerichtet, damit er den ersten Sicherheitsbeamten, der sich blicken ließ, sofort sehen und, wenn nötig, blenden konnte.

Sie näherten sich einer moderigen Treppe, und Cooper registrierte das winzige Zögern in Márquez' Schritten. Das hatte der Präsident eigentlich nicht zeigen wollen, und Cooper war entschlossen, diesen Fehler zu nutzen. Am oberen Ende der Treppe befand sich eine Tür, genauso neu wie die, die den Eingang zur Krypta bewachte.

Cooper tippte Márquez mit dem Lauf seines Sturmgewehrs auf die Schulter.

»Mach die verfluchte Tür da auf«, flüsterte er mit scharfer Stimme.

Sobald Márquez die Tür aufgestoßen hatte, änderten sich Temperatur und Luftfeuchtigkeit – durch diese Tür gelangte man ins Haus.

In dem Augenblick, als die Tür über die Schwelle schwang, nahm Cooper zwei schnelle Schritte Anlauf, warf sich Márquez in den Rücken und bewirkte damit, dass sie beide sehr viel schneller durch die Türöffnung gestürzt kamen, als seine Geisel angenommen hatte. So kam Márquez gar nicht erst auf die Idee, zu brüllen oder zu schreien …

Und noch bevor die beiden Wachen, die links und rechts der Tür zum Weinkeller postiert waren, kapiert hatten, weshalb, zum Teufel, der Präsident sich eine elastische Binde um den Kopf gewickelt hatte, hatte Cooper sich ein Bild gemacht …

Wache links. Wache rechts, leicht verdeckt hinter der offen stehenden Tür. Das ist der Weinkeller – überall Wandregale. Die Tür gegenüber – verschlossen. Niemand sonst im Raum …

Die erste Kugel aus dem schallgedämpften Lauf seiner MP-5 schlug in der Augenbraue des ersten Wachpostens ein und schleuderte einen Teil seines Schädels und etwas von dem dahinter befindlichen Gehirn auf eine Regalreihe mit Syrah. Cooper wirbelte herum und verpasste Márquez dabei mit der Spitze seines Springerstiefels einen groben Tritt gegen das Schienbein, damit er nicht auf dumme Gedanken kam. Der zweite Posten konnte sich nicht entscheiden, ob er einen Funkspruch absetzen oder sich verteidigen sollte. Er hob die Hand mit dem Walkie-Talkie an den Mund, zielte gleichzeitig mit der Waffe in der anderen Hand ... und brachte keine der beiden Bewegungen zum Abschluss, bevor Coopers zweites Geschoss seinen Nasensteg durchschlug und einen rot-weiß-grauen Sprühnebel auf die Glasscheibe eines Weinkühlers mit Sauvignon Blanc regnen ließ.

Er schoss noch zweimal, um sicherzugehen, dass keiner der beiden Männer mehr einen Alarm auslösen konnte. Anschließend packte er Márquez am Kragen und stellte ihn wieder auf die Beine. Er rammte ihm die heiße Mündung seines Sturmgewehrs in den Rücken und lauschte.

Wie laut das wohl gewesen war? Die Maglite war ihm unter der Achsel heraus auf den Boden gefallen, die panzerbrechende Munition oder Schädelfragmente oder was auch immer hatten ein paar Flaschen Syrah zu Bruch gehen lassen, Márquez war infolge seines Schienbeintritts zu Boden gestürzt, und die Wachposten waren hingeschlagen wie gefällte Eichen.

Er stand da und wartete, lauschte, ob gleich wieder diese zweistimmige Sirene schrillte, ein Funkgerät knackte oder hastige Schritte ertönten.

Ich brauche jetzt ein gottverdammtes Faxgerät.

Die Zeit wurde knapp – er würde bestimmt nicht lange dauern, bis sein wie üblich durch und durch unausgegorener Plan in sich zusammenfiel.

»Gehen wir, Herr König«, sagte er und schob ihn auf die Tür zu, die ins Haus führte.

Das Telefon auf Laramies Nachttischchen klingelte laut.

Sie trat vor das Nachttischchen, griff nach dem Hörer, ließ ihn beim ersten Versuch beinahe fallen, bis sie es schließlich geschafft hatte, ihn ans Ohr zu heben. Dann führte Julie Laramie das zweite seltsame Telefonat innerhalb von vierundzwanzig Stunden.

»Ja …«

Das kreischende Übertragungssignal eines Faxgerätes bohrte sich ihr ins Ohr, bevor es abrupt abbrach. Es klapperte und knallte, dann folgte ein raues, fast unverständliches Flüstern, so dicht vor dem Mikrofon am anderen Ende der Leitung, dass es kaum als menschlicher Laut erkennbar war.

Und trotzdem wusste Laramie ganz genau, wer das war.

»Gottverdammt noch mal, ich hab nicht mal gedacht … ich brauche ein Faxgerät, wie ist die Faxnummer deines Hotels, verflucht noch mal?«

Coopers von Rauschen überlagertes Flüstern kam als kaum identifizierbares Gewirr aus Lauten bei Laramie an. Aber sie brauchte auch kein Raketenforscherdiplom, um zu wissen, dass sie sich beeilen musste.

»Äh, o Gott, Fax, ah, Zimmer vierzehn«, sagte sie. »Du wählst die gleiche Nummer, nur die vierzehn statt der …«

Die Leitung war bereits wieder tot.

Laramie rannte aus dem Zimmer auf den Flur, vorbei an einer ganzen Reihe anderer Türen, und hämmerte an die Tür ihres Betreuers. Daran war eine 14 aus billigen Plastikzahlen befestigt.

Er machte die Tür auf, und sie stürmte an ihm vorbei auf das Faxgerät zu, das, soviel wusste sie, auf seiner Seite der zweiteiligen Suite angeschlossen war.

»Hat es schon geklingelt?«, fragte sie ihren Betreuer, der nichts darauf sagte, aber da gab das Faxgerät auch schon die Antwort, indem es einen gurgelnden Klingelton ausstieß und wieder verstummte.

Dann klingelte es erneut.

»Mein Gott«, sagte sie, »wie viel mal Klingeln ist denn da eingestellt ...?«

Das Gerät schaltete auf Empfang und erneut war das schrille Übertragungssignal zu hören, gefolgt von Stille. Dann zeigte das Display EMPFANGEN an.

»Unser verdeckter Agent hat sich gemeldet«, sagte sie, und dann beugten sie sich beide über das Gerät, während es erst die erste, dann die zweite und schließlich die dritte Seite ausspuckte. Dann verkündete das Gerät mit einem *Pieps,* dass keine weiteren Datensätze angekommen seien, und Laramie hörte Coopers Flüsterstimme aus dem Lautsprecher dringen.

»Verfluchtes Scheißding, wie funktioniert denn das ...«

Sie nahm den mit dem Faxgerät verbundenen Telefonhörer in die Hand. Das Fax bestand aus einer langen Namensliste, die alle von amerikanischen Ureinwohnern zu stammen schienen und hastig auf kleinere Papierstücke gekritzelt worden waren. Das konnte sie an den dunklen Rändern erkennen ...

»Du lebst«, sagte Laramie.

»Nicht mehr lange. Ich habe dir drei Seiten geschickt. Hast du die alle gekriegt?«

»Alle da. Warte mal, willst du damit sagen ...«

»Das sind deine Schläfer. Alle einhundertundsiebzehn.«

»Was? Wie hast du ...?«

»Das sind natürlich ihre ursprünglichen Namen. Ihr müsst also eine Rückwärtssuche starten – oder was immer ihr Analytiker und die Drei Deppen, die du für dich arbeiten lässt, eben so macht, wenn ihr so was machen müsst.«

»Mein Gott«, sagte Laramie und blickte ihren Betreuer an.

Der zuckte mit den Schultern. Sie reichte ihm die Liste, und er setzte sich sofort vor seinen Laptop und griff nach dem Telefon.

Laramie überlegte so schnell wie möglich, was das zu bedeuten hatte. Es würde eine echte Herausforderung werden, all diese Namen zu überprüfen, im ständigen Kampf gegen die Zeit, und das ohne jeden Hinweis auf einen Wohnort, von Fotos ganz zu schweigen. Aber Cooper hatte sie der Lösung gerade eben um neunundneunzig Namen nähergebracht – einhundertsiebzehn minus Achar, die fünfzehn festgenommenen Schläfer, die sie und diese »andere Zelle« identifiziert hatten, sowie die beiden Attentäter von Illinois und Yakima. Der erste und schwierigste Schritt bestand darin, sich bei den jeweiligen Stellen vor Ort Akten mit Fotos zu besorgen, je nachdem, aus wie vielen verschiedenen mittel- und südamerikanischen Staaten Márquez seine Leute angeworben hatte ...

»Er hat das Aktivierungskommando per Fernseh-Werbespot gegeben«, sagte Cooper, »aber mehr weiß ich nicht, bloß, dass ich unseren Freund Raul hier im Schwitzkasten habe. Eine Frage – nur für den Fall, dass ich entgegen jeder vorstellbaren Wahrscheinlichkeit hier lebend rauskomme.«

»Im Schwitzkasten ... was? Welche Frage?«

»Ich will ein klares Ja oder Nein hören. Kein Vielleicht.«

»Geht klar. Welche Frage?«

»Bist du einverstanden?«

»Geht klar!«

»Der Obermufti«, war Coopers Flüsterstimme zu hören.

»Was?«

»Du hast es eigentlich schon halb verraten – bloß ein einziges Mal, aber ich will es genau wissen. Ich habe meine Gründe, aber bitte frag nicht. Ist Lou Ebbers dein Boss?«

Trotz der offensichtlich heiklen Lage, in der sich ihr Gesprächspartner am anderen Ende der Leitung befand, zögerte Laramie. *Was, zum Teufel, will er denn bloß damit anfang ...*

»Kein gottverdammtes Vielleicht, Laramie. Und hab ein kleines bisschen gottverdammtes Vertrauen zu mir.«

Eins-Mississippi ...

»Ja«, sagte sie. »Ja.«

Ihr Blick zuckte kurz hinüber zu ihrem Betreuer, der intensiv mit seinem Computer beschäftigt war.

Dann sagte sie: »Ich bin froh, dass du es geschafft hast ... bis jetzt, meine ich.«

»Wobei die Betonung auf ›bis jetzt‹ liegt«, entgegnete er. »Ich würde an deiner Stelle vorerst jedenfalls keine Party für mich veranstalten.«

Es klickte ein paar Mal in der Leitung.

»Bis bald mal«, sagte er dann.

Das Faxgerät signalisierte mit einem weiteren *pieps,* dass die Verbindung beendet war.

56

Cooper lockerte den Schwitzkasten, schnappte sich seine beiden Schusswaffen und wickelte sich erneut um Márquez, als wäre er selbst so eine Art elastischer Binde. Mit dem linken Arm zwang er Márquez in einen Halbnelson, einen Nackenhebelgriff, bei dem der Arm unter der Achsel des Gegners hindurchgeschoben und ihm kräftig in den Nacken gedrückt wird. Dann nahm er die Browning verkehrt herum in die linke Hand und drückte die Mündung an Márquez' Schläfe. Sein Daumen lag auf dem Abzug. So wurde bei der kleinsten unerwarteten Erschütterung ein Schuss ausgelöst. Er hoffte, dass diese Tatsache den Personenschützern sofort ins Auge sprang. Nun drückte er sich mit der Vorderseite seines Körpers an Márquez' Rücken und umklammerte ihn mit dem rechten Arm, die MP-5 im Anschlag. Er würde sich mit Seitwärtsschritten nach links vorwärtsbewegen müssen, im Krebsgang, aber seine Geisel würde ihm als Schutzschild von vorne dienen, und außerdem konnte er sich so in alle Richtungen drehen und gleichzeitig die MP-5 abfeuern.

Also schob er sich mitsamt seiner Geisel eine Treppe hinauf bis zu einer Tür, die, da war Cooper sich ganz sicher, ins eigentliche Hausinnere führte.

»Mach die Tür auf, Herr König«, sagte er.

Nachdem Márquez seine Anweisung befolgt hatte, versetzte Cooper dem weichen Hinterkopf des Präsidenten einen Kopfstoß, der ihn kurz benommen, aber nicht bewusstlos machen sollte. Márquez stieß ein von der elastischen Binde gedämpftes *uff* aus, und Cooper spürte seine Glieder erschlaffen.

Dann brach er im Krebsgang durch die Tür.

Noch während er und Márquez als vierbeinige Einheit in die Bibliothek flogen, registrierte er drei Sicherheitsbeamte.

Dann flippte er aus.

»*¡Lo tengo! ¡Tranquilízate, no haga nada! ¡Lo mato, lo juro que lo mato!* Zurück, verfluchte Scheiße noch mal!«

Er blieb in Bewegung, steuerte die Türöffnung am anderen Ende des Raumes an. Cooper und Márquez, ein vierhundert Pfund schweres Bündel im Watschelgang auf der Suche nach dem Ausgang. Während er sich also schlurfend vorwärtsschob, versuchte er alle drei Männer im Blick zu behalten. Sie hatten die Waffen gezückt. Zwei von ihnen waren Soldaten – Cooper erkannte ihre AK-47 –, während der Dritte einen Anzug trug und mit einer Pistole bewaffnet war. Der Anzugträger fing an zu reden, versuchte mit seinen Worten Coopers Gebrüll zu durchdringen ...

»*¡Tranquilo, tranquilo!*«

Cooper registrierte erstickte Grunzlaute hinter der elastischen Binde und wusste, dass die wenigen Sekunden Vorsprung, die der Überraschungseffekt ihm eingebracht hatte, zu Ende waren. *Nun mach schon, du vertrottelter alter Sack … noch sieben Meter, dann hast du diesen verdammten Torbogen erreicht …*

Cooper hätte geschworen, dass es in dem angrenzenden Raum ein Fenster, ja, vielleicht sogar eine Tür gab. Dann sah er einen Springbrunnen und hörte das Klacken von Absätzen auf Bodenfliesen.

»*¡Tengo una bomba para matarnos!* Eine falsche Bewegung und ich bringe diesen Drecksack hier um!«

Er schob sich langsam watschelnd unter dem Torbogen hindurch, entschied sich für eine Richtung und drückte sich unmittelbar hinter dem Durchgang an die Wand, sodass die Gorillas in der Bibliothek ihn nicht mehr sehen konnten. Als Nächstes bogen die Inhaber der klackenden Absätze um die Ecke – *zwei Soldaten, zwei Anzugträger* –, und dann registrierte Cooper hinter ihnen die hohen Fenster und dahinter die *Einfahrt.*

Er richtete den Lauf der MP-5 auf die herannahenden Wachen und wurde gleichzeitig von einer betrüblichen Erkenntnis heimgesucht. *Du bist falsch abgebogen. Wenn du zum Fenster willst, dann musst du auf die andere Seite des Torbogens.*

Pech gehabt … jetzt lautet das Motto: Carpe diem.

Er ließ seine MP-5 auf die vier Neuankömmlinge los. Keiner war weiter als siebeneinhalb Meter von der Mündung seiner Waffe entfernt. Das automatische Feuer hörte sich seltsam lautlos an, und Cooper dachte im ersten Moment, er hätte eine Ladehemmung, bis ihm klar wurde, dass das der Schalldämpfer war. Eigentlich brauchte er ihn jetzt gar nicht mehr, aber irgendwie schien er ihm zu helfen, seinen Vorsprung vor den Wachen zu wahren.

Dann löste er sich von Márquez und rammte ihm das Knie in den Rücken, sodass er, alle viere von sich gestreckt, auf dem Fliesenboden landete. Cooper bedauerte, dass er so etwas noch nie zuvor mit einem Videospiel geübt hatte, ließ die Browning herumwirbeln, sodass sie nun wieder richtig in seiner Hand lag, und jagte dem König der Schläfer ein halbes Dutzend Kugeln in den Leib. Dabei hielt er die MP-5 auch weiterhin mit gedrücktem Abzug auf die vier Soldaten gerichtet.

Er war sich nicht sicher, ob er Márquez mit seinen anfängerhaften Wackelschüssen wirklich getötet hatte, aber eigentlich ging er davon aus, dass mindestens vier seiner sechs Kugeln ihr Ziel erreicht hatten. Außerdem spielte es wahrscheinlich sowieso keine Rolle mehr. Die auf der Gedenktafel verewigte Armee des Königs der Schläfer war bereits in Aktion getreten.

Vielleicht konnten Laramie, die Deppen und der Mufti sie ja aufhalten, vielleicht aber auch nicht.

Er nahm den Kopf zwischen die Schultern und rannte auf das Fenster zu. Als er den Torbogen durchquerte, drehte er sich zur Seite und feuerte blindlings in die abgedunkelte Bibliothek mit den drei Wachposten, die, so viel war ihm klar, ihn jetzt ohne jedes Zögern in Fetzen schießen würden.

Eine Kugel traf sein rechtes Bein unterhalb des Knies, und er wäre beinahe gestolpert, als eine Abrissbirne in seiner Schulter einschlug, aber dann war er auch schon an der Öffnung vorbei und erkannte, dass ihm gleich ein deftiger Zusammenprall mit dem Fenster bevorstand. Also ließ er, während das Fenster immer näher kam, erneut die MP-5 sprechen, leerte das Magazin, jagte die letzten Kugeln in das dicke Sicherheitsglas ...

Und dann senkte er die unverletzte Schulter und warf sich mit dem Kopf voraus gegen die schwere Wand aus Glas. Er spürte und hörte ein dumpfes Knirschen, nahm eine seltsame, nur einen Sekundenbruchteil andauernde Verzögerung wahr, bis der Widerstand schwand, er von einem bilderbuchhaften

Kristallsplitterregen umhüllt wurde und mit Wange und Kiefer voraus auf dem erbarmungslosen Asphalt landete. Erst dann dämmerte ihm, dass er die Scheibe durchstoßen hatte.

Er rollte sich ab, kam auf die Füße und rannte los, in der Hoffnung, dass der vorhandene Schwung es mit seinen neu erworbenen Verletzungen aufnehmen konnte. Das zweistimmige Plärren der Sirene schallte über das Gelände, und die Scheinwerfer leuchteten wieder auf, während er seinen zerschundenen Körper die Einfahrt entlangschleppte. Das Rattern automatischer Waffen hallte von allen Seiten wider.

Er schlug sich in die Büsche.

Bei der Ankunft musste ich den Hintereingang nehmen. Aber jetzt ...

Zwischen den Bäumen, die die Einfahrt säumten, hindurch, über ein Beet mit Rindenmulch und ein Stück Rasen ... und dann stand er vor der Mauer.

Sie bringen mich wieder zurück in die Kammer des Schreckens, wenn sie mich erwischen. Sie setzen mich in diesen gottverdammten Stuhl und machen Hackfleisch aus meinen Eiern. Sie peitschen, schlagen, prügeln auf mich ein, schließen mich an ihre gottverdammte Autobatterie an und schicken mich auf eine elektrische Achterbahnfahrt, dann lassen sie mich wie tot in der Zelle liegen, mit nichts weiter als ein paar Tortillakrusten ...

Reiß dich zusammen – du hast es schließlich schon mal geschafft, und da hast du noch achtzig Kilometer oder mehr vor dir gehabt.

Dieses Mal ist es bloß ein einziger Steilhang.

Da musst du rüber, dann kannst du verschwinden. Wie ein Maya, der den Eroberern durch einen unterirdischen Tunnel entwischt, wie ein Vietkong im Dschungel. Sieh zu, dass du irgendwie über diesen Hügel kommst, dann bist du frei.

Dann seid ihr alle beide frei – der Kerl, der vor zwanzig Jahren schon mal hier war, und der, der erst später gekommen ist.

Er zog die Ärmel seines Overalls über die bloßen Hände und rannte auf die Mauer zu, sprang ab, hatte nicht mehr Erde, sondern Stein unter den Füßen und strampelte wie ein Radfahrer mit den Beinen. Mit den Ärmeln als Handschuhersatz griff Cooper nach dem Stacheldraht und zog sich das letzte Stück auf die Mauer hinauf, spürte, wie die Stacheln sich in seine Haut bohrten, bis er schließlich oben angelangt war und sich mit seinem unverletzten Bein abstoßen konnte ...

Der Sturz aus zweieinhalb Metern Höhe war schmerzhaft, aber er schaffte es tatsächlich, den größten Teil des Aufpralls mit seinem faltigen Arsch abzufangen, und dann dachte er ...

Verfluchte Scheiße noch mal, jetzt kriegt mich keiner mehr.

Und dann schlug Cooper sich, gefolgt von seiner zwanzig Jahre lang verschollenen und gefangenen Seele, mit Blasen, Schnittwunden, gebrochenen Knochen, blauen Flecken und Schussverletzungen übersät, in die Wälder.

57

Laramie betrat den Weston Reading Room, der, genau wie beim letzten Mal, abgesehen von Lou Ebbers' einsam sitzender Gestalt leer war. Zwischen all den Regalen nahm sie auch denselben Duft wahr wie beim letzten Mal: Anscheinend hatte er wieder einen großen Starbucks-Kaffee und ein Frühstückssandwich aus der Kantine mitgebracht.

Sie setzte sich an den Platz mit dem Kaffee und dem Brötchen.

Genau wie beim ersten Mal.

»Danke für den Kaffee«, sagte sie. »Aber ich bin ein wenig verwirrt. Als wir mit dieser Mission angefangen haben, da wussten Sie über jede Einzelheit meines Alltags genau Bescheid. Aber ich habe vor einer Woche beschlossen, dass ich unbedingt etwas gegen meine Sucht unternehmen muss. Ich bin gerade dabei, mein Kaffee-Laster abzulegen.«

»Der Nektar der Götter«, meinte Ebbers. »Selbst schuld.«

Als sie sich von Angesicht zu Angesicht gegenübersaßen, dachte Laramie, dass Ebbers, seitdem sie sich das letzte Mal an diesem Tisch begegnet waren, um fünfzehn Jahre gealtert war. Seine Haut wirkte gelblich, und seine Müdigkeit wurde durch die dicken, sorgenschweren Tränensäcke noch verstärkt. Aber das war vermutlich immer noch besser als das, was sie von sich selbst sagen konnte, und vermutlich sehr, sehr viel besser als das, was man von den 11246 Toten sagen konnte, die laut der neuesten Presseerklärung des Heimatschutz-Ministeriums den sechs bislang gezündeten Filobomben zum Opfer gefallen waren.

Dass die Opferzahl relativ gering geblieben war, wurde in erster Linie auf die unermüdlichen, behördenübergreifenden Quarantänemaßnahmen zurückgeführt. Laramie wusste, dass sechzig Schläfer verhaftet worden waren, auch wenn nur zehn Verhaftungen an die Öffentlichkeit gedrungen waren. Man war zu der Ansicht gelangt, dass die tatsächliche Anzahl die Öffentlichkeit innerhalb und außerhalb der Vereinigten Staaten überfordert hätte.

Laramie kannte auch die anderen Maßnahmen, zumindest in groben Zügen: Neben dem sofortigen Verbot von Fernseh-Werbung hatte die Regierung auch ein vorübergehendes Flugverbot für alle kommerziellen Flüge verhängt, das nur in eindeutig gelagerten Notfällen gelockert wurde. In allen befallenen Städten wurden nur die notwendigsten öffentlichen Dienstleistungen aufrecht erhalten, während gleichzeitig im Rahmen einer Art Kriegsrecht unter dem Oberbefehl zahlreicher staatlicher und lokaler Behörden sowie der Strafverfolgungsbehörden einschließlich der Nationalgarde und zahlreicher aktiver Militärorganisationen vielfältige Infektionsbekämpfungsmaßnahmen durchgeführt wurden. An allen großen Börsen war der Handel »bis auf Weiteres« ausgesetzt worden.

In Virginia oder im Stadtgebiet von Washington D.C. waren bis jetzt weder eine hämorrhagische Fiebererkrankung nachgewiesen worden noch eine Bombe detoniert, aber auf ihrer Fahrt zur Kongressbibliothek hatte Laramie auch höchstens ein paar Dutzend Menschen auf den Straßen gesehen. Die Vereinigten Staaten von A waren im Augenblick eine einzige, riesige Geisterstadt, doch nach Laramies Eindruck hatten die Leute im Großen und Ganzen das Gefühl, dass der Staat das Problem im Griff hatte.

Ebbers war gerade damit beschäftigt, ein Blatt Papier durchzulesen, das er zwischen Tischkante und Hüfte hielt.

»Die Zahlen gleichen sich so langsam an«, sagte er. »Heute Morgen haben wir die 24 000 überschritten. Wir heben die öffentlich verbreiteten Zahlen schrittweise an, damit wir sie immer wieder mit Geschichten über erfolgreiche Quarantänemaßnahmen, Festnahmen und so weiter abfedern können. Seit unserem letzten Gespräch hat es noch einmal zwei Festnahmen gegeben. Somit haben wir jetzt fünfundachtzig der insgesamt einhundertsiebzehn Schläfer erfasst: Benjamin Achar, die mutmaßlichen, die Ihr Team ausfindig gemacht hat, die sechs erfolgreichen Bombenbastler und die anderen, die wir, wie Sie wissen, mit Hilfe der Liste aus Márquez' Gedenkstätte ermittelt haben.«

Laramie nickte. Ihre Zelle hatte, genau wie der überwiegende Teil des staatlichen Apparates, rund um die Uhr über den Namen aus Coopers Liste gebrütet, hatte, ausgehend von den ursprünglichen Namen der Schläfer, rückwärts ermittelt, hatte hier ein Familienfoto und dort einen Personalausweis ergattert und dann bei einigen eine Übereinstimmung mit Fotos feststellen können, die im Lauf ihres Lebens mit einer gefälschten, US-amerikanischen Identität entstanden waren. Doch wie Ebbers in seiner Aufzählung soeben bereits festgestellt hatte, war es ihnen nicht gelungen, Márquez' komplette Mannschaft festzunehmen.

»Dann sind also noch zweiunddreißig übrig«, fuhr Ebbers fort. »Wir können wohl davon ausgehen, dass zehn Prozent der ursprünglichen einhundertsiebzehn ausgefallen sind – während der Ausbildung gestorben, auf dem Weg von Kuba hierher von Haien gefressen, beim Versuch, sich eine Identität aufzubauen gescheitert, sich vielleicht auch einfach ... Wie haben Sie es genannt? ... ›assimiliert‹ haben, so wie Achar. Wenn wir also davon ausgehen, dass unsere zehnprozentige ›Fehlerquote‹ stimmt, dann wären wir bei fünfzehn aktiven, aber nicht identifizierten Schläfern angelangt. Wie Sie wissen ist die letzte Bombenexplosion genau elf Tage her. Wir glauben, dass die Bedrohung vorerst einmal abgewendet ist.«

»Für die restlichen Schläfer wäre es jetzt sowieso besser, erst einmal abzuwarten«, sagte Laramie.

»Wenn sie ein bisschen selbstständig nachdenken, auf jeden Fall.«

Ebbers senkte den Kopf.

»Haben Sie etwas von Ihrem operativen Agenten gehört?«

Laramie hielt seinem Blick einen Augenblick lang stand. Auf dem Höhepunkt der Bomben-Krise war gemeldet worden, dass der Präsident von El Salvador von »aufständischen Rebellen« ermordet worden sei. Dieser Nachricht hatte Laramie entnommen, dass der »Schwitzkasten«, mit dem Cooper während ihres letzten Gesprächs Márquez in Schach gehalten hatte, letztendlich mit der beauftragten Eliminierung geendet hatte. Ob Cooper allerdings lebend wieder herausgekommen war, das stand auf einem anderen Blatt.

»Nein«, erwiderte sie. »Kein Wort.«

»Und?«, sagte er dann. »Wie geht es Ihnen, alles in allem betrachtet?«

»Mir? Besser als den meisten anderen. Wir haben ja nicht gerade eine Heldentat vollbracht.«

»Nein?«

»Alles andere als das.«

»Ich würde schon sagen«, widersprach Ebbers. »Ich würde sagen, *Sie* haben eine Heldentat vollbracht.«

»Vierundzwanzigtausend Todesopfer? Das sind wirklich sehr viele.«

»Die Sonderkommission war ein totaler Fehlschlag und gerade dabei, sich selbst aufzulösen, als wir Sie ins Boot geholt haben«, sagte Ebbers. »Es waren insgesamt einhundertsiebzehn Schläfer. Nicht zehn oder zwölf oder was die achtzehn oder noch mehr Behörden, die an den Untersuchungen der Hinterlassenschaften von Benny Achar beteiligt gewesen sein mögen, vermutet haben. Vierundzwanzigtausend, das ist wirklich ein Haufen Menschen, da stimme ich Ihnen zu, aber Sie haben 300 Millionen andere gerettet. Das ist doch ein sehr viel größerer Haufen.«

Laramie untersuchte die Maserung der Tischplatte.

»Wir lassen Sie an Ihre Arbeit zurückkehren«, sagte Ebbers jetzt.

Laramie schaute ihn an.

»Malcolm Rader rechnet am Montag mit Ihrem Erscheinen. Niemand dort weiß, was Sie und Ihr Team gemacht haben. Um genau zu sein, weiß überhaupt niemand, was Sie gemacht haben. Abgesehen von mir, Ihrer Zelle und Ihrem persönlichen Betreuer.«

»Und abgesehen von den Leuten, für die Sie arbeiten«, ergänzte Laramie.

Ebbers schaute sie an – eigentlich schaut er eher in mich *hinein* als mich *an,* dachte sie. Der Blick gefiel ihr nicht.

»Vermutlich haben Sie Recht«, sagte er dann. »Aber so oder so müssen wir in all den Punkten, die wir im Anschluss an Ihr Verhör mit dem Schläfer in Scarsdale telefonisch besprochen haben, absolutes Stillschweigen bewahren. Und das wird nicht reichen: Nichts, und zwar wirklich absolut gar nichts von dem, was Sie und Ihr Team in dieser Angelegenheit getan, gedacht oder gesagt haben, darf jemals ans Licht kommen. Wir wollen nicht, dass auch nur eine offizielle Regierungsstelle jemals davon erfährt. Wir wollen nicht, dass die Medien jemals davon erfahren, und wir wollen nicht, dass der Kongress jemals davon erfährt. Das gilt auch für den Fall, dass Sie eines Tages gezwungen sein könnten, unter Eid zu diesen Themen Stellung zu nehmen.«

Da war es wieder ... das *Wir.* Das *Wir,* das ihr vermutlich nie in vollem Umfang erläutert oder enthüllt werden würde.

»Für die Mitglieder der Sonderkommission«, fuhr er fort, »waren Sie eine Sonderermittlerin des Weißen Hauses. Ihr Name wurde nicht genannt. Sie haben als namenlose Sonderermittlerin im Auftrag der Sonderkommission ein paar geheimdienstliche Erkenntnisse zu Tage gefördert, mit deren Hilfe die Sonderkommission sowie andere staatliche und lokale Institutionen und Strafverfolgungsbehörden in der Lage waren, mit größtmöglicher Effektivität auf die bislang größte Bedrohung unserer nationalen Sicherheit zu reagieren. Ihr eigentliches Ich aber war während dieser ganzen Tortur mit einer segensreichen und völlig anders gelagerten Tätigkeit im Auftrag der Central Intelligence Agency beschäftigt.«

So sehr sie sich darüber empörte, musste Laramie sich doch eingestehen, dass es besser war, wenn diejenigen Aspekte des Selbstmordbomber-Schläfer-Rätsels, die das Pentagon, dessen Forschungen über biologische Kampfstoffe sowie den Ursprung des Marburg-2-Virus betrafen, zunächst einmal unter Verschluss gehalten wurden. Das einzige Problem bei einer solchen Übereinkunft bestand darin, dass die Wahrscheinlichkeit, dass diese Fakten jemals ans Tageslicht kommen würden, mit zunehmender Zeitdauer immer schneller immer geringer wurde. In ein paar Monaten würde nichts weiter davon übrig sein als ein paar Gerüchte von Leuten wie ihr, Detective Cole, Wally Knowles, Eddie Rothgeb und Cooper. Und vermutlich wurde schon jetzt fleißig an zahlreichen Maßnahmen gestrickt, wie man jeden solchen Bericht sofort für unglaubwürdig erklären konnte.

Laramie konnte sich ganz gut vorstellen, wie es gelaufen war. Welche Befugnisse Ebbers auch immer besitzen mochte – falls er überhaupt irgendwelche Befugnisse besaß –, einen Kampf mit einem ganzen Regierungsflügel anzuzetteln gehörte jedenfalls sicherlich nicht dazu. Man hatte eine Ermessensentscheidung getroffen. Sie wäre zwar durchaus in der Lage gewesen, über die Medien oder auf anderem Weg einen Skandal heraufzubeschwören, aber sie entschloss sich, diese Entscheidung mitzutragen. Im Augenblick wenigstens.

Sie hatte keine große Wahl.

»Für die Zukunft behalten die Leute, für die ich arbeite, sich das Recht vor, Ihre Dienste und die Ihres Teams erneut in Anspruch zu nehmen. Dieses Recht wird je nach Notwendigkeit von Fall zu Fall geltend gemacht werden.«

Laramie registrierte, in welcher Form Ebbers seine Bemerkung gemacht hatte. Es war keine Frage gewesen, daher sah sie auch keine Notwendigkeit zu einer Antwort.

»Diese mögliche Inanspruchnahme Ihrer Dienste ist allerdings notwendigerweise an eine einzige, logische und – ich möchte ganz offen zu Ihnen sein – ohne Rücksicht auf Verluste einzuhaltende Bedingung geknüpft. Sie lautet natürlich: Jedes Mitglied Ihres Teams muss in Bezug auf alle Ereignisse der jüngeren Vergangenheit absolutes Stillschweigen bewahren. Jeder Verstoß gegen diese Bedingung ... nun, Miss Laramie, sorgen Sie dafür, dass keines Ihrer Team-Mitglieder dagegen verstößt.«

Bei diesen Worten sah Laramie ein düsteres Blitzen in Ebbers' Blick, und sie reagierte ähnlich. Schließlich hatte man ihr soeben mitgeteilt, dass, sollten sie oder ein Mitglied ihres überhastet zusammengestellten Teams auch nur ein Wort über die durchgeführte Operation verlieren, diese Indiskretion mit dem Tod oder etwas in der Art bestraft würde.

Während der Ausbildung haben sie dich genau davor gewarnt. Wenn man sich auf eine Arbeit im Geheimdienstapparat einlässt, dann kann es sein, dass kein Mensch etwas von deinen Erfolgen erfährt, während deine Fehler fast immer an die große Glocke gehängt werden.

Obwohl ich nicht den Eindruck habe, als würde ich immer noch für die Central Intelligence Agency arbeiten. Zumindest nicht ausschließlich ...

Sie fügte sich in ihr Schicksal und dachte an Cooper und ihre gemeinsame Fahrt über das stille, dunkle Meer nach Kuba.

Immer locker blieben, Moonn, hatte er gesagt. Jetzt ließ sie sich genau diese Worte durch den Kopf gehen.

»Sie melden sich am Montag in Ihrem Büro«, sagte Ebbers. »Malcolm Rader weiß nur eines, und zwar als Einziger: Er weiß, dass es nicht stimmt, dass Sie plötzlich erkrankt sind und operiert werden mussten, um sich anschließend einer einmonatigen Behandlung in einer Spezialklinik zu unterziehen. Das hat man Ihren anderen Kollegen wie auch den Menschen aus Ihrem privaten Umfeld erzählt. Sie konnten selbstverständlich aufgrund Ihres kritischen Gesundheitszustandes keinen Besuch empfangen.«

»Gut«, sagte Laramie. Es war das erste Wort seit etlichen Minuten, und es hörte sich irgendwie laut und fehl am Platz an.

»Und sehen Sie bloß«, sagte Ebbers und erhob sich, »Sie sind wieder ganz gesund geworden. Gratulation und einen Toast auf Ihre Gesundheit. Wenn Sie mich jetzt bitte entschuldigen.«

Laramie reagierte vollkommen automatisch, stand auf und schlug ein, als er ihr seine Hand reichte.

»Auch wenn es im Augenblick schwer zu begreifen sein mag«, sagte er dann, »aber Sie haben sich in dieser ganzen Angelegenheit absolut vorbildlich verhalten.«

Nach beendetem Handschlag nickte Laramie zum Dank, wollte etwas sagen und ließ es dann doch lieber sein. Auch den unberührten Kaffee und das Sandwich ließ sie auf dem Tisch stehen, rückte einfach nur den Gurt ihrer Schultertasche zurecht und machte sich auf den Weg nach draußen.

58

Als Ebbers auf die Straße trat, stand sein Lincoln Town Car wie üblich mit laufendem Motor und unverriegelter Tür bereits am Bordstein. Die besonders dunkel getönten Scheiben des Wagens hinderten normalerweise andere daran, Ebbers zu sehen. Heute aber sorgten sie dafür, dass Ebbers nicht sehen konnte, dass der sonnengebräunte Kerl am Steuer des Wagens nicht der Mann war, der ihn normalerweise fuhr. Als Ebbers seine Tür zuklappte, war ein viertüriges, schweres *Tschak* zu vernehmen, das Ebbers veranlasste, den Mann auf dem Fahrersitz etwas genauer unter die Lupe zu nehmen. Er erkannte, dass er einen Fehler gemacht hatte, und musste, als er das Fahrzeug verlassen wollte, feststellen, dass der Türgriff ihm dabei auch keine Hilfe war.

Cooper drehte sich um und blickte den zunächst nervösen, aber nach und nach ruhiger werdenden, ehemaligen Leiter der Central Intelligence Agency an. Kurz nachdem er den Fahrer für eine Weile ins Reich der Träume geschickt hatte, hatte er festgestellt, dass die beiden hinteren Türen des Lincoln über eine ausgesprochen praktische Kindersicherung verfügten und hatte sie aktiviert.

Ebbers ergriff als Erster das Wort.

»Unser operativer Agent hat es also offensichtlich geschafft«, sagte er.

Cooper lächelte wenig bis gar nicht erfreut.

»Offensichtlich«, erwiderte er.

Ebbers schaute sich im Innenraum des Wagens um, dann warf er einen Blick zum Fenster hinaus auf die praktisch vollkommen verlassene Straße.

»Was haben Sie mit meinem Fahrer gemacht?«, wollte er wissen.

»Der kommt schon wieder auf die Beine«, entgegnete Cooper. »Also, Lou?«

Ebbers verschränkte die Arme vor der Brust.

»Ja«, erwiderte er und versuchte es mit gereiztem Desinteresse.

»Jetzt verfolge ich seit zweieinhalb Wochen die Medienschlacht, die jeden noch so winzigen Aspekt dieser schrecklichen Krise ausführlich dokumentiert«, sagte Cooper.

»Ach, tatsächlich.«

»Ja. Und wissen Sie, was ich daran ganz interessant finde? Ich habe nirgendwo einen Beitrag gesehen oder gelesen, der sich mit der Frage beschäftigt, wie, wo und von wem dieser M-2-Virus hergestellt worden ist.«

Nachdem er einen Augeblick darüber nachgedacht hatte, sagte Ebbers: »Jetzt, wo Sie's sagen: Mir ist auch nichts dergleichen begegnet.«

Cooper nickte.

»Falls aber in ein paar Monaten eine Geschichte durch die Presse gehen sollte«, sagte er, »in der davon die Rede ist, dass die biologischen Massenvernichtungswaffen, die diese Schläfer gezündet haben, in einem vom Pentagon finanzierten Labor hergestellt worden sind ... na ja, das würde wahrscheinlich kein besonders gutes Licht auf die guten alten Vereinigten Staaten von A werfen, oder?«

Ebbers musterte ihn eine Weile.

»Wahrscheinlich nicht«, sagte er dann. »Aber andererseits bin ich sicher, dass die zuständigen Stellen schnell erkennen würden, dass der betreffende Journalist seine Geschichte nicht gründlich genug recherchiert hat, und dass sie auf diesen Umstand ebenso verweisen würden wie auf andere fragwürdige Methoden, die dieser Journalist im Rahmen seiner beruflichen Tätigkeit ganz allgemein und speziell in diesem Fall angewandt hat.« Ebbers hielt Coopers Blick stand. »Aber trotzdem könnte ein solcher Bericht tatsächlich einigen Schaden anrichten.«

»Und die Gegenmaßnahmen der Regierung wären bestimmt erheblich weniger Erfolg versprechend«, fuhr Cooper fort, »wenn dieser Journalist, sagen wir mal, die Aussagen zweier unabhängig voneinander interviewter Augenzeugen, Kunstgegenstände sowie weitere konkrete Beweise für die Richtigkeit seiner Geschichte vorlegen könnte. Wenn ich es recht bedenke: Noch schwieriger würde es werden, wenn dieselbe Geschichte gleich von mehreren Journalisten am selben Tag veröffentlicht würde.«

Ebbers musterte ihn noch eine Weile, dann sagte er: »Ja, das wäre noch schwieriger.«

Cooper nickte erneut und wirkte dabei vielleicht eine Spur fröhlicher.

»Das bedeutet, dass wir hier und heute zwei Punkte zu besprechen haben, Lou.«

»Zwei Punkte.«

»Richtig. Punkt eins: Mit Wirkung vom gestrigen Tag an gilt Folgendes: Sollte Laramie, mir selbst oder einem der

Drei Deppen irgendetwas zustoßen, ganz egal was, abgesehen vielleicht von einem natürlichen Tod infolge von Altersschwäche – wobei ich der Einzige bin, dem in nächster Zeit dieses Schicksal droht –, dann bekommen noch am selben Tag sechs prominente Journalisten sämtliche Unterlagen in die Hand, über die wir soeben gesprochen haben. Laramie und die Deppen wissen übrigens nicht, dass wir dieses Gespräch führen, und ich bin mir, ehrlich gesagt, ziemlich sicher, dass zumindest Laramie äußerst erbost wäre, wenn sie wüsste, dass ich sie in mein kleines Selbstschutz-Komplott aufgenommen habe.«

Cooper veränderte seine Sitzposition und verzog das Gesicht. Seine diversen noch nicht verheilten Wunden und Verletzungen bereiteten ihm sichtliches Unbehagen.

»Aber, Lou, ich kann mir zumindest *ein* Szenario vorstellen, in dem Sie beziehungsweise die Leute, für die Sie arbeiten, eines Tages zu dem Schluss kommen, dass das Personal, das Sie zur Bearbeitung dieses Selbstmordbomben-Schläfer-Falls rekrutiert haben, ein kleines bisschen zu viel über die falschen Dinge weiß. Allerdings bezweifle ich, dass Sie oder die Leute, für die Sie arbeiten, miterleben möchten, wie die Finanzierung eines Forschungslabors für biologische Kampfstoffe durch das Pentagon *bis zum Erbrechen* bei *Hannity & Colmes* oder in ähnlichen Sendungen debattiert wird. Ich bin mir sicher, dass Sie am Anfang gar nichts damit zu tun gehabt haben, aber Sie und Ihre Bande scheinen zumindest entschlossen zu sein, den momentanen, bequemen Status Quo zu erhalten. Daran wollen wir doch nichts ändern, oder?«

»Kommen Sie zu Punkt zwei«, sagte Ebbers.

»Nummer zwei ist ganz einfach. Nur eine Bitte.«

Regungslos und stumm saß Ebbers da.

»Sie, beziehungsweise die Leute, für die Sie arbeiten, haben sich bei der Beschaffung dieses Memos, in dem das ›Projekt

Icarus‹ oder wie immer das Pentagon dieses Labor in Guatemala genannt hat, als große Hilfe erwiesen.«

»Keine Ursache.«

»Nun ja, danke«, erwiderte Cooper. »Da Sie bei der Beschaffung dieses Dokuments eine solch große Effizienz an den Tag gelegt haben, möchte ich Sie bitten, Ihren Einfallsreichtum noch einmal zu bemühen. Ich wiederhole: Es ist eine einfache Bitte. Sie müssen mir nur verraten, wer das Memo *geschrieben* hat.«

Erneut rutsche Cooper auf seinem Sitz hin und her.

»Ich möchte wissen, wer während des fraglichen Zeitraums für diese ›Forschungsgruppe‹ gearbeitet hat. Das muss etwa um 1979 gewesen sein oder anders ausgedrückt: zu der Zeit, als das Labor mit den nötigen finanziellen Mittel ausgestattet wurde. Ich möchte in erster Linie wissen, wer das entschieden hat. Das kann wirklich nicht allzu schwierig sein. Mein Gott, Lou, so wie Sie die meisten Erkenntnisse Ihrer ›Zelle‹ unter Verschluss gehalten haben, da schätze ich, dass Sie sowieso mit vielen oder vielleicht sogar allen Beteiligten so richtig dick befreundet sind.«

Cooper klopfte ein paar Mal auf das Lenkrad.

»Wenn Sie die Betreffenden rausgesucht haben, können Sie die Liste unter meinem Namen im Jefferson Hotel am Empfang abgeben, egal, wie lang sie ist. Ich brauche sie morgen Abend um acht.«

Ebbers sagte: »Unter Ihrem richtigen Namen oder Ihrem falschen?«

Cooper kicherte.

»Nicht schlecht, Lou«, sagte er. »Wissen Sie was? Das überlasse ich Ihnen. Und nur für den Fall, dass auf dieser Liste ein paar Personen mit einem gewissen Einfluss auftauchen sollten – wovon ich eigentlich ausgehe –, dann versteht es sich von selbst, dass ich diese Liste nicht von Ihnen habe. Es sei denn, natürlich, es tritt der vorhin erwähnte Fall ein, und mir stößt etwas zu.«

Cooper entriegelte seine Tür, stieß sie auf und stieg aus. Dann beugte er sich ins Wageninnere und warf Ebbers die Autoschlüssel zu.

»Ihr Fahrer liegt im Kofferraum«, sagte er. »Geben Sie ihm ein, zwei Ohrfeigen, dann müsste er eigentlich wieder aufwachen.«

Cooper grinste.

»Immer locker bleiben, *Moonn«*, sagte er.

Er klappte die Fahrertür zu und steuerte die nächste, menschenleere Ecke an. Ebbers sah Cooper mit unrunden, ruckartigen Bewegungen davonhinken.

59

Der Schaltkasten der Alarmanlage im Keller des Gebäudes hatte zwar ein paar technische Fertigkeiten verlangt, aber nachdem es ihm gelungen war, die Fenstersensoren abzuschalten, war Cooper unbemerkt in das Sandsteinhaus in Georgetown gelangt und saß nun in einem äußerst kostspieligen Ledersessel in der Hausbibliothek.

Abgesehen von ein paar Notfallleuchten im Flur – Leuchten, die es nicht geschafft hatten, einen Strandpenner am Eindringen zu hindern – war es dunkel im Raum. Cooper saß einsam und allein auf seinem dunklen Thron und dachte über den Schlussakt seiner »Ausknipser-Theorie« nach.

Die Ausknipser, beziehungsweise, wie Cooper mittlerweile glaubte, *der* Ausknipser, Singular, hatte versucht, sämtliche Spuren der goldenen Kunstgegenstände, die der verstorbene Cap'n Roy erbeutet hatte, zu verwischen. Von der Existenz der Artefakte hatte der Ausknipser erfahren, nachdem die US-Küstenwache auf Po Keelers Fracht im Bauch der *Seahawk* gestoßen war. Er wollte unbedingt vermeiden, dass etwas über die geraubten Kunstgegenstände an die Öffentlichkeit drang, weil er genau wusste, woher diese Gegenstände stammten und was sich dort zugetragen hatte: nämlich die vollständige Auslöschung einer ganzen Indio-Zivilisation. Der Genozid war die Konsequenz eines Unfalls oder eines Lecks in einer vom Pentagon finanzierten Produktionsstätte für biologische Kampfstoffe gewesen, die bis dahin unter strengster Geheimhaltung im gleichen Vulkankrater wie das Dorf, ein paar Kilometer weiter östlich, in Betrieb gewesen war.

Und während der Ausknipser Cooper, der auf dem Papier immer noch Mitarbeiter der CIA war, bislang verschont hatte, ging Cooper davon aus, dass seine Schonfrist nunmehr beendet war. Vor allem, da Cooper und die ›Zelle‹, für die er arbeitete, genügend Material gesammelt hatten, um die Verbindungslinien zwischen dem mittlerweile verstorbenen Raul Márquez, seiner Armee von Bio-Terroristen, ihrem gentechnisch hergestellten Filovirus-Stamm und dem Labor, das den Stamm hergestellt hatte, zu erkennen.

Wobei der eigentliche Beweis für die Richtigkeit dieser Zusammenhänge seltsamerweise in Gestalt der einzigen Überlebenden des versehentlichen Genozids bestand – einer Frau, die, zumindest für eine gewisse Zeit unsterblich gemacht, in einem Mausoleum unter einem Keller mit kostbarem Wein lag. Und sie hatte ihre Rache bekommen – sie hatte mehr Amerikanern das Leben genommen, als das amerikanische Filo-Labor unter ihren Brüdern Opfer gefordert hatte. Mit in diese Gleichung gehörte auch die Enthauptung sämtlicher Personen, die im Kopf des »Forschungsgruppen-Memos« genannt wurden.

Doch am Schluss hatten sie und Raul sich ein kleines bisschen verschätzt: Den eigentlichen Autoren dieses Memos, denjenigen, der die Finanzierung des Labors zuallererst genehmigt hatte, hatten sie nicht erwischt.

In dem versiegelten Umschlag, der im Jefferson Hotel abgegeben worden war, befand sich eine Liste mit vier Namen. Der Umschlag war mit Coopers richtigem Namen beschriftet gewesen und nicht mit dem, den er momentan benutzte. Obwohl Cooper klar war, woher Ebbers das wusste, musste er lachen.

Zwischen 1976 und 1979 hatten vier Männer die »Forschungsgruppe« geleitet, das ging jedenfalls aus dem Dokument hervor, das Ebbers ausgegraben hatte. Nachdem Cooper mit Hilfe der Langley-Datenbank die drei Personen, deren Namen ihm unbekannt waren, unter die Lupe genommen hatte, war klar, dass seine erste Vermutung zutreffend gewesen war: Nur einer der vier ehemaligen Pentagon-Mitarbeiter auf Ebbers' Liste bekleidete gegenwärtig eine Stellung, in der er von der Aktion der Küstenwache gegen die gute *Seahawk* hatte erfahren können, und nur einer dieser ehemaligen Mitarbeiter verfügte auch über den notwendigen Einfluss, um die ganze Ausknipserei zu veranstalten, deren geballter Wucht Cooper sich bislang hatte entziehen können.

Jetzt saß er in der Bibliothek dieses Mannes – dem persönlichen Arbeitszimmer des Ober-Ausknipsers.

Cooper wusste, dass der Mann, genau wie Lou Ebbers, in einem Lincoln Town Car vorfahren würde.

Henry Curlwood legte den Mantel ab und betrat sein Sandsteinhaus.

»Hennie«, wie er allgemein genannt wurde, war während seiner Zeit als Steuermann der Pentagon-Forschungsgruppe noch *Lieutenant* Curlwood gewesen. Heute jedoch kannten ihn Cooper und praktisch jeder andere Zeitung lesende Mensch als den stellvertretenden Stabschef des Weißen Hauses.

Curlwood stellte überall, wo er war, eine selbstgefällige Miene zu Schau, selbst zu Hause – was Cooper im Schein der Sicherheitsbeleuchtung im Flur von seinem Platz in der Bibliothek aus ganz genau erkennen konnte.

Cooper wusste, dass Curlwood von einem Mitarbeiter des Secret Service begleitet wurde, aber das war ihm ziemlich egal. Er ging fest davon aus, dass die Reaktion des Ober-Ausknipsers so ausfallen würde, dass er den Leibwächter nicht brauchte. Der als herausragend gerühmte Geist des stellvertretenden Stabschefs würde sich sehr schnell zusammenreimen können, was Coopers Anwesenheit in seinem Arbeitszimmer zu bedeuten hatte.

Immer vorausgesetzt natürlich, dass Curlwood tatsächlich der Ausknipser war.

»Hennie, alter Junge!«, sagte Cooper. »Wie wär's mit einem Feuer?«

Er hatte sich schon vorher überlegt, ob er den offenen Kamin anheizen sollte, sich aber dagegen entschieden. Womöglich wäre sonst der Mann vom Secret Service zuerst hereingekommen.

Curlwood streckte mit verstimmter Miene seinen Kopf zur Tür herein, und Cooper knipste die Stehlampe neben seinem Ledersessel an. Der Lichtkegel erweckte seinen abblätternden, sonnenverbrannten Rumpf zum Leben. Auch Curlwoods Gesichtsausdruck erwachte zum Leben, als sich zunächst Verwirrung und Überraschung und anschließend ein beruhigtes Erkennen darauf zeigten. Mit einem einzigen Blick hatte Cooper die Bestätigung erhalten, nach der er gesucht hatte.

Es gibt nur eine einzige Erklärung dafür, dass er mich kennt: Weil ich der Mann bin, den er ganz bewusst nicht *kaltgemacht hat.*

Der Personenschützer des Secret Service war gut. In einer einzigen, geschmeidigen Bewegung beförderte er Curlwood per Schulterwurf hinter die Wand, zog seine Pistole, machte eineinhalb Schritte ins Arbeitszimmer und warf sich mit voller Wucht auf Cooper. Dieser purzelte mitsamt dem Sessel nach hinten, während die Pistole des Leibwächters sich in seine Rippen bohrte, und ließ sich ohne allzu großen Widerstand zu Boden werfen und Handschellen anlegen, bis er ein Knie im Nacken und einen Pistolenlauf im Rücken spürte.

»Gute Arbeit«, sagte Cooper.

»Klappe halten«, erwiderte der Personenschützer und versetzte ihm mit der Pistole einen heftigen Stoß zwischen zwei Rippen.

Er forderte mit Hilfe des üblichen kleinen Funkgeräts am Handgelenk bereits Verstärkung an, als Curlwood seinen Kopf zur Türöffnung hereinstreckte.

»Lassen Sie ihn los«, sagte er zu seinem Leibwächter. »Ich kenne den Mann.«

»Sind Sie sicher?«, erwiderte der Mann vom Secret Service und verlagerte sein gesamtes Gewicht auf das Knie über Coopers Kopf. Cooper dachte, dass der Kerl wahrscheinlich am liebsten noch ein *Der kommt mir vor wie ein gottverdammter Klugscheißer, wenn ich Sie wäre, würde ich ihm nicht über den Weg trauen* hinzugefügt hätte, aber er wusste genauso gut wie der Personenschützer selbst, dass Typen wie er nicht dafür bezahlt wurden, den Leuten, die sie beschützen sollten, auch noch ihre Meinung kundzutun.

»Lassen Sie ihn los.«

Als das geschehen und auch die Browning behutsam aus Coopers Hosenbund entfernt worden war, sagte der Personenschützer: »Mit oder ohne Handschellen?«

»Ohne«, erwiderte Curlwood. »Lassen Sie uns bitte für eine Minute allein.«

»Falls Sie mich brauchen, ich bin nebenan«, sagte der Leibwächter. Er stellte den umgestürzten Sessel und die Lampe wieder an ihren ursprünglichen Platz. Dann nahm er Cooper die

Handschellen ab und machte, schon während er auf dem Weg in den Flur war, seine Bitte um Verstärkung rückgängig, indem er seinem Handgelenk erklärte, was geschehen war. Cooper registrierte, dass der Mann weder die Sig Sauer des Secret Service noch die Browning der CIA ins Halfter steckte.

Der stellvertretende Stabschef hatte ihm zwar nicht angeboten, wieder auf dem Sessel Platz zu nehmen, aber Cooper setzte sich trotzdem. Curlwood blieb stehen, obwohl sich nur zwei Schritte hinter ihm ein identischer zweiter Sessel befand.

Als der Leibwächter außer Hörweite war, sagte Curlwood: »Was wollen Sie?«

In der Folgezeit diktierte Cooper, fröhlich grinsend wie ein kleiner Junge im Bonbonladen, Curlwood seine Bedingungen, die im Wesentlichen auf dieselbe Drohung hinausliefen, die er auch schon bei Ebbers angewandt hatte: *Wenn du mich irgendwie verarschen willst, dann kommt das Projekt Icarus an die Öffentlichkeit.* Dieses Mal standen auch Ernesto Borrego und Lieutenant Riley von der Royal Virgin Islands Police Force auf der Liste der Personen, denen nichts Außergewöhnliches zustoßen durfte, weil ansonsten die Unterlagen über das Labor und die diversen Auswirkungen des dort hergestellten »Filo« der Öffentlichkeit zugespielt werden würden.

»Einschließlich«, sagte Cooper, »des Namens des Lieutenants, der die Finanzierung des Labors überhaupt erst genehmigt hat.«

»Gut«, erwiderte Curlwood.

Er wollte keine weitere Erklärung oder Klarstellung haben.

Cooper kauerte sich in seinen Sessel und starrte Curlwood von unten her lange und schweigend an. Curlwood sagte auch nichts, um die Stille zu überbrücken. Er hielt aber auch nicht direkt Coopers Blick stand.

»Du hast wirklich Gottvertrauen, Hennie«, sagte Cooper schließlich. »Wenn auch ein ziemlich fehlgeleitetes.«

Curlwood, der scharfsinnige Präsidenten-Ratgeber, verarbeitete und interpretierte diese Bemerkung innerhalb von genau zwei Sekunden.

»Ich nehme an«, sagte der stellvertretende Stabschef dann, »ich könnte jetzt so etwas sagen wie ›Ich habe Sie verschont und bin davon ausgegangen, dass auch Sie mich verschonen werden‹, aber in Wirklichkeit habe ich Sie gründlich unter die Lupe nehmen lassen. Schon ziemlich am Anfang der ganzen Sache. Von Kopf bis Fuß.«

»So, so«, erwiderte Cooper.

»Sie sind bekannt für Ihre erpresserische Vorgehensweise. Und Sie sitzen in meiner Bibliothek. Da braucht man nur eins und eins zusammenzählen.«

»Du musst in Zukunft ein bisschen sorgfältiger recherchieren, Hennie«, sagte Cooper. »Kann ja sein, dass deine Einschätzungen normalerweise ganz zutreffend sind, aber Cap'n Roy Gillespie war ein guter Mensch. Und obwohl ich sie nicht gekannt habe, schätze ich, dass die Mayas in diesem gottverdammten Regenwaldkrater auch keine allzu schlechten Menschen gewesen sein können.«

»Das mag ja sein. Sind wir fertig?«

Cooper holte lang und tief Luft und ließ sie ganz langsam wieder entweichen, wie aus einem Fahrradschlauch mit einem winzigen Loch. Er hatte ausführlich darüber nachgedacht ... was blieb denn noch zu tun, abgesehen von der Gründung einer Stipendien-Stiftung für andere, noch lebende Maya-Dorfbewohner? Schneewittchens Nachbarn, Freunde und Verwandte waren alle schon lange tot. Während er sich ein paar Wochen lang in einem Krankenhausbett in São Paulo von seinen Verletzungen erholt hatte, hatte Cooper beschlossen, dass ihm, wollte er nicht mit einer Machete im Haus des Ausknipsers aufkreuzen, um das letzte Ziel von Schneewittchens Rachefeldzug eigenhändig zu enthaupten, nur wenige Möglichkeiten blieben, abgesehen von seinem üblichen Selbstschutz-Erpressungs-Konzept, in diesem Fall um ein paar Personen erweitert.

Jetzt allerdings, wo Curlwood ihm direkt gegenüberstand, musste Cooper sich regelrecht zusammenreißen, um der Versuchung zu widerstehen, seine Gedanken von São Paulo in den Wind zu schießen und sein Gegenüber mit bloßen Händen zu erwürgen.

Hennie, heute ist dein gottverdammter Glückstag. Jetzt bin ich zweimal in den Untergrund gestiegen, und meine mörderische Ader ist anscheinend einem Bedürfnis nach Selbstschutz gewichen. So als hätte ich zum ersten Mal nach zwanzig Jahren etwas, wofür es sich zu leben lohnt. Und jetzt hat es sich irgendwie ergeben, dass ein erbarmungsloser Strippenzieher aus dem politischen Machtapparat die Ehre hat, als Erster davon zu profitieren und mit dem Leben davonzukommen.

Cooper erhob sich. Er trat vor den kleineren Curlwood, beugte sich nach unten, bis ihre Nasen sich fast berührten, und umschloss Curlwoods Gesicht mit den Händen, sodass er die fleischigen Ohren und Backen des Kerls in beiden Handflächen spürte. Dann versetzte er dem stellvertretenden Stabschef zwei extrem harte Schläge auf die linke Wange.

»Für Erste«, sagte er dann. »Fürs Erste sind wir fertig.«

Er ließ Curlwood los.

Dieser blieb regungslos stehen, während Cooper in den Flur hinaushumpelte und »Meine Pistole« in die Richtung bellte, in die der Personenschützer gegangen war.

Als keine Reaktion erfolgte, brüllte Curlwood. »Geben Sie sie ihm!«

Der Mann vom Secret Service trat in den Flur und warf Cooper seine Browning zu. Sie fühlte sich deutlich leichter an als vorher.

Dann steckte er die munitionslose Waffe am Rücken in den Hosenbund und machte sich auf den Weg in die Hügel.

60

Laramie hatte nur ihrem Vorgesetzten mitgeteilt, dass sie wieder in der Stadt war. Daher reagierte sie etwas beunruhigt, als es an ihre Tür klopfte. Sie hatte nichts von irgendwelchen neuen Bombenattentaten gehört. Aber sobald der Filo sich in bislang nicht befallene Gebiete ausbreitete, was in vereinzelten Bereichen quer durchs ganze Land immer wieder vorkam, klopfte die Nationalgarde im Rahmen der Quarantänemaßnahmen an jede Tür, das wusste sie.

Es wurde eine Ausgangssperre über die ganze Stadt verhängt, würde der Besucher wahrscheinlich sagen. *Sie dürfen das Haus nicht verlassen, nicht einmal, um kurz in den Garten zu gehen. Jeder Verstoß wird unverzüglich mit Gefängnis geahndet.*

Doch der Besucher, den sie bei einem Blick durch den Türspion ihrer Eigentumswohnung erkannte, war keineswegs ein Angehöriger der Nationalgarde. Sie sah, wie Cooper eine Thermoskanne und zwei bauchige Cocktailgläser in die Luft hob, damit sie sie bei einem Blick durch den Spion erkennen konnte.

Jetzt erst wurde ihr bewusst, dass sie lediglich ein Höschen und ihr Lakers-Nachthemd trug. Sie überlegte kurz, ob sie ins Schlafzimmer huschen und in eine Jeans schlüpfen sollte, doch dann dachte sie *Ach, was soll's* und machte die Tür auf.

Cooper kam hereingehuscht, und Laramie sah, dass er seltsam angepasste Kleidung trug: einen Pullover mit einem aufwändigen Kragen- und Knopfarrangement, Khakihosen, die tatsächlich bis über die Knie hinunterreichten, und sogar *Schuhe.* Laramie wusste nicht, wann sie Cooper das letzte Mal ohne Uniform gesehen hatte. Denn eigentlich trug er, von unten nach oben gesehen, immer – *immer!* – Flipflops oder Sandalen, *fast* immer Shorts und normalerweise ein kurzärmeliges Seidenhemd mit Tropenmuster.

Cooper streckte ihr die Thermoskanne und die Cocktailgläser entgegen.

»Wenn's nach mir gegangen wäre, hätten wir diese kleine Wiedervereinigung auf dem Strand bei San Cristóbal gefeiert«, sagte er. »Aber angesichts der ganzen Flugverbote schätze ich, dass wir mit original kubanischen *Mojitos* so dicht dran sind wie nur möglich.«

Laramie klappte die Tür ins Schloss und betrachtete ihn, die Hände in die Hüften gestützt.

»Du siehst anders aus«, sagte sie.

»Du nicht«, sagte er.

Laramie hatte sich bis jetzt nicht von der Stelle gerührt, und Cooper musste sich eingestehen, dass Laramie, genau wie andere Staatsbeamte auch, ihm keinen Platz auf einer der verfügbaren Sitzflächen in ihrer näheren Umgebung angeboten hatte. Daher blieb auch er stehen.

»War das ein Kompliment?«, erkundigte sich Laramie.

»Wahrscheinlich«, erwiderte Cooper.

Jetzt nickte Laramie.

»Was willst du hier?«, wollte sie wissen.

»Hallo sagen«, meinte Cooper, »und nebenbei meiner kommandierenden Offizierin zu ihrem relativen Erfolg bei der Aufklärung der ›Bioterror‹-Krise gratulieren …«

»Vermutlich hattest du sowieso irgendwas in der Gegend zu erledigen«, sagte Laramie, »aber in meiner Funktion als menschlicher Lügendetektor stelle ich hiermit die Theorie auf, dass du auch hergekommen bist, um mich zu beeindrucken.«

»Wie kommst du denn darauf?«

»Wann hast du mich das letzte Mal in meiner Wohnung besucht?«

Cooper erwiderte: »Noch gar nie.«

»Wann hast du dich das letzte Mal wie ein ganz normaler Mensch angezogen?«, sagte Laramie.

»Schwer zu sagen«, meinte er.

»Das alles könnte durchaus den Eindruck entstehen lassen, als sei das Ultimatum aufgehoben worden«, sagte Laramie. »Das Ultimatum, das besagt, dass ich auf die Inseln zurückkommen muss, um von Clubanlage zu Strand zu Badeort und wieder zurückzuhüpfen, oder aber mit dem Fluch des toten Telefons belegt werde.«

Cooper erwiderte: »Na ja, es ist zwar schwer nachzuvollziehen, aber du scheinst ja lieber irgendwo zu wohnen, wo man mit Filoviren bombardiert wird, bloß weil man da wohnt, wo man wohnt. Aber mit der Zeit lernt man, solche exzentrischen Vorlieben zu akzeptieren.«

Sie blieben auch weiterhin stehen.

»Was ist denn in einem *Mojito* drin?«, wollte Laramie wissen.

»Eine Menge sehr guter Rum, ein paar zerstampfte Minzeblätter, ein bisschen Zucker und sehr wenig Soda. Auf Eis.«

»Hört sich ganz gut an.«

»Ein berühmter, traditioneller, kubanischer Cocktail«, sagte Cooper. »Wo wir gerade beim Thema Tradition sind: Das wäre mein erster Schluck Alkohol seit diesem Mittelamerika-Kreuzzug, zu dem du mich geschickt hast.«

Laramie hielt sich tapfer, auch wenn sie beinahe angefangen hätte zu lächeln.

»Witzig«, sagte sie.

»Was ist denn witzig daran, dass ein Mensch sich von einer langen Phase des massiven Alkoholmissbrauchs erholt?«, sagte er.

»Ich selbst habe seit ein paar Tagen diese heftigen Koffein-Entzugs-Kopfschmerzen«, sagte sie.

»Aha«, lautete Coopers Reaktion.

Nach einem kurzen Augenblick sagte Laramie: »Wir kommen nicht besonders gut miteinander klar.«

Cooper überlegte.

»Wahrscheinlich ungefähr so gut wie ein altes Ehepaar«, erwiderte er.

Laramie warf ihm einen Blick zu.

»Mit dem Unterschied«, sagte sie dann, »dass wir einander nicht jeden Tag, sondern wahrscheinlich nur einmal im Monat sehen werden. Oder alle zwei Monate. Und trotzdem genauso schlecht miteinander klarkommen.«

Cooper zuckte mit den Schultern.

»Ich habe einen Ruf zu verteidigen«, sagte er.

»Als Miesepeter, meinst du.«

»Ja, genau«, erwiderte er. »Als Miesepeter.«

Laramie ließ eine Hand sinken.

»Du sagst, du hast nichts mehr getrunken, seitdem du aus diesem Flugzeug abgesprungen bist?«

Dann fiel ihr etwas ein.

»Ach, übrigens, was ist eigentlich passiert? Hast du deine Bordelektronik vielleicht aus dem Flugzeugfenster geworfen? Wie wär's, wenn du beim nächsten Mal so freundlich wärst, uns ein klein wenig früher zu informieren?«

»Ich bin gegen einen Baum geprallt«, sagte er, »aber warum kommen wir nicht noch einmal darauf zurück, was du sagen wolltest, bevor du dein Verhör begonnen hast?«

Laramie merkte, wie die Hitze von den Schultern ausgehend ihren Hals hinaufkroch.

»Du meinst das, dass du seither keinen Tropfen Alkohol mehr angerührt hast?«

»Ja, genau das.«

Cooper hatte das Gefühl, als würde er sich unwillkürlich nach vorne beugen, als wäre Laramie eine Art Magnet und er ein Stück Stahl.

»Oh«, sagte sie. »Das.«

»Worauf wolltest du mit dieser Frage hinaus?«, fragte Cooper.

»Und wer ist jetzt der Lügendetektor?«

»Worauf wolltest du hinaus?«, wiederholte Cooper.

Laramie seufzte.

»Also gut«, sagte sie, »wenn du es unbedingt wissen willst. Ich wollte sinngemäß so etwas sagen wie ›Na ja, warum willst du dann unbedingt jetzt wieder damit anfangen‹ und, na ja ...«

Na, großartig, dachte sie: *Von verwegen zu verschämt in dreißig Sekunden oder weniger ...*

»Wenn du einfach da reingehst«, sagte Cooper, »und ich die Drinks abstelle und dir nachgehe, dann musst du das, was du eigentlich sagen wolltest, bevor du angefangen hast ein kleines bisschen zu lange darüber nachzudenken, nicht mehr sagen ...«

»Sei still«, sagte sie, ließ auch die andere Hand sinken und streifte ihn damit an der Schulter, als sie an ihm vorbei und durch den abgedunkelten Flur in ihr Schlafzimmer ging.

Cooper bückte sich und stellte Thermoskanne und Gläser auf den Fußboden.

Dann bin ich eben still, dachte er und ging ihr nach.

DANKSAGUNG

Ohne die Bemühungen, den Idealismus und das große fachliche Wissen von Marc H. Glick und Stephen F. Breimer, Matthew Guma und Richard Pine, Jess Taylor, Michael Morrison, Lisa Gallagher und Sarah Durand würde dieses Buch wahrscheinlich nur auf der Festplatte meines PowerBooks existieren. Außerdem möchte ich Rachel Bressler, Lynn Grady und Eryn Wade sowie all den anderen qualifizierten Mitarbeitern von HarperCollins dafür danken, dass sie sich immer wieder für Coopers Belange starkgemacht haben.

Darüber hinaus möchte ich mich auch bei Mark Shapiro, Ron Semiao, George Bodenheimer, Mike Antinoro, Fred Christenson, Crowley Sullivan, Ron Wechsler und den vielen anderen ehemaligen und gegenwärtigen Kollegen bei ESPN herzlich bedanken.

Auch in der Welt der Romanautoren und -verleger finden sich etliche ausgesprochen freundliche Menschen, und daher möchte ich mich bei Michael Connelly, Clive Cussler, James Patterson, James Rollins, James Siegel, David Morrell und Christopher Reich für ihre freundlichen Worte über mein erstes Buch *Painkiller* herzlich bedanken. Mein besonderer Dank gilt Gregg Hurwitz, der die Idee hatte, mich mit den meisten der im ersten Abschnitt genannten Personen bekannt zu machen. Außerdem schulde ich jeder Buchhandlung – den unabhängigen Geschäften mit ihren Mitarbeitern genauso wie den größeren

Ladenketten – Dank dafür, dass sie bereit waren, Cooper und Laramie in ihre Regale zu stellen.

Und zu guter Letzt: Romane, zumindest meine Romane, könnten niemals entstehen ohne die grenzenlose Unterstützung und Geduld der Lieben zu Hause. Diesbezüglich bin ich der glücklichste Mensch der Welt. Nadine, Sophie, Brick und Geheimnisvolle Nummer drei: Das alles war nur möglich, weil es euch gibt. Mom, Dad und Bart: Danke, dass ihr immer für mich da wart und mir all das mitgegeben habt.

Und, wie beim letzten Mal, gilt dieser Gruß euch allen: *Immer locker bleiben, Moonn.*